Geschichte der klassischen Bildgattungen
in Quellentexten und Kommentaren
Band 5

Eine Buchreihe herausgegeben vom
Kunsthistorischen Institut
der Freien Universität Berlin

Eberhard König
und Christiane Schön (Hrsg.)

Stilleben

Reimer

Die Deutsche Bibliothek - CIP-Einheitsaufnahme

Stilleben / Eberhard König und Christiane Schön
(Hrsg.). – Berlin : Reimer, 1996
  (Eine Geschichte der klassischen Bildgattungen ; Bd. 5)
  ISBN 3-496-01142-4
NE: König, Eberhard [Hrsg.]; GT

© 1996 by Dietrich Reimer Verlag
Dr. Friedrich Kaufmann
Unter den Eichen 57
12203 Berlin

Umschlaggestaltung: Bayerl & Ost, Frankfurt am Main
unter Verwendung der Abbildung *Pains et comtoir aux fruits sur une table*, 1909,
von Pablo Picasso
© Succession Picasso. VG Bild-Kunst, Bonn 1996

Alle Rechte vorbehalten
Printed in Germany

ISBN 3-496-01142-4

Inhalt

Vorwort 11

Eberhard König
**Stilleben zwischen Begriff und
künstlerischer Wirklichkeit** 13

Vorbemerkung 15

Begriffsgeschichtlicher Teil 17

Die Bestimmung von Bildern als Stilleben 17
Jacopo de' Barbaris Tafel von 1504: Das früheste datierte Stilleben? – Definitionen der Kunstgeschichte und der Sprachgeschichte – Zur Eigenart kunstgeschichtlicher Gattungsbegriffe

Die ursprüngliche Bedeutung der Begriffe
Stilleben und *nature morte* 21
Oxymora gegensätzlicher Herkunft? Der holländische Begriff *stilleven* zwischen Malvorgang und Bildinhalt – Natur und Leben in den Worten *stilleven* und *nature morte*

Die Begriffsgeschichte in den
verschiedenen europäischen Sprachen 25
Der italienische Beitrag – Zum sprachgeschichtlichen Verhältnis von *stilleven* und *nature morte* – Die frühesten Erwähnungen des Wortes *Still-life* im Englischen – Kritikersprache versus Künstlersprache: *nature morte* bei Diderot – Das Wort *Stilleben* in der deutschen Sprachgeschichte – Die Spannweite des Begriffs

Historische Begrifflichkeit und späterer Sprachgebrauch 34
Ausweitung des deutschen Begriffs im 19. Jahrhundert – Zur Anwendung des Begriffs heute

Historische Voraussetzungen und Anfänge des Stillebens 37

Historisch bedingte Einschränkungen der Definition von Stilleben 37

Der erste Wortsinn von Stilleben und Nature morte – Bilder von Stillebenmalern bei der Arbeit – Das Stilleben in der künstlerischen Praxis

Pittura dal naturale 41

Der Grundsatz *nach dem Leben* oder *nach der Natur* beim Bild des Menschen – Das Prinzip *nach dem Leben* oder *nach der Natur* als Grundlage des Naturstudiums – Das Prinzip *nach dem Leben* oder *nach der Natur* und die Anleitung durch einen Lehrer – Vorbehalte gegen die Leitlinie *nach dem Leben* oder *nach der Natur*

Neuzeitliches Stilleben und Antike: der Wert des Beiwerks im Sinne der Rhetorik und die Frage der Tradierung aus dem Altertum 45

Legitimation durch antikes Vorbild? – Willkommenes Beiwerk im Sinne der Rhetorik – Das Wissen über antike Stilleben – Scheinarchitekturen zwischen Stilleben und Trompe l'oeil

Stillebenmalerei als Phänomen der *ars nova* seit Giotto 47

Stilleben als Errungenschaft der italienischen Malerei der Frührenaissance? – Analogien zu den Anfängen der Landschaftsmalerei in Italien – Stillebenmotive in der altniederländischen Malerei

Von ersten Vorboten zur Gattung Stilleben 49

Das Bündel von Voraussetzungen – Schwierigkeiten der Festlegung – Von dienender Funktion zum Galeriebild – Das früheste unbestrittene Meisterwerk der Stillebenmalerei: Caravaggios *Fruchtkorb* in der Ambrosiana

Zur Wertschätzung des Stillebens 54

Die Wurzeln der Geringschätzung 54

Gattungshierarchie vor akademischer Definition – Das Stilleben im akademischen Gattungsgefüge – *Inventio* versus *Imitatio* – Gesellschaftliche und nationale Untertöne

Stillebenmalerei als Beruf und Berufung 57

Stillebenmalerei und Bildermarkt – Caravaggio im Wettstreit mit Zeuxis

Inhaltliche Vielfalt niederländischer Spezialisten   59

Unterschiedliche Wege in Flandern und Holland – Die Faszination der unverwechselbaren Manier – Die Faszination der Optik – Die Nobilitierung des holländischen Stillebens durch Gérard de Lairesse

Stillebenmalerei als Verwirklichung des Künstlers   64

Chardin in Diderots Augen – Die Macht über das verfügbare Modell – Verwirklichung der Frau in Stillebenmalerei

Vom Beiwerk zur revolutionären Gattung der Moderne   66

Stilleben-Episoden vor den ersten Gemälden der Gattung – Von der Verwechselbarkeit der Dinge und der Malerei – Bestätigung der Rangfolge durch *Auf den Kopf Stellen* – Des Stillebens Sieg über die große Figurenmalerei als Fanal für den Aufbruch in die Moderne? – Der scheinbare Widerspruch zwischen der Arbeit nach dem Sichtbaren und der Freiheit der Form in der Moderne

Nachbemerkung: Das Stilleben in den anderen Künsten   76

Klaus Junker
Antike Stilleben   93

Der antike Gattungsbegriff *Xenia* – Der Bildgegenstand *Obsonia* – Der Begriff *Rhyparographos* – Der *Ungefegte Raum* des Sosos – Zusammenfassung

Antike Quellen   103

Vitruv über *Xenia* (um 25 v. Chr.) – Plinius d. Ä. über Sosos (vor 79)

Eberhard König, Bärbel Küster,
Christiane Schön und Christian Vöhringer
Hauptthemen in den Quellentexten   107

Stilleben als *Imitatio*   108

Plinius d. Ä. über Zeuxis und Parrhasios (vor 79) – Leon Battista Alberti über Qualitäten des Beiwerks (1435) – Jan Bruegel d. Ä. über Blumenstücke für Federico Borromeo und Ercole Bianchi (1606, 1608 und 1611) – Cornelis de Bie über Jan de Heem (1649) – Francisco Pacheco über Stillebenmalerei (1649) – Denis Diderot über Jean-Baptist Siméon Chardin (Salon von 1765) – Denis Diderot, *Imitation*, in der *Encyclopédie* (1765) – Jean-Etienne Liotard über die notwendige Kunstfertigkeit beim Stillebenmalen (1782)

Stilleben gegen die Absenz der realen Dinge   127

Leonardo Giustiniani (vor 1446) und Filarete (1464) zur Aufhebung der Jahreszeiten durch Malerei – Federico Borromeo über die Freude an gemalten Blumen im Winter (1628) –Jan Vos in Bildgedichten über Blumen-Stilleben von van Aelst und Pater Seghers (1662) – Jan Bruegel d. Ä.über den Wert seltener Blumen (1608) – Johann Georg Sulzer über Malerei und Reichtum der Natur (1792)

**Von der eigenständigen antiken Gattung zum
rhetorischen Beiwerk im 16. Jahrhundert   134**

Philostrats *Xenia* in den *Eikones* (vor 245) – Blaise de Vigénères über *Xenia I* (1578) – Blaise de Vigénères über *Xenia II* (1578) – Die Kupferstiche von Jaspar Isaac in der ersten illustrierten Philostrat-Ausgabe (1614) – Die Gedichte von Thomas Artus Sieur d'Embry unter den Kupferstichen (1614)

**Stilles Leben und tote Werke der Natur
als schmückendes Beiwerk im Sinne von Rhetorik und Poetik   147**

Charles Alphonse Dufresnoy über stillebenhaftes Beiwerk (1668) – Roger de Piles in seinem Kommentar zu Dufresnoy (1668) – Joseph Addison über die Abschilderungen des Stillen Lebens und der Toten Werke der Natur in Miltons *Paradise Lost* (1712) – William Hogarth in seinen Entwürfen zur *Analysis of Beauty* (1753)

**Parerga, *Uitspanningen van de kunst* oder
Bestandteil nobler Malerei   154**

Franciscus Junius über das Rebhuhn des Protogenes (1638) – Samuel van Hoogstraten über das holländische Stilleben seiner Zeit und das Publikum (1678) – Gérard de Lairesses *Großes Malerbuch* (1707)

Stilleben im Spiegel der Akademiedoktrin   174

Gabriele Paleotti zur Angemessenheit von Stillebenelementen (1582) – Vincenzo Giustiniani an Teodoro Amideni über den Rang des Stillebens bei Caravaggio (um 1620) – André Felibien über die Rangfolge der Gattungen (1669 und 1666/88) – Charles-Etienne Gaucher antwortet auf den *Désaveu des artistes* von Abbé Le Brun (1776) – Sir Joshua Reynolds über die verschiedenen Fähigkeiten der Maler (1770) – Wolfgang Müller von Königswinter über Menschenbild und Stilleben (1854) – Vincent van Gogh und die Gattungshierachie (1888)

Der Stellenwert von Stilleben in der Goethezeit 185

Johann Wolfgang von Goethe über *Einfache Nachahmung der Natur, Manier und Stil* (1789) – Johann Heinrich Meyer über die Gegenstände der bildenden Kunst (1798) – Christian Ludwig von Hagedorn über Jan van Huysum (1762) – Johann Heinrich Merck über Stilleben und Sammler (1779) – Johann Georg Sulzer über das Pittoreske in der Malerei (1793) – Friedrich Wilhelm Basilius von Ramdohr über das Schöne in den nachbildenden Künsten (1793) – August Wilhelm Schlegel über das Stilleben (1801–04)

Stilleben als Realisation 197

Castagnary über den Tod der Historienmalerei (1857) – Castagnary über Manets Zola-Bildnis im Salon von 1868 – Emile Zolas Plädoyer für Manet (1867) – Emile Zola über die revolutionäre Rübe (1886) – Max Liebermann über malerische Phantasie und Stilleben (1922) – Cézanne im Gespräch mit Gasquet (1896/1904) – Rilke über Farbe und Bewegung in einem Stilleben Cézannes (1907) – Wilhelm Trübner und Carl Schuch über die Farbe im Stilleben (1892) – Lovis Corinth und Hans von Marées über das Stilleben zum Erlernen der Malerei (1908) – Apollinaire über Titel und Bildgegenstände der Kubisten (1912) – Apollinaire über neue Bildmaterialien (1913) – Vincent van Gogh in Briefen an seinen Bruder (1885–1888) – Van Gogh über die Notwendigkeit von Modellen (1888) – Heidegger über van Goghs Bauernschuhe (1935) – Brief von René Magritte an Michel Foucault über »Les mots et les choses« (Mai 1966) – Claes Oldenburg: Kritik als Kuchen (1965) – Joseph Beuys zu »Das Schweigen von Marcel Duchamp wird überbewertet« (1964)

**Stillebenmaler und -malerinnen von der Antike
bis an die Schwelle zur Moderne** 223

Plinius über den Rhyparographos Peraïkos (184) – Giorgio Vasari über Giovanni da Udine (1568) – Carel van Mander über den Blumen- und Fruchtmaler Lodewijk Jans von Valckenborch, genannt van de Bosch (1604) – Constantijn Huygens über Johannes Torrentius (1629) – Cornelis de Bie über Pater Seghers (1649) – Arnold Houbraken über Maria van Osterwyck (1719) – Francesco Maria Tassi über Evaristo Baschenis (1750) – Horace Walpole über Jan van Zoon (1764) – William Harnett im Interview (zw. 1885 u. 1892)

Bibliographie 256

Verzeichnis der Abbildungen 271

Namenregister 272

Vorwort

Aber der Vater ruft aus dem großen Volk seiner tausend / Söhne den Morpheus auf, den Meister der Kunst, die Gestalten / Nachzuahmen. Es drückt so geschickt wie dieser kein andrer / Mienen aus und Gang, den Ton der Stimme; die Tracht auch / Gibt er dazu und die Wendungen, die im Gespräch einem Jeden / Eigen. Doch e r, er stellt nur Menschen dar, und ein andrer / Wird zum Vogel, zum Tier, zum langen Leib einer Schlange. / Icelos heißt er den Göttern, Phobetor der sterblichen Menge. / Aber als dritter übt von den ihren verschiedene Künste / Phantasos: Täuschend geht in Erde, Felsen und Wellen, / Stämme er über, in alles, was nicht der Sitz einer Seele.

(Publius Ovidius Naso, *Metamorphosen*, in deutsche Hexameter übertragen und mit dem Text hrsg. von Erich Rösch, München 1961, S. 427.)

Phantasos malte alles, was nicht der Sitz einer Seele war; seine Tätigkeit machte es möglich, obwohl die Welt ganz vom Menschen und dem Leben bestimmt war, in der Kunst auch dem Unbeseelten Raum zu geben. Dem Beseelten am entferntesten ist das Stilleben, das in den romanischen Sprache nature morte heißt. Für solche Malerei war im Mythos Phantasie da; ausgerechnet von diesem Sohn des Traums erhielt die Phantasie ihren Namen.

Scheinbar liegen Welten zwischen der Arbeit nach dem Leben und der Phantasie, doch hebt die Kunst das Paradox auf. Bilder aus der Phantasie und Abbildungen aus dem Leben werden gleichermaßen zu Kunstwerken; aber der Rang, den wir dem Stoffe oder der Arbeit des Malers einräumen, verändert sich. Des Künstlers Anteil steht gegen die Fähigkeit eines auch noch so gelehrten Publikums, zu messen und zu bewerten, was aus der fremden oder ganz und gar verschlossenen Welt der Ateliers in Salons, Galerien und schließlich in Museen drang.

Ein Phantasos und nicht ein Mime hat überhaupt erst möglich gemacht, daß man Stilleben malte. Das sei im Folgenden nie vergessen. Vor streng rationalem Urteil mag kein Buch zur Gattung Stilleben im Spiegel des Denkens über Kunst bestehen. Wer sich aber auf das, was die aus dem Traum geborenen ersten Künstler Ovids schufen, einlassen möchte, dem sollen im Folgenden Gedanken so reich und so unterschiedlich wie ein Blumenstück von Jan Bruegel und so fruchtvoll wie ein Korb von Caravaggio dargeboten werden.

Emsig mußte dafür gesammelt werden; und der Dank, der sich nun an all die hilfreichen Geister richten muß, kann nicht herzlich genug sein. Da sind zunächst einmal die vielen Studierenden, mit denen die Herausgeber in zwei Hauptseminaren Stilleben aus vier Jahrhunderten diskutierten. Von ihnen haben Meike Deter und Barbara Segelken konkreten Anteil an diesem Bande; ebenso wie sie haben Fiona Healy, Rebecca Duckwitz und Dieter Beaujean Texte beschaffen. Heribert Tenschert hat nicht nur illustrierte Erstausgaben zur Verfügung gestellt, sondern aus ungeheurer Belesenheit wertvolle Anregungen beigesteuert. Lotte Hellinga werden Hinweise verdankt; bei Übersetzungen half sie ebenso wie Annette Strech und Arwed Arnulf. Den Essay diskutierten Hannah Baader, Wolfgang Beyrodt, Stephanie Buck, Uwe Fleckner und Eckart Neumeister. Um das ganze Konzept ging es in lebhaften Diskussionen mit Bärbel Küster und Christian Vöhringer. Korrektur gelesen haben diese beiden ebenso wie Dieter Beaujean, Michael Hoff, Stephan Kemperdick und Hartmut König.

Den immer eifrigen Leser der *Metamorphosen* mußte erst sein Kollege Werner Busch an Ovids Phantasos erinnern. Busch hat mit den Kollegen Thomas W. Gaehtgens und Rudolf Preimesberger den Anstoß zu der nun verwirklichten Buchreihe weiterentwickelt, der einer Idee von Barbara Gaehtgens verdankt wird. Alle vier haben kritisch gegengelesen. Reiner Haussherr sei gedankt, daß er den Gedanken nährte, irgendwann einmal etwas zu schreiben, das auf Picassos Basler Stilleben hinführen sollte.

In einem Fach, das noch heute ganz auf die Leistung des Einzelnen ausgerichtet ist, stellt die Herausgabe eines solchen Buches durch eine Schülerin, die gerade ihren Magister gemacht hat, und ihren Betreuer immer noch eine Art von Neuigkeit dar. Doch wäre die unerwartet harte Phase der Fertigstellung nicht zu überstehen gewesen, wenn nicht hilfreiche Geister in unterschiedlichem Maß zum Schluß zur Stelle gewesen wären: Tanya Laubach hat letzte Recherchen beigebracht und den Index erarbeitet. Carolin Quermann, die schon seit langem das Projekt verfolgte, hat großen Anteil am Gelingen. Ohne Doris Müller-Ziem hätten wir auf wichtige Hilfe beim Verständnis der italienischen Texte verzichten müssen; unermüdlich hat sie geschrieben und korrigiert, aber auch die Ergebnisse durch Bibliotheksarbeit abgesichert. Ihr gebührt unsere hohe Anerkennung ebenso wie Monika Oellers-Reis und Maximilian Benker, zumal sie sich erst spät in das Projekt einarbeiten mußten. Den größten Anteil an unserem Buch über Stilleben hat jedoch Gabriele Bartz, die mit Kritik und Hilfe, Ermunterung und Geduld, schließlich aber mit unermüdlichem und strukturierendem Arbeitseinsatz, dieses Projekt auch zu ihrem eigenen machte.

Widmen möchten wir dieses Buch Charles Sterling, der einen von uns beiden einige Tage an seinem stillen Leben beim Park der Diana von Poitiers hat teilnehmen lassen. Die Stilleben aus Büchern und aus den Blumen und Früchten des Landes, in dem er schließlich seine Heimat fand, sind unvergessen. Von Buchmalerei war die Rede; daß Stilleben ein unerschöpfliches und großes Thema ist, war jedoch nebenher zu erfahren.

Stilleben zwischen Begriff
und künstlerischer Wirklichkeit

von Eberhard König

Vorbemerkung

Das lebendigste Buch über Stilleben, Charles Sterlings *La Nature morte de l'antiquité au XXe siècle,* wurde 1952 von einem traditionellen Kunsthistoriker, einem Kenner geschrieben. Im 1982 datierten Vorwort zur dritten Auflage sagt der Autor, er schreibe nicht für Philosophen, sondern für Künstler und jene, die fühlen und denken wie Künstler.[1] Sterling ist das gelungen, sogar einen Pablo Picasso hat er einmal – freilich wortlos – überzeugt.[2]

Sterling kam ohne tiefgehende Begriffsklärung aus, zumal ihm der französische Terminus *nature morte* bar jeden nennenswerten Sinns erschien. In Abwandlung des Dürerworts »Was die Schönheit sei, das weiß ich nit« könnte man sagen, Sterling habe sich gar nicht weiter damit befaßt, was *Stilleben* oder *nature morte* sei, sondern nur, »was zu den menschlichen Zeiten van den meisten Teil (dafür) geacht würd [...]«[3] Unanschaulich gewordenen Fachausdrücken verstand er Gestalt zu geben, indem er Stilleben und deren Erschaffung einfach beschrieb. Demnach wird ein authentisches Stilleben an dem Tage geboren, an dem ein Maler die Grundentscheidung trifft, eine Gruppe von Objekten als Thema zu nehmen und zu einer bildnerischen Einheit zu ordnen.[4]

Wer heute über Stilleben schreiben will, kann wie Claus Grimm in seinen beiden prachtvoll ausgestatteten Bänden die großen optischen Sensationen, die die Malerei in dieser Gattung bereit hält, für sich sprechen lassen.[5] Sekundiert von frühen Stimmen, die ebenfalls die Definition in der Negation suchen,[6] wird man auch ohne historische Begrifflichkeit das Richtige kaum verfehlen. Man muß nur all das ausschließen, was über Stilleben hinausgeht, also Menschen, lebende große Säugetiere, Vögel und Fische zeigt.

Eine Begriffsgeschichte kann auf zwei gründlichen Studien aufbauen: Mit den französischen Termini hat sich Michel Faré in der Festschrift für Charles Sterling befaßt, während Karin Beth vom deutschen Sprachgebrauch ausging.[7] Beth sichtete die Vielfalt der Bedeutungen, Faré hingegen lehnte den herrschenden Ausdruck *nature morte* ab. Auf der Begriffssuche betitelte derselbe Autor nach einem Buch über das 17. Jahrhundert den darauffolgenden Band über das 18. Jahrhundert in Anlehnung an das Wort Stilleben *La vie silencieuse*.[8] Mit der Begriffsgeschichte im Holländischen, Deutschen und Italienischen befassen sich auch einleitende Bemerkungen zu einschlägigen Dissertationen.[9] Doch ist es zu früh für ein Resümee. Auch der hier vorgelegte Versuch bietet eher ein Thesengebäude als Lehrbuchwissen.

Die entscheidende Phase der Begriffsbildung muß jeder Recherche entgehen; sie wird sich unter Künstlern und Auftraggebern zu Zeiten abgespielt haben, da man mit Bildideen zu spielen begann, die später von kunstfernen Geistern in Gattungen geschieden wurden. Von mündlicher Überlieferung ausgeschlossen, bleibt der Historiker vorrangig auf schriftliche Quellen, in der Neuzeit meist gedruckte Bücher angewiesen. Daß sie nur einen Teil der Wirklichkeit bieten, zeigt ein Beispiel: Das manchem Bildungsbürger so teure Mißverständnis, man habe es gar nicht mit *Still-Leben,* sondern mit *Stil-Leben* zu tun, taucht nirgendwo ernsthaft gedruckt auf.

Realen Sprachgebrauch kann eine solche Studie, wenn überhaupt nur mit zeitlicher Verzögerung fassen. Vermutlich bringen die hier diskutierten Begriffe in einer Kodierung, die nur im kleinen Kreis verständlich war, wortreicher auszuführende Sachverhalte verknappt auf den Punkt. Sobald ein solcher Begriff aus einem begrenzten Lebensbereich in einen anderen drang, war nicht mehr gewährleistet, daß der vorherige Sinn in neuer Umgebung noch verstanden wurde. Frisch geprägte Worte dürften noch anschaulicher gewesen sein als zu Zeiten ihrer allgemeinen Verbreitung. Deshalb sagt der Grad von Einsichtigkeit eines Wortsinns etwas über das relative Alter von Begriffen aus. Wenn der Wortlaut Widersinn bietet und ein Terminus zum Namen für ein damit nicht mehr erkennbar Bezeichnetes wird, dürfte ein unmittelbar verständlicher Wortgebrauch vorausgegangen sein.

Daß die gedruckt vorzufindenden Begriffe nicht zu der Zeit entstanden, für die sie verbürgt sind, wird in der kunstwissenschaftlichen Diskussion ebenso fahrlässig übersehen wie die Tatsache, daß die Welten der Maler und des Publikums eher über Bilder als über Sprache kommunizieren. Deshalb ist keineswegs sicher, daß Begriffe wie *Stilleben* oder *nature morte* bei Malern überall und immer dieselben Vorstellungen wachriefen wie beim Publikum. Die Wechselwirkung zwischen Produzenten und Rezipienten, in der sich die Worte formten, läßt sich eher mit kreativer Phantasie erahnen als philologisch exakt rekonstruieren.

Begriffe wandeln sich und verfestigen sich zu Vokabeln, die zuweilen sogar das Gegenteil von dem bezeichnen können, was sie einmal an Sinngehalt bargen.[10] Im Nachhinein reizt es zwar immer wieder, die Anschaulichkeit wiederherzustellen. Doch pragmatisch wäre es, viele Fachausdrücke als abstrakte Setzungen zu behandeln und nur noch der eingebürgerten Anwendung folgend zu definieren. Deshalb scheint es eher zweifelhaft, ob ein Forscher wie Charles Sterling mit dem hier vorgelegten Versuch, noch einmal die Worte zu klären, einverstanden gewesen wäre, war er doch überzeugt, daß die Kunsttheorie der künstlerischen Praxis auf monströse Weise hinterher hinkt.[11] So mag denn noch heute für das Folgende gelten, was Goethe 1772 in seiner Rezension von Sulzers Schrift *Die schönen Künste in ihrem Ursprung, ihrer wahren Natur und besten Anwendung* schrieb:

Daß eine Theorie der Künste für Deutschland noch gar nicht in der Zeit sein möchte, haben wir schon ehmals unsre Gedanken gesagt.
Wir bescheiden uns wohl, daß eine solche Meinung die Ausgabe eines solchen Buches nicht hindern kann; nur warnen können und müssen wir unsre gute junge Freunde vor dergleichen Werken. Wer von den Künsten nicht sinnliche Erfahrung hat, der lasse sie lieber. Warum sollte er sich damit beschäftigen? Weil es so Mode ist? Er bedenke, daß er sich durch alle Theorie den Weg zum wahren Genusse versperrt, denn ein schädlicheres Nichts, als sie ist nicht erfunden worden.[12]

Begriffsgeschichtlicher Teil

Die Bestimmung von Bildern als Stilleben

Jacopo de'Barbaris Tafel von 1504: Das früheste datierte Stilleben?

Ein Rebhuhn mit einem kostbar verzierten Armbrustbolzen und zwei eiserne Handschuhe hängen über einem einzelnen Nagel an einer blanken Holzwand. Wie die Gegenstände aufgehängt wurden und ihr fragiles Gleichgewicht erhielten, ist schon ein Wunder für sich. Die Unwahrscheinlichkeit des Arrangements wird auch dadurch nicht gemindert, daß von der Münchner Tafel (Abb. 1) seit fast einem halben Jahrtausend nichts herunterfiel. Dort ist alles ja nur gemalt von Jacopo de'Barbari, der das Gemälde mit seinem Namen und dem Zeichen des Caduceus signierte, nicht ohne auch das Jahr 1504 anzugeben, in dem das Bild entstanden ist.[13]

Obwohl man durch Leon Battista Alberti gelernt hatte, ein Bild wie durch ein Fenster zu sehen,[14] versperrte der aus Venedig gekommene Künstler den Blick mit dem glatten Holz, das als eigentliche Bildebene dient. Vor diese Fläche und damit in den Betrachterraum läßt er die Gegenstände ragen. Zusammengestellt hat er sie ohne praktischen Sinn; denn ein solcher Armbrustbolzen hätte den Vogel nicht nur getötet, sondern zerrissen, und wer geht schon mit schweren Eisenhandschuhen auf die Jagd?

Scheinbar aus dem Leben gegriffen, aber überaus künstlich arrangiert, zum Greifen lebendig, obwohl tot, erweisen sich die Objekte in ihrer dinglichen Kombination also geradezu lebensfern. Seinen Stolz auf das Kunststück verrät der Maler durch die doppelte Signatur und die Jahresangabe, die er auf einem kleinen Zettel festhält und so auf dem Bild anbringt, daß sich das Spiel der Augentäuschung bei der Bezeichnung des Gemäldes noch einmal wiederholt. Gerade dieser neuartige Grundzug scheint zu garantieren, daß es sich um ein autonomes Kunstwerk handelt.[15]

Das auf den ersten Blick so einsichtige und banale Sujet könnte zu weiterem Nachdenken anregen: Rebhuhn heißt auf Lateinisch *perdix*, der beste Schüler des Dädalus trägt in Ovids Metamorphosen diesen Namen. Ihn stürzt der erste aller Künstler vom Felsen der Athener Akropolis herab, um dann später den eigenen Sohn ausgerechnet beim Fliegen zu verlieren.[16] Fliegen und Herabstürzen gehören also zu dem Arrangement der fast nicht glaubhaften Balance. Überdies gilt Perdix als der Erfinder des Zirkels. Die Nähe zur gemalten Kunsttheorie wird offenbar.[17] Zudem geht es in einer berühmten antiken Anekdote, die den Rang von Bild und Beiwerk behandeln, um das *Rebhuhn* des Protogenes (hier S. 154 ff.).

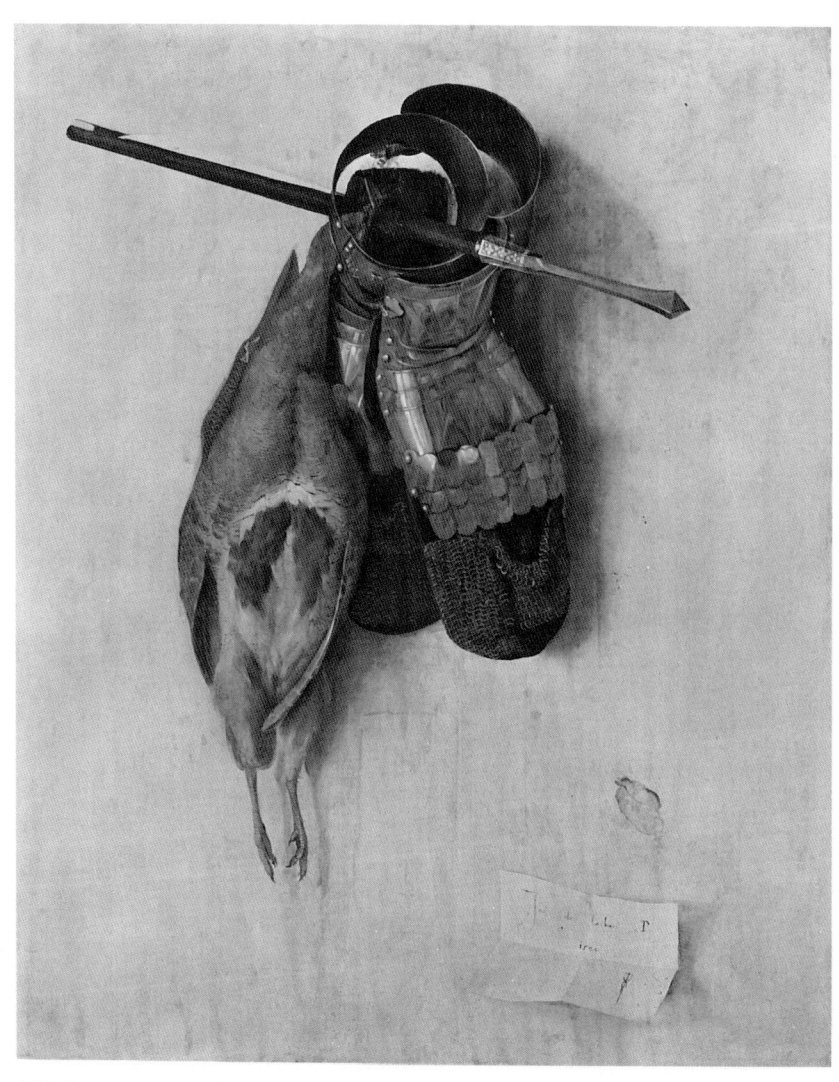

Abb. 1
Jacopo de'Barbari: *Totes Rebhuhn mit Armbrustbolzen und Hentzen*
(München, Alte Pinakothek)

Ein Trompe l'oeil[18] ist das Münchner Gemälde, das Jacopo de'Barbari so stolz signiert hat, allemal; denn die Gegenstände sind in natürlicher Größe so präsent, daß sie für real gehalten werden könnten. Ob sie den Betrachter über den Wirklichkeitsgrad täuschen können, hängt nur von der Präsentation des Gemalten im Innenraum ab. Nach einer der frühesten gedruckten Definitionen von Stilleben, die sich in Gérard de Lairesses *Groot Schilderboek* von 1707 (hier S. 164 ff.) findet, haben Maler die Wahl zwischen zwei Arten von *stilleven*: solchen in Räumen und anderen vor geschlossener Bildebene. Dafür wäre die Tafel in München ein Anfang. Wenn das Gemälde ein *Stilleben* ist, dann fehlte in Deutschland bis 1776 dafür ein Wort; und ein Italiener wäre kaum früher auf den Gedanken gekommen, Jacopo de'Barbaris totes Rebhuhn als *natura morta* zu bezeichnen.[19]

Definitionen der Kunstgeschichte und der Sprachgeschichte

Stilleben oder *nature morte* bezeichnen eine erst spät als solche anerkannte Kunstgattung, vornehmlich innerhalb der Malerei. Den Ursprung der Sprachbildung sucht man im Holländischen. Über dessen Begriffe *stilleven, stillstaand leven* und *stilligend leven* heißt es im *Oxford English Dictionary*, man nehme an, sie beträfen ursprünglich nicht unbelebte Gegenstände, sondern lebende Dinge in Ruhe.[20] Deshalb formulieren Definitionen des germanischen Terminus, er bezeichne Gemälde mit Gegenständen die *still*, also im Ruhezustand gezeigt sind, aber nicht notwendigerweise tot.[21]

Kunstgeschichtliche Definitionen sind sich nicht einig: *Das Lexikon der Kunst* beispielsweise erläutert:

> *Stilleben (niederländisch »still-leven«, still »unbeweglich«, leven »Modell«) [...] Als Stilleben bezeichnet man die bildhaft abgeschlossene Darstellung mehrerer kleinerer Gegenstände, deren Auswahl und Gruppierung nach inhaltlichen (oft symbolischen) und ästhetischen Gesichtspunkten erfolgte. Zuweilen beleben Insekten und kleinere Tiere das Bild, auch die Anwesenheit des Menschen ist möglich. Der Übergang zu Interieur, Tierstück und Genre ist mitunter fließend. Man unterscheidet nach den Gegenständen [...] Blumen-, Bücher-, Fisch-, Früchte-, Frühstücks-, Jagd-, Küchen-, Markt-, Masken-, Musikinstrumente- und Waffenstilleben, auch abstrakte Bilder tragen gelegentlich die Bezeichnung Stilleben.*[22]

Eine bündigere Definition lautet:

> *Stilleben ist die Darstellung von Gegenständen, Pflanzen und reglosen Lebewesen mit Ausnahme des Menschen in einem abgetrennten Bildfeld oder auf einem eigenen Bildträger. [...] Das Wort Stilleben leitet sich ab von dem holländischen Ausdruck stilleven. Still heißt unbeweglich, leven bedeutet soviel wie lebendes Modell. Die der Verknüpfung beider Wörter still und leven immanente Widersprüchlichkeit findet sich auch in der – gleichermaßen vagen – nature morte bzw. natura morta des romanischen Sprachraums.*[23]

Der französische Begriff wiederum wird beispielsweise von Michel Faré 1975 folgendermaßen definiert (in Paraphrase):

Das Wort bezeichnet heutzutage ein Gemälde, das tote Tiere, Fische oder Wild darstellt, und, in erweitertem Sinne, ein Gemälde, das Blumen, Früchte und Objekte wie Vasen, Musikinstrumente, Bücher oder Papiere auf einem Möbelstück abgelegt darstellt [...]. In dem Begriff, wie er sich durchgesetzt hat, versteht sich Natur als das reale Objekt, das man darzustellen vorhat; wenn sie (die Natur) tot genannt wird, dann muß man das verstehen wie den Zustand getöteter Tiere, insbesondere von Wild, dessen ausschließliche Wiedergabe eine besondere Malereigattung ausmacht. [24]

Langsam gewachsene künstlerische Prozesse, die von theoretischer Reflexion sicher auch begleitet waren, läßt Jean Rivière außer acht, wenn er schreibt, *in Wahrheit sei das Stilleben erst an dem Tage geboren, an dem es definiert worden sei. Das sei aber erst geschehen, als es mit den anderen Gattungen im Gesamtgebäude der Kunstlehre von den Theoretikern des französischen 17. Jahrhunderts seinen Platz erhielt.*[25] Als geradezu anachronistisch verbieten sich angesichts der unermeßlichen Fülle von Stilleben aus den letzten vier Jahrhunderten Deutungen – auch die von Ernst H. Gombrich, der schreibt:

Denn jedes gemalte Stilleben verkörpert eo ipso das Vanitasmotiv für die, die es sehen wollen. Die Sinnesfreuden, die es bietet, sind ja nicht wirklich, sie sind nur eine Illusion. Versuche nur, die köstliche Frucht oder den lockenden Becher mit der Hand zu fassen – du findest nur eine kalte, harte Bildtafel. Je raffinierter die Illusion, desto eindringlicher die Moral vom Gegensatz zwischen Schein und Sein. Jedes gemalte Stilleben ist ipso facto auch eine Vanitas. [26]

In sprachgeschichtlichem Kontext stellt sich der Sinn des Wortes einfacher dar, so definiert Van der Meulens niederländisches Wörterbuch 1940 das holländische Wort als relativ junges Kompositum (»een vrij jonge koppeling«) in drei verschiedenen Bedeutungsebenen. Es bezeichnet:

1. Eine Gruppierung von unbeweglichen Gegenständen als Modell für einen Maler, in dieser Weise für das Malen nach der Natur dienend. In freierem Gebrauch eine Gruppierung, die wohl geeignet, nicht aber bestimmt ist, abgemalt zu werden.
2. Gemälde oder Zeichnungen solch einer Gruppierung.
3. Eine Gattung innerhalb der Malerei, die solche Gruppierungen zum Thema hat. [27]

Zwischen der Wortprägung im Holländischen und dem Wortsinn im Deutschen oder Englischen sieht Charles Sterling einen Abstand, ohne die inhaltliche Veränderung zu benennen.[28] Sonst kümmert sich die aktuelle Literatur wenig um Nuancen zwischen holländischem Wort und Äquivalenten in anderen germanischen Sprachen. Bei allen zitierten Erläuterungen bleibt das Verhältnis der Substantive *Leben* und *Natur* zu den Adjektiven *still* und *tot* ungeklärt, weil außer Faré niemand gefragt hat, was in diesem Zusammenhang *Leben* und *Natur* bedeuten.

Zur Eigenart kunstgeschichtlicher Gattungsbegriffe

Die heute gewohnten kunsthistorischen Fachtermini für Sparten der Malerei haben sprachlich die sonderbare Eigenschaft, eine ganze Gattung ebenso wie ein einzelnes Exemplar und dessen Gegenstand zu bezeichnen. Angesichts von Jacopo de'Barbaris Münchner Tafel könnte man nämlich von einem Stilleben an der Wand sprechen, das ein auf einem einzigen Nagel arrangiertes Stilleben darstellt und zugleich ein Hauptwerk in der Frühgeschichte des neuzeitlichen Stillebens ist. Ein Gemälde, sein Motiv wie die ganze Gattung kann man auch im Falle von Historie, Porträt, Landschaft und Genre fast in gleicher Weise mit nur dem jeweils einen Wort bezeichnen.

Diese Gattungsbegriffe entstammen zwei Lebens- oder Wahrnehmungssphären: Anschaulich benannt sind beispielsweise Historien, auch wenn sie nicht nur historisch Verbürgtes darstellen.[29] Das Wort *Porträt* hingegen charakterisiert ebenso wie sein italienisches Äquivalent *ritratto* als Partizip nur den Endpunkt eines künstlerischen Vorgangs, des *ritrarre*, hier gemeint im Sinne des Herausziehens aus der Anschauung,[30] sagt aber gar nicht, was in solch einem Bilde aus der Natur gezogen ist. Im Sprachgebrauch haben sie sich jedoch dermaßen fest angesiedelt, daß die Wortbedeutung *Herausziehen* verdrängt ist zugunsten einer – sprachlich jedoch gar nicht vorgegebenen – Anschaulichkeit.

Die ursprüngliche Bedeutung der Begriffe
Stilleben und *nature morte*

Oxymora[31] gegensätzlicher Herkunft?

Zu den Begriffen *Stilleben* und *nature morte* verstellt sich der Zugang noch stärker, weil sie nicht aus der allgemeinen Lebenswelt und ihrer Wahrnehmung gegriffen sind. Indem die regierenden Substantive das Leben beziehungsweise die Natur evozieren, bezeichnen sie scheinbar den Bildinhalt.[32] Obwohl beide Termini, anders als *Landschaft* und *Historie*, offenbar künstlich gebildet sind und nicht aus der Erfahrung der Welt, sondern der Kunst stammen, regen sie, in Tageswirklichkeit zurückgeführt, eine Ahnung von *stillem Leben* und *toter Natur* an.

Schwer vereinbar scheinen in beiden Komposita Starrheit und Belebtheit aufeinander zu prallen. Théophile Gautier schreibt, die Worte *nature* und *morte* heulten, weil sie wie zwei Hunde aneinander gebunden seien, die sich nicht riechen können.[33] In ihrem vermeintlichen Gegensatz verleiten sie sogleich zu der Annahme, mit der Übersetzung aus den germanischen Sprachen ins Romanische sei eine tiefgreifende inhaltliche Umwertung erfolgt; so schreibt Gerd Tolzien in *Kindlers Malerei-Lexikon: Der französische Terminus nature morte [...] ist [...] weniger zutreffend, da es gerade darum geht, das [...] auch den scheinbar toten Gegenständen innewohnende geheime Leben in der Wiedergabe sichtbar werden zu lassen.*[34]

In Frankreich selbst ist das Bedauern über die Formel von der *nature morte* seit Théophile Gautier nicht verstummt: Thoré Bürger[35] suchte schon um 1860 einen Ersatz in *peinture d'objets inanimés*.[36] Wie diese Autoren gab Charles Sterling der germanischen Version den Vorzug.[37] Die in den germanischen Ausdrücken beschlossene Sicht vom ruhigen oder verschwiegenen Leben war für Sterling *ein köstlicher Sinn*.[38] Für Charles Sterling hat sich der französische Begriff *nature morte* jedoch seit Chardin bis hin zu Cézanne mit künstlerischem Prestige und Poesie angefüllt, so daß er kaum noch das Gegenteil von Leben evoziere.[39]

Versuche, aus eingeführten Begriffen auszubrechen, werden immer wieder an der Verkrustung der Terminologie scheitern. Zudem ist der seit langem bekämpfte französische Ausdruck nicht nur ins Italienische gedrungen; als Fremdwort hat er sich auch in Sprachen wie dem Russischen durchgesetzt.[40] Selbst Sprachen wie das Spanische, die ein eigenes Wort für Stilleben haben, neigen inzwischen dazu, sich der in Frankreich beklagten Formel zu bedienen. Seit dem 17. Jahrhundert, in dem diese Gattung blühte, gab es dort schon den Begriff *bodegón*.[41] Ursprünglich bezeichnet er Schankstuben, Kellerwirtschaften oder Küchen, in denen genrehaft tätige Menschen geduldet sind, wie sie Velásquez dargestellt hat. Während *bodegón* im Spanischen prinzipiell für alle Arten von Stilleben mit Speisen gelten kann,[42] erhält der Begriff in anderen Sprachen, die ihn ihrerseits als Fachterminus übernommen haben, seinen anschaulichen Charakter zurück. Auf diese Eigenart reduziert man das Wort selbst im Spanischen heutzutage, indem der alte und historisch gewachsene Begriff *bodegón* nur noch ein spezielles Phänomen der eigenen Kunstgeschichte bezeichnet, eingebettet in die Gesamtgattung, die in Entlehnung aus dem Französischen dann *naturaleza muerta* heißt.[43] Im Italienischen hingegen wird *natura morta* eher eingeschränkt verwendet.[44]

Nicht selten neigt die Literatur dazu, die beiden derart international durchgesetzten Begriffe mit unterschiedlichen Mentalitäten zu verbinden. Man meint beispielsweise, katholische Vanitasgedanken gäben der *nature morte* ihren Sinn, während *Stilleben* gleichsam zu einem Begriff holländischer Beschaulichkeit würde.[45] Zwar kennt man in den südlichen Niederlanden in der Tat das Wort *stilleven* erst seit dem 19. Jahrhundert; doch spielt der Vanitas-Gedanke gerade in der calvinistischen Kultur eine außerordentlich bedeutende Rolle.[46]

Der holländische Begriff *stilleven* zwischen Malvorgang und Bildinhalt

Die germanische Wortprägung *stilleven* ist älter als die romanische *nature morte*, die heute sinngleich benutzt wird. Die früheste Erwähnung findet sich nicht in kunsttheoretischem Kontext, sondern in einem Besitzinventar: Im Jahre 1650 heißt es, Judith Willemsdr. van Vliet aus Delft habe *een stilleven van Evert van Aelst* besessen.[47] Der Begriff muß so allgemein verständlich gewesen sein, daß sich eine Beschreibung des Dargestellten erübrigte. In den südlichen Niederlanden hingegen gibt es kein gesichertes Beispiel zur Verwendung des Begriffs im 17. Jahrhundert, obwohl in beiden Regionen Stilleben geschaffen wurden. Selbst verwandte Wendungen mit Partizipien wie *stilstaend* kennt im Süden nur ein Autor, Cornelis de Bie.[48]

Tiefer gehende Bedeutung hat man dem holländischen Wort selten zuerkannt. Im Holländischen selbst gibt es die Meinung, die Bezeichnung sei erst aufgekommen, als *der Atem der Natur allgemein hörbar wurde*, so daß damit eine *geistige Auffassungsgabe des Niederländers gemeint sei*,[49] für den der auf diese Weise genannte Stoff keine *nature morte* sei. Sogar eine Bibelstelle, die vom stillen Leben in aller Gottseligkeit spricht, hat man für den Ursprung des Worts in Anspruch genommen.[50]

Zum Kern des Begriffs *stilleven* und damit zum holländischen Wortsinn, wie er nur im Wörterbuch von 1940 präzise erklärt wurde,[51] führt eine Sprachparallele, die die Fachliteratur sträflich übersehen hat. Sie förderte Vorenkamp in seiner Dissertation von 1933 zutage,[52] er weist auf *vrouweleven* bei Arnould Houbraken hin.[53] Zwar geht es bei diesem Text von 1718/21 um eine Skandalgeschichte aus dem Rembrandt-Atelier, also nicht um eine theoretische Erörterung, doch Anekdoten erhellen den Sprachgebrauch: Daß beim Malen eine nackte Frau vor Augen steht, bezeichnet Houbraken mit der Wendung, ein Frauenleben diene als Modell. Der Wortbestandteil *leven* bezeichnet nur, daß sie leibhaftig abgemalt wird. Kunsthistoriker haben seit Vorenkamp angenommen,[54] das Substantiv im Kompositum Stilleben stamme vom lebenden Modell. Das aber ist irrig; denn Leben meint nur die leibhafte Gegenwart beim Malen. Tatsächlich findet sich kein einziger Beleg, in dem einer der drei hier interessierenden holländischen Begriffe *stilleven, stilstaand leven* und *stilligend leven* für Modelle verwendet wäre, die sich nach der Pose für den Maler wieder rühren. Immer ist an Bewegungsloses und nicht durchweg, aber oft auch gänzlich Lebloses gedacht.

Paradoxerweise ist also bei *Stilleben* der Bildgegenstand, der in diesem Sinne von *Leben* leibhaftig vor Augen steht, nicht notwendigerweise lebendig. *Leben* bedeutet deshalb keinesfalls das Gegenteil von *Tod*. Die Verbindung mit *still*, also unbeweglich, schafft damit nur scheinbar ein Oxymoron, weil die beiden Wortbestandteile auf unterschiedlichen Sinnebenen angesiedelt sind, was übrigens schon Vorenkamp gesehen hat:[55] *leven* charakterisiert das Malverfahren, während allein das Adjektiv *still* auf den dargestellten Gegenstand hinweist. Mit nur einer Silbe bot es sich für ein Kompositum an, weil es zu einer griffigeren Formel als die beiden anderen im Holländischen zu findenden Ausdrücke *stillstaand leven* und *stilligend leven* führt.

Houbrakens Text führt auf den größeren Zusammenhang; der Autor erzählt die Anekdote, in der das Wort *vrouweleven* fällt, im Anschluß an den Bericht, Rembrandt habe ein Lagerhaus gemietet, um seinen Schülern individuelles Arbeiten *naar het leven* zu ermöglichen. Folgerichtig verbindet Vorenkamp die Komposita *vrouweleven* und *stilleven* mit dem heute noch gültigen Ausdruck *naar het leven schilderen*, der übrigens im Deutschen seine volle Entsprechung auch dann findet, wenn das Motiv ein Steinblock ist. Diese Formel bezeichnet also unabhängig von jeglichem Bildinhalt das künstlerische Verfahren im Sinne der Verben *konterfeien, pourtraire* oder *ritrarre*.[56]

Durch den Bezug zur Arbeitsweise des *ritrarre* wird deutlich: Nicht in der künstlerischen Erfindung, der *inventio*, sondern im Abmalen nach dem Leben liegt der Sinn des Begriffs *Stilleben*. Dessen Hauptwort charakterisiert die Einstellung des Künstlers zum Motiv, während das Adjektiv *still* jene Art von Gegenständen eingrenzt, die nach dem Leben porträtiert werden: Sie sind unbeweglich, aber im Lebensraum des Malers real vorhanden. Als Bezeichnung für eine Kunstgattung entstammt das Wort *Stilleben* mithin dem Atelier und ist deshalb den diversen Ausdrücken überlegen, die nur das in den Bildern Dargestellte in der allgemeinen Lebenswelt bezeichnen. Unter den frühesten Belegen für die Verwendung des Worts schreibt eine Stelle eindeutig den Künstlern die Begriffsbildung zu: J. J. Bodmer erwähnt 1746 die *leblosen Werke der Natur, welche ein Mahler das Stille Leben heißen würde*.[57]

Das Kunstwort *Stilleben* bezieht sich zwar wie die Begriffe *Landschaft* und *Historie* in erster Linie auf die dargestellten Motive, faßt sie aber als aus dem Lebenszusammenhang genommene Objekte, die allein zum Zwecke des Abmalens arrangiert sind. Direkter als bei anderen Gattungsbegriffen stellt sich deshalb sprachlich die Identität von Bildgegenstand und Gemälde ein, da erst die potentielle Wiedergabe durch einen Künstler das Arrangement zum Stilleben macht. Doch ist der Begriff aus der Welt der Künstler rasch ins Leben gedrungen, um zunächst unbewegliche Objektansammlungen auch dann zu bezeichnen, wenn kein Maler zur Stelle ist, und schließlich aus der eigenen Evokationskraft zu Definitionen zu führen, wie sie eingangs vorgetragen wurden. Über die Kunst hinaus vermochte *Stilleben* sogar spezifischen Sinn zur Charakterisierung von Lebensformen und Menschen zu entwickeln.

Natur und Leben in den Worten
Stilleben und *nature morte*

Nun kennt das Holländische neben *naar het leven schilderen* auch *naar de natuur schilderen*.[58] In solcher Künstlerterminologie werden *Natur* und *Leben* in eingeschränkter Bedeutung zu Synonymen. Im 17. Jahrhundert verkürzt man beide Worte sogar zur Formel *nae schilderen*, also *abmalen*.[59] Der vom Anschaulichen her so einleuchtende Gegensatz des Begriffs *stilleven* zum späteren französischen Wort *nature morte* erweist sich somit als irreführend. Als von Künstlern synonym gebrauchte Worte umreißen die Begriffe, was Künstler bei der Arbeit an den dann entsprechend benannten Bildern vor Augen haben: Ein *stilleven* malen sie nach dem Leben, eine *nature morte* nach der Natur; da spielt es keine Rolle mehr, ob es – um bei Jacopo de'Barbari zu bleiben – vorrangig um ein totes Rebhuhn oder um Metallgeräte geht.

Während die Substantive in beiden Gattungsbegriffen also keineswegs etwas über das Verhältnis zu Leben und Natur, sondern nur über das künstlerische Verfahren aussagen, wollen die beigefügten Adjektive *still* und *morte* nun auch wieder nicht so weit verglichen werden, als sei im einen der vorübergehende Stillstand und im anderen der eingetretene Tod angesprochen. *Still* und *tot* sind vielmehr in der Dingwelt weitgehend synonym, weil bei Büchern, Lauten, Uhren, Gläsern und Töpfen ohnehin kaum zu streiten ist, ob es sich um tote oder stille Gegenstände handelt. Auf das *Unbewegliche* allein kommt es an.

Um ein zusammengesetztes Kunstwort, das *Vorgang* und *Vorwurf* in eins faßt, in den germanischen Sprachen zu bilden, könnte man das einsilbige Adjektiv *tot* ebensogut wie *still* verwenden; das aber würde zu den noch grotesskeren Begriffen *Totleben* und *Totnatur* führen. Im Französischen bietet sich hingegen kein wirklich vertrautes Äquivalent für *still* in der gebotenen Kürze an; denn als einziges einsilbiges Adjektiv für *still* gäbe es nur das in der neuzeitlichen Sprache ausgestorbene *coi/coite*.[60] Den Erfolg von *nature morte* in den romanischen Sprachen erklärt deshalb in erster Linie die griffige Kürze der Formel.

Weil *Stilleben* und *nature morte* darauf hinweisen, daß Erfindung durch das Malen nach dem Leben ersetzt ist, wirken sie zugleich auf die Wertschätzung für solche Bilder: Als Imitation haben Erzeugnisse dieser Gattung in allen auf Invention ausgerichteten Kulturen den aus der Phantasie stammenden Werken hintan zu stehen. Da Stilleben anders als Historie, Porträt, Landschaft und Genre keine atmenden Wesen zeigen, können sie nur am Ende der Rangleiter geführt werden.

Die Begriffsgeschichte in den verschiedenen europäischen Sprachen

Der italienische Beitrag

Während das Lateinische und das Italienische in der älteren Kunsttheorie prägend wirkten, spielen italienische Autoren bei der Begriffsbildung für Gegenstandsmalerei eine überraschend geringe Rolle.[61] Eine nur auf die Worte *natura morta* oder eine konkrete Übersetzung von *stilleven* fixierte Begriffsgeschichte kann Italien fast ganz außer acht lassen.

Außerordentlich viele verschiedene Worte bezeichnen bestimmte Spezialitäten einzelner Maler, lange Zeit ohne Überbegriff. So schreibt Giorgio Vasari über Giovanni da Udine, er habe mit Erfolg *auf das Beste konterfeit [...] alle natürlichen Dinge, Tiere, Tuch, Instrumente, Vasen, Landschaften, Sachen aus dem Haus und Pflanzen.*[62] Immerhin preisen italienische Äußerungen die Bilder als lebendig oder natürlich[63] und nennen nicht nur die Gegenstände, sondern weisen meist darauf hin, daß nach dem Leben gemalt sei.[64] Malvasias in der neueren Literatur gern genannter Terminus *oggeti di ferma* hat hingegen den Nachteil, nur das Sujet ohne den künstlerischen Zusammenhang zu bezeichnen, er blieb vereinzelt.[65]

Zum sprachgeschichtlichen Verhältnis von *stilleven* und *nature morte*

Den bekannten Belegen zufolge geht das seit 1650 nachweisbare Kompositum *stilleven* dem romanischen *nature morte* voraus.[66] Nicht durchgesetzt hat sich die mit *stilleven* genauer übereinstimmende Wendung *la vie coye*. Die Verbindung von Leben mit dem in der neuzeitlichen Sprache vergessenen Wort, das als das älteste Adjektiv für Ruhe im Französischen gilt, taucht anscheinend nur ein einziges Mal auf, und zwar in der Beischrift zu einem Bildnis des David Bailly.[67] Das geschah immerhin 1649, somit ein Jahr vor der ersten bekannten Verwendung des Wortes *stilleven* und zwar bei dem Antwerpener Cornelis de Bie, der sich als einziger südniederländischer Autor auch des Wortfelds um Stilleben bedient, indem er von *stillstaende werck* oder *dinghen* spricht.[68] In der neueren Forschung nicht ganz sauber als »Hollandismus« bezeichnet, drang die nur im flämischen Antwerpen nachweisbare Formel jedoch gar nicht erst in Frankreichs Sprachgebrauch ein.[69]

Zum ersten Male hat Roger de Piles verwandte Begriffe für das gebraucht, was wir heute Stilleben nennen. In seinem *Abrégé de la vie des peintres* von 1699 schreibt er, der mit flämischer Malerei um Rubens vertraut war, Giovanni da Udine, der in der gesamten Kunstliteratur als der erste nachantike Stillebenmaler gilt, habe sich darin gefallen, *à peindre d'après nature les objets inanimés*.[70] Natur zielt in dieser Formulierung nicht auf den Inhalt, sondern auf das Verfahren der *Imitatio*, während sich das zwischen *still* und *tot* angesiedelte Adjektiv *unbeseelt* auf die Objekte bezieht, als wolle der Autor das Kunstwort *stilleven* französischen Lesern erläutern. Exakt hundert Jahre nach dem zitierten ersten Zeugnis für das Wort *stilleven* in Holland, dem Nachlaßinventar von 1650, spricht man dann in Frankreich von *nature morte*. Baillet de Saint-Julien hat den französischen Begriff zum ersten Mal gedruckt in einem Text zur Malerei in Flandern und Holland.[71]

Auch im Französischen bezeichnet bei der *nature morte* die Natur weniger das Dargestellte als dessen reale Anwesenheit beim Abmalen. Pernety, der als Bibliothekar des Preußenkönigs Friedrichs II. mit seinem Handlexikon zu Malerei und Skulptur wesentlich die französische Terminologie beeinflußte und auch auf andere Sprachen wirkte, stellt systematisch Themen der Stillebenmalerei unter dem Oberbegriff des Objekts zusammen, um dann auf Natur in folgender Weise zu kommen: *Das Objekt meint alles, was die Malerei nach der Natur nachahmen und in Farben darstellen kann.*[72] Daß zu jener Zeit, da sich der Begriff *nature morte* herausbildete, der darin angesprochene Aspekt von Natur nicht auf den Gegensatz des Natürlichen zum Objekthaften, sondern auf *Imitatio* nach der Natur zielt, belegt auch eine anonyme Salonkritik zu Chardin von 1759, die vom *genre des imitations naturelles,* also einer Gattung der Nachahmungen nach der Natur spricht.[73]

Die frühesten Erwähnungen des Wortes *Still-life* im Englischen

Der Literatur zufolge fußt das englische *Still-life* auf dem holländischen Begriff.[74] Die Vermittlung hätte mündlich geschehen müssen; denn in gedruckten Schriften ist der Terminus erst 1707 durch Gérard de Lairesse ausführlicher dargelegt worden, (hier S. 164) während das englische Wort schon 1695 in kunsttheoretischem Zusammenhang zu finden ist. Beim Blick auf die drei Erwähnungen von 1695 verwirren sich die Verhältnisse jedoch erheblich.[75] Im Englischen taucht das Wort, soweit bekannt, zum ersten Mal in einer Paraphrase der Pliniusstelle über den griechischen Rhyparographos Peraïkos auf (vgl. hier S. 223), wo es das lateinische Wort *obsonia* (für Speisen) ersetzt.[76] Beigefügt ist der Text einer Übersetzung aus dem Lateinischen eines französischen Autors und dessen französischen Kommentars. Noch zweimal fällt dort das Wort *Still-life* und zwar in Hinweisen auf italienische Maler, fehlt aber im Zusammenhang mit niederländischer Kunst.

Ausgangspunkt dieser komplizierten Überlieferungsgeschichte ist Charles Alfonse Dufresnoys didaktisches und in erster Linie an Künstler gerichtetes Gedicht *De arte graphica,* das, ganz im Sinne klassischer Kunsttheorie, Stillebenmaler im eigenen Recht gar nicht kennt.[77] Den durch eine erste Zusammenstellung von Malern erweiterten Text Dufresnoys hat Roger de Piles mit eigenen Bemerkungen und einem Vorwort herausgegeben (hier S. 147 ff.). John Drydens englische Übersetzung begnügt sich in der ersten Ausgabe 1695 aber nicht mit diesen Texten allein, sondern fügt neben dem selbst verfaßten *Preface* noch eine weitere Auflistung der bedeutendsten Maler von der Antike bis zur Gegenwart bei. Deren englischer Autor blieb im Druck zunächst anonym; doch gibt er sich in der Auflage von 1716 als Richard Graham zu erkennen.[78]

Grahams Paraphrase der Pliniusstelle über den antiken Maler Peraïkos macht klar, daß man seinerzeit unter *Obsonia* nicht nur Speisen, sondern eine Sorte Bilder verstand. Zugleich bietet er den wohl frühesten Beleg für die – trotz steter Präsenz der einschlägigen Stellen aus dem Altertum – sonst selten genutzte Möglichkeit, das Wort Stilleben auf antike Kunstwerke zu übertragen.[79] Wenn es heißt, Peraïkos habe Barbier- und Schuhmacherläden, Stilleben und anderes gemalt, markiert der Begriff im Satzgefüge eine Grenze, die man in moderner Terminologie zwischen Genremalerei und Stilleben ziehen würde.[80]

Graham charakterisiert sodann den schon von Vasari genannten Maler Giovanni da Udine und erwähnt dessen sonderbare Zufriedenheit, alle Arten von Tieren, Früchten, Blumen und dem Stilleben darzustellen.[81] *Stilleben* deckt hier offenbar keineswegs ab, was wir heute darunter rubrizieren würden; sonst fiele das Wort nicht neben Tieren, Früchten und Blumen. Ans Ende gestellt, könnte *Still-life* zwar prinzipiell das Gewicht eines resümierenden Ausdrucks für das Ganze erhalten.[82] Dem widerspricht aber die offenbar absichtlich geordnete Nennung der Bildgegenstände; sie beschreiben im akademischen Sinne eine absteigende Hierarchie von den Lebewesen zu den Pflanzen, um beim *Still-life* zu enden.

In der dritten Erwähnung (S. 341) stellt Graham nur *Fruit and the Still-life* einander gegenüber, wenn er von Michelangelo Pace di Campidoglio spricht. An anderer Stelle (S. 310), zu Carl'Antonio Procaccini, unterscheidet er *Landscapes and Flowers*. Bei Caravaggio (S. 313) fehlt ihm ein Sammelbegriff, wenn er darauf hinweist, dieser habe unter Cavalier d'Arpino *Flowers and Fruit* gemalt. Beim Sammet- oder Blumen-Bruegel hingegen scheint Graham dessen Genre-, nicht aber Stillebenmalerei erwähnenswert.[83] Bei Snyders fällt ihm das Wort *Still-life* ebensowenig ein, wenn er schreibt, dieser habe wilde und andere Tiere, Jagdstücke, Fische, Früchte usw. gemalt.

Da schon Giovanni da Udine im Raffael-Kreis für die Darstellung von Gerätschaften bekannt war, ist kein Zweifel möglich: *Still-life* tritt mit Richard Grahams Sprachgebrauch im Englischen nicht auf als ein Äquivalent für die Formel von den unbelebten Dingen, die nach dem Leben gemalt sind. Das Wort bezeichnet bei ihm vielmehr jene Bildgegenstände, die die Natur mit ihren Blumen, Früchten und Tieren nicht hervorbringt. Damit zielt der erste Begriff *Still-life* im Englischen nur auf einen kleinen Teilbereich dessen, was er in der heutigen Terminologie bezeichnet: Einerseits Übersetzung des lateinischen *Obsonia*, andererseits niedrigstes Glied einer Aufzählung von Gegenständen, erweist sich *Still-life* bei Graham 1695 als ein Ausdruck für das von Menschenhand Gemachte, von der Brezel bis zur Wanduhr.

Stillebenmalerei bei Graham wäre deshalb *peinture d'objet*. Graham führt vom ursprünglichen Sinn der Gleichung *stilleven* und *nature morte* über zu dem Sprachgebrauch, der mit den Worten nur die Bildgegenstände verbindet. Zugleich weist er den Bildern, die solche Gegenstände darstellen, einen Rang noch nach Tier-, Früchte- und Blumenmalereien zu.

Nur kurze Zeit später erhält das Wort *Still-life* im Englischen einen anderen Sinn, allerdings in der Literaturkritik: In seinen Kommentaren zu Miltons *Paradise Lost* benutzt Joseph Addison die Wendung, um all das zu bezeichnen, was nicht zu Charakter und Handlung beiträgt (hier S. 150 ff.). Nähe zum Ausdruck *nature morte* wird deutlich, wenn Addison unter *Still Life* Garten, Flüsse, Regenbögen und dergleichen *Dead Pieces of Nature* subsumiert.

Eine Generation später kehrt der Maler William Hogarth in einer entsprechenden Aufteilung der Malerei bei der Bezeichnung *Still-life* zu der Vorstellung zurück, es handele sich um all das, was man von der Natur kopiere. Dieser Umstand läßt Hogarth das Stilleben als die einfachste und am wenigsten unterhaltsame Art von Malerei auf die niedrigste Stufe stellen. Zum Stilleben gehören bei ihm folgerichtig auch alle Veduten von vorgegebener Topographie, Schiffsbilder und ähnliches (hier S. 152).

In den 1780er Jahren tadelt Horace Walpole den holländischen Maler Jaan van Zoon, der sich in England niedergelassen hatte, wegen schlecht gewählter Themen. Dann fährt er fort: *Er malte Stilleben, Orangen und Zitronen, Silber, Damastvorhänge, Brokate und all das Sammelsurium von vertrauten Objekten, die den unwissenden Pöbel begeistern* (hier S. 245 f.). Über den Stand der Begriffsbildung verrät die Wortstellung Entscheidendes, denn *Still-life* ist nun an den Anfang der Aufzählung gerückt und bezeichnet die Gesamtheit der Gattung, einschließlich Früchten, Blumen und totem Wild.

Nicht zu vergessen ist eine Qualität der englischen Sprache. Da *Still-life* nicht dekliniert wird, klingt grundsätzlich auch das stille Leben an. Sogar der Nebensinn, das in einem Stilleben noch Leben sei, läßt sich sprachlich gar nicht ausschließen, weil *still* ebensogut ›noch‹ heißt.

Kritikersprache versus Künstlersprache: *nature morte* bei Diderot

Daß die Termini, mit denen die Kunstliteratur die Gegenstände bezeichnet, rasch ihren Sinn verlieren, gilt vor allem, wenn sie, aus dem Leben genommen, zum Begriffe geworden und dann dem Leben wieder eingefügt werden. Die Tradition des Künstlerbegriffs war gegenüber der Assoziationskraft der Worte, aus denen der Begriff zusammengesetzt wurde, nicht nur im englischen *Still-life*, sondern auch in der französischen Sprache schon verblaßt, als sich *nature morte* zum *mot composé* verfestigte. Aus der Welt der Künstlersprache in die Begrifflichkeit von Betrachter und Kunstkritiker führt Diderot,[84] der für Stilleben keinen Terminus hat. Wenn der große Aufklärer von *nature* spricht, dann sucht er sie in den fertigen Bildern und nicht in der Arbeit der Maler, so daß er von einem Küchenstück des Nicolas Desportes schreiben kann, es sei viel Natur in diesem Gemälde.[85] Solche Natur sucht er allein in den dargestellten Objekten und nicht im Verfahren des *après la nature* oder *après le naturel*.

Von den ›imitations naturelles‹ in der Salonkritik zu Chardin aus dem Jahre 1759 gelangt man deshalb bei Diderot zum Maler als *imitateur de la nature*. Imitation von Natur ist demnach Wesenszug der Malerei allgemein. Zwei Hauptgattungen unterscheidet er nach der Art von Natur, die zum Thema gemacht wird. Zum Salon 1765 schreibt er, man solle Nachahmer der als *brute et morte* bezeichneten Natur ›Genremaler‹ nennen, hingegen ›Historienmaler‹ die Nachahmer einer als *sensible et vivante* bezeichneten Natur.[86] Aus diesem Zitat, in dem der Terminus *nature* [...] *morte* steckt, erhellt, warum dieser Autor damit keine Gattung bezeichnen mochte. Deshalb kann er auch 1767 im Zusammenhang mit einem Bild von Roland de La Porte formulieren: *natures inanimés qu'il imite* und dabei die Natur des unbeseelten Objekts vom Imitieren nach der Natur trennen.[87]

Das Wort *nature morte* führt seitdem im Französischen eine Art Doppelleben: Als Begriff für eine Gattung der Malerei hat es zunächst Schwierigkeiten, sich innerhalb der *peinture de genre* durchzusetzen. Statt einen übergreifenden Terminus zu bieten, spezifiziert es wie bei Diderot zuweilen am Ende einer Aufzählung die von Menschen gemachten Gegenstände. Die Definition verliert an Präzision, wenn beispielsweise Cochin und

Haillet de Couronne Natur und Objekt gleichsetzen, indem sie würdigen, Chardin habe in seinen Gemälden alle Arten unbeweglicher Objekte oder toter Naturen behandelt.[88] Das ist von der akademischen Hierarchie fast ebenso weit entfernt wie von der ersten Wortprägung im Holländischen.

Terminologie ließ sich mit solcher Unsicherheit nicht bilden. Stabil blieb der Begriff *nature morte* im Französischen vorerst dort, wo er an den holländischen Sprachgebrauch gebunden war. In der französischen Übersetzung des *Groot Schilderboek* von Gérard de Lairesse 1787 wird das XI. Buch *Handelnde van de Stillevens*,[89] überschrieben: *De la nature morte en général*.[90] Pluralbildung, die einsetzt, wenn mit *natures mortes* wie bei Cochin und Haillet de Couronne nur Bildgegenstände bezeichnet werden,[91] kommt im französischen Gérard de Lairesse kaum vor, weil Stilleben dort nicht Gegenstand, sondern Gattung ist. Wirkung auf den Sprachgebrauch in Frankreich blieb aus, vielleicht auch, weil von der Revolution über das Empire bis weit in die Restauration kaum französische Stilleben von Rang entstanden. In der französischen Kunstliteratur blieb es bei der Vorliebe für Bezeichnungen wie *peintures de genre*,[92] und noch zu Beginn des 19. Jahrhunderts behandelt François-Xavier de Burtin ein *genre d'objets inanimés*.[93]

Diderots Naturbegriff und sein Unwille, aus dem Kunstwort *Stilleben* und dessen französischem Äquivalent einen Ausdruck für eine Gattung der Malerei zu machen, mag ein Grund sein, daß die Terminologie in Frankreich noch heute schwankt. Die sprachlichen Konnotationen mit Tod ließen sich mit der Rückbesinnung auf die Herkunft als Künstlerwort, wie es im Holländischen definiert wurde, korrigieren, so daß *nature morte* als schlüssiges Äquivalent zu *Stilleben* rehabilitiert wäre.

Das Wort *Stilleben* in der deutschen Sprachgeschichte

Schon in den Jahren 1728–30 hätte sich Gelegenheit für das Wort *Stilleben* geboten, als Gérard de Lairesses *Groot Schilderboek* von 1707 – fast drei Generationen vor der französischen Ausgabe – übersetzt und gedruckt wurde. Beim Titel zum XI. Buch vermeidet der deutsche Übersetzer jedoch die naheliegende Eindeutschung der Formel *van de Stillevens,* um hinter die Klarheit des Holländischen zurückzufallen, indem er *von den still-liegenden und unbeweglichen Dingen* spricht (vgl. S. 164 und 167).

Eine ähnliche Kombination aus einem Partizip mit dem Substantiv, das nicht Leben, sondern Objekt meint, verwendete schon 1675 Joachim von Sandrart in seiner *Teutschen Academie*. Mit *stillstehenden Sachen* bezeichnet er aber noch keine Gattung, sondern nur das, was in Bildern dargestellt ist.[94] Zedlers *Lexikon* von 1744 macht *stilliegende Sachen* zu einem Gattungsbegriff in der *Mahler-Kunst* und meint damit *mancherley unbewegliche Dinge, als Blumen, Früchte, Speisen, todte Tiere, Kupferstiche, verschiedene Instrumente, Bücher, Briefschafften und dergleichen, welche auf einem Tisch, oder sonst wo, […] vorgestellet, und nach dem Leben abgebildet werden.*[95] Hübner benutzt in seinem *Natur-, Kunst-, Gewerk- und Handlungslexikon* von 1712 bereits dasselbe Lemma. 1776 erhält der Passus *Stilliegende Sachen werden in der Malerey allerhand unbewegliche Dinge genannt, als Instrumente, Früchte, allerhand Speisen, Blumen u.s.w.* den Zusatz: *Man sagt auch Stilleben.* Dieses ist dann in der Tat das erste bekannte Zeugnis für den mit dem Substantiv *Leben* gebildeten Ausdruck im Deutschen.[96]

Ins Deutsche ist der Ausdruck, soweit bekannt, nicht direkt aus dem Holländischen, sondern mittels Übersetzungen aus dem Englischen gelangt. Am Anfang steht die deutsche Version der schon erwähnten Erörterung von Joseph Addison zu Miltons *Paradise Lost*. In *Der Zuschauer* ist von *Abschilderungen des stillen Lebens* sowie von *Gärten, Flüssen, Regenbogen, und dergleichen todten Werken der Natur* die Rede.[97]

Die erste Belegstelle im Deutschen für das Kompositum *Stilleben* hat sogar weder mit Literaturtheorie noch Malerei zu tun, wenn es 1755 in Richardsons *Histoire de Sir Charles Grandison* heißt: *Ich bedaure dich wegen deines Stillebens, meine liebe Lady.*[98] Beispiele des Wortgebrauchs wie bei Graham gibt es auch im Deutschen; so schreibt Christian Friedrich Nicolai 1783 *Agnes [...] mahlt Tiere und Stilleben* und unterscheidet damit der akademischen Tradition gemäß Lebendiges von Sachen.[99]

In *Wilhelm Meisters Lehrjahren* bezeichnet auch Goethe mit *Stilleben* allein von Menschen gemachte Objekte, wenn er formuliert: *Seine Bücher und Geräthschaften legte und stellte er fast mechanisch so, daß ein niederländischer Maler gute Gruppen zu seinen Stilleben hätte herausnehmen können.*[100] Er vollzieht aber einen epochalen Schritt, wenn er mit dem Wort Stilleben Gemälde bezeichnet, die geographisch und, unausgesprochen, auch historisch aus dem Gesamtgefüge der Malerei isoliert werden. Entsprechend schreibt Justus Möser: *Unsere Nation, die [...] das bürgerliche Leben mit eben dem Auge ansahe, mit dem wir jetzt ein flämisches Stilleben betrachten.*[101] In einer Wendung aus dem Jahre 1799 bestätigt sich das Verhältnis des Wortes Stilleben als Bezeichnung für eine Art von Gemälden zu den darin dargestellten Gegenständen, wenn Goethe in *Der Sammler und die Seinigen* schreibt: *Das letzte Stilleben, das er mahlte, bestand aus Geräthschaften, die ihm angehörten.*[102]

Von hier aus liegt die Ausdehnung des Begriffs über die von Menschen gemachten Gegenstände hinaus nahe. Neben Goethe faßt auch Moritz Thümmel optische Eindrücke so in Bilder, daß das Beschriebene einem bestimmbaren Gemäldetyp entspricht, dem dann die Bezeichnung *Stilleben* zukommt. 1791 heißt es: *Er erwartete mich an einer runden Tafel, die, mit einem Schinken zwischen zwei Weingläsern besetzt, wie ein Stilleben von de Herem [gemeint ist vielleicht de Heem] aussah.*[103] Da Schinken und Gläser das Stilleben bilden, ist nicht mehr zu zweifeln, daß nun das Wort reiner Gattungsbegriff ist. 1793 und 1798 benutzten Friedrich Wilhelm Basilius von Ramdohr (vgl. S. 192 ff.) und Heinrich Meyer das Wort *Stilleben* als gültigen Oberbegriff: Meyer formuliert lexikalisch *Stilleben, Todtes Wild, Blumen, Früchtestücke und dergleichen.*[104]

Stilleben hat sich übrigens in Goethes Umgebung als ein Begriff für eine Gattung der Malerei früher verfestigt als ein entsprechendes Wort für Genremalerei, obwohl man von des Dichters Beschäftigung mit Diderot[105] eigentlich das Gegenteil erwarten müßte. Noch

1811 fügt er nämlich in einem Text über den in beiden Gattungen tätigen Maler Junker nach einem Komma als Sammelbegriff für *Blumen- und Fruchtstücke* das Wort *Stilleben* ein, fährt dann aber ohne einen Terminus fort mit *und ruhig beschäftigte Personen, nach dem Vorgang der Niederländer.*[106]

Ein für den deutschen Sprachgebrauch besonders bezeichneter Prozeß beginnt ebenfalls bei dem Weimarer Dichterfürsten: Nachdem ihm *Stilleben* zum Gattungsbegriff geworden war, konnte er das Wort auch auf andere Bereiche übertragen. So schreibt er über persische Dichter: *Sie haben poetische Stilleben, die sich den besten niederländischen Künstlern an die Seite setzen.*[107] Von hier aus gerät das Stilleben zusammen mit anderen Gattungen der Malerei schließlich in eine auf Literatur übertragbare Begrifflichkeit, wenn es bei Gervinus 1853 heißt: *Die Lyrik vermeidet das Häßliche und die Karrikatur, aber nicht die Landschaft, das Stilleben, das Gemüthliche Genrebild*, wobei nun mit letzterem unser kunstgeschichtliches Vokabular für die Gattungen im Deutschen abgeschlossen ist.[108] Von dort ist es dann nicht weit zum musikalischen Stilleben, als das Robert Schumann eine Sonate bezeichnet.[109]

Über den sprachlichen Kern des Begriffs hat Goethe, soweit ich sehe, in keiner seiner Schriften reflektiert. Anders als Diderot aber hat er vorzüglich begriffen, welchen Stellenwert die Arbeit nach der Natur beim Stilleben hat. 1789 erscheint ihm nämlich in seiner Schrift über die *Einfache Nachahmung der Natur* diese Gattung als Angelpunkt in der Entwicklung eines Künstlers zum eigenen Stil. In diesem Text erfaßt Goethe den eigentlichen Grund, warum Maler, seit Stilleben zur Kunstgattung wurden, immer wieder damit angefangen haben und zeitlebens darauf zurückgekommen sind. (vgl. S. 185 ff.)

Die Spannweite des Begriffs

Verwirrende Vielfalt eröffnet sich somit, wenn man den Begriff Stilleben in den westeuropäischen Sprachen verfolgt. Allein im Holländischen hat der einst unter Künstlern entstandene Ausdruck bis in moderne Sprachlexika überlebt. In diesem Sinne faßte man die unbelebten Gegenstände und das spezifische Verfahren nach dem Leben zu einem unanschaulichen Kompositum zusammen. Nur die praktische Vorstellung, wie sie Sterling am Ende der Einleitung zur dritten Auflage seines Buchs über die *nature morte* umreißt, macht anschaulich, worum es geht: Ein Künstler wählt Gegenstände, arrangiert sie bildnerisch und malt sie ab.

Ganz ohne das Abmalen kommt die am engsten gefaßte Variante der Wortbedeutung aus: Grahams *Still-life* zielt auf die von Menschenhand geformten Objekte im Unterschied zu dem, was die Natur bietet. Neben dem holländischen Sprachgebrauch und dem viel zu beschränkten Wortsinn eröffnet Stilleben in einer dritten und zwar der weitesten Bedeutung den Blick auf ganz andere Phänomene der Kunsttheorie. Nicht nur die Literatur, wie Addisons Beispiel aus dem *Spectator* von 1712 und dem *Zuschauer* von 1741 zeigt, bearbeitet, was nicht zu den von Hauptpersonen getragenen Inhalten gehört, als *stilles Leben*

Abb. 2
Quinten Massys: *Thronende Madonna*
(Berlin, Gemäldegalerie)

oder *tote Werke der Natur*. Für die Malerei ist dieser Teil der Welt eine noch viel größere Herausforderung.

Neben den Fällen, in denen die Kunstliteratur allzu unscharf zwischen Landschaft und Stilleben scheidet oder von der einen Gattung angeregt auf die andere zu sprechen kommt, als bestehe dazwischen gar kein Unterschied, finden sich in Bildern und Malerviten Belege für ein entsprechendes Verständnis. Ein glänzendes Beispiel ist die thronende Madonna von Quinten Massys in der Berliner Gemäldegalerie (Abb. 2).[110] Das monumentale Gemälde fasziniert durch seitliche Blicke auf Gärten und Landschaft ebenso wie durch ein lebensgroßes Stilleben vom Typus eines späteren *Ontbijtje*, also eines Frühstücks.

So sehr sich das für moderne Augen überraschende Gewicht, das Stilleben und Landschaft in dieser Konzeption einnehmen, auch in zeitgleiche Parallelen einbinden läßt, so verlangt der Aufwand für das Beiwerk doch nach einer grundsätzlichen Erklärung. Den gebildeten Betrachter wird man für eine solche Konfiguration kaum anders gewonnen haben als für entsprechende Ausschmückungen in der Literatur. Bei Massys trifft nämlich eine Figurenmalerei, die Andachtsbild, Historie und Porträt umfaßt, auf eine noch nicht programmatisch nach dem Leben ausgerichtete Malerei, die solange eine Einheit bildete, bis sich gegen Ende des 16. Jahrhunderts die Fächer Stilleben und Landschaft trennten. Ihre Herkunft hätten beide wenigstens insofern gemeinsam, als sie das die Augen erfreuende *Decorum* und die *Variatio* boten, wie es der Rhetorik willkommen war. Tieferen religiösen Sinn gibt der große Vermittler von mittelalterlicher Frömmigkeit und humanistischer Gelehrsamkeit Nicolaus von Cues, der über Gott schrieb: *In ihm ist alles, da es das Größte ist, und weil sich ihm nichts gegenüberstellen läßt, so fällt mit ihm zugleich auch das Kleinste zusammen. Deshalb ist es auch in allem*.[111]

Massys teilte sich zuweilen mit Joachim de Patenir die Ausführung großer Gemälde, indem er seine Figuren in eine Weltlandschaft von Patenir hineinmalte.[112] Auch anderswo gab es neben Menschenmalern Spezialisten, die einschließlich der Staffagefigürchen das Namenlose beisteuerten, das an der Bedeutung des Bildes nur beiläufig teilhatte. Zuerst treten solche Mitarbeiter dort auf, wo sich eine große Werkstatt unter einem führenden Figurenmaler etablierte. Giovanni da Udine gestaltet in Raffaels Werken Stilleben und Landschaft, wie Vasari im ersten zusammenfassenden Satz seiner Vita betont.[113] Jan Bruegel der Ältere malt Stoffe und Blumen ebenso wie Landschaften für Rubens (vgl. S. 114). Giovannis und Bruegels Beruf war, mit den Worten von 1741, die Schilderung des *stillen Lebens* und der *toten Werke der Natur* einschließlich des Regenbogens.

Historische Begrifflichkeit und späterer Sprachgebrauch

Heute triumphieren Mißverständnisse über die Begriffe *Stilleben* und *nature morte*: Im deutschsprachigen Bereich versteht man den Ausdruck kreativ falsch, als solle den wesenlosen Dingen durch die Kunst Leben eingehaucht werden oder als gehe es – in vulgarisierter

Aneignung von Goethe übrigens – nur um den Stil. In Frankreich rüttelt man noch heute an einem Wort-Ungetüm; dabei sind die Wurzeln der Wortbildung dort schon seit Diderot geradezu verschüttet. Dessen Kritikersprache beeinflußte ganz Europa, kannte aber weder *Stilleben* noch *nature morte*. In England hingegen wußte man schnell dem Begriff im akademischen Kontext einen Sinn zu geben und konnte ihn wegen der wunderbaren Eigenschaft der englischen Sprache, nicht zu deklinieren, doch auch immer ganz wörtlich als das *stille Leben* und als *noch lebenshaltig* begreifen, was gerade den französischen Kritikern des eigenen Terminus Ideal und Sehnsucht war.

Ausweitung des deutschen Begriffs im 19. Jahrhundert

Die ganze Breite, die das im Deutschen so schöne Wort *Stilleben* im 19. Jahrhundert entfalten konnte, hat Karin Beth 1979 beispielhaft dargelegt:[114] Demnach wirkt aus der Welt der Malerei das Wort ins Leben. Die Leblosigkeit wird auf die Natur angewendet mit Formulierungen wie *Stilleben der schweigsamen Pflanzen* bei Alexander von Humboldt.[115] Der Ausdruck wendet sich auch auf *Lebensvorgänge, die dem Menschen erst durch genaues Betrachten und Hinhören offenkundig werden.*

Von der dazu nötigen Andacht und Bescheidung ausgehend nimmt der Begriff bald Besitz von Lebensverhältnissen unter Menschen. Zunächst bezeichnet er einen wünschenswerten Zustand, wenn Friedrich Creuzer 1805 Caroline von Günderode auffordert, in der Art, wie sie sich schriftlich und mündlich äußert, *den Willen und die Fähigkeit, ein eheliches Stilleben zu führen*, zu beweisen.[116] Schon hier ist Stilleben für die Braut Einschränkung; deshalb bezeichnet das Wort im späten 19. Jahrhundert »schließlich nur noch ein defizientes Lebensgefühl.«[117] So hetzt Treitschke 1897 im Begehren nach Kolonien für die Deutschen gegen *die armselige Beschränktheit ihres binnenländischen Stillebens*.[118]

Zur Anwendung des Begriffs heute

Gilt angesichts solcher Entäußerung des anschaulichen Sinnes auch für unsere beiden Begriffe: Die Rose von einst steht nur noch als Name, uns bleiben nur nackte Namen?[119] Das würde zugleich eine Anwendung fordern, die ganz ohne Nachdenken über die Worte auskäme. Möglich ist das, nicht erfolglos, wie eingangs schon erläutert, und einfach, weil schlichte Negation genügt, ein Stilleben zu definieren.

Im derben Volkston hat der 1851 geborene Georg Eberl die Definition *ex negativo* in ein Gedicht gefaßt, das das Problem humoristisch auf den Punkt bringt:[120]

Stilleben

Aufm Tisch, da steht a Maßkruag, / Salz und Pfeffer in der Büchs, / Und a Glasl mit an Schmalzler, / Und a Schnupftuach und sunst nix.

Und koa Hunderl und koa Katzerl, / Und koa Kellnerin in der Stubn, / Und koa Wirt net und koa Wirtin, / Und koa Hausknecht umadum.

Grad de Uhr macht tickel tackel, / Und a Fliagn summst umadum, / Und der Mondschein scheint durchs Fenster / Aufm Maßkruag in der Stubn.

Alles still, als wia im Friedhof, / Lauta Ruah und lauta Fried, / Grad a so, als wollt's vakunden: / Unterm Tisch, da liegt der Schmied.

Um aus der Wiedergabe von Objekten im Sinne der Kunstgattungen ein Stilleben zu machen, sei nicht nur darauf geachtet, daß Eberls Schmied unter dem Tisch bleibt, sondern auch das Bild schon von Beginn an als selbständige Einheit im eigenen Rahmen konzipiert wurde. Beweisen wird man das nicht immer können.

Gemälde sind dem Wortsinne zufolge *Stilleben* oder *nature morte*, wenn sie als Porträts das Unbewegliche in der Weise arrangiert zeigen, wie es der Maler sah. Da der Künstler bei der Arbeit nach der Natur beziehungsweise nach dem Leben seine Imagination auszuschalten hatte, um sich der *Imitatio* als wesentlichem Grundprinzip zu widmen, bezog er im luftigen Gebäude akademischer Hierarchie das Souterrain. Das geschah für Bilder, die nichts Nennenswertes darstellen, wenn sie nicht buchstäblich die Eitelkeit des Seins, die Vanitas, meinen.

In den Komposita *Stilleben* und *nature morte* unglücklich verkürzt, mußten beide aus dem Atelier stammenden Bezeichnungen dem Publikum eher unverständlich sein. Wem schon wie den Akademikern das Prinzip der Arbeit nach dem Leben oder der Natur suspekt war, der konnte mit solchen Termini erst recht nichts anfangen. Deshalb bot sich angesichts solcher Kodierung ein Spektrum unterschiedlicher Assoziationen, die zur eigenen Worterklärung einluden. Die wohl stummste Gattung der Malerei, die sich am demütigsten mit dem Sehen und der künstlerischen Arbeit auseinandersetzte, führte schon beim Versuch, ihre Namen zu verstehen, zu babylonischer Sprachverwirrung.

Historische Voraussetzungen und Anfänge des Stillebens

Historisch bedingte Einschränkungen der Definition von Stilleben

Der erste Wortsinn von *Stilleben* und *Nature morte*

Stilleven wie *nature morte* bezeichnen als Synonyme Arrangements unbeweglicher Gegenstände, die in eigenständigen Bildern so wiedergegeben sind, wie sie dem Maler leibhaft vor Augen standen. Den Gattungsbegriffen *Historie, Landschaft* und *Genre* entsprechend zielen beide Komposita in einer ersten Sinnschicht auf die Bildgegenstände. Von da aus können sie ohne verdeutlichende Zusätze ebenso auf Objekte ohne die Absicht sie abzumalen wie auf die Bilder selbst, die solches darstellen, und schließlich auf die Gesamtheit der Gattung übertragen werden.

Im Gegensatz zu den anderen Termini, die wie *Porträt* und *ritratto* nur das Verfahren oder wie *Historie, Landschaft* und *Genre* nur das Sujet nennen, fassen die beiden Ausdrücke für die Objektmalerei im Adjektiv den Gegenstand speziell unter der künstlerischen Bedingung der *Imitatio*, die das Substantiv des Kompositum bestimmt. Ins Bewußtsein des kunstsinnigen Publikums ist der eigentliche Sinn von *nature morte* und *Stilleben* hingegen kaum gedrungen.

Bilder von Stillebenmalern bei der Arbeit

Das Atelier beim Malen eines Stillebens ist nur selten abgebildet worden.[121] Den lebendigsten Eindruck bietet Clouzots Picasso-Film von 1955.[122] Edouard Manet hingegen verzichtet in seinem *Bildnis der Blumenmalerin Eva Gonzalès* (Abb. 3)[123] fast ganz auf deren Lebenswelt. In der Tradition des Porträts mit Accessoire,[124] deren Grenzen zu Idealbildnis und Allegorie fließend sind, präsentiert Manet die Malerin lebensgroß bei der Arbeit an der Staffelei. Während sie Malstock und Palette in der Linken hält, führt sie mit der Rechten den Pinsel zum Bilde. Den Blick richtet sie nach links; doch fehlt dort der Gegenstand ihrer Aufmerksamkeit, so daß ein Ausdruck von Weite und Wissen entsteht. Ihr Kleid gibt Eva Gonzalès soziale Gediegenheit. Seine strahlend helle Farbe verbindet sich mit einer prächtigen Rose zu ihren Füßen. Vor dem dunklen Fond wird sie durch die alte Assoziation von Blume zu Frau und sicher auch Duft entrückt. Karin Beth erkennt ein »Apotheosemotiv« und assoziiert eine Erhebung der Stillebenmalerin zur Allegorie der Pictura.[125]

In solcher Überhöhung verliert Manet aus den Augen, daß *nature morte* von der Arbeit nach der Natur herrührt. Indem er den Blick der Stillebenmalerin von der *Imitatio* löst, füllt

Abb. 3
Eduard Manet: *Porträt der Eva Gonzalès*
(London, National Gallery)

Abb. 4
Hendrik Pot, *Beim Malen eines Vanitas-Stillebens*
(Den Haag, Museum Bredius)

er ihn entweder mit Weltwissen oder sogar mit *Inventio*. Um in diesem Gemälde Pictura im klassischen Sinne darzustellen, leugnet er die Zugehörigkeit des Stillebens zur niederen Gattung und mißbraucht die Gonzalès zum Programmbild für die eigene Kunst – in gleicher Weise wie die Dichter Zola und Astruc.[126]

Dem dumpfen Atelier-Interieur hingegen, das Hendrik Pot um 1650 in seinem Gemälde des Haager Bredius-Museums darstellt (Abb. 4), fehlt jeder Sinn für die Überhöhung künstlerischer Arbeit.[127] Neben einem mit Instrumenten und Schädeln befrachteten Tisch steht eine Staffelei. An ihr sitzt der jugendliche Maler ganz vertieft, allerdings den Blick gesenkt, als werde er selbst der Eitelkeit seines Tuns gewahr angesichts der Vanitas, die er auf dem Tische angerichtet hat.

Das Stilleben in der künstlerischen Praxis

Einige Maler geben zumindest vor, das Prinzip *nach dem Leben* ebenso wörtlich zu nehmen, wie Pot es in seinem Haager Gemälde zeigt. Einen ihm offenbar zu mühsamen Auftrag wehrte der Blumenbruegel (s. Abb. 15) mit der überraschenden Begründung ab, in ein großes Blumenstück müsse er über den Jahreslauf hinweg die Motive frisch beobachtet *alla prima* eintragen (hier S. 113). Allerdings hat dieser Künstler seine Blumen keineswegs immer direkt nach dem einzelnen Exemplar gemalt, sondern durchaus auch Studien im Sinne auswählender Natürlichkeit kombiniert. Sonst hätte er die Schwertlilie in seinem Blumenstrauß für Kardinal Federico Borromeo nicht schon in anderen Bildern exakt genauso gemalt.[128] Auch sonst gilt die Festlegung von Stilleben auf Arbeit *nach dem Leben* nur unter Einschränkungen: Für die älteren Jacques de Gheyn und Ambrosius Boschaert hat Ingvar Bergström in Diagrammen die Häufigkeit einzelner Blumen erfaßt, die sie in ihren Gemälden wiederholen.[129] Noch an der Wende zu unserem Jahrhundert stimmten Theorie und Praxis nicht überein, wenn in den mimetisch scheinbar getreuen Stilleben des Amerikaners William Harnett Phantasie und Formgefühl frei walten (hier S. 248).

Schon aus technischen Gründen fand professionell ausgeübte Malerei erst spät zur spontanen Arbeit vor dem Gegenstand. Da Ölmalerei immer wieder lange trocknen mußte, war man auf Zeichnungen und anderes Studienmaterial für Gemälde angewiesen.[130] Sogar Künstler wie Cézanne, die ihre Farben schnell aus der Tube nehmen konnten, um sie ineinander zu malen, haben noch vorab gezeichnet oder aquarelliert.[131] Das wichtigste Stilleben aus dem 20. Jahrhundert, Picassos Basler Bild, geht sogar allein auf Skizzen zurück, ohne daß der Künstler je vor dem Motiv gesessen hätte (s. Umschlagbild). Wenn sich professionelle Künstler mit Motiven auseinandersetzen, dann bewirkt Schulung ein gerichtetes Sehen. Das gilt auch für Arbeit nach der Natur, die spätestens seit der Zeit um 1500 zur Ausbildung gehörte und unter Anleitung geübt wurde. Stilprägung ebenso wie eine epochenspezifische Sicht, die auch vom Publikum geteilt wird, von Michael Baxandall als *Period Eye* bezeichnet,[132] wandeln sich ständig. Doch bewirken Konventionen, daß Stilleben verschiedener Zeiten ähnlich wie Sonaten motivisch konform wirken. So stellt Paul Claudel fest, es sei unmöglich, den geringen Spielraum der Sujets wie der Kompositionen von Stilleben nicht frappierend zu finden.[133]

Eine Spannung zwischen Stilisierung und Naturnähe, Manier und Beobachtung, künstlerischer Tradition und Spontaneität sollte die Geschichte der Stillebenmalerei bis in die Moderne bestimmen. Somit setzt auch das *Tote Rebhuhn mit Armbrustbolzen und Hentzen* von 1504 beim Malen nicht unbedingt die leibhaftige Präsenz des gültigen Arrangement voraus. Jacopo de'Barbari wird, statt die Dinge erst mühsam an den Nagel zu hängen und sie dann täuschend abzumalen, einzelne Studien kombiniert haben. Immerhin existiert vom Rebhuhn ein Aquarell seiner Hand![134]

Pittura dal naturale

Zwar haben Autoren wie Charles Sterling vorgeführt, daß Stilleben es wert sind, in eigenem Recht diskutiert zu werden. Doch beispielhaft für eine Literatur, die sich damit nicht begnügt, insistierte der Stilleben-Katalog von Münster und Baden-Baden 1979/80 auf allgemeinen Bezügen zur naturalistischen Malerei.

Schon Cennino Cennini spricht in seinem *Libro d'arte*, das im Jahre 1437 abgeschlossen war, von *ritrarre di naturale* als dem Triumphtor, das den besten Weg zur Kunst weise. Das gelte insbesondere, wenn man schon ein Gefühl für das Zeichnen habe, dieses aber könne nur der Lehrmeister anregen.[135] Verwunderung hat dieser Satz als eine unerhört moderne Aussage geweckt, obwohl schon Dante die Natur mit dem Lehrmeister und die Kunst mit dem Schüler gleichsetzt, der der Natur zu folgen habe.[136]

Im Zuge solcher frühen Aufforderungen zur Arbeit nach der Natur stellt sich bereits gegen Ende des 14. Jahrhunderts für den weitgehend vergessenen Florentiner Autor Filippo Villani ein scharfer Gegensatz ein: Er setzt der überwunden gewähnten *greca e latina pittura* die Malerei *dal naturale* entgegen, neben der er als ebenbürtig nur eine an der Antike orientierte Malerei duldet.[137] Hundert Jahre später legt Leonardo, indem er optische Erfahrung als Quelle für eine gleichsam wissenschaftliche Malerei postuliert, einen wichtigen Grundstein auch für die Möglichkeit späterer Stillebenmalerei.[138] Für ihn ist *Nachahmung der natürlichen Dinge, die thatsächlich aus den wahrhaftigen Scheinbildern besteht, ein würdigeres Ding als das Nachahmen der Thaten und Reden der Menschen.*[139] Dürer schließlich brachte die Begriffe, auf die es hier ankommt, in einem berühmten Diktum auf den Punkt: *Dann warhafftig steckt die kunst in der natur, wer sie herauß kan reyssenn, der hat sie.*[140] Wenige Zeilen vor diesem Bekenntnis zum *ritrarre* hatte der Künstler gemahnt: *Aber daz Leben in der natur gibt zu erkennen die warheyt diser ding. Darumb sich sie fleysig an, richt dich darnach vnd gee nit von der natur in dein gut geduncken.*[141] Stilleben haben weder Leonardo noch Dürer gemalt; in Zeichnungen allerdings arbeiteten beide bereits auf das Genre zu.[142]

Der Grundsatz *nach dem Leben* oder *nach der Natur* beim Bild des Menschen

Leben als Bezeichnung für die leibhaftige Anwesenheit des Bildgegenstandes im Kompositum *stilleven* wie in den synonymen Formeln *stillstaand leven* und *stilligend leven* leitet sich aus lateinischen Formeln her, die bei Porträts zu finden sind. So trägt Holbeins Bildnis des Astronomen Kratzer im Louvre eine Inschrift, die das Gemälde als *Imago ad vivam effigiem expressa* ausgibt.[143] Im 16. Jahrhundert kann *natura* an solchen Stellen *Leben* ersetzen.[144] Entsprechende Worte dienten auch Auftraggebern, wenn sie Porträtaufgaben präzisierten. So heißt es um 1520 bei Margarete von Österreich am Mechelner Hof, Gerard Horenbout solle vom dänischen König ein Bildnis *au vif* malen.[145]

41

Gleichzeitig regte die Bildniskunst gelehrte Wendungen über beide Begriffe an, wenn beispielsweise schon 1519 auf Holbeins Basler Porträt des Bonifacius Amerbach steht: *Obwohl ich ein gemaltes Gesicht bin, weiche ich vom lebendigen nicht ab, sondern [...] bin mit den trefflichen Linien ein vornehmes Bild dieses Herrn. Das Kunstwerk stellt ihn so vor, wie die Natur ihn in dreimal acht Jahren wachsen ließ.*[146] Aus unserem Thema führt dieser Basler Titulus zu Reflexionen über Leben und Natur sowie *lebendig* und *natürlich*, für die hier kein Platz ist.[147]

Wie alt der Sprachgebrauch schon um 1500 war, zeigt ein Beispiel aus dem Atelier des Pariser Buchmalers Jean Pichore. Bei der Illustration von Froissarts Chroniken stellt das erste prächtige Königsbild laut Beischrift *Le Roy Edovart en son vive(n)t* dar, obwohl der bereits über zweihundert Jahre tot war.[148]

Das Prinzip *nach dem Leben* oder *nach der Natur* als Grundlage des Naturstudiums

Das vielleicht früheste nachantike Konterfei nach dem Leben ist das Bild eines Tiers. In seinem berühmten Pariser Bauhüttenbuch hat Villard d'Honnecourt neben einem Löwen vermerkt, so sehe man ihn von vorne, und hinzugefügt, der Löwe sei *contrefais al vif*.[149] Ein Einstich mitten im Antlitz des Tieres verrät ebenso wie die Konstruktionslinien für Nase und Kontur, daß Villard das Gesicht seines Löwen mit dem Zirkel konstruierte. Schon deshalb wäre die Vorstellung anachronistisch, da habe sich ein Künstler des 13. Jahrhunderts vor einen Löwenkäfig gesetzt, sein Büchlein herausgeholt und spontan abgezeichnet, was er vor sich hatte. Doch hat Villard ebensowenig die Unwahrheit gesagt; nur sah eine Arbeit *nach dem Leben* im 13. Jahrhundert anders aus als zu späteren Zeiten. Villards Beischrift und seine geometrische Konstruktion vertragen sich, sobald man im Zirkel, der zugleich als vornehmstes Instrument des Schöpfergottes galt, das normale Arbeitsgerät eines Bauhüttenkünstlers sieht.[150] Die Formulierung *contrefais al vif* unterscheidet dann in erster Linie die Zeichnung von jener Norm, derzufolge man Löwen nach Vorlagen aus Flächenkunst oder Skulptur darstellte.[151] Villard aber hat offenbar dieses eine lebende Exemplar leibhaftig studiert und das Tier dann nach den Sehgewohnheiten und mit den Hilfsmitteln seiner Epoche *nach dem Leben konterfeit*.

Den Löwen, wie man ihn einem Musterbuch entnehmen konnte, trennt vom *al vif* studierten Exemplar eine fast so epochale Distanz wie die im Zuge des Nominalismus erfolgte philosophische Abkehr von der Scholastik. In beiden Fällen geht es darum, gegen globales Weltbegreifen die Beobachtung am Einzelnen zu stärken. Künstler mußten zur Abkehr vom Gelernten bereit sein und sich daran machen, das seit Generationen ikonenhaft Gültige selbst durch die eigene Anschauung zu überprüfen. Das taten sie zuweilen auch auf expliziten Auftrag hin. Das erste mir bekannte Zeugnis dafür betrifft Motive aus Tier- und Pflanzenwelt: Eichenbäume und Damwild waren an einer Sänfte des französischen Königs Charles V. in dessen Todesjahr 1380 *d'après le vif* abzumalen.[152] Zumindest seit dieser Generation, verstärkt dann zu Lebzeiten Leonardos, des jüngeren Holbeins oder Dürers läßt sich emsiges Arbeiten *nach dem Leben* nachweisen: Die *Très Riches Heures* der Gebrüder Limburg bieten in ihrem Kalender aus der Zeit vor 1416 topographisch verläßliche Ansichten von Städten und Burgen, die ausgedehnte Reisen voraussetzen.[153] Aus der großen Zahl botanischer Porträts, die in *Herbarien* über viele Jahrhunderte ohne spontane Anschauung auskommen, ragt eine einzigartige Bemühung Jean Bourdichons heraus: Dieser französische Hofmaler hat in den Jahren kurz nach 1500 in Tours Hunderte von Studien zusammengestellt.[154] Dabei verhielt er sich wie der Chirurg Domenico Guarini in Brescia, dem das umfangreichste heute bekannte Pflanzenbuch in der Nachfolge der *Secreta Salernitana* verdankt wird.[155] Doch war Bourdichon eben Künstler; deshalb nutzte er, nachdem er Pflanzen mit Wurzel, Blüte und Frucht erfaßt und korrekt mit Namen in Latein und Französisch bezeichnet hatte, diese Studien wiederholt als Schmuck von Stundenbüchern wie den *Grandes Heures* der Königin Anne de Bretagne.[156]

Erst später entwickelt sich aus solchen Ansätzen das Konzept Stilleben, dessen Vorbote, Jacopo de' Barbaris Münchner Tafel, exakt aus den Jahren stammt, in denen Bourdichon die Botanik studierte und Leonardo die Naturstudie zur Wissenschaft erheben wollte. Der entscheidende Schritt zur Orientierung an der Natur, wie ihn Künstler spätestens um 1500 vollzogen haben, setzt eine Weltsicht voraus, die sich für Erwin Panofsky keineswegs schon mitten in Villards Hochgotik des 13. Jahrhunderts orten läßt, sondern als ein grundsätzlicher Wandel zur Neuzeit darstellt: *Die Kunstanschauung der Renaissance charakterisiert sich [...] der mittelalterlichen gegenüber dadurch, daß sie das Objekt gewissermaßen aus der innersten Vorstellungswelt des Subjekts herausnimmt und ihm eine Stelle in einer festgegründeten »Außenwelt« zuweist, daß sie (wie in der Praxis der »Perspektive«) zwischen Subjekt und Objekt eine Distanz legt, die zugleich das Objekt vergegenständlicht und das Subjekt verpersönlicht.*[157]

Auch wenn die Anfänge der Arbeit nach der Natur, wie Villards Löwe zeigt, weit ins Mittelalter zurückreichen, ermöglicht erst neuzeitliches Denken das Stilleben und andere vom Naturstudium abhängige Bildaufgaben: Die Kunst muß wie bei Cennino Cennini 1437 die Natur nicht nur nachäffen, sondern als ein Gegenüber wahrnehmen, um über das Bemühen *al naturale* hinaus zum *dal naturale* fortschreiten zu können. Dabei tritt zwischen Gegenstand und Betrachter eine Distanz, die den Maler anregt, dem von der Natur Abgemalten durch Raum und Licht einen Ort zu geben. In der Fremdheit, mit der die Objekte dem Künstlerauge entgegentreten, wächst die Selbständigkeit der Dingwelt; paradoxerweise unterwirft sich der Maler jedoch nicht wie ein interesseloses Medium der mimetischen Aufgabe, sondern gewinnt in dieser Auseinandersetzung auch für sich selbst unverwechselbar neues Profil, neue Rechte.

Das Prinzip *nach dem Leben* oder *nach der Natur* und die Anleitung durch einen Lehrer

Nach Carel van Manders *Schilderboek* von 1604 sind nicht nur Körperstudien, insbesondere Akte, *nae't leven* zu malen, sondern auch: *Tronien, handen, voeten, huysen, Landtschappen, en alderley stoffen van laken, beesten, vruchten, fruyten, vleys, Voghelen, Visschen, en derghelijcke dinghen, een kleen Bloempotken* sowie *vervallen Casteelen, en Steden*.[158] Die Arbeit nach dem Leben hat aber nicht spontan zu geschehen, sondern vielmehr vom künstlerischen Lehrer angeleitet. Lobend hebt Carel van Mander hervor, ein Lehrling des Frans Pourbus, dem übrigens eines der frühesten Stilleben zugeschrieben wird,[159] habe in seinem Meister *neben anderen Vorzügen in der Kunst ein ausnehmend schönes Vorbild gehabt im Konterfeien nach dem Leben*.[160]

Zum Verhältnis eines solchen künstlerischen Vorbilds zur Orientierung an der Natur führt eine geschlossene Gruppe von Zeichnungen im Stile Pieter Bruegels des Älteren, die mit den Worten *naer het leven* bezeichnet sind.[161] Die ältere Literatur nahm den Schriftzug als Äquivalent für eine Signatur des Meisters; doch inzwischen hat sich die Meinung durchgesetzt, Roelandt Savery habe diese Blätter geschaffen.[162]

Daß der jüngere Künstler ausgerechnet die in auffällig Bruegelschem Ton gehaltenen Arbeiten mit einer Angabe versah, sie seien nach dem Leben gezeichnet, verweist auf das dominante Vorbild eines älteren Künstlers für die Arbeit nach dem Leben. Savery zitiert mit dem Begriff *naer het leven* Bruegels künstlerisches Verfahren und betont zugleich den dokumentarischen Charakter der Zeichnungen.

Vorbehalte gegen die Leitlinie *nach dem Leben* oder *nach der Natur*

Nachantike Wissenschaft konnte mit empirischen Arbeitsverfahren fast ein Jahrtausend lang selbst in der Botanik wenig anfangen. Gerade bei den für die Praxis wichtigen Pflanzenbüchern, erwies sich eine vereinfachte Darstellung, die im Sinne des Panofsky-Zitats das Objekt nicht aus der innersten Vorstellungswelt des Subjekts herausnimmt und ihm keine Stelle in einer festgegründeten Außenwelt zuweist, dem anschaulichen Abmalen überlegen. Genormte Pflanzenformen, die aus späterer Sicht »abstrahiert« wirken, wurden nur mit wenigen Charakteristika versehen, die dem Botaniker als Merkzeichen dienten.[163] Die Gesamterscheinung der einzelnen Spezies, noch mehr die Zufälligkeit eines einzelnen Spezimens hätte die Konzentration auf das Wesentliche gestört.

In dieser gedanklichen Tradition sind auch die häufig wiederzufindenden Warnungen vor dem Naturstudium zu verstehen. In einer Welt, in der Naturwissenschaft nicht aus Erfahrung, sondern aus Lektüre schöpfte, mußte die Malerei das Wissen um das Wesen der Spezies vor die Beobachtung des einzelnen Spezimens setzen. Gerade in akademischer Tradition waren deshalb Künstler gehalten, erst nach dem Begreifen großer Zusammenhänge zur Beobachtung zu schreiten.

Solche Überlegungen wurden noch in den 1670er Jahren eng mit dem Stilleben verbunden. Der Maler Charles Alfonse Dufresnoy erörtert die Gefahren des Naturstudiums zusammen mit Motiven der Stillebenmalerei. Daß aus Früchten, Blumen und anderem, nach der Natur gemalt, eine eigenständige Gattung erwachsen war, kümmert ihn ebensowenig wie seinen Kommentator Roger de Piles. Im Gefüge der Kunst haben sich solche Dinge als Beiwerk im Sinne der Rhetorik unterzuordnen, um die großen Aufgaben der Historienmalerei besser an den Mann zu bringen (hier S. 147 ff.). Als das Pittoreske wird man im 18. Jahrhundert entsprechende Elemente bezeichnen (hier S. 191 ff.).

Neuzeitliches Stilleben und Antike: der Wert des Beiwerks im Sinne der Rhetorik und die Frage der Tradierung aus dem Altertum

Trotz der Herkunft des Begriffs Stilleben aus Holland und gegen die seinerzeit allgemeine kunsthistorische Überzeugung, den Ursprung der Gattung in niederländischer Mentalität zu suchen, hat Charles Sterling die neuzeitliche *nature morte* auf die Antike zurückgeführt. Schon Gombrich zollte ihm Beifall, weil auch er meinte, Stilleben erkläre sich wie Landschaft aus humanistischer Besinnung auf die Antike in Italien.[164]

Legitimation durch antikes Vorbild?

Die Freiheit, Studien nach dem Leben zu eigenständigen Bildern zu arrangieren, hätte Erinnerung an älteres Künstlertum fördern können; doch die aus dem Altertum bekannten Texte legitimieren das Naturstudium nicht. Die wichtigste antike Anekdote für Arbeit nach dem Leben hat gerade die Pointe, vom einzelnen Spezimen zur ganzen Spezies zu führen: Zeuxis studiert, um Helena oder Venus malen zu können, fünf nackte Jungfrauen, wobei er dem Zufälligen des Individuums das jeweils Beste entlehnt, um es in ein Ideal einzuschreiben.[165] Dem einzelnen Augeneindruck redet diese dem Mittelalter wohlvertraute Geschichte keinesfalls das Wort.[166]

Die anderen antiken Quellen sprechen nicht von dem Verfahren, dem die wenigen bezeugten Stillebenmotive verdankt werden, sondern ausschließlich von deren Wirkung als Trompe l'oeil: Daß derselbe Zeuxis über die Natur verfügt, beweisen in seinem bekannten Streit mit Parrhasios Früchte, die so treffend gemalt sind, daß nach ihnen die Vögel pickten (hier S. 108).

Willkommenes Beiwerk im Sinne der Rhetorik

Am anschaulichsten von allen antiken Hinweisen auf Stilleben sind die beiden *Xenia* des Philostratos (hier S. 134 ff.). Dessen philologisch versierte Bearbeiter, die an bildender

Kunst kaum interessiert waren, haben den Stellenwert der Abschnitte im rhetorischen Gesamtkonzept von Philostrats *Eikones* schon früh erkannt. Ihnen stellten sich die Beschreibungen als Exempel der Rhetorik ohne echte Anschauung dar. Von der Ekphrasis als literarischer Form zur konkreten Rekonstruktion der darin geschilderten Bilder war schon wegen der mythologischen Inhalte der übrigen Kapitel bei Philostrat ein viel zu weiter Schritt.

Ohne Anschauung von Stillebengemälden im zeitgenössischen Kunstschaffen blieben Philostrats *Xenien* weitgehend unbeachtet; zudem gehören die *Eikones* zu jenen antiken Texten, die erst im Verlaufe des 15. Jahrhunderts im Abendland bekannt geworden sind. Das rhetorische Konzept, schmückendes Beiwerk willkommen zu heißen, war in anderen antiken Texten vitaler überliefert und blieb das ganze Mittelalter über in der literarischen Praxis ungebrochen lebendig.[167] Naturmotiven in diesem Sinne Platz zu geben, ist aber kein Problem der Gattung Stilleben, sondern der Ausstattung von Figurenbildern.

Das Wissen über antike Stilleben

So erratisch die Erscheinung eines Schmutzmalers wirken mochte, so behauptete Peraïkos doch fortan einen Platz im Bewußtsein der Kunstliteratur. Zumindest im 17. Jahrhundert haben Künstler wie Adriaen Brouwer diese Überlieferung wieder aufgenommen.

Daneben kannten Mittelalter und Renaissance eine Passage in Vitruvs *Büchern über die Baukunst* (hier S. 103). Darin ist von einer Art Malerei die Rede, die sich mit der Darstellung von Speisen beschäftigte. Solange aber in der eigenen Kunstpraxis nichts Entsprechendes vorkam und man nie ein Stilleben gesehen hatte, wußte man mit Vitruvs *Xenia* wenig anzufangen.

Wichtiger ist die Frage, seit wann man antike Stilleben (Abb. 13–14) vor Augen hatte; die Meinungen in der Forschung gehen erheblich auseinander. Charles Sterling denkt an die Domus aurea Kaiser Neros,[168] die zu Beginn des 16. Jahrhunderts entdeckt wurde. Dort fand man Wanddekorationen mit Stillebenmotiven, wie sie heute nur von anderen Fundorten aus der Antike erhalten sind.[169] Vasari berichtet in seiner Vita des Giovanni da Udine von der prägenden Wirkung solcher archäologischer Funde (hier S. 225).

Fruchtkörbe oder Blumen waren schon von Fußbodenmosaiken her vertraut; doch in isolierten Bildfeldern werden solche Darstellungen kaum geläufig gewesen sein. Ein eigentümliches Schlaglicht auf die ganze Frage wirft der Umstand, daß sich jenes Mosaikbild eines Stillebens in Rom, das für Sterling ein Kronzeuge für die Herleitung des Stillebens aus der Antike war, als eine Fälschung des 19. Jahrhunderts erwiesen hat.[170]

Scheinarchitekturen zwischen Stilleben und Trompe l'oeil

Aufsehen erregten in der Diskussion um die Herkunft des Stillebens neu entdeckte mittelalterliche Wandmalereien, die Nischen vortäuschen und mit Gerät besetzt sind.[171]

Architektonisch abgegrenzt läßt sich das Dargestellte wie ein Tafelbild reproduzieren. Zwischen Trompe l'œil und autonomem Stilleben angesiedelt, werfen Beispiele wie Taddeo Gaddis Nischen in der Baroncelli-Kapelle in Santa Croce zu Florenz aus dem frühen 14. Jahrhundert erhebliche definitorische Probleme auf.[172] Sterling hat die meist in kirchlichen Räumen erhaltenen Scheinnischen als Spuren ungebrochener antiker Traditionen deuten wollen.[173] Demnach hätte sich das Stilleben nicht als autonome Kunstgattung, sondern als Teil des architektonischen Dekors aus altrömischer Wandmalerei in die nachantike Welt hinübergerettet.

Treffende Gestaltung solcher Scheinarchitektur stellte selbstverständlich besondere Anforderungen an die Künstler. Sie hatten sich aber weniger in der Wiedergabe von Objekten zu bewähren, die sie nach der Natur studierten, sondern zunächst einmal darin, Raumwirkung vorzutäuschen. Von echter Stillebenmalerei wäre erst zu sprechen, wenn Taddeo Gaddi neben seinem Fresko ein Nischenmodell aufgebaut hätte, um es dann mit Inhalt abzumalen.

Stillebenmalerei als Phänomen der *ars nova* seit Giotto

Da zur Stillebenmalerei neben stofflich treffender Wiedergabe auch überzeugende Präsentation im Raum gehört, tritt die Gattung nur auf, wenn raumlose Bildformen überwunden werden. Einleuchtend ist das Beispiel Rußlands, wo man weder für Stilleben noch Landschaft ein eigenes Wort entwickelte, weil die einheimische Kunst bis in die Zeit Peters des Großen raumlos hieratisch geblieben war.

Den Bezug zwischen dem sich wandelnden Weltbild und der Aneignung der Wirklichkeit hat die jüngere kunstgeschichtliche Literatur zum Forschungsthema gemacht.[174]

Stilleben als Errungenschaft der italienischen Malerei der Frührenaissance?

Berichte über Stilleben beginnen in der Kunstliteratur mit Raffaels Mitarbeiter Giovanni da Udine, obwohl er gar kein Stilleben gemalt hat (hier S. 224 ff.). Antonio da Crevalcore aus Bologna haben gelehrte Autoren hingegen übersehen, obwohl von ihm in der Zeit um 1500 ein reines Früchtestück und sechs Tafeln mit Blumenstücken verbürgt sind, die allerdings wie Intarsien in einen Sakristeischrank eingelassen waren.[175] Freilich betrifft nicht jede Quelle, die man für Stilleben heranzieht, auch die Gattung; so wird man Creighton Gilberts Versuch zurückweisen, in einem Gedicht von Raffaello Zovenzonio aus Venedig das früheste schriftliche Zeugnis für nachantike Stillebenmalerei zu erkennen.[176] Darin vergleicht der Dichter den oberitalienischen Maler Marco Zoppo mit Phidias und hebt täuschende Qualität der von ihm gemalten Äpfel hervor. Gemeint sind jedoch nicht Früchte eines Stillebens, sondern die goldenen Äpfel der Hesperiden, die den Titel für ein Historienbild abgeben.

Ein Blick auf die stofflichen Sensationen von Gläsern und Zinngeschirr auf Leonardos Abendmahl bestätigt hingegen, wie weit die italienische Malerei schon gegen 1500 das Stillebenhafte beherrschte.[177]

Analogien zu den Anfängen der Landschaftsmalerei in Italien

Daß Sterling die neuzeitliche Gattung auf die Antike zurückführte, hat Gombrich begrüßt.[178] Er selbst hatte nämlich parallel zu Sterling den Neubeginn der Landschaftsmalerei auf Anregungen aus der Antike bezogen, die in der italienischen Frührenaissance fruchtbar wurden.[179] Obwohl auch Sterling die Tradition nach Giotto anerkannte, ist in der Forschung um den Stellenwert von Mittelalter und Antike für Stilleben und Landschaft teilweise in überzogener Frontstellung[180] eine gewisse Kontroverse entstanden. Sterling selbst trug dazu bei, indem er ärgerliche Verblüffung darüber äußerte,[181] daß zum Beispiel im Ausstellungskatalog Münster und Baden-Baden 1979/80 nicht nur die Geschichte der Perspektive kurz nacherzählt wird, sondern daß man auch dort Petrarca bei der Besteigung des Mont Ventoux begleitet.[182]

Die Kontroverse ist jedoch unnötig: Noch im 16. und 17. Jahrhundert haben Künstler wie Quinten Massys (Abb. 2) und Jan Bruegel der Ältere (Abb. 15) ohne Unterschied Landschaft oder Stilleben gemalt. Der Figurenmalerei gegenüber boten die toten Werke der Natur ein ungeteiltes Betätigungsfeld, weil sich, was später in einzelne Gattungen zerfiel, noch nicht voneinander gelöst hatte. Zu solcher Trennung bestand auch solange kein Anlaß, wie man weder mit dem einen noch mit dem anderen allein die Fläche eines Gemäldes zu füllen trachtete. Beide Spezialitäten verband neben vorausgegangenem Naturstudium, vor allem ihr Wert im Sinne der Rhetorik. Als selbständige Hervorbringungen noch keinesfalls ernst genommen, wußte man sie als *Parerga* bis in jene Zeiten zu schätzen, da Blicke in die Ferne und Verweilen auf nahgesehenen Objekten *Pittoreskes* zur Malerei beisteuerten.

Stillebenmotive in der altniederländischen Malerei

Daß die heute gültige Bezeichnung für die Gattung aus dem Holländischen stammt, bedeutet in der Forschungsgeschichte mehr als nur eine etymologische Erkenntnis. Goethe konnte sich solche Bilder ebenso wie die Mehrzahl der Kunsthistoriker vor Sterling am besten in Flandern oder Holland vorstellen. Diese Auffassung war schon früh in den europäischen Nachbarländern verbreitet; denn Engländer wie Horace Walpole denken ebenso wie die Franzosen von Félibien bis Baillet de Saint-Julien, wenn es um Stilleben geht, vorrangig an Holländer und Flamen.

Ersten Aufschwung nahm die nachantike Stilleben-Malerei bei den Alten Niederländern. Mit ihren Porträts ebenso wie mit stofflichen Sensationen im Detail eröffneten sie der mimetischen Wiedergabe neue Möglichkeiten. Vielleicht waren sie auch die ersten, denen es genügte, innerhalb von Bilderrahmen menschenleere Arrangements von Objekten zu malen. Schon aus dem 15. Jahrhundert haben sich erstaunliche Tafeln erhalten, die beidseitig bemalt sind und auf einer Seite nur Motive des Stillebens zeigen.

Ein prachtvolles Beispiel besitzt die Sammlung Thyssen, jetzt in Madrid, mit dem Flügel eines Diptychons von Hans Memling. Auf der Innenseite betete ein junger Mann zu einem Madonnenbild, das heute nicht mehr bestimmbar ist. Außen zeigt der Maler vollfarbig einen Tisch, den ein orientalischer Teppich bedeckt, darauf stehen Akelei, Iris und weiße Lilie in einem Majolika-Krug. Symbolisch beziehen sich die Blumen auf Reinheit, Verkündigung und Schmerz Mariens; Christi Monogramm *yhs* prangt als Sonne auf dem Bauch des Gefäßes und bestätigt den religiösen Bezug.[183] Was der Porträtierte aus des Malers Hand erhielt, war in erster Linie ein Stilleben, denn solange das kostbare Diptychon geschlossen war, erfreute man sich an einem köstlich gemalten Blumenstrauß.

Teppiche und Blumen hatte man schon vor Memling ähnlich täuschend malen können. Der Majolika-Krug in Madrid ruft den Meister von Flémalle in Erinnerung; in zwei seiner Verkündigungsbilder steht ein solcher Krug aus unterschiedlichem Winkel aufgenommen und deshalb offenbar nach der Natur beobachtet.[184] Memling vollzog den gattungsgeschichtlich entscheidenden Schritt, indem er aus Stillebenmotiven allein ein Bild machte, dieses aber sicher nicht direkt nach dem Leben gemalt; die Blumen arrangierte er wohl aus Einzelstudien, und beim Tischteppich hatte er dasselbe Problem wie der Autor dieses Essays: Er reduzierte ihn kurzerhand gegen alle Wahrscheinlichkeit auf sechs Felder, damit er noch ins Bild paßte. Verformt wird Realität ebenso durch den knappen Ausschnitt der Nische, der künstlich und nicht aus dem Leben gegriffen wirkt.

Von ersten Vorboten zur Gattung Stilleben

Das Bündel von Voraussetzungen

Das Malen von Stilleben setzte zunächst einmal die Fertigkeit voraus, stofflich adäquat mit treffendem Kolorit Gegenstände in Raum und Licht so darzustellen, daß sie taktil überzeugten. Diese Fertigkeit entwickelte sich zweifellos aus Impulsen, die Giotto und seine sienesischen Zeitgenossen kurz nach 1300 gaben. Sie wurde in der französischen Buchmalerei um 1410 und der Ölmalerei der van Eycks seit den 1420er Jahren perfektioniert.

Begreifen des Raums war in Florenz auf mathematische Basis gestellt worden, während Maler in Flandern ihre Bildräume empirisch erschlossen. Mit neuem Naturstudium und angemessener Technik der Tafelmalerei wurden das mimetisch treffende Porträt, die atmosphärisch glaubwürdige Landschaft und das virtuos charakterisierte Accessoire damit möglich. Willkommen war der ungeheure Zugewinn an Fähigkeiten in einer Welt, deren frommes Empfinden sich auch am Sichtbaren inspirierte. Naturmystik wirkte auch auf die Kunst, so daß der Sonnengesang des heiligen Franz und Petrarcas Besteigung des

Mont Ventoux[185] selbst in einer Geschichte des Stillebens ebenso Platz finden wie neue religiöse Innerlichkeit breiter Schichten oder die Theologie eines Nicolaus von Cues. In den großen Kosmos der frommen Bilder durften Porträts die Devotion der Zeitgenossen, Landschaften die Pracht der Schöpfung und abgemalte Gegenstände vielfältige Verweise von Attribut bis Erzählobjekt einbringen. Aufgeteilt in Sparten der Beschäftigung wurde Malerei, wenn große Werkstätten einzelne herausragende Mitglieder effektiver einsetzen wollten. Mit Gattungen im späteren Sinne hat das erst etwas zu tun, wenn solche Spezialisten auch autonome Bilder herstellen. Das war bei Giovanni da Udine, der als erster seines Fachs die nachantike Kunstliteratur durchgeistert, noch nicht der Fall.

Bevor man die Kunst neoplatonischen Kriterien zufolge nach Belebtheit oder Beseeltheit hierarchisch differenzierte, ergaben sich zwei größere Aufteilungssysteme: Das eine richtete sich nach den Gegenständen und trennte wie bei Massys Figürliches und Nicht-Figürliches; das andere aber unterschied künstlerische Verfahren je nach Anteil von *Imitatio* oder *Inventio*. Das spätere Stilleben sollte die Schnittmenge besetzen, die entsteht, wenn man die Malerei nach beiden Mustern teilt; denn für diese Gattung bleibt das untere Ende der neoplatonischen Hierarchie im Nicht-Figürlichen unter Voraussetzung von *Imitatio*.

Potentiell war Malerei, die nur noch dieses im Sinne hatte, im 15. Jahrhundert beiderseits der Alpen angelegt. Darauf deuten erhaltene Beispiele aus den Niederlanden ebenso wie Nachrichten über Antonio da Crevalcore.[186] Doch erst mußte die Ganzheit von religiös und stadtpolitisch bestimmter Kunst im Zuge der Reformation zerbrechen, damit nach Bildersturm und sozialen Umwälzungen des 16. Jahrhunderts Maler mit speziellen Fertigkeiten bereit wurden, im Bilderrahmen nur noch unterzubringen, was zu ihrem beschränkten Fache gehört. Lodewijk van Valckenborch, ein früher Stillebenmaler, war sogar Anführer der Bilderstürmer in seiner Heimatstadt s'Hertogenbosch 1565 (hier S. 228 ff.).

Damit sind die Voraussetzungen umrissen, die Künstler mitzubringen hatten, damit mehr oder weniger gelehrte Betrachter und Kritiker schließlich darauf aufmerksam werden konnten, daß sich Spezialitäten entwickelt hatten, die zum Ordnen in Gattungen einluden. Beschränkung auf einzelne Felder ebnete Virtuosen den Weg zu Autonomie innerhalb der Malerei, womit ein schwieriger Begriff ins Spiel kommt, weil neuerdings der gesamten Kunst Eigengesetzlichkeit streitig gemacht wird.[187] Persönlich bin ich jedoch überzeugt, daß das Stilleben der eigentliche Testfall für die Möglichkeit von Autonomie innerhalb des künstlerischen Schaffens ist.

Schwierigkeiten der Festlegung

Die Frage nach dem ersten nachantiken Stilleben ist geradezu müßig. Jacopo de'Barbaris Münchner Tafel (Abb. 1) ist die früheste Malerei unbelebter Gegenstände, die von ihrem Schöpfer signiert und datiert wurde. Dieses Gemälde von 1504 ist jedoch insofern nicht unbedingt ein Stilleben, weil es kaum nach der Natur gemalt ist und weil es vielleicht doch in dekorativem Zusammenhang als Trompe l'oeil gedacht war.

Die Suche nach dem frühesten Stilleben führt in die verschiedensten Gegenden Europas. Im Streit um Norden und Süden nützt gerade Jacopo de'Barbaris Gemälde wenig, weil es zwar von einem Italiener geschaffen wurde, jedoch nördlich der Alpen und nicht einmal in den Niederlanden, wo man sonst den Ursprung der Gattung sucht. Dorthin sollte der Künstler aus dem Veneto erst gegen Lebensende gelangen, als er am Mechelner Hof ein Gnadenbrot verdiente. Jacopo de'Barbaris letzte Gönnerin, Margarete von Österreich, stammte ihrerseits aus Savoyen, repräsentiert aber wie kaum eine andere die burgundische Kultur in den Niederlanden. Somit beschämt dieser Fall alle um regionale Eingrenzung bemühten Forscher unserer Tage.

Aus solcher Sicht sind auch Vorschläge nicht haltbar, die ersten Stilleben keiner der künstlerischen Großmächte Europas zuzuschreiben. Paul Pieper hat beispielsweise die Anfänge in der Malerfamilie tom Ring gesucht.[188] Im westfälischen Münster haben sie Tafeln mit Stillebenmotiven geschaffen.

Signiert und kunstvoll gemalt, zugleich aber als Teil des Rahmens einer Hauptsache unterworfen waren manche Stilleben noch um die Mitte des 17. Jahrhunderts. So hat Gerrit Dou aus Leiden minutiös gemalte Genrebilder mit Deckeln versehen, die großzügiger gestaltete Stilleben zeigen. Bis in unser Jahrhundert waren zwei Ensembles erhalten, das eine im Louvre, das andere in Dresden. Das Dresdener Beispiel, das mit Taschen- und Sanduhr, Tabakspfeife und Kerze Vergänglichkeit thematisiert, hat er besonders auffällig auf dem Stilleben signiert. Durch den Vorhang, der zwischen jene Gegenständen, die in den Betrachterraum herausragen, und der Nische gezogen ist, setzt sich das Bild zugleich mit seiner Rolle als Verhüllung eines höherwertigen Inhalts auseinander.[189]

Von dienender Funktion zum Galeriebild

Vorstufen der Gattung Stilleben aus dem 15. und 16. Jahrhundert in Deutschland finden sich als isolierte Bildtafeln an Schmalseiten von Predellen spätgotischer Altäre montiert. Für solche Gemälde, auf denen mit Bravour Gerät dargestellt sein kann,[190] wäre der Gattungsbegriff ebenso unsinnig, wie wenn man sie ganz aus der Geschichte des Stillebens ausschlösse. Dasselbe gilt für einige stupende Einzeltafeln aus der nordalpinen Malerei des 15. Jahrhunderts, deren Bestimmung völlig unklar ist.[191]

Zuweilen hat ein späterer Sinn für den Eigenwert des Stillebens durch brutalen Eingriff ins Bildganze aus untergeordneten Bilddetails Gemälde für sich gemacht. Ein prachtvolles Arrangement von Büchern, das der niederländische Maler Barthélemy d'Eyck auf den Flügeln zur Verkündigung von Aix-en-Provence in eine Nische über den Propheten Jesajas setzte, sägte man einfach ab. Durch den eigenen Rahmen wurde der obere Teil der Tafel gegen die Intention des Künstlers als Galeriebild zum Stilleben.[192]

Das früheste unbestrittene Meisterwerk der Stillebenmalerei:
Caravaggios *Fruchtkorb* in der Ambrosiana

Zwar finden sich abgesehen von den Motiven in Scheinarchitekturen der italienischen Wandmalerei überzeugende Ansätze zur Stillebenmalerei nach der Natur fast nur in der nordalpinen Tafelmalerei des 15. Jahrhunderts. Die Kunstliteratur aber kennt als ersten Stillebenmaler einen Italiener, Giovanni da Udine, auch wenn der keine reinen Objekt-Arrangements auf Einzelbildern hinterlassen hat.

Zweifelsfrei italienisch ist das unbestritten früheste Meisterwerk der Gattung Stilleben (Abb. 5): Michelangelo Merisi da Caravaggio hat es in den 1590er Jahren in Rom geschaffen. Mit anderen frühen Stilleben wie dem Blumenstück von Jan Bruegel dem Älteren aus dem Jahre 1608 (Abb. 15) gehört das Gemälde seit der Zeit kurz nach 1600 der Ambrosiana.[193] Kardinal Federico Borromeo, der sich als erster Besitzer von Stilleben auch in den Quellen zu Worte meldet, brachte beide Bilder nach Mailand (hier S. 129).

Caravaggios *Fruchtkorb* ist das älteste Gemälde, bei dem sich nicht mehr streiten läßt, ob es nach allen Regeln der Definition ein Stilleben ist. Zum Verständnis der historischen Situation, der das Gemälde entstammt, sagt ein technischer Befund mehr aus als viele Worte: Der von dem oberitalienischen Maler in Rom gemalte Fruchtkorb liegt in einer Malschicht über einer menschlichen Figur.[194] Dabei handelt es sich zwar nur um einen Putto in vermutlich dekorativem Zusammenhang; doch gelehrten Definitionen zufolge hätte dessen menschliche Gestalt unbedingt Vorrang vor den schönsten Früchten! Als Gattung steht das europäische Stilleben damit an seinem Anfang; einen hervorragenden Platz im Gefüge der Kunst kann es noch nicht beanspruchen. Doch unabhängig davon, wozu Caravaggios Gemälde einmal dienen sollte, steht fest: Den gut gemeinten Versuch eines unbekannten Malers in der höheren Kunstübung der Figurenmalerei überdeckt ein Stilleben seiner Meisterhand.

Abb. 5
Michelangelo da Caravaggio: *Fruchtkorb*
(Mailand, Ambrosiana)

Zur Wertschätzung des Stillebens

Das früheste berühmte Gemälde, das unbestritten der Gattung Stilleben zugehört, wurde also von Caravaggio kurz vor 1600 in Rom gemalt. Schon mit diesem *Fruchtkorb* in der Mailänder Ambrosiana (Abb. 5) setzt sich eine in allen gelehrten Hierarchien an das Ende gestellte Sparte von Malerei über die allgemein höher bewertete Figurengestaltung. Dabei griff Caravaggio über die Grenzen seines eigenen Schaffens hinaus; denn dem technischen Befund zufolge übermalte er mit seinem *Fruchtkorb* keineswegs einen gescheiterten Versuch der eigenen Hand, vielmehr tilgte er das Werk eines Zeitgenossen. Derartige Zerstörung eines vorhandenen Bildes verrät Geringschätzung; dabei geht es nicht nur darum, andere Gattungen zu übertreffen, sondern zu verdrängen. Auf geradezu paradoxe Weise nahm der junge Künstler, wenn vielleicht auch nur unbewußt, mit diesem Schritt gegen ein gültiges Gedankengefüge Stellung. Caravaggio handelte nach dem von Vincenzo Giustiniani verbürgten Credo, es sei genauso schwer, ein gutes Gemälde von Blumen wie von Figuren zu malen (vgl. S. 175).

Die Wurzeln der Geringschätzung

Gattungshierarchie vor akademischer Definition

Die Gattung Stilleben ist älter als der Begriff oder gar als Definitionen der französischen Akademie.[195] Denn zahlreiche Beispiele sind zu beiden Seiten der Alpen zeitgleich mit Caravaggios *Fruchtkorb* entstanden. In Hierarchien denkt schon Plinius, wenn ihn der Erfolg des Rhyparographos Peraïkos verwundert (vgl. S. 223 f.). Geringere Wertschätzung solcher Bilder drückt auch der Platz der *Xenia* in Philostrats rhetorischem Konzept der *Eikones* aus (vgl. S. 134 ff.).

Plinius erläutert die Hierarchie ebensowenig wie Philostrat; sie war ihnen selbstverständlich. Blaise de Vigénère hingegen, der als Philologe und nicht als Kunsttheoretiker die *Eikones* kommentierte (vgl. S. 137 ff.), benennt das Gattungsgefüge, wenn er seinerseits anerkennen muß, daß *drôleries* aus Flandern,[196] die nach seiner Meinung den *Xenia* entsprechen, zuweilen sogar Historienbilder übertreffen. Indem der französische Autor der 1570er Jahre überdies hinzufügt, das gelte vor allem bei Werken vorzüglicher Hand, wird dieselbe Haltung literarisch faßbar, die aus Caravaggios Tun spricht: Blaise de Vigénère räumt ja ein, daß minderwertige Sujets von künstlerischer Qualität aufgewogen werden.

Das Stilleben im akademischen Gattungsgefüge

Das zugrundeliegende Wertschema entstammt neoplatonischem Gedankengut, das die Erscheinungen der Welt je nach dem Grade ihrer Beseelung, ihres Atmens, ihres Lebens gewichtet. Die von ihren Bildgegenständen bestimmte Rangordnung der Maler wird am klarsten bei Félibien faßbar. Dessen Erläuterungen zur Aufnahme in die Akademie (hier S. 176 ff.) konstatieren zwar zuerst, die Maler seien je nach Talent zugelassen. Persönliche Qualität mochte innerhalb der einzelnen Sparten eine Rolle spielen, gegen die Rangordnung selbst war sie machtlos. Tatsächlich rangierte man in der Akademie je nachdem, ob man Historien schuf oder nichts anderes als Porträts, Schlachtenbilder, Landschaften, Tiere, Blumen, Früchte.

Innerhalb der niederen Sujets sorgen platonische Kriterien für Feinsortierung: An anderer Stelle schreibt Félibien, jener, der lebende Tiere darstelle, sei schätzenswerter als der, der nur tote und unbewegliche Dinge malt (hier S. 177). Von hier führt ein direkter Weg zu Graham 1695, international war man sich einig, Blumen, Früchte und erst recht reine Gegenstände ans Ende der Aufgaben für Ölmalerei zu stellen.

Inventio versus *Imitatio*

Noch kurz vor den Festlegungen der Akademie, wie sie Félibien überliefert, war die Rangfolge auch in Frankreich nicht so klar. Pierre Borel beispielsweise geht von der Opposition des Lebendigen zum Unbelebten aus und ordnet deshalb Früchtestilleben vor Landschaft.[197] Die Austauschbarkeit von Landschaft und Stilleben, bei Borel *fruitages*, führt neben der neoplatonisch bedingten Unterscheidung von Beseeltem und Unbeseeltem noch auf einen weiteren Grund der Geringschätzung, der auch die Akademie bestimmt: Beide Gattungen stellen nicht nur das nicht mehr Belebte und Seelenlose dar, sondern schöpfen im Wesentlichen aus der Natur, im Zeichen der *Imitatio*; deshalb sind sie weit von der Historie geschieden, die auf der nobleren Vorgabe der *Inventio* gründet. Da sich Landschaft nur selten in Veduten erschöpfte, räumte ihr die Akademie anders als Borel Vorrang vor Stilleben ein.[198]

Bei Diderot verliert das Gegensatzpaar *Inventio versus Imitatio* seine Schärfe (vgl. S. 123). Für ihn ist Malerei ohnehin immer *imitation*. Unter eigenwilligem Naturbegriff gruppiert er die Malerei in zwei große Gattungen. Diese unterscheiden sich keineswegs durch die Anwesenheit des Menschen an sich, denn in beiden sind Figuren möglich, sondern danach, ob die Dargestellten namentlich benennbar oder wie in echten Genrebildern namenlos sind. Für die Rangfolge von Diderots zwei großen Gattungen spielt die Arbeitsweise des Künstlers keine Rolle, allein der Wert des Sujets entscheidet: Das Stilleben gehört als Teil der Genremalerei zur *nature brute et morte*, während Diderot die Historie als *imitation de la nature sensible et vivante* wertet.[199]

Gesellschaftliche und nationale Untertöne

Das Gegensatzpaar *Inventio versus Imitatio* tritt auf zwei Feldern verkleidet wieder auf: Ein globales Vorurteil ordnet schon seit den Anfängen der neuzeitlichen Kunstliteratur dem Süden die *Inventio*, dem Norden die *Imitatio* zu und hält die Freude an stofflicher Wiedergabe für ungebildet.

Wenn Vasari berichtet, Giovanni da Udine habe nach eigenem Naturstudium und Ausbildung bei Raffael noch vom Flamen Giovanni gelernt, bis er diesen sogar übertraf, dann klingt in der Unterscheidung von Norden und Süden ein Grundzug europäischer Historiographie an (vgl. S. 224). Die Begriffsbildung im Deutschen vollzieht sich noch zwei Jahrhunderte später entsprechend als regionale Eingrenzung, indem sie Stilleben mit Niederländern verbindet.[200] Dabei setzte Vasari noch ganz auf die Überlegenheit des Italieners, während man zur Goethezeit dem Flämischen oder Holländischen eigenen Wert zubilligt, obwohl auch hier klassische Prinzipien die Ästhetik und Kunsttheorie bestimmten.

Bei Arthur Schopenhauer wird die Wertschätzung der Niederländer eindeutiger: *Innere Stimmung, Übergewicht des Erkennens über das Wollen, kann unter jeder Umgebung diesen Zustand hervorrufen. Dies zeigen uns jene trefflichen Niederländer, welche solche rein objektive Anschauung auf die unbedeutendsten Gegenstände richteten und ein dauerndes Denkmal ihrer Objectivität und Geistesruhe im Stilleben hinstellten, welches der ästhetische Beschauer nicht ohne Rührung betrachtet, da es ihm den ruhigen, stillen, willensfreien Gemütszustand des Künstlers vergegenwärtigt, der nötig war, um so unbedeutende Dinge so objectiv anzuschauen, so aufmerksam zu betrachten und diese Anschauung so besonnen zu wiederholen.*[201]

Rückblickend klafft für Jahrhunderte ein fast unüberwindlicher Gegensatz zwischen gelehrter, an Antike geschulter Kunsttheorie und Neigungen des Publikums: In Holland selbst finden das Stilleben und die ganze Malerei nach der Natur in wichtigen Schriften aus dem Goldenen Zeitalter keinen rechten Platz, weil Autoren wie Philips Angel[202] gar nicht auf die Idee kämen, ihre Gedanken zur Kunst der zeitgenössischen Wirklichkeit zu unterwerfen. Selbst der geniale Erfinder stillebenhaften Trompe l'oeils Samuel van Hoogstraten spottet über den Geschmack der Kunstliebhaber und verbittert es sich geradezu, daß man ihm streitig mache, Stilleben an das unterste Ende der Hierarchie zu setzen (hier S. 158 und 160).

Publikum und gelehrte Meinung treffen unversöhnlich aufeinander, wenn zum Beispiel ein gebildeter Autor wie Constantijn Huygens die Verbesserung der *Imitatio* in der praktischen Malerei seiner Zeit fördern möchte. Im Bericht über Torrentius (hier S. 232 ff.) bewundert er zwar die geradezu unfaßbare Wiedergabe, sieht den Maler aber durch schlechte Figuren diskreditiert. Geringschätzung trifft das Stilleben ebenso wie das von ihm faszinierte Publikum. Ähnlich wie diese namhaften Autoren des Goldenen Zeitalters in Holland schilt der Engländer Horace Walpole den *ignorant vulgar*, also den unwissenden Pöbel, weil ihn Stilleben begeistern (hier S. 245).

Neuere Kunstwissenschaft hat sich die Vorliebe des Publikums teilweise zu eigen gemacht. Zum antiintellektuellen Grundzug kommt die Neigung, künstlerische Qualitäten durch Eigenschaften ganzer Völker zu begründen:[203] In ihrem Buch über die holländische Malerei als Kunst der Beschreibung bricht die amerikanische Kunsthistorikerin Svetlana Alpers[204] mit der gelehrten Interpretation holländischer Bilder. In Rückwendung zu überindividuellen Konzepten wie dem Kunstwollen bei Alois Riegl unterscheidet sie gegen berechtigte Proteste[205] zwischen einem *mapping impulse* der Holländer, die demnach die Welt in ihren Bilder wie mit Landkarten beschreiben, und der Intellektualität italienischer Kunst. Unterlegen sind die zur *Imitatio* verdammten Bataver damit jedoch nicht mehr.

Stillebenmalerei als Beruf und Berufung

Stillebenmalerei und Bildermarkt

Unter den Auspizien gelehrter Kunstdiskussion war es nicht erstrebenswert, mit Stillebenmalerei niedere Ränge zu beziehen. Doch gab es sogar in Frankreich dafür einen lebendigen Markt, ihn bedienten neben Chardin andere vorzügliche Spezialisten.[206] Daß es eine natürliche Veranlagung für Stillebenmalerei als Beruf und Berufung gab, meinten ältere Generationen, sonst hätte beispielsweise Heinrich Seidel von seinem fiktiven Maler Wolfgang Turnau 1880 nicht schreiben können: *Seine sinnige und beschauliche Natur hatte ihn zu Darstellungen geführt, welche dem Stilleben nahe verwandt erschienen. Der Ausdruck seiner Bilder war das reine Behagen an einer künstlerisch verschönerten Häuslichkeit.*[207]

Auch in schönsten spätromantischen Verhältnissen spielte der Kunstmarkt eine entscheidende Rolle. Obwohl diese Stelle aus den Vorstadtgeschichten nicht exakt zur Gattung Stilleben gehört, weil Seidels Maler romantische Varianten des spanischen *bodegón* schuf, sagt sie auch für unsere Sache Entscheidendes aus. Denn Thurnau kommt die Mentalität möglicher Bilderkäufer zugute: *Es waren Darstellungen, welche in hohem Maasse geeignet waren, zum täglichen Verkehr mit ihnen in einem wohleingerichteten Zimmer zu hängen.*

Zwar halten auch Seidel und sein Held die Historienmalerei für überlegen. Der Markt, der die Bilder als Wandschmuck braucht, wendet sich aber gegen Historien: *Gewaltige Vorgänge, ergreifende Schilderungen gehören an besondere Orte, in die bestimmte Umgebung; im kleinen Zimmer ermüdet es bald, Affekte und Leidenschaften vor sich zu sehen, welche sich niemals verändern, und man fängt bald an den Mann zu bemitleiden, der ewig mit der Geberde des Zornes den Arm zu erheben genöthigt ist, und die arme Frau, die der Maler gezwungen hat, bis an das Ende aller Dinge auf den Knieen zu liegen und um Mitleid zu flehen.*[208]

Caravaggio im Wettstreit mit Zeuxis

Der Grenzgang zwischen den Gattungen, den Heinrich Seidels Genremaler vollzieht, ist älter als das reine Stilleben. Fast den Anspruch, selbst eine Gattung zu sein, hat das spanische Küchenstück, das *bodegón*,[209] ebenso wie niederländische Gemälde des 16. Jahrhunderts, die Obst und Gemüse oder Wild mit lebensgroßen Einzelfiguren ohne Namen kombinieren[210]. Schon die antiken Quellen kennen ähnliche Bilder mit Figur und Objekt (vgl. S. 108). Peraïkos mit seinen Küchenstücken inspirierte Genremaler wie Adriaen Brouwer[211]

Abb. 6
Michelangelo da Caravaggio: *Knabe mit Fruchtkorb*
(Rom, Galleria Borghese)

und einige Bamboccianti,[212] doch sind nur wenige Maler programmatisch als Rhyparographen aufgetreten.[213]

Zum Wettstreit mit einem antiken Künstler bot sich vordringlich die Anekdote von Parrhasios und Zeuxis an: Zeuxis malt Trauben so treffend, daß die Vögel davon getäuscht sind und darauf fliegen; dann malt er das Bild eines Knaben mit Früchten, von dem aber zeigen sich die Tiere unbeeindruckt. Auch Caravaggio hat über Gattungsgrenzen hinweg einen Knaben mit Fruchtkorb gemalt. Dieses Gemälde, heute in der römischen Galleria Borghese (Abb. 6),[214] regte im Italienischen eine moderne Diskussion mit Engführung der Begriffe *natura morta* – *pensiero di morte* (Stilleben versus Todesgedanke) an.[215] Der älteren Kunstliteratur ist Caravaggios Wettstreit mit Zeuxis entgangen, nicht vor 1990 ist man auf den Bezug gestoßen[216] und in der neusten Publikation ist die Parallele schon wieder vergessen.[217]

Anekdotisch müßte man neben dem Gemälde der Borghese auch das einzige reine Stilleben des Künstlers, seinen Mailänder *Fruchtkorb* (Abb. 5), einbeziehen: Am ungeschützten Fruchtkorb hätte man im Wettstreit mit Zeuxis prüfen können, wie es Vögel mit den gemalten Trauben halten. Wären die Vögel dorthin geflogen, aber vom gemalten Knaben auf dem Gemälde der Borghese abgeschreckt worden, dann hätte Caravaggio über Zeuxis triumphiert. Am Knaben mit den Früchten allein wäre ja gar nicht zu erkennen, ob es am gemalten Knaben liegt, wenn die Vögel ausbleiben, oder doch am Maler, der die nötige Naturnähe verfehlt hat.

Inhaltliche Vielfalt niederländischer Spezialisten

Unterschiedliche Wege in Flandern und Holland

Zu Caravaggios Zeiten war Stillebenmalerei in Italien noch kein Beruf, doch fast gleichzeitig treten in Flandern und Holland echte Fachmaler auf. Ähnlich wie in Raffaels Umfeld, wo Giovanni da Udine seinen Platz fand, brauchte auch Peter Paul Rubens Mitarbeiter mit besonderen Fähigkeiten. Er fand sogar zwei Spezialisten; und die Malerei der beiden zeigt, wie sich die frühe Stillebenmalerei aus unterschiedlichen Sparten der Naturnachahmung herausbildete. Frans Snyders malte lebendige und tote Tiere;[218] Jan Bruegel d. Ä. hingegen war ein ebenso fabelhafter Landschafter wie Blumenmaler (Abb. 15).[219] Beide fügten zur Figurenmalerei glänzend ausgeführtes Beiwerk hinzu. Im Sinne der Rhetorik bereicherten sie mit Samt und Blumen, Landschaft und Tieren gleichermaßen Historien- wie Andachtsbilder. In eigener Verantwortung aber malten beide Künstler autonome Gemälde, nach Themen getrennt. Zwar gibt es von Snyders auch zuweilen Blumenmalerei, vom Blumenbruegel jedoch kein Jagdstilleben. Sogar in ihren Formaten unterscheiden sich beide erheblich: Der Tiermaler Snyders begründete das großformatige Prunkstilleben, während Jan Bruegel als Meister der kleinformatigen Landschaften auch seine Blumenbilder intimer hielt.

In den nördlichen Niederlanden gab es keine vergleichbar arbeitsteiligen Werkstätten. Hier arbeiteten die Maler unabhängig für den ersten diversifizierten Markt in der neuzeitlichen Kunstgeschichte Europas,[220] auf Käufer ausgerichtet, die mit den Bildern nicht mehr Altäre und Ratsstuben, sondern die eigenen vier Wände schmückten. Daß anfangs Ausdrücke, die ihr Tun übergreifend bezeichneten, fehlten oder zumindest für uns nicht aktenkundig wurden, liegt an der Zersplitterung in kleine Fächer. Maler selbst gaben ihren Bildern in der Regel keine Titel, auch wenn einzelne Gemälde zuweilen ein geradezu literarisches Konzept verraten; Inventare, die den auffälligsten Gegenstand bezeichnen, stiften unübersichtlich viele Benennungen.[221] Zu deren Struktur stellte Lydia de Pauw-de Veen 1969 fest, daß sich die Begriffe *keuken, banket, ontbijt, fruit* oder *fruitage* ebenso wie *bloempot* bereits aus der Anschauung des speziellen Gegenstandes lösen.[222] Besonders häufig fällt dabei das Wort *bancket*; doch ausgerechnet dieser Begriff überschreitet in der historischen Anwendung die Grenzen des Stillebens, weil von einem *banket van mans- en vrouwspersonen* die Rede sein kann, wenn ein Genrebild gemeint ist.[223]

Ähnlich, wie es Stechow für die Landschafter gezeigt hat[224], teilte sich die Gattung Stilleben in einzelne Sparten auf. Doch nicht nur die Gegenstände unterscheiden dann die Bilder, sondern ebenso deren Machart. Kolorit und Malweise verraten in aller Regel sofort den verantwortlichen Künstler, so daß die Wahl des Sujets rasch mit unverwechselbarer persönlicher Manier zusammengeht. Sicher tritt bei dieser holländischen Stillebenmalerei der Aspekt der Arbeit nach dem Leben in den Hintergrund, sobald sich ein Künstler am Markt mit seiner Spezialisierung etabliert hat. Das Prinzip auswählender Natürlichkeit *(keurlijke natuurlijkheid)*, das Malenswertes *(schilderachtig)* von der Vielfalt des Möglichen scheidet,[225] gilt für Stilleben in Holland ebenso wie für die Landschaft. Dieses Prinzip führt in vielen Fällen zur persönlichen Festlegung auf wenige Gegenstände, die durch die unverwechselbare Sicht des einzelnen Malers zum Markenzeichen werden. Solche Markenzeichen aber vertreten nicht mehr eine denkbare Botschaft der Bilder, sondern die Eigenart der Hand des Virtuosen, dessen Autorschaft der Kenner sofort erfaßt.[226]

Daß der Markt für Stilleben keineswegs nur kleine Leute oder Emporkömmlinge betraf, die Hoogstraten oder Walpole als Pöbel verachteten (vgl. S. 157 und 245), beweist ein Galeriebild von David Teniers dem Jüngeren, von dem zwei Exemplare existieren, eines im Museum Lázaro-Galdiano zu Madrid (Abb. 7).[227] In diesem Bild, mit der Wiener Fassung vom Künstler 1653 datiert, wird dem Erzherzog Leopold Wilhelm von Österreich gerade in seiner Sammlung von Historien und Porträts, in die sich nur wenige Landschaften mischen, ein erstes Stilleben präsentiert. Dieses Gemälde gehört vielleicht wie Werke von Antonello, Tizian und anderen, die sonst gezeigt werden, bereits der Vergangenheit an; denn es trägt sehr auffällig den Namen Hoefnagel. Daß der berühmte Georg oder Joris Hoefnagel gemeint ist, der von 1542 bis 1600 lebte, wird neuerdings bestritten.[228] Indem das Stilleben hinter einer Landschaft und einem Porträt hervorgezogen wird, resümiert die Handlung im Galeriebild einen großen Schritt im Verhältnis der Gattungen zueinander: die Umwertung des Blumenstücks zum gleichrangigen Kunstwerk.

Abb. 7
David Teniers d. J.: *Die Gemäldesammlung des Erzherzogs Leopold Wilhelm*, Detail
(Madrid, Museo Lázaro-Galdiano)

Die Faszination der unverwechselbaren Manier

Selbstverständlich wurden Stilleben auch gekauft, um einer Sensation, die in der Natur nur vorübergehend zu genießen war, Dauer zu verleihen.[229] Ein Blumenstrauß, wenn er erst einmal gemalt war, blieb das ganze Jahr über frisch. Zudem vereinte er Blüten, die gar nicht gemeinsam blühten oder solche, die man schon wegen ihrer Seltenheit nicht in einer Vase verdorren ließ (Abb. 15). Religiöses Bedürfnis verlangte Motive, die an die Vergänglichkeit gemahnen (Abb. 4). Die Zeit, der Tod und das rechte Maß konnten an Gemälden mit Uhren, Totenschädeln und Seifenblasen reflektiert werden, so daß ein Bild an der Wand als Mahnung für das tägliche Leben diente.[230]

Entscheidender aber war die Hand des Künstlers. Sie wird in den Inventaren der Zeit meist genannt und macht aus der Präsentation eines angejahrten Käses oder eines toten Fischs, des sprichwörtlichen Pickelherings,[231] einen Wertgegenstand, wenn das Gemälde einen im Markt präsenten Künstler verrät. Finanzielle Wertmaßstäbe sind selbst den entschieden klassizistisch denkenden und die Antike evozierenden Autoren gar nicht fremd. Philips Angel zum Beispiel mißt Ehrerweisung an Künstler durchaus monetär, wenn er auf ein lukratives Vorkaufsrecht hinweist, das Gerrit Dou einem Mäzen einräumt.[232] In Leiden geht es dabei wohlgemerkt um einen Spezialisten für Genrebilder und Stilleben, also Gemälde am unteren Ende der Werteskala.

Fixierung auf bizarre Idiosynkrasien hat es gegeben; in einem Falle wurden sie einem seinerzeit hoch gepriesenen Meister des Stillebens zum Verhängnis: Ausgerechnet in der niederen Gattung Stilleben schuf Johannes Torrentius in Haarlem Bilder, die Zeitgenossen wegen der an Wunder grenzenden Treffsicherheit im Stofflichen begeisterten (Abb. 21). Constantijn Huygens beschreibt 1629 mit beißender Ironie, wie sich um den Künstler, dessen unerhörte Kraft der Wiedergabe im einzigen erhaltenen Gemälde durchaus zu spüren ist, eine gleichsam religiöse Gemeinde bildet (hier S. 232). Man schreibt des Meisters Hand die Kraft zu, geriebenen Farben Sphärenklänge abzugewinnen. Um Inhalte kümmert man sich nicht, denn als Offenbarung genügt sichtlich das revolutionär andere Sehen.

Den Mann machte in den Augen ungebildeter Zeitgenossen zum Zauberer, daß er mit den Mitteln der Kunst eine ungewohnte Schau der Welt bot und gegen Bücherweisheit ein outriertes Künstlertum lebte. Gerade an einfachsten Gegenständen wird das Sehen und Darstellen selbst zum Ausdruck höchster Gelehrsamkeit, das als Weltwissen weit über die Malerei hinausgreift. In einer begnadeten Persönlichkeit und nicht in erworbener Bildung ist es verankert und verführt den Einfältigen zu abergläubischem Staunen.

Die Faszination der Optik

Torrentius, den Maler des *Stillebens mit Kandare* (Abb. 21)[233] kann nur verstehen, wer Optik als wesentliches Medium der Welterkenntnis versteht. Malerei fand angesichts aktueller Erforschung des menschlichen Auges neue Aufmerksamkeit. Erkenntnisse zum

Sehvorgang konnten mit der *Camera obscura* revolutionär objektiviert werden. Ihrer soll sich Johannes Torrentius bedient haben, um den gleichsam göttlichen Effekt zu erzielen, den Zeitgenossen in seinen Gemälden zu erkennen meinten.

Dem Bericht zufolge, den Constantijn Huygens von seinen gemeinsam mit den de Gheyns gemachten Ermittlungen gibt, erreicht die Faszination für die Optik keineswegs nur ungebildete Schichten. Zur Vorführung einer *Camera obscura* trifft sich die vornehme Gesellschaft bei solcher Gelegenheit ohne besondere Berührungsängste sogar mit sozial ausgegrenzten Stillebenmalern. Optik war offenbar Sache aller und Malerei keineswegs nur Fachaufgabe für Maler. Im Dialog zwischen zahlendem Publikum und Malern erhält damit auch das in solchen Kreisen unbestritten als niedere Gattung eingeschätzte Stilleben soziale Relevanz.

Die Nobilitierung des holländischen Stillebens durch Gérard de Lairesse

Leider sind die literarischen Zeugnisse zum Stilleben aus der ersten großen Blütezeit rar. Definitionen der Gattung aus dem 17. Jahrhundert fehlen ganz, wenn man von Hoogstratens beißendem Spott absieht (hier S. 157). Erst 1707 erschien das *Groot Schilderboek* des Malers Gérard de Lairesse, der nachträglich die zurückliegende Epoche erhellt. Dem Stilleben widmet er darin ein eigenes Buch, wenn auch nur das elfte (hier S. 164 ff.). Gegen den historischen Wildwuchs dessen, was für *schilderachtig* gehalten wurde, wehrt er sich; denn Qualität hebt für ihn Mängel in der Auswahl der Gegenstände nicht auf. Die Zeit ist viel zu dicht durchsetzt von akademischen Vorstellungen, als daß ein Maler um 1700 nicht den prägenden Wert dessen verinnerlicht hätte, was als Sujet ein Gemälde legitimiert.

So entwirft Gérard de Lairesse ein Schema, demzufolge Stilleben nur Blumen, Früchte, Edelmetalle und Musikinstrumente darstellen sollten. Jagdmotive mögen gerade noch zugelassen sein; aber das Billige und Alltägliche ist ebenso ausgeschlossen wie alles Häßliche. Begründet wird das keineswegs mit gelehrten neoplatonischen Weisheiten, sondern mit dem Markt. Anders als Hoogstraten, der sich eine Generation früher über unansehnliche Gegenstände in Bildern mokierte, gibt Gérard de Lairesse zu bedenken, daß Bilderkäufer, die ihre Häuser sonst mit dem Feinsten ausstatten, auf Gemälden kaum schätzen könnten, was sie real in ihren Räumen nicht dulden würden. Obwohl, wie schon das Galeriebild von Teniers aus dem Jahre 1653 (Abb. 7) bezeugt, der Markt mit älteren Gemälden dem widerspricht, verhält sich Gérard de Lairesse so, als seien die Zeiten vorbei, da eine unverwechselbare Persönlichkeit, der Name eines Künstlers für sich schon den Preis eines Bildes bestimmte.

Stillebenmalerei als Verwirklichung des Künstlers

Bereits in der holländischen Stillebenmalerei des Goldenen Zeitalters wurde das Medium über die Mitteilung gesetzt, wenn auch, wie Hoogstraten beklagt, von unberatenen Kunstliebhabern (vgl. S. 157). So soll Gérard de Lairesse zufolge Willem Kalf gleichsam über das Malen vergessen haben, was es zu bedeuten hat (vgl. S. 166). Derartige Ansätze jedoch werden verschüttet durch die bemühte Eingrenzung auf darstellenswerte Sujets und mehr noch durch Erfassung der Gegenstände in symbolischem Vokabular, das gewissen Stilleben in emblematischer Lesung sprachliche Qualitäten unterschiebt.

Chardin in Diderots Augen

Da in der Folgezeit auf sprachgleiche Lektüre der Bilder weitgehend verzichtet wurde, konnte dem Stilleben nur der einzelne Künstler seinen Rang garantieren. Chardin gehört zu jenen, die der niederen Gattung gegen ästhetische Vorurteile durch ihre reine Präsenz zu größter Anerkennung verhalfen (Abb. 16).[234] Was seine Malerei in Diderots Augen adelte, war eine in den Bildern zu entdeckende Naturhaftigkeit. Unabhängig vom niederen Gegenstand der *nature rude et brute* legitimiert die Kunst des Meisters solche Bilder und läßt sie zur Sensation werden.

Diderot, der die Natur im akademischen Brauch seiner Zeit vermißte und statt des dortigen Studiums anerkannte Bilder als geeignete Richtschnur neuen Schaffens sah, äußert als höchstes Lob (hier S. 121): Wenn er ein Kind für die Malerei bestimmt hätte, dann würde er es Bilder nach Chardin malen lassen, übrigens ohne dieses Kind in die Lehre zu schicken. Chardin malt in Diderots Augen gar nicht nach der Natur, sondern erzeugt selbst Natur. So erklärt sich, daß bis zu Cézannes Beteuerung der Louvre der eigentliche Lehrmeister in Frankreich sein konnte.[235]

Spätere Maler inspirierte Chardin immer wieder, am einfachen Sujet die eigene Kunst zu bewähren. Heinrich Meyer, der mit Goethe die Propyläen herausgegeben hat, brachte das Phänomen deutlich zum Ausdruck, indem er 1798 *Über die Gegenstände der Bildenden Kunst* schrieb: *Stilleben [...] haben keinen geistigen Werth, der Gegenstand [...] kann an sich keine Theilnahme erregen [...] Wir sehen die Kunst und den Künstler, nicht aber die vorgestellte Sache.*[236]

Die Macht über das verfügbare Modell

Zur Stillebenmalerei im 19. Jahrhundert gehört ein gelebter Topos: Während Figurenmaler posierende Modelle brauchen, kosten *still-life models*, wie sie der Amerikaner William Harnett nennt (hier S. 248) nichts und sind stets vorhanden. Ähnliches wird von Cézanne ebenso wie van Gogh, Schuch und anderen berichtet. Im Grunde lebt darin die Vorstellung fort, die der Spanier Pacheco schon im frühen 17. Jahrhundert festgehalten hat (hier S. 117 f.).

Er empfiehlt Stillebenmalerei bei der Ausbildung, weil ihre Gegenstände leicht verfügbar seien, deren Wiedergabe aber Freiheit und Eigenart der Hand übe.

Wichtiger dürfte gewesen sein, daß kein Sujet dem Künstler so unterworfen war wie das Stilleben. Historienmalerei hing in der Praxis weniger von Erfindungsgabe als von den Modellen ab. Die konnte man zwar in Posen arrangieren; dabei aber kam es, so stellt schon Diderot bissig fest, bei unnatürlichem Malen nach der Natur zu absurden Verrenkungen in den Akademiesälen.[237]

Das Stilleben hingegen brauchte nur bildnerischen Verstand. Seine Gegenstände mögen im Einzelnen keine Zugeständnisse an die Phantasie gemacht haben. In der Hand des Künstlers, der sie zu einem Bildganzen fügte, waren sie aber Garanten einer Freiheit, die beim Porträt ebenso wie beim Modellstudium der Historienmalerei fehlte. Im Stilleben unterwarf sich das einfachste Sujet am stärksten den Intentionen des Künstlers. Da es, als inhaltlich leer empfunden, kein Bild legitimierte, hatte der Maler durch ein Mehr an künstlerischem Gewicht daraus überhaupt erst ein Bild zu machen, das Bestand in der Kunst hatte.

Verwirklichung der Frau in Stillebenmalerei

Häuslichkeit und die Blume als ein Sujet, das man ohnehin in die Nähe des Weiblichen setzte,[238] machten Stilleben und stillebenhaftes Beiwerk nicht nur in den Augen von Männern zu einem Feld, in dem sich auch Frauen in der Kunst üben mochten.[239] Der niedere Rang förderte Toleranz selbst bei der französischen Akademie. In diesem Fach akzeptierte sie schon kurz nach ihrer Gründung im Jahre 1648 Frauen wie Catherine Duchemin, Geneviève und Madeleine de Boulogne (1669) und Catherine Perrot (1682).[240] Auch anderswo erreichten Frauen eine gewisse Anerkennung, wenn sie sich auf Sparten wie das Stilleben beschränkten: Katharina Treu (1743–1811) wurde mit 33 Jahren zur Titularprofessorin in Düsseldorf; Mary Moser (1744–1819) war als 24jährige 1768 bei der Gründung der Royal Academy in London dabei. Großen Erfolg hatten Maria van Oostenwijk (vgl. S. 240 ff.), Rachel Ruysch und andere Spezialistinnen in Holland.

Die Modelle des Stillebens garantierten zu Zeiten, in denen man Frauen von Kunstschulen fernhielt, weil man sie nicht im Aktsaal duldete, wenigstens in dieser Sparte Möglichkeiten des Objektstudiums. Lob gipfelte dabei aber gern in Phrasen wie: *Man würde sagen, wahrhaft das Werk eines Mannes!*[241] Wertmaßstäbe, die vom Primat des Mannes in der Kunst ausgehen, prägen auch Diderots Urteil, wenn er einem Gemälde von Anne Vallayer-Coster[242] bescheinigt, es sei zwar kein Chardin, aber deutlich stärker als von einer Frau.[243]

Vom Beiwerk zur revolutionären Gattung der Moderne

Stilleben-Episoden vor den ersten Gemälden der Gattung

In der Kirche des kleinen hessischen Städtchens Netze steht ein Altar aus der Zeit kurz vor 1400.[244] Auf alle, die eine Befreiung der Kunst von Zwängen der Konvention erhoffen, mag er trostlos wirken. Doch da gibt es zwei Tauben, die bei der Darbringung im Tempel aus dem Körbchen gehüpft sind und munter über den Altartisch laufen. Dieser kleine Akt von Befreiung erfaßt nur Beiwerk und dennoch deutet er einen Weg an, den prominentere Kunst schon früher beschritten hatte.

Ein Eierkorb spielt knapp zwei Generationen später in Florenz eine bezeichnende Rolle. Einen Bauern soll Donatello in seinem Kruzifix für Santa Croce ans Kreuz geschlagen haben. Der Architekt Brunelleschi, der ihm das vorwirft, schnitzt, ohne Donatello etwas ahnen zu lassen, selbst ein Kruzifix. Nach dessen Vollendung lädt er den Freund zum Essen, bittet aber, er möge Eier mitbringen. Donatello tritt ins abgedunkelte Haus, sieht dann den plötzlich enthüllten Kruzifix Brunelleschis, öffnet die eigene Hand vor Erstaunen und läßt die Eier fallen.

Das Accessoire liegt am Boden und nimmt damit vor dem geistigen Auge des Lesers eine Stelle ein, an die auch in der zeitgleichen Malerei solche Motive vorzüglich passen. Das Stillebenhafte hat der Geschichte mit dem Geräusch und dem Ärger über die zerbrochenen Eier Leben gegeben. Überdies erlaubt das Motiv Vasari, der diese nicht unbedingt wahre Geschichte erzählt,[245] von der Hand des Künstlers zu sprechen und fortzufahren: Brunelleschi habe gemerkt, daß sein Werk Donatello nicht nur die Hände, sondern auch Herz und Verstand geöffnet habe.[246]

Ein Stilleben übernimmt beim heiligen Ignatius von Loyola die Rolle, die noch kurz vorher Engeln oder gar Gottes Stimme vorbehalten gewesen wäre. Der Ordensgründer soll das Fasten über die Karzeit hinaus das ganze Jahr über eingehalten haben. Eines Tages aber sei ihm ein prachtvolles Stück Fleisch vor Augen gekommen; dessen Anblick allein verdeutlichte dem Heiligen, man solle an so etwas keinesfalls sein Lebtag vorbeigehen. Dieses Fleisch wird in einer kühlenden steinernen Nische wie ein spanisches Stilleben gelegen haben, auch wenn die meisten Beispiele aus der Frühzeit dieser Kunst Speisen der Fastenzeit evozieren.[247] Erst bei Goya wandelt sich das Spektrum;[248] Picassos Kalbsköpfe übrigens knüpfen hier an.[249]

Andere Kulturen haben viel später auf sprechendes Accessoire den künstlerischen Zoom gerichtet, um es schließlich allein ins Bild zu bannen. Gegen Ende des 18. Jahrhunderts werden einem Veilchen, das unter der Liebsten Fuß stirbt, von Goethe letzte Worte zugestanden: *Und sterb ich denn,/ So sterb ich doch durch dich,/ Ich armes Veilchen*, ehe der allwissende Erzähler versichert: *Es war ein herzig's Veilchen.*

Stoff, aus dem Stilleben gemacht sind, dringt in eine vom Menschen geprägte Welt ein, um selbst zu sprechen. Die Spiritualität eines Ignatius von Loyola lebt aus der Konfrontation einfachster Lebensäußerungen und weltabgewandter Frömmigkeit, so daß dem Schauen ein Rang für die Erkenntnis auch des Höchsten zukommt. Damit wird die Zeit kulturell reif für Stilleben, obwohl klassisch Gebildete bis zu Roger de Piles noch über Jahrhunderte hin es lieber mit Donatellos oder doch Vasaris Eierkorb[250] Genüge sein ließen.

Von der Verwechselbarkeit der Dinge und der Malerei

Markante Anekdoten zu gemalten Stilleben fehlen im Barock, also in der großen Epoche, in der sich die Gattung gegen andere zu behaupten hatte; Sprache über Kunst war an den Bruchlinien, Anfängen und Endphasen, lebendiger als zu Zeiten der Selbstverständlichkeit.

Die schönste Anekdote um ein Stilleben verbindet sich mit Edouard Manets Spargelbündel aus dem Jahre 1880, das lange im Besitz von Max Liebermann war (Abb. 8).[251] Es geht um Geld und dessen Gegenwert in Malerei: Manet hatte Charles Ephrussi[252] das Gemälde für den stattlichen Preis von 800 Francs verkauft, aber 1000 erhalten. Daraufhin malte der Künstler noch ein zweites Bild mit einer einzelnen Spargelstange (Abb. 9); das sandte er an Ephrussi mit dem lakonischen Hinweis, bei dessen Bündel habe die eine Stange noch gefehlt.[253]

Vordergründig tut der Maler so, als versende er kein Gemälde, sondern den Spargel, den er darauf darstellte; doch lieferte er zwei Bilder, die nicht einmal ästhetisch gut zueinander passen. Denn neben dem heute im Kölner Wallraf-Richartz-Museum aufbewahrten großen Bündel (46 x 55 cm) wirkt die nachgereichte Stange (16,5 x 21 cm), heute im Musée d'Orsay zu Paris,[254] wie eine Miniatur. Weder in Arrangement und Duktus noch in ihren Signaturen gleichen die Bilder einander, so daß die fehlende Stange nie in das Bund passen wird.

In der Anekdote leben zwei unvereinbare Grundzüge des europäischen Stillebens fort: Zunächst scheinen die Bilder weitgehend mit dem, was sie darstellen, identisch zu sein; deshalb mag aus ihnen etwas herausfallen. Zugleich aber sind sie Manifestationen einer Hand, die wegen der Freiheit geschätzt wird, das vorgeblich Fehlende im zweiten Bild mit einer Manier nachzuliefern, die mit dem ersten Bild kaum vereinbar ist. Damit bleibt das Stilleben, wenn es sich nicht zum Trompe l'oeil hergibt, ganz der Dingwelt verhaftet und ist doch nur Malerei. Indem Manet eine Spargelstange nachliefert, die sich als Gemälde präsentiert, fordert er bereits Reflexionen heraus, wie sie Magritte mit seinem *Ceci n'est pas une pipe* (Abb. 19) ausdrückt.

Bestätigung der Rangfolge durch *Auf den Kopf Stellen*

Manets Schwierigkeiten mit der Kunstkritik seiner Zeit waren in erster Linie Gattungsprobleme. Das gilt im Positiven wie im Negativen. Manets Verächter mochten gerade noch den Stillebenmaler anerkennen.[255] Deren Lob für diese Spezialität wirkt angesichts

Abb. 8
Eduard Manet: *Spargelbündel* (Köln, Museum Wallraf-Richartz-Ludwig)

Abb. 9
Eduard Manet: *Spargelstange* (Paris, Musée d'Orsay)

der ungebrochen herrschenden alten Gattungshierarchie geradezu ironisch. So heißt es, Manets Bildnis von Zola[256] sei eines der besten des Salon von 1868; Castagnary und Mantz bezeichnen die Hauptfigur aber als unglücklich und loben nur die Accessoires (hier S. 198). Selbst für Thoré Bürger ist Manets stillebenhafte Malweise ein Fehler, eine Art Pantheismus im Kopf.[257] Zola, des Künstlers großer Verteidiger in den 1860er Jahren,[258] forderte hingegen von Manet ein neues Figurenbild, der Gegenwart angemessen, um dann seine Erwartungen getäuscht zu sehen.

Von solchen Hoffnungen verabschiedet sich der Romancier mit der Formel, die er den Maler Claude sagen ließ, daß *eine einzige Mohrrübe eine Revolution bedeuten würde* (vgl. S. 200 f.). Hinter dieser Bemerkung steht der in seinem Ursprung heute nicht faßbare Satz, *daß die gutgemalte Rübe besser sei als die schlechtgemalte Madonna.* So formulierte Max Liebermann ein in Künstlerkreisen offenbar verbreitetes Diktum (vgl. S. 201 f.);[259] dabei rechnet er den Satz, der bei ihm nur Nebensatz ist, *bereits zum eisernen Bestand der modernen Ästhetik.*

Neu ist der Vergleich des gutgemalten minderwertigen Sujets zum schlechtgemalten noblen Inhalt keineswegs. Seit Plinius feststellte, daß sich die geniale Schmutzmalerei eines Peraïkos teurer verkaufe als manch anderen Meisters Werke (vgl. S. 223 f.), hat man immer wieder beobachtet, wie Qualität die Werte des Dargestellten auf den Kopf zu stellen vermag – aber eben auf den Kopf. Richtig herum gesehen galt deshalb die Gattungshierarchie; ihre Gültigkeit erweist sich gerade im Erstaunen, daß es auch anders herum sein kann.[260]

Künstler haben keineswegs immer das gutgemalte Accessoire dem Inhalt vorgezogen. Schon vom griechischen Maler Protogenes, heißt es er habe ein Rebhuhn übermalt, weil das törichte Publikum dieses Detail weit mehr als die Figuren geschätzt habe. Andere Maler haben ähnlich gehandelt; Frans Junius hat die Anekdote 1638 ans Ende seines Buchs über die Malerei der Antike gestellt und noch Samuel van Hoogstraten bezieht dieselbe Position (vgl. S. 157).

Andere Künstler hingegen haben schon sehr früh die Umwertung geahnt: Werner Busch weist auf Dürer hin: *Aber darbey ist zu melden, das ein verstendiger geübter künstner in grober bewrischer gestalt sein grossen gwalt vnd kunst mer erzeygen kan, etwan in geringen dingen, dann mancher in seinem grossen werck. Dise seltzame red werden allein die gewaltzamen künstner mögen vernemen, das ich war red. Darauß kumbt, das mancher etwas mit der federn in einem tag auff einem halben bogen bapirs reyst oder mit seim eisellein etwas in ein klein höltzlein versticht, daz würd künstlicher und besser dann eins anderen grosses werck daran der selb ein gantz jar mit höchstem fleyß macht. Vnd dise gab ist wunderlich.*[261]

Farbe bekommt das berühmte Diktum von Rübe und Madonna angesichts lähmender Langzeitwirkung von akademischen Definitionen;[262] denn Zolas Prophezeiung wie Liebermanns *eiserner Bestandteil einer modernen Ästhetik* waren Aufrufe gegen sklerotische Anschauung. Nur ausnahmsweise geht es dabei um die Umkehrung, die der gut gemalten

Karotte den Vorzug vor dem schlecht gemalten Andachtsbilde einräumen würde. Liebermann selbst will die Rangfolge nur durch ein Nebeneinander ersetzen, indem er sagt: *die gutgemalte Rübe ist ebensogut wie die gutgemalte Madonna* (hier S. 201). Bemerkenswert ist ein solcher Satz nur im Blick auf das traditionelle Gefüge. Die Lizenz zur Freiheit allein, die alle Gattungen aufhöbe, müßte auch mit solchem Erstaunen aufräumen.

Daß Gattungsgrenzen noch bis zur Schwelle unseres Jahrhunderts galten, beweisen monumentale Beispiele wie das Werk eines Paul Cézanne: Gerade, indem er die Gattungen respektierte, förderte er den Schritt in die Moderne wesentlich. Das Ringen mit den traditionellen Gattungen prädestinierte Cézanne, einer der größten Stillebenmaler aller Zeiten zu werden.[263]

Bei der Diskussion um Cézannes Stilleben kehren alle Aspekte der Gattungsgeschichte wieder. Dieser Maler ist zunächst einer von jenen, die sich Charles Sterling beim Arrangieren einer bildnerischen Einheit für ein Stilleben vorstellt, teilweise auch weil ihm Menschen als Modelle kaum zugänglich waren. Er arbeitet wie ein alter Meister, wenn er manche Ölbilder gegen Gebräuche der Stillebenmalerei mit Skizzen auf Papier vorbereitet.[264] Fast anachronistisch laden Cézannes Stilleben wie nur in Zeiten emblematischen Denkens zu inhaltlicher Deutung ein. Totenköpfe rücken Vanitas ins Bewußtsein; Vorliebe für Äpfel verbindet die jüdisch-christliche Tradition, die unter dem Baume der Erkenntnis in Evas Hand ihren Anfang nahm, mit Betrachtungsweisen von Freud, will man dem aufregenden Beitrag von Meyer Schapiro über die *pommes de Cézanne* und deren Aussage zur Sexualität des Künstlers glauben.[265]

Den Wandel der Auffassung zum Stilleben, den Cézannes Schaffen und noch mehr dessen Rezeption bei jüngeren Künstlern markiert, veranschaulicht ein großformatiges Gemälde von Maurice Denis im Pariser Musée d'Orsay (Abb. 10).[266] Besser, als es lange Traktate vermögen, äußert sich schon im Jahre 1900, noch zu Lebzeiten Cézannes, die Verehrung junger Künstler für den Meister in diesem Gruppenbild distinguiert gekleideter Persönlichkeiten, lebensgroß: Man trifft sich in einem vornehmen Zimmer, dessen Fenster links einen Blick auf eine Pariser Straße freigibt. Gemälde hängen an den Wänden; in der Mitte hinten spricht ein Frauenbildnis von Renoir mit den Augen gerade noch aus dem Dunkel den Betrachter an; doch beachtet werden soll es eigentlich nicht. Davor haben sich neun Männer um eine Staffelei versammelt; von ihnen isoliert steht rechts außen die einzige Frau; ähnlich wie jene auf Renoirs Bild blickt auch sie zum Betrachter.

Die Aufmerksamkeit der Männer gilt einem *Cézanne* auf der Staffelei, wenn auch die Not, dem Gruppenporträt zuliebe ihre Gesichter zu zeigen, verhindert hat, daß alle auf das Bild schauen: Es ist ein Stilleben aus der Zeit um 1880. Stillebenmaler sind die Herren im Raum aber keinesfalls, vielmehr handelt es sich um die *Nabis*,[267] deren großes Vorbild Paul Gauguin wenigstens im Geiste anwesend ist; denn einst gehörte ihm das Gemälde auf der Staffelei, das sich heute in amerikanischem Privatbesitz befindet.[268]

Gerade in diesem Kreis um Odilon Redon, der vehement eine Neubesinnung der Malerei forderte, vertritt den in Aix weilenden Cézanne nur ein Stilleben seiner Hand! Statt

Abb. 10
Maurice Denis: *Hommage à Cézanne*
(Paris, Musée d' Orsay)
© VG Bild-Kunst, Bonn 1996

eines seiner zahlreichen Selbstporträts garantiert an der Schwelle zum 20. Jahrhundert ein einziges Stilleben den ganzen Reichtum einer vielgestaltigen Kunst, die als ein später Versuch verstanden werden kann, noch einmal die großen Gattungen in ihrem Gesamtgefüge zu repräsentieren.

Des Stillebens Sieg über die große Figurenmalerei als Fanal für den Aufbruch in die Moderne?

Solange man Jacopo de'Barbaris Münchner Tafel aus dem Jahre 1504 (Abb. 1) nicht ganz in die Gattung einbringen kann, gilt unbestritten als das früheste Hauptwerk der europäischen Stillebenmalerei Caravaggios Fruchtkorb (Abb. 5). Den Anfang bildete damit ein Gemälde, das sich über die Konvention der Hierarchien hinwegsetzte, indem es ein Figurenbild tilgte, um selbst sein zu können. Auch am vorläufigen Ende der akademisch bewachten Rangfolge steht ein solches Bild: Picassos Basler Stilleben aus dem Frühjahr 1909 (siehe Umschlagbild).[269]

Picassos Komposition[270] verdrängt nicht wie bei Caravaggio einen schlecht gemalten Engel durch ein gut gemaltes Früchtestück, sondern ist ein Musterbeispiel für die Metamorphose unter den Händen eines langsam die Bildidee formenden Künstlers. Ein ähnlicher Vorgang ist in Clouzots berühmtem Film festgehalten, der Picasso Jahrzehnte später bei der Arbeit an einem Stilleben mit Stierkopf zeigt.[271] Picasso selbst soll gesagt haben: *Wenn man ein Bild beginnt, findet man oft schöne Ideen. Man muß sich dagegen wehren, sein Bild zerstören, es mehrfach übermalen. Bei jeder Vernichtung eines schönen Einfalls unterdrückt der Künstler diesen in Wahrheit gar nicht; vielmehr verwandelt er ihn, verdichtet ihn, macht ihn substantieller. Der Erfolg am Ende ist das Resultat der zurückgewiesenen Einfälle.*[272]

Was geschehen ist, verrät die große Leinwand von 164 x 132,5 cm[273] mit ihrem kargen Bestand an Objekten: Auf einem Tisch mit heruntergeklappter Platte steht links eine Fruchtschale mit Serviette; daneben liegen französisches Brot und ein eigenartig umgedrehter Napf, ein *bol*. Spuren von Menschen sind zu erkennen; unter dem Tisch zeichnen sich Beine ab; *baguettes* und *bol* ersetzen Arme. Über den Früchten staut sich das Tuch, als bilde es Arm, Kopf und Schulter.

Die Assoziation gründet nicht in antropomorphem Sehen, sondern in der Entstehungsgeschichte des Gemäldes. Begonnen hatte Picasso die Leinwand mit Studien zu einem Figurenbild, das als Kniestück lebensgroß konzipiert war, um es als Stilleben zu vollenden. Der Künstler wollte ein arabisches Café, Karneval im Bistro oder einfach ein *repas*, letztlich ein holländisches Bankettbild malen in der Art des lebensgroßen Genre, wie es die caravaggeske Malerei des 17. Jahrhunderts in Italien, aber auch in Utrecht und in Lothringen gepflegt hatte. Cézannes *Kartenspieler* hatten diese Art von Bildern erst kurz zuvor neu ins Bewußtsein gerückt.[274]

Die Gattung Genre setzte sich ebensowenig wie die Figurenmalerei allgemein in der Entwurfsgeschichte des Gemäldes durch. Einen entscheidenden Wendepunkt dokumentiert eine Zeichnung (Abb. 11),[275] die neben einer größeren Skizze mit Figuren ausprobiert, wie die Komposition mit Stillebenmotiven anstelle von Menschen wirkt. Zur Verdeutlichung hat Picasso im Detail einen auf dem Tisch liegenden Arm in jenes abgeschnittene Brot verwandelt, das schließlich die Mitte des Bildes besetzen sollte. Die Metamorphose von *Carnaval au Bistro* zu *Pains et compotiers aux fruits sur une table* markiert damit eine epochale Neubesinnung der Kunst.

Auf dem Weg, neben die gutgemalte Figurenszene ein gutgemaltes Stilleben zu setzen und das Sujet nicht mehr den Wert eines Gemäldes bestimmen zu lassen, waren andere Künstler in Paris vorausgegangen. Picassos Werk bis 1909 zeigt jedoch, daß ältere Generationen den jüngeren keineswegs ersparen, entscheidende Erkenntnisschritte noch einmal persönlich zu vollziehen. Der junge katalanische Maler,[276] in Malaga geboren, hatte mit altmeisterlich inhaltsschweren Werken begonnen. Unter dem Titel *Wissenschaft und*

Abb. 11
Pablo Picasso: *Zervos VI*, Nr. 1073, Federzeichnung
© Succession Picasso. VG Bild-Kunst, Bonn 1996

Nächstenliebe hatte er wie Greuze dramatisches Genre ausprobiert. Die Welt des Variété und der Gaukler dringt dann in sein Schaffen ein, von düsteren Tönen bestimmt. Ein Hauptwerk von 1903, heute in Cleveland, will schon vom Titel *La Vie* her das ganze Leben fassen mit geschlechtlicher Neigung und Mutterliebe, Geborgensein beim Geliebten und Verlorenheit in Einsamkeit. Neben Armut wird Blindheit wiederholt zum Thema des Malers, als suche Picasso die Legitimation seiner Kunst ausschließlich im Sujet. Die Themen werden dann leichter, die Gaukler behalten aber ihre Melancholie und durch Elternschaft ihre Moralität außerhalb der etablierten Gesellschaft. Gegen deren Normen verstößt der Künstler mit dem *Harem* von 1906 und den *Demoiselles d'Avignon*. Doch daß er die Bindung an die Moral der einfachen Leute abwirft, führt nicht zum Erfolg; denn das große Gemälde des *Harems* blieb unfertig, die *Demoiselles* aber ruhten nach langer Formsuche und zahlreichen Übermalungen, um erst Jahre später in die Öffentlichkeit zu gelangen.

In diesem langwierigen Prozeß verliert Picasso den Sinn für gewichtige Sujets, deren Darstellung seine frühen Gemälde legitimierte. Der Künstler wendet sich Motiven zu, von denen man zunehmend mit Heinrich Meyer aus Goethes Zeit sagen könnte (hier S. 188 f.), sie hätten *keinen geistigen Werth*.

Sicher wird man angesichts der *Demoiselles d'Avignon*, also einiger Prostituierter in der *calle d'Avignon*, nicht nur wegen der prominenten Früchte rechts unten wiederholen dürfen, was Meyer zu Stilleben einfiel: *der Gegenstand ist ohne höheren Ausdruck, er kann an sich keine Theilnahme erregen.* Dort schon befindet sich Picasso auf dem Weg zum Stilleben. Mit dem Bruch der Konzeption für das Basler Bild befreit er sich dann vollends vom Gewicht des Sujets, als verlange er von sich und dem Betrachter nur dieses: *Wir sehen die Kunst und den Künstler, nicht aber die vorgestellte Sache.*

Daß Picasso Heinrich Meyer selbstverständlich nicht gelesen hat, tut dabei ebenso wenig zur Sache wie der Umstand, daß des Künstlers größter Beitrag zu unserer Gattung nach strengen Kriterien eigentlich kein Stilleben sein dürfte. Er hat das Basler Gemälde ja nicht als Ganzes aus einem Arrangement von Objekten gestaltet, sondern höchstens den Furchtkorb nach dem Leben, mehr aber nach dem Zöllner Rousseau, gemalt. Das war nötig, um eine immer noch grundsätzlich vom Bilde des Menschen bestimmte und in erster Linie durch dieses legitimierte Kunst auf reine Malerei umzustellen. Vor dem Basler Bild soll die Interpretation stumm werden, als erhielte die Rede vom Stilleben noch eine weitere Nuance: Es ist in der Tat eine wortkarge, eine fast stumme Gattung.

Der scheinbare Widerspruch zwischen Arbeit nach dem Sichtbaren und Formbefreiung in der Moderne

Durch das Basler Stilleben bricht Picasso mit dem Primat der Figurenmalerei. Epochal bleibt dieser Schritt, obwohl der Maler danach seine Kunst keineswegs radikal neuen Gegenstandsbereichen zuführt. Was sich ändert, ist das Verhältnis der Malerei zum Sujet im Bewußtsein von Maler und Betrachter. Damit bezieht Picasso eine Position wie Liebermann, der ein gutgemaltes Bild aus dem Bereich des Stillebens einer gutgemalten Figur nur gleichsetzen möchte.

Bis 1909 hat Picasso Stilleben eher vernachlässigt. Wohl nur das eine Mal hat er ein Gemälde dieser Gattung weitgehend aus dem Kopf oder doch besser aus einer schon Gestalt annehmenden Figurenkomposition konzipiert. In der Folge arbeitete er wie Cézanne oder Matisse, wählte aus, arrangierte und malte dann.

In den besonders fruchtbaren Jahren um 1910 siedelte er sich fast ausschließlich in den Feldern Porträt und Stilleben an, die als geschwisterliche Sparten der *Imitatio* die Arbeit nach dem Leben voraussetzen. Das lebende Modell oder das Arrangement von Objekten war nicht nur im Sinne solcher Definitionen, sondern in der künstlerischen Praxis unabdingbare Voraussetzung für Picassos wie Braques Tun gerade in jenen Jahren, in denen sich ihre Formgebung eruptiv von der mimetischen Wiedergabe befreite. Abmalen des real vor Augen Stehenden führte damit auf eine vordergründig paradoxe Weise zum Bruch mit den Konventionen der Form.

Wieso sich mit dem Kubismus der Jahre um 1910 die Malerei gerade im uralten Zeichen der *Imitatio* von deren Pflichten befreite, hat mit einer der wichtigsten Eigenschaften des Stillebens zu tun: Die Bildgegenstände sind dem Maler so entschieden unterworfen wie kein anderes Sujet. Wenn er allein sie auswählt und arrangiert, dann kann er sie beim Abmalen auch verformen. Wenn sie schon keine vokabelhafte Botschaft übermitteln, dann müssen sie nicht zwingend in der Konfiguration gegenständlich erkennbar sein. Wenn die Motive keinen Wert an sich haben, liegt die Legitimation eines Bildes allein in der Arbeit des Malers. Die aber wird autonom, sobald sie im Sujet keinen achtenswerten Gegner mehr hat, der die künstlerische Freiheit in die Schranken weist.

Von hier aus führt ein direkter Weg zu solch eigentümlichen modernen Künstlern wie Giorgio Morandi, der in Zeiten der Abkehr vom Tafelbild auf Stilleben insistiert. Seine Bilder malt er aber nicht mehr nach vorgefundenen Objekten, sondern nach Gegenständen, die er für den Zweck des Malens mit Farben überzogen hat, die seinem Kolorit entgegenkommen. Obwohl damit auf der Seite des Sujets fast alle Spannung genommen ist, entfaltet sich das Malen von Stilleben dann doch als ein lebenfüllender kreativer Akt.

Nachbemerkung: Das Stilleben in den anderen Künsten

Vom rhetorischen Beiwerk in der Literatur her war es gelehrter europäischer Kultur möglich, auch das Stilleben als legitime künstlerische Äußerung zu begreifen. In die Literatur zurück wirkte die Gattung der Malerei aber erst spät, und dann meist über die Konnotation des stillen und beschaulichen Lebens oder wie bei Heinrich Seidel über die Charakteristik eines auf das Stillebenhafte gerichteten Gemüts. Spätestens in der Zeit um 1900 jedoch greift der Anspruch, daß das Medium des eigenen künstlerischen Tuns über die verhandelten Gegenstände zu setzen sei, auf andere Künste über. Marcel Prousts Art, Erzählung zugunsten von Schilderung zurückzudrängen, die nicht vom Rhythmus der rasch verrinnenden Zeit bestimmt ist, sondern Zeit durch Beschreibung festhält, hat zumindest starke Affinitäten zum Stilleben.

Diese Art literarisches Stilleben hebt sich selbstverständlich entschieden von seichteren Versuchen ab, wie sie die Kurzgeschichte von Hans Daiber *Triumph des Kunstgeschmacks* repräsentiert.[277] Der Faszination des Trompe l'oeil verfallen, verschreibt sich der Autor ganz der Möglichkeit, im Stilleben die Realität aufgehoben zu sehen. Schauplatz ist der Louvre. Als Held wirkt ein verarmter Kunstexperte, der die Stilleben des Museums plündert, um sich von den darauf abgemalten Speisen zu ernähren. Der Alte macht das geschickt und bringt die Direktion in heftigste Verlegenheit: *In ohnmächtigem Zorn mußte die Museumsleitung zusehen, wie eine köstliche Pastete aus überbackenen Früchten auf einem Gemälde von Pieter Claesz Stück für Stück verschwand. Der Kirschenzweig auf einem Bild von Jan Davidsz de Heem leerte sich, der Weißwein, den Willem Kalff [sic] vor dreihundert Jahren mit einer Zitrone gewürzt hatte, wurde immer weniger. [...] Dennoch wurde niemals die Harmonie der Bilder gestört, wenigstens nicht gröblich. Ja es kam vor, daß die verstörten Kontrolleure zugaben, gewisse Bilder, deren Maler die Genüsse allzusehr häuften, hätten durch die mysteriösen Plünderungen gewonnen.*

Die Geschichte endet mit der Entdeckung des Täters, weil er nächtens beim Griff nach dem Wein an eine Laute stößt. Man richtet ihm eine Art Abschiedsmahl, ehe er die nach dem Gesetz nötige Strafe antreten soll. Doch der alte Kunstexperte entzieht sich dem Zugriff der Polizei, indem er *auf eine entzückende Landschaft [...] von Watteau* zuschreitet. *Monsieur Curieux trat in den Rahmen hinein und schrumpfte sofort zur Winzigkeit der tändelnden Rokoko-Gesellschaft. Er wandte sich noch einmal lächelnd um und verneigte sich grüßend, dann ging er langsam in die Landschaft und war bald hinter den Bäumen verschwunden. Doch genug der leichten Muse.*[278]

Gerade zu der Zeit, da Picasso das jeder Mitteilung entkleidete und damit auch außerhalb der Zeit stehende Stilleben als einen Inbegriff von Bildkunst erkannt hatte, drang die

Abb. 12
Victor Dubreuil: *Das Auge des Künstlers*, Detail
(Youngstown (OH), The Butler Institute of American Art)

Gattung aus der Malerei in Bereiche vor, die vom zeitlichen Ablauf noch intensiver leben als die Literatur. Selbst der Film kennt Stilleben. Damit ist nicht gemeint, daß man in diesem Medium zwischen den laufenden Bildern und dem Standphoto unterscheidet, das im Englischen *still* heißt und bei dem die Kunst darin besteht, wesentliche Mitteilung auf die Formel der nicht mehr veränderbaren Momentaufnahme zu bringen. Nicht um solche *stills* ging es, als László Moholy-Nagy im Jahre 1928 einen Film namens *Berliner Stilleben* drehte.[279]

Sicher hat ein solcher Titel auch metaphorische Qualität; in dieser Hinsicht ähnelt er Ruttmanns *Berlin – Symphonie einer Großstadt*.[280] In unserem Zusammenhang zählt aber vor allem eines: Die niedere Gattung Stilleben, die eigentlich nur Bilder des Unbeweglichen nach dem Leben bietet, beansprucht in der Moderne Gültigkeit auch für das Bewegte. Dabei zählt vor allem die Betonung des künstlerischen Mediums, das ruhende Gegenstände behandelt. Beim Filmtitel »Berliner Stilleben« stellt sich jedoch die Frage, wie weit er auch der alten Sprachverwirrung zu verdanken ist, die in der Topographie ebenso wie in ruhenden Gegenständen jeder Art das *stille Leben* oder die *toten Werke der Natur* sah.[281]

Freilich bleiben solche Grenzüberschreitungen nicht an diesem Punkte stehen. Wenn das Stilleben aus der Malerei in die Poesie dringt, wenn sich also das horazsche Motto der malenden Dichtung einmal wirklich einstellt, dann kann der Dichter etwas tun, was den meisten Malern undenkbar schien: Paul Celan hat das Auge im Bild selbst untergebracht. Das tat meines Wissens sonst nur der amerikanische Stillebenmaler Victor Dubreuil (Abb. 12): In einem seiner Gemälde aus der Zeit um 1895 schaut das Auge, das das Bild schuf, scheinbar durch die Leinwand hindurch auf den Betrachter. Damit wirkt es nicht nur, als sei der Maler hinter dem Gemälde versteckt; wegen des Spiegeleffekts, den der Blick Auge in Auge vermuten läßt, erkennt sich der Betrachter zugleich selbst. Wessen Auge, ungepaart und geschlossen, Celan in seinem Gedicht Stilleben gemeint hat, überläßt er dem Leser:[282]

Stilleben

Kerze bei Kerze, Schimmer bei Schimmer, Schein bei Schein. /
Und das hier, darunter: ein Aug, / ungepaart und geschlossen, / das Späte bewimpernd, das anbrach, ohne der Abend zu sein.

Davor das Fremde, des Gast du hier bist: / die lichtlose Distel, / mit der das Dunkel die Seinen bedenkt, / aus der Ferne, / um unvergessen zu bleiben.

Und dies noch, verschollen im Tauben: / der Mund, / versteint und verbissen in Steine, / angerufen vom Meer, das sein Eis die Jahre hinanwälzt.

Anmerkungen

1. Sterling, 3. Aufl. 1985, S. XVII: »Peu m'importe d'être compté parmi les historiens de l'art traditionnels dits »connaisseurs«. Plutôt qu'aux philosophes, je préfère m'adresser d'abord aux artistes et à ceux qui sentent et pensent comme les artistes.«
2. Gedacht ist hier an die Anekdote, an die sich Sterling anläßlich seiner großen Stilleben-Ausstellung im Louvre 1952 erinnert. Als eine Art moderner Quelle zum Umgang mit Stilleben sei der Bericht hier wenigstens in deutscher Paraphrase wiedergegeben; Sterling erzählt in einem Gespräch mit Michel Laclotte: »Am Ende der Ausstellung gab es Bilder von Matisse, gab es vier Stilleben von Picasso, aber das schönste Stilleben von Matisse, heute im Musée Picasso, gehörte Picasso; und man hatte mich gewarnt, er sei sehr schwierig, wenn man von ihm ein Bild leihen wolle. Ich habe bei ihm angerufen, mit seiner Sekretärin gesprochen, die mich ein wenig am Telefon warten ließ, mir dann aber sagte: Ja, er sei einverstanden, aber es sei nötig, daß er die Ausstellung vor deren Eröffnung sehen könnte, um zu entscheiden, ob ihm die Ausstellung zusage. Es war das einzige Mal in meinem Leben, daß ich Picasso gesehen habe. Ich habe nicht mit ihm gesprochen, weil er nicht redete. Er hat mich in neugieriger Weise angeschaut und hat sich dann sofort auf die spanischen Bilder gestürzt... Er hat diese Bilder angeschaut, ist zum Ende der Ausstellung gelaufen; zurückgekehrt, hat er gesagt: »Einverstanden.« Und so habe ich dieses gewaltige Stilleben haben dürfen.« Vgl. Nicole Reynaud, *Hommage à Charles Sterling. Des primitifs à Matisse* (Les dossiers du département des peintures 40), Paris 1992, S. 93/95 mit Farbabb. des gemeinten Stillebens von Matisse auf Planche 3.
3. Albrecht Dürer, hrsg. von Ernst Ullmann und Elvira Pradel, 1982, S. 144 f.
4. Sterling, 3. Auflage 1985, S. XVII: »Ces réflexions corroborent ma conviction qu'une authentique nature morte naît le jour où un peintre prend la décision fondamentale de choisir comme sujet et d'organiser en une entité plastique un groupe d'objets.«
5. Vgl. die beiden Bücher von Grimm 1988 und 1995.
6. Vgl. Earp 1928, S. 8.
7. Faré 1974 und Beth 1979, deren Arbeit 1976 abgeschlossen war.
8. Faré 1974 und 1976. Ihm folgte H. Comte mit dem Titel: *Nature morte de l'Antiquité à nos jours. La vie silencieuse*, Brüssel 1982.
9. Vgl. Vorenkamp 1933, John 1991, S. 12–72.
10. Das sieht übrigens auch Faré 1975, S. 275, ganz ähnlich, wenn er fortfährt: »L'adoption d'un vocable résultant de l'adaption du sens commun à une forme proposée, il y a toujours lieu de l'interroger de très près, quitte à n'en retenir que l'essentiel, à dépasser la formule et à surveiller l'évolution du terme.«
11. Sterling, 3. Aufl. 1985, S. 125: »La théorie de l'art est toujours en retard sur la pratique même de l'art; dans le domaine de la nature morte ce retard est monstrueux.«
12. *Frankfurter Gelehrte Anzeigen* Nr. 101, 18.12.1772: Goethe, Hamburger Ausgabe, hrsg. von Erich Trunz, Bd. XII, 1981, S. 16.
13. Christiane Schön, *Jacopo de'Barbaris Rebhuhn mit Eisenhandschuhen und Armbrustbolzen*, Magisterarbeit, FU Berlin 1995; die ältere Literatur erschließt sich aus: Erich Steingräber (Hrsg.), *Die Alte Pinakothek München, Erläuterungen zu den ausgestellten Gemälden*, München 1983, S. 58 f. Vgl. unter anderem auch Sam Segal, Die Entstehung der Stillebentradition im Hinblick auf Dürer, in: *Albrecht Dürer und die Tier- und Pflanzenstudien der Renaissance - Symposium*, hrsg. von Fritz Koreny (=Jahrbuch der Kunsthistorischen Sammlungen in Wien, Bd. 82/83, N.F. XLVI–XLVII), 1986/87, S. 273–286.
14. Siehe Quellentext und Kommentar S. 109 f.; daß durch Perspektive gestaltete Räume hinter der Bildfläche zu den Grundvoraussetzungen der europäischen Stillebenmalerei gehören, ist in der Literatur immer wieder beobachtet worden; deshalb hat man im Ausstellungskatalog Münster und Baden-Baden 1979/80 auch ausführlich die perspektivische Konstruktionsweise erläutert; zu Sterlings Spott siehe 3. Aufl. 1985, S. XIV.
15. Zur Entwicklung des autonomen Bildes vgl. zuletzt Stoichita 1993. Ein Buch über Stilleben kann der

Frage nach der Autonomie der Kunst und der Autonomie der niederen Gattung innerhalb der Malerei eigentlich nicht ausweichen. Der Begriff scheint mir aber vor allem seit der Kritik, wie sie in Müller 1972 gebündelt wurde, selbst nach eigener Diskussion zu verlangen, so daß ich im Folgenden nur Materialien für eine solche Auseinandersetzung geben werde, ohne in die globalen Fragen vorzustoßen.

16 Ovid, *Metamorphosen, VIII,* 235 ff.; s. neuerdings die deutsche Fassung von Gerhard Fink, Zürich und München, 1989, S. 190 f.; vgl. auch Ulrich Weisstein, The Patridge Without a Pear Tree: Pieter Bruegel the Elder as an Illustrator of Ovid, in: *Comparative Criticism 4,* 1982, S. 56–83; Beat Wyss, *Pieter Bruegel - Landschaft mit Ikarussturz. Ein Vexierbild des humanistischen Pessimismus,* Frankfurt/M. 1990.

17 Weiteres in einer geplanten eigenständigen Publikation von Christiane Schön.

18 Zum Trompe l'oeil vgl. Battersby 1974; Milman 1982.

19 Die Geschichte des Worts *natura morta* im Italienischen ist mangelhaft erforscht. Die *Nuova Enciclopedia dell'Arte Garzanti,* hrsg. von Lucio Felici, Mailand 1986, S. 594, wiederholt die schon in der *Enciclopedia Europea,* Bd. VII, gemachte Angabe, der Begriff sei im 18. Jahrhundert in akademischen Kreisen Italiens verbreitet gewesen. Belege werden nicht geliefert. Die Vermutung von John 1991, S. 21, es habe bis zum Ende des 19. Jahrhunderts einen solchen Begriff in der italienischen Kunstliteratur nicht gegeben, kann weder bestätigt noch widerlegt werden.

20 *The Oxford English Dictionary,* 2nd Edition, prepared by J.A. Simpson and E.S.C. Weiner, Bd. XVI, Oxford 1989, S. 699: »It is presumed that they were originally applied to representations not of inanimate objects but of living things portrayed in a state of rest.«

21 So Gwynne-Jones 1954, S. 1: »to mean a painting which comprises a number of objects shown when they are still but not necessarily 'dead'.«

22 So formuliert, mit hier aufgelösten Abkürzungen, in: *Lexikon der Kunst, Architektur, Bildenden Kunst, Angewandten Kunst, Industrieformgestaltung, Kunsttheorie,* hrsg. von Ludger Alscher, Günter Feist u.a. Leipzig 1968–1978, Bd. 4 (Leipzig 1977), S. 696; zuletzt Ausgabe 1994, Bd. 7, S. 64.

23 John 1991, S. 16–17.

24 Faré 1975, S. 275.

25 Rivière 1987, S. 27–42, bes. S. 27: »En vérité, la nature morte est née le jour où on l'a définie, et cette définition ne s'est faite qu'en rapport avec les autres genres érigés en corps de la doctrine par les théoriciens du XVIIe siècle français.«

26 Gombrich 1978, S. 187.

27 R. van der Meulen u.a., *Woordenboek der Nederlandsch Taal,* Leiden 1940, Bd. 15, Sp. 1707: »1. Groepeering van onbeweeglijke voorwerpen als model voor schilders, dus dienstig voor het schilderen naar het leven. (Sp. 1708) In vrijer gebruik ook een groepeering, die wel geschikt, maar niet bestemd is om geschilderd te worden. – 2. Schilderij of tekening van zulk een groepeering. – 3. Als naam van het genre in de schilderkonst dat zulke groepeeringen tot onderwerp heeft.« Diese Definition wiederholt das *Groot Woordenboek der Nederlandsch Taal,* 12. Ausgabe, Utrecht und Antwerpen 1992, Bd. 3, S. 2930, wörtlich; jedoch fehlen nun die sprachgeschichtlichen Beispiele.

28 Sterling, 3. Aufl. 1985, S. 42 schreibt: »[…] Stilleben ou […] Still-life qui, en s'éloignant du Stilleven des Hollandais du XVIIe siècle […]«.

29 Vgl. dazu den von Thomas W. Gaehtgens herausgegebenen ersten Band dieser Reihe, Berlin 1996.

30 *ritrarre* bedeutet zugleich oder sogar zuvorderst das Ziehen einer Linie aus einem Punkt.

31 Oxymoron bedeutet in wörtlicher Übersetzung seiner griechischen Wortbestandteile scharfsinnige Dummheit, als Verbindung zweier sich gedanklich-logisch ausschließender Begriffe. Da diese rhetorische Form in Manierismus und Barock besonders beliebt war, ist die Vermutung, die in jenen Zeiten geprägten Ausdrücke für Gegenstandsmalerei seien Oxymora, sprachgeschichtlich sinnvoll.

32 Vgl. Faré 1975, S. 265 f.

33 Théophile Gautier, *Abécédario du Salon de 1861,* S. 27: »ce que l'on a coutume de désigner improprement sous le nom de nature morte, deux mots qui hurlent d'être accouplés ensemble comme deux chiens d'humeur antipathique.«

34 Hier zitiert nach der Neuausgabe München 1985, Bd. 14, S. 282.

35 Etienne Joseph Théophile Thoré (Pseud. W. Bürger). *Musées de la Hollande,* 1860, Bd. II, S. 317*:* »Nous avons beaucoup débattu contre cette méchante appellation de »nature morte«, nous ne savons, jusqu'ici, comment la remplacer par un terme qui nous comprenne à la fois le gibier mort, animaux et oiseaux, le poisson – on n'a pas souvent peint le poisson dans l'eau – les fleurs et les bouquets de fruits, les vases et les utensiles, armes et instruments de musique, bijoux et ornements divers, draperies et costume, et les mille objets qu'on peut grouper pour en faire le prétexte d'une représentation colorée, amusante, sous le coup de la lumière. Nature morte est absurde.«

36 Etienne Joseph Théophile Thoré (Pseud. W. Bürger), *Les Salons,* Bd. III, Paris 1893, Salon de 1861, S. 120.

37 Sterling, 3. Aufl. 1985, S. 42.

38 Sterling, 3. Aufl. 1985, S. 42: »surtout lorsqu'on comparait cette expression au *Stilleben* ou au *Still-life,* qui, en s'éloignant du *Still-leven* des Hollandais du XVIIe siècle, a pris le sens exquis de vie tranquille ou vie silencieuse.« Ähnlich Faré 1975, S. 266 (nach Erläuterungen zur Herkunft des Wortes aus dem Holländischen und zu seinem Auftauchen im Deutschen): »le terme anglais de still life révèle aussi la vie tranquille des objets, un monde de paix et d'harmonie.« Wie stark diesen Autor die Hauptworte Leben und Natur inspirieren, zeigt er im Folgenden: »Il est quand-même opportun d'évoquer »la vie silencieuse« au moment où on lui prête vie. Dans le genre qui nous occupe, les éléments sont par eux-mêmes silencieux: il y a intervention de la magie propre de l'artiste pour changer plus profondément leur nature.«

39 Sterling, 3. Aufl. 1985, S. 42: »Pour malheureux qu'il en soit, ce mot, vieux de deux siècles, s'est chargé pour les Français, depuis Chardin jusqu'à Cézanne, de tant de prestiges plastiques et de poésie, qu'il ne semble pas utile de l'abandonner. Les mots ne valent que par les associations qui en rayonnent, et il y a sans doute peu de gens aujourd'hui pour qui le mot de nature morte évoque le contraire de la vie.«

40 Das gilt im Russischen für die Benennung all jener Gattungen, die erst zur Zeit Peters des Großen von Frankreich her eingeführt wurden; selbst die Landschaftsmalerei wird heute noch als *paysage* geführt, obwohl die russische Literatur wie kaum eine andere gleichsam Landschaften malte (freundlicher Hinweis von Aleksander Jakimovitsch).

41 Zu spanischen Stilleben vgl. zuletzt den Ausst.-Kat. London 1995 mit ausführlicher Bibliographie. Zur Verwendung des Begriffs in zeitgenössischen Quellen siehe hier S. 118.

42 Vgl. *Enciclopedia universal ilustrada Europeo-americana,* Bd. II, 1910, S. 1273 mit Bildbeispielen S. 1274.

43 Vgl. ebd., Bd. VIII, S. 1204: »Naturaleza muerta: B. art. Dícese de los cuadros de las representaciones de animales muertos, y por extensión abusiva de los cuadros que representan frutos, flores y aun accesorios ó otros objetos.« – offenbar in Paraphrase des entsprechenden Eintrags in der *Piccola enciclopedia Hoepli,* die in der folgenden Anm. zitiert ist.

44 Am deutlichsten wird das in jenen Wörterbüchern von 1880, 1892–92 und 1897, die die frühesten Erwähnungen von *natura morta* im Italienischen enthalten: Dem fünfbändigen *Dizionario etimologico della lingua italiana,* hrsg. von Manlio Cortelazzo und P. Zolli, Bologna 1979–1988, Bd. III (1983), S. 794, zufolge heißt es bei M. Lessona und C.A. Valle, *Dizionario universale di scienze, lettere ed arti,* Mailand 1880: »in pittura, dicesi degli animali uccisi e specialmente della selvaggina, in cui la rappresentazione costituisce un genere particolare di pittura.« Wörtlich nimmt den Begriff auch die *Piccola enciclopedia Hoepli,* hrsg. von G. Garotto, Mailand 1892–1895: »i quadri rappresentanti gli animali morti e abusivamente quelli rappresentanti frutte, fiori e sim.« auch zitiert bei John 1991, S. 21, Anm. 33.

45 Vgl. beispielsweise die Einführung von Gerhard Langemeyer und Hans-Albert Peters zum Ausstellungskatalog Münster/Baden-Baden 1979–1980, S. 14. Ähnlich schreibt Gerd Tolzien in *Kindlers Malerei-Lexikon* zum Stichwort Stilleben: »Im weiteren Verlauf des 16. Jhs. tritt dann vor allem in den Niederlanden, entsprechend der dem Lande geschenkten vegetativen Üppigkeit und der seinen Bewohnern eigenen Freude an Blumen, an gutem und reichlichem Essen, an prunkvollem Gerät und an Antiquitäten das Stilleben stärker in den Vordergrund.« (Bd. 14, S. 283).

46 Vgl. insbesondere die Forschungen von Eddie de Jongh, wie sie im Ausst.- Kat. Amsterdam 1976 gipfelten, sowie schon Rudolph 1938.

47 Vgl. Abraham Bredius, *Urkunden zur Geschichte der holländischen Kunst des XVIIten und XVIIIten Jahrhunderts;* 7 Bde., Leiden 1915–1921. Vgl. auch die Erörterungen bei de Pauw- de Veen 1969, S. 141–157.
48 De Pauw-de Veen 1969, S. 348 f. und passim. Zu Cornelis de Bie siehe hier S. 116 f..
49 Paraphrase nach Brom 1958, S. 217.
50 Vroom 1945, S. 14.
51 Vgl. oben Anm. 27.
52 Vorenkamp 1933, S. 9.
53 Houbraken 1753, Teil I, Blatt 256: »Want een van dezelve een vrouweleven tot model noodig hebbende.«
54 Nicht nur John 1991, S. 17, folgt ihm mit der Feststellung :»leven bedeutet soviel wie lebendes Modell«; die oben zitierte Erläuterung im neuen *Oxford English Dictionary* (vgl. Anm. 20) tut das ebenso wie manch andere Literatur.
55 Vorenkamp 1933, S. 9: »De twee deelen, waaruit het woord »stilleven« is samengesteld, zijn niet, zoals men op't eerste gezicht zou denken, met elkaar in tegenspraak«.
56 Erst indem daraus wie im deutschen Lehnwort *porträtieren* ein Fachausdruck wird, ersetzt eine scheinbare Anschaulichkeit den eigentlichen Wortsinn.
57 J. J. Bodmer, *Mahler der Sitten,* Bd. I, S. 29; vgl. Friedrich Kluge, *Etymologisches Wörterbuch der deutschen Sprache,* 20. Aufl. hrsg. von Walter Mitzka, Berlin 1967, S. 750.
58 Vgl. ebenfalls Vorenkamp 1933, S. 9 sowie auch de Pauw-de Veen 1969, S. 141 f. und S. 214.
59 De Pauw-de Veen 1969, S. 214, gibt dazu ein Beispiel aus einem Inventar von 1667.
60 *coi, coite:* vgl. Le Robert, *Dictionnaire historique de la langue française,* Paris 1993, Bd. 1, S. 443.
61 Den besten Überblick geben Luigi Grassi und Mario Pepe, *Dizionario della Critica d'Arte,* Turin 1978, Bd. II, S. 342 f. Nicht ganz verläßlich scheinen mir die Angaben von John 1991, S. 21.
62 Vasari, *Vite,* hrsg. von Milanesi, Bd. VI, S. 549 f.: »riusciva contrafare benissimo […] tutte le cose naturali, d'animali, di drappi, d'instrumenti, vasi, paesi, casamenti e verdure.«
63 Das tut Vasari, wenn er Giovanni da Udines Arbeiten mit den Adjektiven *vivi* und *veri* beziehungsweise dem Begriff *di naturale* lobt (Vasari, *Vite,* hrsg. von Milanesi, Bd. VI, S. 549 ff.).
64 Giovanni Baglione, *Le Vite de Pittori, Scultori et Architetti. Dal Pontificato di Gregorio XIII del 1572. In fino a tempi di Papa Urbano Ottavo nel 1642,* Rom 1649, S. 288, schreibt über Mao Salini: »Si mise a far de fiori, e de frutti, e d' altre cose, dal naturale ben espresse« und auf S. 343 über Gobbo da Cortona: »Diedesi a dipingere i frutti dal naturale«.
65 Carlo Cesare Malvasia, *Felsina pittrice, Vite de Pittori Bolognesi,* Bologna 1678, hrsg. von G.P. Zanotti, 1841, S. 163.
66 Faré 1975, S. 272, benutzt auch für *nature morte* den Begriff des *mot composé.*
67 Für diesen Begriff, dem Sterling ein Unterkapitel widmet (3. Aufl. 1985, S. 41 f.), gibt es als Fundstelle nur: De Bie 1649. David Bailly wird in der Beischrift gepriesen: »Il est un fort bon peintre en poutraicts et en vie coye.«
68 De Bie 1649, Ausgabe 1662, S. 273 und 412; vgl. de Pauw-de Veen 1969, S. 143.
69 Darauf hingewiesen hat Vorenkamp 1933, S. 8, der bereits vor Sterling von »Hollandisme« spricht. Da Cornelis de Bie gar nicht in Frankreich publizierte, wird man John 1991, S. 22, widersprechen müssen, wenn sie schreibt: »Gleichzeitig mit dem Terminus stilleven entstand in Frankreich der Ausdruck la vie coye.«
70 De Piles 1699, S. 141; zitiert auch bei Faré 1975, S. 268 mit dem Hinweis, de Piles sei »peut-être le premier à avoir assemblé les deux termes de cette expression particulièrement heureuse«.
71 Louis Guillaume Baillet de Saint-Julien, *Lettre sur la peinture à un amateur,* Genf 1750, S. 23; ausführlich zitiert von Faré 1975, S. 270.
72 Antoine Joseph Pernety, *Dictionnaire portatif de Peinture et de Sculpture,* Paris 1757, zitiert nach Faré 1975, S. 271: »l'objet signifie tout ce que la peinture peut imiter sur le naturel et représenter en couleurs.«
73 Georges Wildenstein, *Chardin,* Paris 1937, S. 7, auch zitiert von Faré 1975, S. 271.

[74] Vgl. schon oben zitiert, *The Oxford English Dictionary*, 2nd. Edition, prepared by J.A. Simpson and E.S.C. Weiner, Bd. 16, Oxford 1989, S. 699.

[75] Charles Dufresnoy, *De Arte Graphica, The Art of Painting, By C.A. Du Fresnoy. With Remarks Translated into English, together with an Original Preface Containing A Parallel Betwixt Poetry and Painting. By Mr. Dryden. As also a Short Account of the most Eminent Painters, both Ancient and Modern continued down to the Present Time according to the Order of their Succession, By another Hand*, London 1695, S. 245 und 341. Wesentlich zu diesem Abschnitt hat Fiona Healy beigetragen, der hiermit herzlich gedankt sei.

[76] Dryden, s. Dufresnoy 1695, S. 245: »Pireicus was famous for little pieces only, and from the sordid and mean subjects to which he addicted himself (such as a Barbers, or a Shoe-makers Shop, the Still-life, Animals, Herbage, etc.) got the surname of Rhyparographus. Yet though his subjects were poor, his Performance was admirable; and the smallest Pictures of this Artist, were esteem'd more, and sold at greater Rates, than the larger works of many other Masters.«

[77] Vgl. dazu auch die unkommentierte Übersetzung des Textes in Versen von Daniel Defoe, *The Compleat Art of Painting by D.F. Gent, A Poem Translated from the French of M. du Fresnoy*, London 1720.

[78] Graham nennt sich 1716 in seiner Widmung an Burlington. Vgl. auch Dobai 1974, Bd. I, S. 699.

[79] Vgl. die hier, S. 98 geäußerten Bedenken von Klaus Junker, dieser somit 300 Jahre alten Leseweise für *Obsonia* zu folgen. Erst mit Helbig 1873, S. 92–95 macht sich auch die klassische Archäologie den Begriff *Stilleben* zu eigen, jedoch vorrangig für den antiken Terminus *Xenia*.

[80] Vgl. Zitat hier in Anm. 76.

[81] Dryden, s. Dufresnoy 1695, S. 276: »His peculiar happiness in expressing all sorts of Animals, Fruit, Flowers and the Still-life.«

[82] Da Tiere schon eingangs genannt sind, kann es sich nicht um totes Wildbret in jenem Sinne von *nature morte* handeln, der von den in Anm. 44 zitierten italienischen Lexika bis zu Faré 1975 gilt.

[83] Dryden, s. Dufresnoy, 1695, S. 315.

[84] Faré 1975, S. 272.

[85] Diderot 1876, Bd. XI, S. 485: »Il y a beaucoup de nature dans ce tableau.«

[86] Diderot 1876, Bd. X, S. 455 f.: »Il fallait appeler peintres de genre les imitateurs de la nature brute et morte; peintres d'histoire, les imitateurs de la nature sensible et vivante.«

[87] Diderot 1876, Bd. XI, S. 98.

[88] Cochins Brief an Descamps vom 1. Juli 1780 entspricht in dieser Formulierung einer Eloge von Haillet de Couronne vom 2. August 1780: »à traiter toutes sortes d'objets immobiles ou de natures mortes«. Vgl. zuletzt Faré 1975, S. 273 und Anm. 33.

[89] Hier lag nur die Ausgabe Haarlem 1740 im Utrechter Faksimile von 1969 vor; dort S. 257.

[90] Gérard de Lairesse, *Le Grand Livre des Peintres ou l'art de la peinture considéré dans toutes ses parties*, Paris 1787, Bd. II, S. 473; ausführlichere Zitate bei Faré 1975, S. 273 f.

[91] Man vergleiche die gerade zitierten Stellen von Cochin und Haillet de Couronne von 1789.

[92] Vgl. Faré 1975, S. 274.

[93] Francois-Xavier de Burtin, *Traité des connaissances nécessaires aux amateurs de tableaux*, Brüssel 1808, Bd. 1, S. 286.

[94] Sandrart 1675; Ausgabe 1925, S. 349.

[95] H. Zedler, *Grosses vollständiges Universal-Lexikon*, Bd. 40, 1962, (Photomechanischer Nachdruck von Leipzig und Halle 1744, S. 95).

[96] Vgl. Johann Hübner, *Natur-, Kunst-, Berg-, Gewerck- und Handlungs-Lexikon*, Leipzig 1776, Spalte 2209. Vgl. das Grimmsche Wörterbuch: Jacob und Wilhelm Grimm, *Deutsches Wörterbuch*, Bd. X, 2.2, Leipzig 1941, Sp. 3006–3009.

[97] J. A. Malz, Zum Sprachgebrauch des 18. Jahrhunderts, in: F. Kluge (Hrsg.) *Zeitschrift für deutsche Wortforschung* 12, 1910, S. 173–199, hier S. 198; *Der Zuschauer* (aus dem Englischen übersetzt), Leipzig 1741, 4. Teil, Stück 321, S. 362.

[98] Samuel Richardson, *Histoire de Sir Charles Grandison* 6, 1755, S. 534. Zum ersten Mal im reinen Kontext von Malerei steht *stilles Leben* im Deutschen bei: Bodmer 1746 (wie Anm. 57).

99 Christian Friedrich Nicolai, *Reise durch Deutschland,* Berlin 1783, Bd. 1, S. 158.
100 Johann Wolfgang von Goethe, Wilhelm Meisters Lehrjahre, in: *Goethes Werke,* Hrsg. im Auftrage der Großherzogin Sophie von Sachsen, Weimar 1898, Bd. 21, S. 87.
101 Auf das Jahr 1798 bezogen: Justus Möser, Patriotische Phantasien, in: J. W. J. v. Voigts, *Sämtliche Werke,* Berlin 1842, Bd. 1, S. 396.
102 Johann Wolfgang von Goethe, Der Sammler und die Seinigen, in: *Goethes Werke,* Weimarer Ausgabe, Bd. 47, S. 135.
103 Moritz A. Thümmel, *Reise in die mittäglichen Provinzen von Frankreich,* Leipzig, 1791, Teil 7, S. 254.
104 Heinrich Meyer, *Kleine Schriften zur Kunst,* (Deutsche Literaturdenkmale des 18. und 19. Jahrhunderts) Heilbronn 1886, S. 31.
105 Johann Wolfgang von Goethe, Diderots Versuch über die Malerei, in: *Propyläen* 1799, vgl. Goethe-Ausgabe bei Cotta, Bd. XIV, Stuttgart 1963, S. 602–658, sowie Rameaus Neffe: Ein Dialog von Diderot, ebenda, S. 659–824.
106 Johann Wolfgang von Goethe, *Dichtung und Wahrheit,* in: *Goethes Werke,* Weimarer Ausgabe, Bd. 26, S. 40.
107 Johann Wolfgang von Goethe, Noten und Abhandlungen zu besserem Verständnis des west-östlichen Divans, in: *Goethes Werke,* Weimarer Ausgabe, Bd. 7, S. 74.
108 Georg G. Gervinus, *Geschichte der deutschen Dichtung,* Leipzig 1853, Bd. 5, S. 54.
109 Robert Schumann, *Gesammelte Schriften über Musik und Musiker,* Leipzig 1854, Bd. I, S. 148.
110 Vgl. Silver 1984, S. 79–80 – Über dieses Gemälde macht die an unserem Buch freundlich beteiligte Carolin Quermann gerade ihre Magisterarbeit, deren Besprechung ist die hier eingearbeitete Erkenntnis zu verdanken.
111 Nicolaus von Cues, *De docta ignorantia* 1.2, hrsg. von E. Wilpert, Hamburg 1970, S. 11; vgl. Beth 1979, S. 3.
112 Vgl. Silver, 1984, S. 5.
113 Vgl. Zitat in Anm. 62.
114 Beth 1979, S. 22–29.
115 Alexander von Humboldt, *Kosmos. Entwurf einer physischen Weltbeschreibung,* Stuttgart und Tübingen 1845 ff., Bd. II, S. 37.
116 Die Liebe der Günderode. *Friedrich Kreuzers Briefe an Caroline von Günderode,* hrsg. von K. Preisendanz, 1912, S. 154; Beth 1979, S. 26.
117 Beth 1979, S. 29.
118 H. G. Treitschke, *Deutsche Geschichte im 19. Jahrhundert,* Leipzig 1897 ff., Bd. II, S. 76 – Beth 1979, S. 29, Anm. 2.
119 »Stat rosa pristina nomine. nomina nuda tenemus?« Umberto Eco, *Der Name der Rose,* Übersetzt aus dem Italienischen von Burkhart Kroeber, München und Wien 1982, S. 635; dort auch die Übersetzung S. 645.
120 Ludwig Reimers (Hrsg.), *Der ewige Brunnen,* Ein Hausbuch deutscher Dichtung, München 1955, S. 642.
121 Wieder ist auf Beth 1979 hinzuweisen, die das meiste Material zu dieser Frage zusammengetragen hat, S. 52 ff. und S. 177 ff.
122 Henri-Georges Clouzot, mit Claude Renoir an der Kamera: *Le Mystère Picasso,* 78minütiger Schwarzweißfilm mit farbigen Passagen.
123 London, National Gallery, vgl. vor allem Beth 1979, S. 177 ff.
124 Vgl. die Berliner Dissertation von Kathke 1995.
125 Beth 1979, S. 179.
126 In einer noch zu veröffentlichenden Studie möchte ich zeigen, daß Manet bei solchen programmatischen Bildern den Lebensraum der Dargestellten fast ganz durch Assoziationen auf die eigene Kunst ersetzt; das hieße bei Eva Gonzalès, daß er die Stillebenmalerin als Pictura in Beths Sinne zwar meint, aber sich darunter dann doch keine Stillebenmalerin, sondern eine Verkörperung der eigenen Malerei vorstellt; die aber konzentrierte sich auf Figuren.
127 Vgl. Farbabb. als Frontispiz zu Schneider 1989.

[128] Vgl. die prächtigen Farbtafeln 2a und 3 bei Grimm 2. Aufl., 1993, und die Erläuterungen auf S. 34 f.: 1598 soll der Blumenstrauß im Wiener Kunsthistorischen Museum entstanden sein; vor 1608 dürfte, der Korrespondenz des Künstlers mit Kardinal Federico Borromeo zufolge, das Bild in der Ambrosiana entstanden sein. Die Datierung des Wiener Gemäldes ist freilich umstritten; nur Grimm datiert nach einer abgebildeten Münze, während Ertz 1979, S. 252 ff. den Mailänder und den Wiener Blumenstrauß 1606 datiert. Zum Forschungsstand siehe Ausst.-Kat. Rom 1995/96, Nr. 14.

[129] Bergström 1956, Abb. 41 und 53.

[130] Wie Porträtsitzungen gerade in der Zeit des Umbruchs zur Neuzeit aussahen, zeigen die zahlreichen Bilder von Lukas mit der Madonna (vgl. Gisela Kraut, *Lukas malt die Madonna. Zeugnisse zum künstlerischen Selbstverständnis in der Malerei*. Worms 1986). Dabei werden Bilder wie jenes von Rogier van der Weyden, der seinem Evangelisten einen Silberstift in die Hand gibt, der Realität am nächsten kommen. Große Bildnismaler der Spätgotik und Renaissance wie Jan van Eyck, Jean Fouquet oder Hans Holbein d.J. haben beim Portätieren eher gezeichnet als gemalt, und noch bei Rubens tritt nicht selten die Zeichnung zwischen Anschauung und Ausführung.

Nicht einmal zu Velásquez' Zeiten läßt sich die lieb gewordene Vorstellung, Maler hätten von der Staffelei aus ihre Motive studiert, ganz aufrecht erhalten; sonst wäre um dessen Meniñas, als scheinbares Hauptwerk des Ateliergenre, nicht eine so nachhaltige Diskussion entbrannt; sie ist in einem Buch des Reimer-Verlages zusammengefaßt: Caroline Kesser, *Las Meniñas von Velásquez. Eine Wirkungs- und Rezeptionsgeschichte*, Berlin 1994.

[131] Während sich in der Frühzeit des nachantiken Stillebens systematische Studien eher an anderen Sparten der Abbildung wie dem Herbariumsblatt orientieren (vgl. noch Jacob Mareels Arbeiten aus den Jahren 1634/46 bei Bergström 1956, Abb. 75–77), arrangiert Cézanne zuweilen die Gegenstände, um sie zunächst zu aquarellieren und dann in Öl zu malen. Zum einen siehe Ausst.-Kat. Frankfurt 1993, Nr. 65–97, S. 181–204. Zu Cézanne siehe hingegen: Adriani 1981, Nr. 92–95; dabei gelten die dortige Nr. 88 (ohne Venturi-Nr.) zusammen mit Aquarell Venturi 1134 als Vorstudien für das Ölgemälde Venturi 595. Zu den Aquarellen vgl. auch Rewald 1983, bes. Nr. 544–572.

[132] Michael Baxandall, *The Limewood Sculpture of Renaissance Germany*, New Haven und London 1980, S. 143–163.

[133] Claudel 1935, S. 93: *il est impossible de ne pas être frappé du peu de variété [...] à la fois de leurs sujets et de leurs compositions*.

[134] Das Studienblatt mit dem toten Rebhuhn, heute im Britischen Museum, ist von Christiane Schön 1995 ausführlich behandelt worden, siehe vorher: Popham 1928, S. 5, Nr. 2; Ausst.-Kat. Wien 1985, S. 44–47.

[135] *Attendi: che la più perfetta guida che passa avere e migliore timone si è la trionfal porta di ritrarre di naturale spezialmente quand incominci ad avere qualche sentimento del disegnare; e chi può ispirare questo sentimento, il maestro.* - Cennini 1993, Cap. XXXVIII.

[136] Ebenda, S. 240, mit Hinweis auf die Dante-Stelle.

[137] Villani 1857–1860, Bd. II, 1860, S. 450.

[138] Vgl. Leonardo da Vinci (Quellenschriften für Kunstgeschichte ... XVIII), Neudruck 1970, S. 17 erörtert Natur und Künste, S. 18 insistiert auf dem Trompe l'oeil. Freundlicher Hinweis von Peter Hohenstatt.

[139] Ebenda, S. 17.

[140] Albrecht Dürer, *Vier Bücher von menschlicher Proportion*, Nürnberg: Hieronymus Formschneider für Dürers Witwe, 31.10.1528; der Wortlaut der Druckfassung bei Rupprich 3, 1969, S. 295, Z. 436 f. Zum Begriff des Herausziehens siehe auch Panofsky 1951, S. 278 ff.

[141] Rupprich 3; 1956, S. 125 ff., bes. S. 295, Z.430–433.

[142] Albrecht Dürer, Stilleben mit Schürze, Pult und Tintenfaß, Berlin, Kupferstichkabinett, KdZ 11734; abgebildet in Ausst.-Kat. Münster/Baden-Baden, 1979/80, S. 69, Abb. 38, und das von Marani im Ausst.-Kat. Rom 1995/96, S. 30 veröffentlichte Leonardo-Blatt in Paris.

[143] Vgl. Elisabeth Foucart-Walter, *Les peintures de Hans Holbein le jeune au Louvre* (Les dossiers du département des peintures 29), Paris 1985, Nr. 3, S. 37–48; John Rowlands, *Holbein, The Paintings of*

Hans Holbein the Younger, Boston 1980, Nr. 30 S. 134; vgl. auch Kathke 1995, S. 254 (freundlicher Hinweis von Petra Kathke).

[144] Als *naturalis effigies* wird ein Bildnis des Musikers Gaspare de Albertis von Guiseppe Belli in der Accademia Carrara zu Bergamo aus dem Jahre 1547 bezeichnet (Kathke 1995, S. 234). Vgl. auch ein Bildnis von Hermann tom Ring: Johannes Münstermann, Münster, Westfälisches Landesmuseum, das sich in seiner Inschrift direkt an den Zuschauer wendet: *An den Betrachter. Im Alter von 25 Jahren siehst du dieses Bild, wie es auf der Fläche Apelles malte. Dieses gibt den Umriß meines Ausehens wieder. Was die Natur gab, reicht die Malerei der Poesie weiter, ähnlich erkennend auf lange Dauer.* (Ad spectatorem: Anno Aetatis suae 25/Effigies cernis, graphice quam pinxit Apelles./Hec forme reddit lineamentum mee./Quod natura dedit, reddit pictura poesi/assimilis/Cernans interitura diu.) Vgl. ebenda, S. 282 (freundlicher Hinweis von Petra Kathke).

[145] Die Zahlung für das heute verlorene Bildnis wurde folgendermaßen notiert: *A maistre [...] Girard Harembourg painctre et illumineur, résidant à Grand, la somme de vj florins philippus, de XXV patars pour ce, que deue luy estoit pour une paincture faicte au vif à la semblance du roy de Dennemarcke, laquelle madicte dame a retenue à ses mains pour ledit pris* (A. Pinchart, *Archives des arts, sciences et lettres*, 1. Ser, Bd. I, Gent 1860, S. 18; hier zitiert nach Hahnloser 1972, S. 374.

[146] *Picta licet facies vi/vae non cedo sed instar / sum domini iustis no/bilis lineolis / octo is dum peragit .../. id quod naturae est / exprimit artis opus.* - Die zitierte Übersetzung findet sich in: Christian Klemm, *Hans Holbein der Jüngere im Kunstmuseum Basel* (Schriften des Vereins der Freunde des Kunstmuseums 3), Basel 1980, S. 70.

[147] Auf das Bild und seine Inschrift hat mich Stephanie Buck verwiesen, zu den Perspektiven vgl. den Verweis bei Faré 1975, Anm. 45 auf S. 277, auf das *Dicionaire de la langue française* ... von Littré, demzufolge es um die 22. Bedeutung des Wortes *nature* geht.

[148] Vgl. Eberhard König, *Große Buchmalerei zwischen Rouen und Paris: Der Froissart des Kardinals Georges d'Ambroise aus der Sammlung des Fürsten Pückler-Muskau* (Leuchtendes Mittelalter IV), Rotthalmünster 1992, S. 124 f. mit Abb.

[149] Im genauen Wortlaut: »LEO, vesci .i. lion si com on le uoit p(ar) deuant & sacies bien q(u'i)l fu contrefais al uif.« Vgl. Hahnloser 1972, N. 74, Taf. 48, S. 147 f.

[150] John B. Friedman, The Architect's Compass in Creation Miniatures of the Later Middle Ages, in: *Traditio* XXX, 1974, S. 419–429.

[151] Fundstellen für solche Motive boten sich den Künstlern an Kirchen wie den italienischen Domen der Romanik (Ferrara, Verona u.a.) ebenso wie in Handschriften mit Bestiarien. Vgl. z.B. Franz Unterkirchner, *Tiere, Glaube, Aberglaube. Die schönsten Miniaturen aus dem Bestiarium*, Graz 1986.

[152] 1380 heißt es: *des arbres de chêne et des daims faits d'aprés le vif, avec tout le champs de la litière glacé de fin vert, [...] l'huile, toute ornée de feuilettes et de fougéres vertes, et sur les bouts et les cétés, une chasse de chiens et de daims* (zitiert nach Paul Durrieu, in: A. Michel, *Historie de l'art*, T. III/1, S. 115; auch wiedergegeben von Hahnloser 1972, S. 374).

[153] Chantilly, Musée Condé, Ms. 65. Vgl. Millard Meiss, *The Limbourgs and their Contemporaries* (French Painting in the Time of Jean de Berry III), London und New York 1974, bes. S. 201–207; diesem Autor war allerdings entgangen, daß besonders wichtige Blätter wie der Oktober mit dem Louvre erst um die Mitte des 15. Jahrhunderts von Barthélemy d'Eyck ausgemalt wurden. Dieser Umstand zeigt, daß ein unvollendetes Kunstwerk selbst Maßstäbe für die Ausrichtung der Arbeit nach dem Leben stumm setzen konnte; denn Barthélemy d'Eyck hat sonst keine Landschaftsporträts geschaffen. Zu diesem Künstler siehe neuerdings Eberhard König, *Das liebentbrannte Herz*, Graz 1996.

[154] Auf die Parallele zwischen diesen Bemühungen und den Ansätzen zum Stilleben hat mich Gabriele Bartz freundlicherweise hingewiesen. In der Tat gibt es ein aufschlußreiches Parallelbeispiel bei Horace Walpole (hier S. 225 f.).

[155] Dieses Buch aus den Jahren von 1522 bis 1534 ist erst kürzlich in Privatbesitz wieder aufgetaucht. Vgl. Heribert Tenschert, *Botanik und Zoologie*, Rotthalmünster, 1995, Nr. A., S. 7–36.

[156] Paris, Bibliothèque Nationale, latin 9474; vgl. zuletzt François Avril und Nicole Reynaud, *Les manuscrits à peintures en France 1440–1520*. Ausstellungskatalog Paris 1993, Nr. 164, S. 297–300, mit weiterer Literatur sowie Abb. S. 293.

[157] Panofsky 1924, S. 25–26; die Bedeutung dieser Passage für das Verständnis von Stilleben hat auch John 1991, S. 42 erkannt.

[158] Vgl. die willkommene Zusammenstellung unter dem Begriff bei Miedema 1981, S. 21, nach den Zeilen und folia, in der oben nach Miedema zitierten Reihenfolge: 211 v, Z. 31 f., 180 v, Z. 4 f., 238, Z. 30 f., 294 v, Z. 13 f., 255 v, Z. 1.

[159] Jan Provost, Blumenvase in Nische, um 1510, Piacenza, Galleria del Collegio Alberoni, vgl. Ausst.-Kat. Münster/Baden-Baden 1979/1980, S. 483, Abb. 247.

[160] Es heißt: *onder ander uytnementheyt in de Const, een overtreflijke schoon voorbeeldt hadde, van te conterfeyten nae t'leven.* fol. 280, Z. 42 f., zitiert bei Miedema 1981, S. 21.

[161] Die Blätter enthalten Studien von Mensch und Tier, vgl. Ludwig Münz, *Bruegel, Zeichnungen, Gesamtausgabe*, Köln 1962, S. 24 f., der in seinem Katalog, S. 214–224 die Nrn. 51–126 unter diesem Titel zusammenfaßt, die vorwiegend solche Bezeichnungen tragen. In Hans Mielkes demnächst erscheinendem Catalogue raisonné der Bruegel-Zeichnungen, Turnhout 1996, wird diese Gruppe nicht mehr unter Bruegel geführt.

[162] Ohne auch nur einen Gedanken an den Sinn der Bezeichnung zu verschwenden, hat sich Joeneath Ann Spicer mit der Zuschreibung beschäftigt und gute Argumente für Saverys Autorschaft geliefert in ihrem Beitrag »The naer het leven Drawings.« by Pieter Bruegel or Roelandt Savery?, in: *Master Drawings VIII*, 1970, S. 3–30.

[163] Vgl. Baumann 1974.

[164] Sterling, 3. Aufl. 1985; Gombrich 1961 (dt. 1973).

[165] Cicero, *De invent.* 2, 1, 1–3; Plinius, *Nat. hist.* XXXV, 64.

[166] Der *Rosenroman* bemüht den griechischen Maler, um die Überlegenheit der Natur über alle Künstler zu preisen, umso mehr, als diese ja von Natur gegeben werden; dabei weiß der Autor Jean de Meun nicht, was für eine Frau Zeuxis, »um das Bild im Tempel zu gestalten«, malen sollte; v. V. 16185–16209; der Text kennt auch Parrhasios (V. 16178). Vgl. Guillaume de Lorris und Jean de Meun. *Der Rosenroman*, übers. und eingel. von Karl August Ott (Klassische Texte des Romanischen Mittelalters in zweisprachigen Ausgaben - Bd. 15, I–III), München 1978, Bd. III, S. 874–877.

[167] Das Mittelalter orientierte sich in der Rhetorik vor allem an den zahlreichen Texten Ciceros und Quintilians.

[168] Sterling, 3. Auflage 1985, S. 19.

[169] Zur Domus aurea siehe allgemein: Nicole Dacos, *La découverte de la Domus Aurea et la formation des grotesques dans la Renaissance* (Studies of the Warburg Institute, Bd. 31), London 1969.

[170] Vgl. Christoph Bärker, Zum Blumenkorb-Mosaik im Vatikan, in: *Archäologischer Anzeiger* 1978, S. 442–448; vgl. Ausst.-Kat. Paris 1952, Nr. 3, S. 2–3, und Sterling, 3. Aufl. 1985, Taf. 6.

[171] Tolnay 1952 veröffentlichte Fresken Taddeo Gaddis aus der Zeit gegen 1330 in der Sockeldekoration der Baroncelli-Kapelle zu Santa Croce in Florenz, die von Sterling, 3. Aufl. 1985, Abb. 11, bis zu John 1991, S. 30, und Mina Gregori in Ausst.-Kat. Rom 1995/96, S. 15 f., in der Diskussion eine wesentliche Rolle spielen.

[172] Älter sind Beispiele in der Kirche Santa Maria Maggiore in Tuscania, veröffentlicht von Tolnay 1953, vgl. auch John 1991, S. 76 f. Entsprechende Darstellungen im profanen Raum finden sich im Palazzo Pubblico in San Gimignano, vgl. zuletzt John 1991, S. 78 f. Weitere Beispiele ebenda. Abb. 23–30. Nicht zu vergessen sind nordalpine Parallelen wie beispielsweise im böhmischen Kuttenberg, Barbara-Kirche, vgl. Sterling, 3. Aufl. 1985, Taf. 7.

[173] Vgl. Sterling, 3. Aufl. 1985, S. 18, *Les niches de Gaddi ne sont qu'un prolongement du systéme de décoration en trompe-l'oeil que l'église chrétienne hérita sans doute de l'Antiquité.*

[174] Vgl. vor allem den Ausst.-Kat. Münster/Baden-Baden 1979/1980 und John 1991.

[175] Vgl. John 1991, S. 134, nach einem *Abeccedario pittorico* von 1769, und S. 101 ff. zum Chorgestühl; vgl.

auch die Ausführungen von Mina Gregori in Ausst.-Kat. Rom, S. 15 f. mit der neueren italienischen Literatur zum Thema.

[176] Creighton C. Gilbert, *L'arte del Quattrocento nelle Testimonianze coeve*, Florenz/Wien 1988, S. 208, zitiert aus der Anthologie: *Carmina illustrium poetarum italorum XI*, 1726, S. 479: *M. Claudo Boniensi Pictori / Legerat Alcides quae poma sororibus Afris / Haec tua Claude mihi picta tabella dei dt. / Decepere tuam (quid mirum) Marce puellam: Phidiacas caperent talia poma manus.* Der Text ist etwas dunkel, von Arwed Arnulf freundlich unterstützt, lese ich ihn so: *An Claudio (=Marco Zoppo), den bolognesischen Maler: Die Äpfel, die der Alcide (Herkules) den afrikanischen Töchtern (Hesperiden) raubte, zeigte mir dein Gemälde, Claudio. Sie täuschten, was Wunder, Deine Tochter, Marcus: Hände wie jene des Phidias haben solche Äpfel geerntet.*

[177] Vgl. die »Stilleben-Aufnahmen« bei Pietro C. Marani, *Leonardo, Catalogo Completo*, Florenz 1989, S. 78-80, sowie dessen Beitrag im Ausst.-Kat. Rom 1995/96, S. 30 f.

[178] Gombrich 1961, dt. 1973.

[179] Ernst H. Gombrich, Renaissance Artistic Theory and the Development of Landscape Painting, in: *Gazette des Beaux-Arts* XLI, 1953, S. 335–360, (zu Ehren Hans Tietze), neu abgedruckt als: The Renaissance Theory of Art and the Rise of Landscape, in: Ders., *Norm and Form. Studies in the Art of the Renaissance*, London 1966, S. 107–121.

[180] Vgl. John 1991, S. 41.

[181] Sterling, 3. Aufl. 1985, S. XIV.

[182] Ausst.-Kat. Münster/Baden-Baden 1979/80, S. 22–24.

[183] Vgl. zuletzt den Ausst.-Kat. von Dirk Vos u.a., *Hans Memling*, Brügge 1994, Nr. 30, S. 132 f., mit der neueren Literatur.

[184] Vgl. E. Callman, Campin's Maiolica Pitcher, in: *Art Bulletin* 64, 1982, S. 629–631.

[185] Man vergesse dabei nicht die Heiligkeit des Berges für den Kult der Heiligen Magdalena, die als weiblicher Apostel Frankreichs und als Büßerin mit Erlösung noch im Leben auf dem Mont Ventoux verehrt wurde.

[186] Vgl. zuletzt Mina Gregori in Ausst.-Kat. Rom 1995/96, S. 16 und John 1991, passim.

[187] Vgl. beispielsweise Müller 1972.

[188] Pieper 1964, S. 118–120.

[189] W. Martin, *Gérard Dou*, Paris 1911, Nr. 203 und 212.

[190] Vgl. jüngst die Erläuterungen von Grimm, 2. Aufl. 1993, S. 22 f., der von »Beinahe-Stilleben« spricht.

[191] Vgl. die um 1470 entstandene Waschnische mit Buch im Rotterdamer Museum Boymans-van Beuningen: *Van Eyck to Bruegel. Dutch and Flemish Painting in the Collection of the Museum Boymans-van Beuningen*, Rotterdam 1994, S. 50 f. Ähnliche Bilder gibt es im Straßburger Frauenhaus und im Unterlinden-Museum, Colmar, ehem. Slg. Mortimer Brandt, New York (vgl. Sterling, 3. Aufl. 1985, Taf. 10); eine weitere Tafel aus dem Jahre 1538 (nach Bergström 1956, Abb. 14) ist im Rijksmuseum Kröller-Müller in Otterlo zu finden (auch Sterling, 3. Aufl. 1985, Taf. 14).

[192] Zur Verkündigung von Aix vgl. Charles Sterling, *Enguerrand Quarton, Le peintre de la Pietà d'Avignon*, Paris 1983, S. 127 ff. und 172–183 sowie mein Buch: Eberhard König, *Das liebentbrannte Herz*, Graz 1996, passim. Die Prophetentafel gelangte erst in den 1930er Jahren aus der englischen Sammlung Cook an den Privatmann van Beuningen, damals noch in Vierhouten.

[193] Cinotti 1983, S. 464 ff. Zu Bruegel siehe zuletzt Ausst.-Kat. Rom 1995/96, Nr. 14.

[194] Zum ersten Mal machte Luigi Salerno auf die unter der gültigen Malschicht liegende Figur aufmerksam, die er Prospero Orsi zuschreibt (mit D. T. Kinkead und W. H. Wilson, Poesia e simboli nel Caravaggio. I dipinti emblematici, Temi religiosi, Realità e composizione storica, in: *Palatino X*, 4. Serie, April–Juni, S. 106–117, bes. S. 107, 117 Anm. 6); vgl. auch Maurizio Marini, *Michelangelo da Caravaggio*, Rom 1974, Kat. Nr. 19, S. 360–362 und Abb. der Radiographie auf S. 114. Die von Cinotti 1983, S. 464 erwähnten neuen Aufnahmen von Michele Cordaro scheinen nicht veröffentlicht zu sein. Mina Gregori (in Ausst.-Kat. Rom 1995/96, S. 18 ff.) verzichtet auf neuere Literatur zum Gemälde.

[195] Vgl. dagegen Rivière 1987, S. 28.

[196] Gewöhnlich nennt die französische Etymologie für diesen Begriff als frühesten Beleg die *Meslanges historiques* von S. Julien aus dem Jahre 1589; dort heißt es auf S. 576 vom »Drauliste«: *Ils ont mis en usage une nouvelle manière de signal & de sottise, faisant cognoistre que la main de tels draulistes soit docte, si y a il (au reste) en eux grandissime faut de bon esprit, et encores plus de solidité de jugement.* Nur Walter von Wartburg, *Französisches Etymologisches Wörterbuch*, Tübingen 1949, 3. Bd, S. 161, nennt das Jahr 1578, ohne zu sagen, ob er unsere Stelle meint, die damit die früheste bekannte Erwähnung des Worts im gedruckten Französisch wäre.

[197] Pierre Borel, Antiquitez, Raretez, Plantes, Minéraux, et autres choses considérables de la ville et du Comté de Castres, d'Albigeoy, Castres 1649, neu abgedruckt in: *Revue Universelle des Arts* VI, 1857, S. 525–533: *Il y en a sur la toile, cuivre et bois et sont tous cornichez; leurs représentations sont des histoires, nuditez, hommes illustres, fruitages, paysages, etc.* (hier nach Faré 1975, Anm. 7 auf S. 276).

[198] Vgl. zur inhaltlichen Aufteilung von Gérard de Lairesses *Groot Schilderboek* S. 169 f..

[199] Diderot 1876, Bd. X, S. 455 f.

[200] Vgl. das oben ausgeführte Goethe-Zitat zu Junker von 1811 in: Weimarer Ausgabe, Bd. 26, S. 40.

[201] Arthur Schopenhauer, *Die Welt als Wille und Vorstellung*, 1. Bd., § 38, vgl. *Sämtliche Werke* hrsg. von A. Hübscher, Bd. II, S. 232; auch zitiert von Beth 1979, S. 30.

[202] Angel 1642, vgl. auch Sluijter 1993.

[203] Gegen eine universal ausgerichtete Gelehrsamkeit wendete sich 1985 der Deutsche Wolfgang Kemp, indem er zur Abkehr von einer Sicht aufforderte, die Kulturgeschichte gesamteuropäisch und in der Antike begründet weiß. Die alte Tradition, die abendländische Kunst als eine Gesamtheit zu begreifen, die sich in erster Linie aus Ursprüngen in Italien speist, sinkt nach Kemp beim Emigranten Erwin Panofsky zu Kulturpolitik herab. So schreibt er in der Einführung zu Alpers 1985, S. 12: *Wer die Wahrheit mehr liebt als die Kulturpolitik (Amicus Panofsky, sed magis amica veritas), wird mit Alpers.... Dazu gelingt es Svetlana Alpers, die Sehlust als psychohistorische Konstante der Niederländer* herauszuarbeiten, wie der hintere Klappentext zu Alpers 1985 preist.

[204] Alpers 1983, deutsch 1985.

[205] Vgl. unter anderem die Rezensionen von Eddie de Jongh in: *Simiolus* XIII, 1984, S. 51–59, und von Thomas da Costa Kauffmann und Anthony Grafton, Holland without Huizinga: Dutch Visual Culture in the Seventeenth Century, in: *Journal of Interdisciplinary History* XVI, 2, Herbst 1985, S. 255–265; anders ausgerichtet ist die Rezension von Simon Shama in: *The New Republic* CXC, 1984, S. 25–31.

[206] Vgl. insbesondere die Forschungen von Faré, die er in den Büchern von 1962 und 1976 ausgebreitet hat.

[207] Heinrich Seidel, *Vorstadtgeschichten*, hier zitiert nach *Gesammelte Schriften*, Bd. II, Leipzig 1888, S. 109.

[208] Ebenda, S. 110 f.

[209] Zum *bodegón* vgl. zuletzt Ausst.-Kat. London 1995.

[210] Vgl. Bilder wie Pieter Aertsens Berliner Gemälde einer Marktfrau, siehe J. Sievers, *Pieter Aertsen*, Leipzig 1908, S. 97 f. und *Gemäldegalerie Berlin. Geschichte der Sammlung und ausgewählte Meisterwerke*, hrsg. von Henning Bock u.a., Berlin 1985, S. 186 f.

[211] Vgl. Shaftesbury, Ausgabe 1914, S. 137, der den Begriff Rhypography verwendet und degoutiert schreibt: »In the last detestable and odious kind excels the Flemish [...] Brouwer.«

[212] Zu den Bamboccianti vgl. zuletzt Ausst.-Kat. Amsterdam 1993.

[213] Die Kunstliteratur kennt den Begriff als Abwertung von Brouwer (vgl. die in Anm. 211 zitierte Stelle aus Shaftesbury). Wilhelm von Bode (*Adriaen Brouwer*, Berlin 1924) spricht vom *Philosophen mit der Narrenkappe*. Das hat H.-J. Raupp in mehreren seiner Schriften konkretisiert; s. a. Barry Wind, Adriaen Brouwer: Philosopher in Fools Cap, in: *Source* V, Heft 2, 1986/87, S. 15–19.

[214] Vgl. Cinotti 1985, Nr. 49, S. 499–501.

[215] Vgl. Carlo Giulio Argan, Il ›realismo‹ nella poetica di Caravaggio, in: *Scritti di storia dell'arte, in onore di Lionello Venturi*, Rom, Bd. II, S. 24–41, S. 36 und 38.

[216] Vgl.: Avigdor W. G. Posèq, Bacchic Themes in Caravaggio's Juvenile Works, in: *Gazette des Beaux-Arts* 115, 1990, S. 113–121, bes. 116.

217 Siehe Ausst.-Kat. Rom 1995/96, Nr. 11 sowie dort den Beitrag von Mina Gregori, S. 15–25, die mehrfach auf die antike Anekdote zu sprechen kommt, ohne das Gemälde der Galleria Borghese als Teil eines imaginären Wettstreits zu sehen.
218 Zu Snyders vgl. Robels 1969 und 1989.
219 Zum Sammet- oder Blumen-Bruegel siehe Ertz 1979.
220 Vgl. beispielsweise Andrea Gasten, Dutch Still-Life Painting: Judgements and Appreciation, in: Ausst.-Kat. Auckland 1981, S. 13–25; wesentliche Verdienste in der neueren Forschung hat John M. Montias, vor allem durch sein Buch *Artists and Artisans in Delft*, Princeton 1982, s.a. ders., Cost and Value in Seventeenth-Century Dutch Art, in: *Art History* 10, 1987, S. 455–466.
221 Repräsentativ ist die Zusammenstellung bei Vorenkamp 1933, S. 7; aus Inventaren stellt er in chronologischer Folge zusammen:
1614 Een koocken en fruytbort; / 1624 Een bancket schilderytgen; Een bancketgen met een pastey; Een wijnkannetgens schilderytge; Een tabacx schilderytgen; / 1626 Een deel kreeften en anders; / 1627 Een cleyn viercant bancquetten van een schuttel met appelen en moerbesien met een witte broodt; Een ontbytgen van een pekelharingh; / 1631 Een dootshooft; / 1639 Een bastaitie ofte banketie; / 1664 Een stillevent patrysie; / 1669 Een biertje met een toebackje; / 1680 Een stilleven van een bancquetje van Taback; / 1691 Een oetserbanketie met een roemer.
Ähnlich trägt auch Bergström 1956, S. 4, Begriffe zusammen: vor allem *fruitage*, *banket* und *ontbijt*.
222 De Pauw-de Veen 1969, S. 141–157, mit einer unübertroffenen Zusammenstellung der Quellen über Bergström und andere hinaus.
223 Vgl. Vorenkamp 1933, S. 7.
224 Wolfgang Stechow, *Dutch Landscape Painting of the Seventeenth Century*, London 1966.
225 Vgl. Bakker 1995.
226 Man siehe nur die Differenzierung, mit der Arnold Houbraken 1718 die einzelnen Stillebenmaler nennt; nützlich dazu Houbraken, hrsg. von Wurzbach 1880 mit Indices, die verschiedene Landschaftsspezialitäten unterscheiden, die Stillebenmaler freilich zusammenfassen.
227 Vgl. Ausst.-Kat. *D. Teniers, J. Brueghel y los Cabinetes de Pinturas*, hrsg. von Matias Diaz Padrón und Mercedes Royo-Villanova, Madrid 1992, Nr. 3, Abb. S. 92. Vgl. Bergström 1956, der auf Abb. 32 f. ein entsprechendes 1653 datiertes Bild, vermutlich die eher autographe Version abbildet; dieses befand sich in der Sammlung des Barons Alphons de Rothschild in Wien.
228 Segal 1990, S. 75, denkt an den Neffen Alexander, der im Jahre 1650 in Antwerpen nachweisbar ist; 1659 wurden allerdings in der erzherzoglichen Sammlung 30 Arbeiten von Joris gezählt, die Segal ebenfalls teilweise Alexander zuschreibt; das Inventar beweist jedoch nur die Wertschätzung für Joris. Zu den Hoefnagels allgemein vgl. zuletzt Lee Hendrix und Thea Vignau-Wilberg, *Mira Calligraphica Monumenta. Eine kalligraphische Handschrift des sechzehnten Jahrhunderts geschrieben von Georg Bocskay und illuminiert von Joris Hoefnagel*, Getty 1992, Luzern 1993, S. 23 ff.
229 Vgl. hier den Abschnitt Stilleben gegen die Absenz S. 127 ff..
230 Vgl. beispielsweise den Ausst.-Kat. Caen 1990.
231 Vgl. die spöttische Aufzählung bei Samuel van Hoogstraten, hier S.157.
232 Angel 1642, reprographischer Nachdruck 1969, S. 23: *De Venetianen achten haer door de Schilders soo vereert te sijn, dat sy de selve 300 Kroonen s'jaers geven, yder die fraey is, op datse selve door soodanighe vereeinghe binnen haer mueren mochten behouden. En om niet verde te gaen, blyvende in ons Vaderlandt jae selfs binnen onse Vallen, alwaer wy konnen vinden die nette uytmuntende Gerrit Dou, die jaerlicx om dat hy de Ed. Heer Spierings de eerste aenbiedinghe van sijn stucken doet, 500 Carolus guldens tot vergeldinghe krijcht: soo dat hier uyt blijckt, dat het niet alleen in voorleden eeuwen alsoo gheweest is, dat de Schilders om haer Konst geacht en ghe-eert gheweest, maer dat het oock noch in dese onse eeuw alsoo toe gaet.* Dieselbe Auskunft zu Dou auch bei Houbraken 1718, jedoch mit doppelter Summe; vgl. Houbraken, hrsg. von Wurzbach 1880, S. 161 mit Querverweis des Herausgebers auf Angel.
233 Vgl. Zbigniew Herbert, *Stilleben mit Kandare*, Frankfurt 1994.

234 Zu Chardin vgl. Faré 1977, S. 148–175, sowie weitere Angaben in der Bibliographie.
235 Vgl. P.M. Doran, *Conversations avec Cézanne*, Paris 1978, mit 22 Verweisen auf den Louvre im Index.
236 Meyer 1886, S. 31, hier S. 188 f.
237 In Goethes Übersetzung: *alle diese akademischen Stellungen, gezwungen, zugerichtet, zurechtgerückt wie sie sind, alle die Handlungen, die kalt und schief, durch einen armen Teufel, ausgedrückt werden [...].* Vgl. die Auseinandersetzung mit Diderot, in: Goethe, *Übertragungen*, (Gesamtausgabe der Werke und Schriften in zweiundzwanzig Bänden, Bd. 14), Stuttgart 1965, S. 620–623, (Zitat S. 620).
238 Vgl. J. Lagrange, Du rang des femmes dans les arts, in: *Gazette des Beaux-Arts* 1860, S. 30 ff.
239 Vgl. den inhaltsreichen Abschnitt bei Beth 1979, S. 48–54, dem die hier wesentlichen Anregungen entstammen.
240 Vgl. O. Fidière, *Les femmes artistes à l'Académie Royale de peinture et sculpture*, Paris 1885. Zu den Bildern französischer Stillebenmalerinnen des 18. Jahrhunderts vgl. Faré 1977, S. 211–240.
241 So äußert sich J.A. Castagnary, Salon 1863, *Salons*, Paris 1892, Bd. I, S. 165, über Louise Darrou.
242 Zu ihrem Schaffen vgl. Faré 1977, S. 216–240.
243 *Ce n'est pas Chardin [...], mais au-dessous de ce maître, cela est fort dessus d'une femme,* zitiert nach Fidière, *Les femmes*, 1885, S. 36.
244 Vgl. Uta Hengelhaupt, Der Netzer Altar. Die Zeitqualität der Raumform und der farbigen Gestaltung, in: *Diversarum Artium Studia. Festschrift für Heinz Roosen-Runge zum 70. Geburtstag*, Würzburg 1982, S. 105–117.
245 Vasari, *Vite*, hrsg. von Milanesi, I, 1878, S. 333 f. (Vita di Brunelleschi) und S. 398 f. (Vita di Donatello).
246 Noch immer die beste Darstellung der Quellenlage scheint mir: Horst W. Janson, *The Sculpture of Donatello*, Princeton 1963, S. 7–12. Dort auch berechtigte Zweifel an der Zuverlässigkeit der Angabe, das heute in Santa Maria Novella aufbewahrte Kruzifix habe überhaupt etwas mit Brunelleschi zu tun.
247 Vgl. Ausst.-Kat. London 1995, bes. Nrn. 1–3 (Sanchez Cotán) sowie 4 und 5.
248 Vgl. Ausst.-Kat. London 1995, bes. Nrn. 66, 69 und Grimm 1995, S. 232 mit Farbtaf. 128.
249 Vgl. Ausst.-Kat. Cleveland, Philadelphia und Paris 1992, Nr. 105.
250 In der Tat wäre die Datierung der Anekdote von Bedeutung; im 15. Jahrhundert paßt sie bereits zur Malerei, im 16. immer noch.
251 Vgl. von der Osten 1969, der es sich nicht nehmen ließ, wie Manet diesem Aufsatz zwei Jahre später einen Nachtrag folgen zu lassen, s.a. Beth 1979, S. 143 ff.
252 Charles Ephrussi (1849–1905) war Bankier und Herausgeber der Gazette des Beaux-Arts.
253 *Il en manquait une à votre botte*. Vgl. von der Osten 1969 und 1971.
254 Vgl. Ausst.-Kat. Paris und New York 1983, Nr. 188.
255 Zu Manet und der Kunstkritik immer noch klassisch: George H. Hamilton, *Manet and his Critics*, 2. Aufl. London 1969.
256 Heute im Musée d'Orsay, Paris, vgl. z. B. Ausst.- Kat. Paris und New York 1983: *Manet. 1832–1883*, hrsg. von Françoise Cachin, Nr. 106, S. 280–285.
257 Auffällig ist der unbewußte Bezug zu Nicolaus von Cues, vgl. dazu oben S. 34
258 Vgl. dessen Schrift über Manet, hier auf S. 199 f..
259 Das Beispiel bestätigt noch einmal die oben gemachten Erörterungen zum Alter bestimmter Begriffe, die im Druck erst fixiert erscheinen, wenn sie bereits in aller Munde sind; das aber wird jeweils seine Zeit gebraucht haben.
260 So verrät Blaise de Vignénère schon 1578 vor jeder Definition von Hierarchien durch den Hinweis, besonders von guter Hand könnten Bilder in der Art von Philostrats *Xenia* selbst Historien übertreffen, daß eben Historien an der Spitze der Rangfolge stehen – vgl. Text und Erläuterungen S. 139.
261 *Ästhetischer Exkurs* zur *Lehre von menschlicher Proportion*, Druckfassung von 1528, §§ 26 und 27, hier zitiert nach Rupprich 3, 1969, S. 293, Z. 193–206.
262 So sieht das auch Beth 1979, S. 20 ff.
263 Vgl. zuletzt die schöne Arbeit von Kitschen 1995, dort eine vernünftige Bibliographie.
264 Vgl. Beispiele in Anm. 131.

265 Schapiro 1968, neu abgedruckt 1982.
266 Vgl. Hoog 1987, S. 56–63, bes. S. 61 und Abb. 7.
267 Vgl. Agnès Humbert, *Les Nabis et leur époque*, Genf 1954; Ausst.-Kat. *Die Nabis und ihre Freunde*, Mannheim 1963.
268 Aus den Jahren 1879/80, Öl auf Leinwand 46 x 55 cm; Venturi 341. Vgl. Kitschen 1995, Farbabb. 33, S. 93.
269 Vgl. Geelhaar 1970, S. 127–140.
270 Zervos II, 134, Daix 220, Rubin 1980, Nr. 275.
271 Vgl. Anm. 122.
272 *Quand on commence un tableau, on trouve souvent de jolies choses. On doit s'en défendre, détruire son tableau, le refaire plusieurs fois. A chaque destruction d'une belle trouvaille, l'artiste ne la supprime pas, à vrai dire; mais il la transforme, la condense, la rend plus substantielle. La réussite est le résultat de trouvailles refusées.* Im Gespräch mit Christian Zervos, Conversations avec Picasso, in: *Cahiers d'Arts* 10, 1935, S. 33; auch zitiert von Geelhaar 1970, S. 127.
273 Gute Abb. in Ausst.-Kat. Cleveland, Philadelphia und Paris 1992, Nr. 15, S. 68–71.
274 Diesen Bezug sieht man auch im Ausst.-Kat. Cleveland, Philadelphia und Paris 1992, S. 70.
275 Zervos VI, Nr. 1073, vgl. Geelhaar 1970, Abb. 5.
276 Aus der unübersehbaren Literatur zu Picasso sei hier nur auf Rubin 1980, verwiesen, weil dort ein rascher Überblick über das Schaffen und die Anklänge an die großen Gattungen im chronologischen Ablauf möglich ist.
277 Hans Daiber, Triumph des Kunstgeschmacks, in: *Ernst beiseite*, hrsg. von Hans Peter Beuel, Gütersloh 1970, S. 60–65. – Doris Müller-Ziem sei für Nachweis und Text gedankt.
278 Unklar bleibt, ob Daibers Fassung eine französische Version der Geschichte vorausgeht, die ich jedoch nicht auffinden konnte.
279 László Moholy-Nagy, *Berliner Stilleben*, 8 1/2 Minuten, vermutlich 1932: Gezeigt werden Berliner Straßen, Höfe, Grünanlagen, also eher Topographie als Objekte.
280 Bildreportage bei Vox Europa über 24 Stunden im Leben der Metropole von Walther Ruttmann, mit Reimar Kuntze, Robert Baberkse und László Schäfer an der Kamera, 60 Min, erstaufgeführt am 23.9.1927.
281 Im gleichen Sinne bedeutet der Titel *Stilleben*, unter dem der persische Film Tabiate Bijan in Deutschland angeboten wird, einen terminologischen Rückschritt; er widerlegt die Meinung von Beth 1979, S. 29, die Verwendung für »defizientes Lebensgefühl (sei) ... in unserem heutigen Sprachgebrauch vollends verlorengegangen«; denn es geht um das »Porträt eines verkümmerten, kommunikationsarmen Lebens«: Farbfilm, 90 Min., von Sohrab Shadid Saless, mit Kamera von Houshang Baharlou, Iran 1974; vgl. *Lexikon des internationalen Films*, hrsg. von Klaus Brüne, Reinbek bei Hamburg 1987, Ausg. 1991, S. 3607, bei durchgehender Paginierung in Bd. 7.
282 Paul Celan, *Gesammelte Werke*, Gedichte 1, Frankfurt/Main 1983, S. 114.

Antike Stilleben

von Klaus Junker

Aus der klassischen Antike hat sich eine große Zahl von Darstellungen erhalten, für die aufgrund ähnlicher Motive der moderne Begriff Stilleben angewandt werden kann: Wiedergaben von Früchten, Fischen und allerlei anderen Eßwaren, aber auch von Gebrauchsgegenständen, finden sich in Wandmalereien sowie Mosaiken hellenistischer und vor allem römischer Zeit. Den größten Materialkomplex stellen die Wandgemälde aus Pompeji und den anderen Vesuvstädten dar; zeitlich konzentrieren sich die Belege auf das 1. Jh. v. Chr. und das 1. Jh. n. Chr. bis zum Vulkanausbruch im Jahr 79. Dieser bisher nicht systematisch untersuchte Darstellungsbereich der antiken Kunst ist im folgenden von der terminologischen Seite her zu betrachten. Was sagt die antike Literatur über ›Stilleben‹ aus, über ihre Herkunft und ihren Sinn, und wie gehen diese Quellenzeugnisse mit den erhaltenen Bilddenkmälern überein?[1]

Der antike Gattungsbegriff *Xenia*

In der Forschungsdiskussion zu den in der Antike gebräuchlichen Bezeichnungen für Stilleben begegnen zwei Begriffe, *Xenia* und *Obsonia*. Gelegentlich werden die beiden Termini beinahe als Synonyme verstanden, in Wirklichkeit jedoch kann nur *Xenia* mit einiger Bestimmtheit als Gattungsbezeichnung aufgefaßt werden. Das aus dem Griechischen ins Lateinische übernommene Wort *Xenia*, im seltener gebrauchten Singular *Xenion*, meint zunächst allgemein Gastgeschenke, und zwar solche des Hausherrn für seine Gäste, nicht umgekehrt.

Über eine spezielle Bedeutung informiert ein vieldiskutierter Passus bei Vitruv. In seinem etwa 25 v. Chr. erschienenen Werk *De architectura* berichtet der Autor im Rahmen von Ausführungen über die Anlage griechischer Privathäuser von einem bei den Griechen früher geübten Brauch, den im Haus aufgenommenen Gästen am ersten Tag ein fertiges Mahl zu bereiten, an den folgenden Tagen aber ihnen frische Lebensmittel zu überlassen, aus denen sie sich selbst ein Essen kochten. Genannt werden *pullos, ova, holera, poma reliquasque res agrestes* – »Hühnchen, Eier, Gemüse, Obst und andere ländliche Erzeugnisse«. Beiläufig fügt Vitruv hinzu, Maler, die solche Ensembles von Lebensmitteln nachahmten, hätten ihre Werke *Xenia* genannt: *Ideo pictores ea quae mittebantur hospitibus picturis imitantes* xenia *appelaverunt* – »Daher nannten die Maler, wenn sie das, was man den Gastfreunden zu schicken pflegte, auf einem Gemälde nachahmten, dies *Xenia*«.[2] Diese Erklärung bereitet in mehrfacher Hinsicht Verständnisschwierigkeiten.

Tatsächlich gibt es zahlreiche Darstellungen von Eßwaren verschiedener Art, auch Kombinationen etwa von pflanzlichen und tierischen Produkten (Abb. 13). Deshalb hat

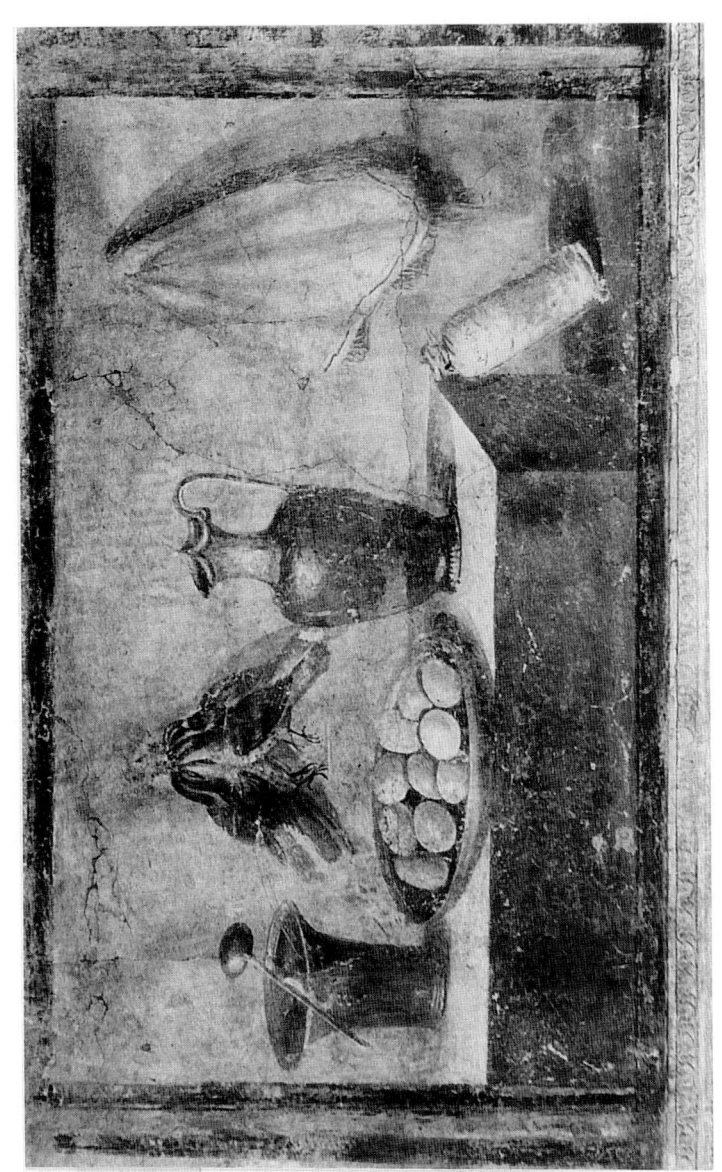

Abb. 13
Wandmalerei aus Pompeji (Haus der Julia Felix):
Stilleben mit Vogelwild, Eiern und Gefäßen (Neapel, Museo Nazionale)

sich für die Wiedergabe solcher Arrangements, als Gemälde oder als Mosaik, in der archäologischen Literatur der Begriff *Xenia* eingebürgert. Diese wissenschaftliche Praxis entspricht in etwa der Verwendung von »Stilleben« als Sammelbezeichnung für ein weites Spektrum von Darstellungen in der neuzeitlichen Kunst durch Kunsthistoriker.

Es darf jedoch nicht übersehen werden, daß nur wenige der erhaltenen – wie gesagt, fast ausschließlich römischen – Bilder einigermaßen exakt dem entsprechen, was Vitruv über *Xenia* berichtet. So finden sich sehr häufig Kombinationen von Eßwaren und *lebenden* Tieren oder emblemhaft verkürzte Darstellungen, etwa ein kleiner Korb mit einigen wenigen Früchten darin. Verbreitet ist auch die gemeinsame Darstellung von Eßwaren und Geräten verschiedener Art oder von Geräten allein. Der Zusammenhang zwischen den literarisch überlieferten *Xenia* und den aus der Antike erhaltenen Darstellungen ist deshalb nur schwer zu präzisieren.

Offen bleibt zum einen, ob die römischen Bilder als unmittelbare Derivate der älteren griechischen *Xenia* angesehen werden dürfen. Die Abweichungen gegenüber Vitruvs Charakteristik deuten vielmehr darauf, daß sich die Gattung in römischer Zeit von ihren Ursprüngen wesentlich entfernt hat und spezifischen Bildintentionen der eigenen Zeit folgte. Zum anderen läßt sich nur schwer entscheiden, ob von den Zeitgenossen der Begriff *Xenia*, entsprechend dem archäologischen Gebrauch heute, auf alle stillebenartigen Wiedergaben von Eßwaren angewandt wurde. Vitruvs Bericht, der sowohl den Brauch der Überlassung von Lebensmitteln an Gastfreunde als auch die Nachahmung in Malerei als etwas Vergangenes, in seiner Epoche nicht mehr Geübtes beschreibt, spricht eher gegen eine solche Annahme.

Versuche, die Geschichte der Bildgattung in die griechische Kunst zurückzuverfolgen, führten bisher zu keinem befriedigenden Ergebnis. Zwar haben sich einige wenige Zeugnisse aus vorrömischer Zeit – etwa Arrangements von Speisefischen – erhalten, die man als *Stilleben* bezeichnen kann. Eine unmittelbare Illustration der *Xenia* des Vitruv ist jedoch auch hier nicht festzustellen, entweder weil das Vorhandene sich bereits von den Ursprüngen der Gattung entfernt hat oder weil der Zufall der Überlieferung bisher keine echten *Xenia*, sondern nur Beispiele verwandter Bildgattungen geliefert hat. Wie auch in anderen Motivbereichen steht man auch bei den Stilleben vor der im konkreten Fall meist nicht zu beantwortenden Frage, in welcher Weise die – künstlerisch eher bescheidene – römische Malerei an die in den Quellen hochgerühmte, jedoch fast völlig verlorene griechische Malerei anknüpft. Die wenigen aus dem Hellenismus erhaltenen Darstellungen scheinen immerhin zu belegen, daß die aus römischer Zeit zahlreich erhaltenen Stilleben-Darstellungen an eine griechische Tradition anknüpfen, worauf bereits die antike Textquelle hingewiesen hatte.

Wenn literarische und archäologische Überlieferung nicht exakt übereingehen, kann dies auch damit zusammenhängen, daß der Vitruv-Passus, der ja nur eine Randbemerkung und nicht im strengen Sinne eine Definition darstellt, nicht so wörtlich genommen werden darf, wie dies üblicherweise geschieht. Es entspricht gängiger Praxis der antiken

Kunstliteratur, die Schaffung charakteristischer Bildtypen oder Denkmalsgattungen mit einem »ersten Erfinder« oder einem bestimmten, den Neuentwurf auslösenden Ereignis zu verbinden. Man denke an die jeweils von Vitruv berichtete Schöpfung der Karyatiden als Abbilder der versklavten Frauen des Ortes Karya oder an die Erfindung des korinthischen Kapitells, für die ein in einem Akanthusstrauch liegender Korb die Anregung gegeben haben soll.[3]

Auch die einfache, auf eine konkrete Situation zurückgehende Erklärung für den Ursprung der *Xenia* durch denselben Autor macht den Eindruck einer solchen ätiologischen Begründung. Es ist deshalb vielleicht berechtigt, einer weniger unmittelbaren Lesart der Stelle den Vorzug zu geben.[4] Früchte und andere Eßwaren als Bildgegenstände sind bereits für die klassische Zeit überliefert, vor allem durch zahlreiche anekdotenhafte Erzählungen über die überragende Abbildungstreue von Gemälden des 5. und 4. Jhs. v. Chr. Es handelt sich dabei jedoch, soweit dies aus den Quellen zu erfahren ist, nicht um Stilleben, sondern um Gemälde, in denen Früchte oder Blumen zwar eine wichtige Rolle spielen, nicht aber eigentlicher Gegenstand sind.

Die berühmteste Erzählung handelt vom Wettstreit zwischen Zeuxis und Parrhasios, zwei berühmten Künstlern des späteren 5. Jhs. v. Chr. Die gemalten Trauben des einen lockten Vögel heran, den von Parrhasios gemalten Vorhang konnte selbst Zeuxis nicht von einem echten unterscheiden. Da solche Anekdoten primär das Problem der künstlerischen Mimesis thematisieren, wäre es verfehlt, die erwähnten Trauben für den zentralen Bildgegenstand des Zeuxisgemäldes zu halten.[5]

Es wird sich vielmehr um Beiwerk gehandelt haben, wie das auch für ein in derselben Textstelle erwähntes Gemälde des Parrhasios gilt, auf dem ein »Knabe, der Trauben trägt«, zu sehen war. Gerade am leblosen Objekt konnte der Künstler seine Fähigkeit zur lebensechten Wiedergabe eindrucksvoll unter Beweis stellen.[6]

Diese Richtung, d. h. das Interesse an hochvirtuos ausgeführtem Beiwerk, das manches Gemälde erst zum Meisterwerk hat werden lassen, mag durchaus in einem inneren Zusammenhang damit stehen, daß in der Folgezeit, vermutlich im frühen Hellenismus (3. Jh. v. Chr.), Pflanzen, Früchte und andere nicht belebte Gegenstände zu eigenen Bildmotiven in der Tafelmalerei geworden sind. Dieser Prozeß läßt sich, da die schriftlichen Quellen spärlich fließen und die griechische Tafelmalerei, wie bereits gesagt, verloren ist, freilich nur erahnen.[7] Es spricht jedoch, worauf noch einzugehen ist, einiges dafür, daß es in der genannten Zeit Darstellungen gegeben hat, die Stilleben im modernen Sinne recht nahe standen. Die nächste Entsprechung in der Lebenswelt zu solchen Bildern mögen nun die – realen – *Xenia* gewesen sein, wie Vitruv sie überliefert. Die Affinität zwischen Bildgegenstand auf der einen Seite und den aus eigener Anschauung jedem Griechen bekannten Lebensmittel-Geschenken auf der anderen Seite hätte dann zur Namensgebung *Xenia* für die Gemälde geführt. An eben diese fühlte sich der Betrachter erinnert, wenn er entsprechende Stillebengemälde gesehen hat. Vitruv gibt, so verstanden, zwar zutreffend zwei miteinander zusammenhängende Dinge an, vereinfacht aber diesen Zusammenhang, um auf diese Weise eine bündige ›Erklärung‹ für die Entstehung der Bildgattung geben zu können.

Einmal eingeführt, blieb der Begriff erhalten, auch wenn sich das damit Bezeichnete von der eigentlichen Bedeutung des Begriffs entfernte. Einen schönen Beleg hierfür liefert Philostrat, ein griechisch schreibender Autor der römischen Kaiserzeit in seinen vermutlich in der ersten Hälfte des 3. Jhs. n. Chr. entstandenen *Eikones*, dichterischen Gemäldebeschreibungen, die allerdings wohl nur vorgeben, ein Gemälde zu beschreiben, während in Wirklichkeit vieles Fiktion ist.[8] Es geht in diesem dichterischen Genre, der sogenannten *Ekphrasis*, vielmehr darum, zu demonstrieren, wie der Autor aus dem ›leblosen‹ Kunstwerk eine spannende, lebensvolle Erzählung zu fabrizieren vermag. Zwei von Philostrats Beschreibungen sind als *Xenia* betitelt (Buch I 31; II 26), ein wichtiges Indiz zunächst, daß dieser Begriff, wofür sonst nur Vitruv einen unmittelbaren Beleg liefert, tatsächlich als Bezeichnung für eine Kunstgattung bzw. eine Teilgattung existiert hat. Dabei wird der vom anschaulichen Ursprung des Wortes losgelöste Charakter des Gatttungsbegriffs *Xenia* darin deutlich, daß vor allem Philostrats zweites Beispiel die Grenzen eines reinen Stillebens sprengt. Auch entsprechen die Schilderungen des Dichters nicht der Auflistung von Lebensmitteln, die Vitruv im Zusammenhang mit den *Xenia* gibt. Dagegen stimmen die ›Gemälde‹, was nicht überraschen kann, relativ gut mit den tatsächlichen Stilleben seiner eigenen römischen Zeit überein, zumindest was die Kombination der Eßwaren angeht, während der Dichter hinsichtlich des Reichtums seiner Bilder das weit übertrifft, was man aus den Vesuvstädten kennt.

Einmal sind bei Philostrat Früchte und Milchprodukte zu sehen, die in großer Fülle und in verschiedenen Reifezuständen vor dem Betrachter ausgebreitet werden, und es fehlt auch nicht der alte Topos, daß man Bild und Abbild nicht unterscheiden könne, so exakt ist alles ausgeführt. Auf dem anderen Bild ist ein lebendes Tier, ein Hase, mit geschlachteten Tieren und allerlei anderen Eßwaren zusammengestellt. Bei beiden Bildern soll vor allem verschwenderische Üppigkeit dem Leser vor Augen gestellt werden – auf dem einen der Gemälde finden sich, neben vielem anderen, nicht weniger als zehn Enten! Was Philostrats *Eikones* belegen, ist vor allem, daß der Begriff *Xenia* dem gebildeten Römer als Gattungsbezeichnung für stillebenartige Bilder geläufig gewesen sein muß. Über den Ursprung dieser Gattung erfährt man hier wenig, vielleicht aber, zumindest in dichterischer Brechung, etwas von ihrer späteren römischen Geschichte.[9]

Der Bildgegenstand *Obsonia*

Scharf zu trennen von den *Xenia* ist ein zweiter, in der modernen Literatur zum antiken Stilleben begegnender Begriff, *Obsonia*. Das lateinische Wort ist wiederum dem Griechischen entlehnt. *Opson* (im Lat. deshalb auch *opsonia*) bezeichnet Lebensmittel, das seltenere *opsonion* wird in der Bedeutung von *Sold, Verpflegungsgeld* verwendet. Das lateinische *Obsonia* kann für beides stehen, sehr viel häufiger ist die hier allein interessierende

Verwendung im Sinne von Lebensmitteln. Eine Eingrenzung der Bedeutung ist nur schwer vorzunehmen, es konnten mit diesem Wort offenbar Eßwaren unterschiedlichster Art bezeichnet werden. Daß *Obsonia* grundsätzlich gekochte Speisen seien, wie behauptet worden ist,[10] trifft sicher nicht zu. So spricht Vitruv (I, 4, 2) im Zusammenhang mit Fragen der Lagerung von Lebensmitteln in Speichern unter anderem von *Obsonia*. Vermutlich hat das Wort einen recht weiten Bedeutungsrahmen, so daß sich der genaue Sinn jeweils aus dem Kontext ergibt.

Daß *Obsonia* verschiedentlich als Bezeichnung einer selbständigen Bildgattung verstanden worden ist,[11] verdankt sich der Verwendung dieses Wortes in einer Pliniusnotiz, in der von dem für seine ungewöhnlichen Bildgegenstände berühmten Maler Peiraïkos die Rede ist. »Er malte Barbierstuben und Schusterwerkstätten, wie auch Esel, *Obsonia* und dergleichen und wurde deswegen als *Rhyparographos* bezeichnet«.[12] *Obsonia* sind, wie aus dem Textzusammenhang unzweideutig hervorgeht, unter fast beliebig erscheinenden anderen ein Bildgegenstand des Peiraïkos. Von einer Bildgattung namens *Obsonia* – etwa parallel zu bzw. in Absetzung von den *Xenia* – ist nicht die Rede, und es gibt entgegen der *communis opinio* keine Veranlassung, darüber Mutmaßungen anzustellen. Worüber die Stelle Auskunft gibt, ist lediglich die eigenartige Vorliebe des Malers für ausgesucht unedle Bildgegenstände. Er malt Leute niederen Standes, und zwar wohl bei der Ausübung ihrer Gewerbe, wodurch sich erst ihr niederer Stand definiert, er malt Esel, und nicht, wie man wohl hinzufügen darf, edlere Tiere wie etwa Pferde, und er malt *Obsonia*, die in der Aufzählung ebenfalls eine negative Konnotation besitzen müssen. Zu denken ist vielleicht an den unter Umständen wenig ansprechenden Anblick bereits gegarter oder sonstwie zubereiteter Speisen, gerade im Hinblick auf die gängige Praxis, Früchte in frischem Zustand und in täuschend echter Manier wiederzugeben.

Noch ein weiterer Grund mag dafür existieren, daß *Obsonia* fälschlich für eine Gattungsbezeichnung gehalten worden ist. In den schon erwähnten *Eikones* des Philostrat, in denen er *Xenia* beschreibt, erscheint auch *opson* (griech.) unter den zahlreichen Dingen, die der Maler des einen Stillebens wiedergegeben hat (Eikones II, 26, 2). Diese *Zukost* wird als bescheidene gegarte Speise einem reicheren, frisch zubereiteten Mahl entgegengesetzt. Im Zusammenhang betrachtet, ist die Sache völlig konsistent mit dem eben zur Pliniusnotiz Gesagten: *Xenia* bezeichnet die Gattung, *Obsonia* einen möglichen Bildgegenstand innerhalb dieser Gattung.

Der Begriff *Rhyparographos*

Die Pliniusstelle enthält weitere Begriffe, für die sich ein inhaltlicher Zusammenhang mit der Stillebenmalerei vermuten läßt; präzise Aufschlüsse über die antike Sicht dieser Gattung, das sei vorausgeschickt, sind auch hier nicht zu gewinnen. Peiraïkos wird von dem römischen Autor dem Bereich der *pictura minor* zugerechnet. Anhaltspunkte dafür, daß der Terminus anderes meint, als er unmittelbar ausdrückt, besitzen wir nicht: Es geht sehr wahrscheinlich im einfachsten Sinne um kleinformatige Gemälde, wobei freilich ein bestimmtes Format traditionell mit bestimmten Genres verbunden sein kann. So erscheint der – griechische – Gegenbegriff *megalographia* bei Vitruv (VII, 5, 2) im Zusammenhang mit Götter- und Mythendarstellungen, die gleichzeitig als große Formate zu denken sind. Mythologische und historische Sujets sind für großformatige Wandbilder bereits der klassisch griechischen Zeit belegt.

Der Maler Peiraïkos wurde, so sagt Plinius weiter, wegen seiner Bildsujets als *Rhyparographos* bezeichnet. Es handelt sich bei diesem Ausdruck – wie schon bei *pictura minor* und *megalographia* – um ein in der gesamten antiken Literatur nur ein einziges Mal vorkommendes Wort, was zu besonderer Vorsicht bei der Deutung mahnt. Der Sinn dieser Bezeichnung ergibt sich, wie bereits angedeutet, im Grunde mit aller wünschenswerten Klarheit aus dem Textzusammenhang. *Rhyparós* bedeutet *schmutzig, schäbig, gemein*, und Peiraïkos war ein Künstler, der unedle, schmutzige Dinge als Gegenstände für seine Bilder bevorzugte.

Mehr läßt sich über diesen Punkt nicht zuverlässig sagen, doch fordert die rätselhafte Textstelle zu Mutmaßungen heraus. *Rhyparographos*, so heißt es, war der Beiname des Malers (*cognominatus*). Handelt es sich dabei um ein individuelles Epitheton für eine bizarre Künstlerpersönlichkeit oder um eine Sammelbezeichnung für Maler einer speziellen, ungewöhnlichen Richtung, die am prominentesten von Peiraïkos vertreten wurde, vergleichbar etwa einer modernen Prägung wie dem *Verpackungskünstler*? Die erste Annahme besitzt m. E. entschieden mehr Plausibilität, und zwar vor allem wegen der Einmaligkeit des Begriffs, die im Falle der Kennzeichnung eines einzelnen, individuellen Künstlers nicht verwundert, aber auch, weil Plinius den Maler im Grunde gar nicht mit einem klar umgrenzten Gegenstandsbereich oder Genre verbindet, sondern ihn, wenn die Stelle richtig gedeutet worden ist, primär als jemanden kennzeichnet, der die Konvention mißachtet und gerade deshalb großen Erfolg hat.[13]

Die Singularität des Begriffs *rhyparographos* hat in der älteren Forschung zu einer Diskussion darüber geführt, ob es sich nicht um eine antike Verschreibung handele und statt dessen *rhopographos* eingesetzt werden müsse.[14] Auch in diesem Fall ist aufgrund der Seltenheit des Begriffs eine exakte Bestimmung schwierig. *Rhopós* bzw. *rhopikós* meint billige, wertlose Objekte oder Kitsch, steht *rhyparós* also relativ nahe, ohne aber in so starkem Maße wertend zu sein. Die genannte Konjektur ist demnach überflüssig, da sie zum Verständnis des Passus nicht beiträgt, eher im Gegenteil, paßt doch der überlieferte Beiname des Peiraïkos gut zu dem, was über ihn berichtet wird. Möglicherweise hat die früher vertretene Emendierung des Wortes *rhopographos* aber insofern etwas Richtiges, als hier eine Art Wortspiel vorliegen könnte, d. h. Peiraïkos diesen Beinamen erhalten hat in Anspielung auf und als Steigerung des stärker verbreiteten Begriffs *rhopographos*.[15] Diese Abweichung würde, über das hinaus, was das Wort an sich schon aussagt, das Abseitige der Kunst dieses Malers unterstreichen.

Ein solcher Gedanke muß Spekulation bleiben. Gewiß ist aber, daß ein als *rhyparographos* apostrophierter Künstler, ein »Maler von schmutzigen, häßlichen Dingen« im Hellenismus keine ungewöhnliche Erscheinung darstellt. Es ist für die Epoche insgesamt eine unerhörte Ausweitung der Bildgegenstände charakteristisch. Seien es Bronzefiguren von Krüppeln, deren Mißbildungen mit irritierender Sorgfalt wiedergegeben werden, seien es Landschaftsgärten, in denen gestaltete Natur und veristische Statuenwerke eine faszinierende Kunstwelt entstehen lassen, oder seien es technische und künstlerische Wunderwerke aller Art, die den Betrachter vor allem staunen machen wollen: in vielerlei Ausprägungen begegnet man einer Vorliebe für das Absonderliche und einer Neigung, sich eben dadurch anziehen und sinnlich beeindrucken zu lassen.

Der *Ungefegte Raum* des Sosos

Zur Erläuterung dieses Phänomens sei eine weitere Textstelle angeführt, die auch wieder zurückleitet in den engeren Bereich des Stillebens. Berühmtester Mosaizist der Antike war Plinius zufolge ein gewisser Sosos, berühmt offenbar nicht nur wegen seiner Technik, sondern auch wegen der Wahl seiner Sujets. In Pergamon führte er ein Mosaik aus, das einen ungefegten Fußboden (*asárotos oikos*) zeigte, auf dem Essensreste »und was man sonst wegzukehren pflegt« (nach einem Mahl) herumlagen.[16] Sosos muß während der Blütezeit Pergamons gewirkt haben, d.h. zwischen dem mittleren 3. und dem mittleren 2. Jh. v. Chr. Anders als bei den *Xenia* kann man sich hier eine konkrete Vorstellung des literarisch überlieferten Werks machen. Es haben sich aus römischer Zeit mehrere Mosaiken gefunden, die eine gleichmäßig auf dem Boden verteilte Sammlung von Knochen, leeren Muscheln, Fischskeletten und ähnlichem zeigen (Abb. 14). Zumindest im ungefähren muß es sich dabei um Kopien der Schöpfung des Sosos handeln. Dieses – in der Antike bereits berühmte – Werk war mit Sicherheit mehr als nur ein origineller Entwurf, es spielt in besonders raffinierter Weise mit den Erwartungen und Gewohnheiten des Betrachters. Zunächst handelt es sich um ein Trompe l'oeil, eine Ansammlung von täuschend echt wiedergegebenen Dingen. Sosos stellt sich damit in eine bis weit in die klassische Zeit zurückreichende Tradition, von der oben im Zusammenhang mit der ›Vorgeschichte‹ des antiken Stillebens die Rede war. Eine Vielzahl von Anekdoten berichtet über die Meisterschaft, die griechische Künstler auf diesem Feld schon in klassischer Zeit erreicht hatten. Typischerweise sind es aber schöne Dinge, die in perfekter Abbildungsqualität nachgebildet werden, Früchte etwa, an denen Vögel zu naschen versuchen, Gegenstände, die einen anziehen und die man meint, anfassen zu können. Sosos nun nimmt als Gegenstand etwas Abstoßendes, etwas, das der wohlsituierte Besitzer eines Hauses üblicherweise gar nicht wahrnimmt, sondern von den Dienern als Abfall beiseite räumen läßt. Anziehung und Abstoßung werden zu gleichzeitig wirksamen Bestandteilen des Sinnerlebnisses.[17]

Über die unleugbare formal-ästhetische Wirkung hinaus müsse das unkonventionelle Sujet des mit Essensresten bedeckten Fußbodens, so meinten einige Interpreten, auch eine spezifische inhaltliche Bedeutung besitzen. Die abgebildeten Gegenstände lassen den

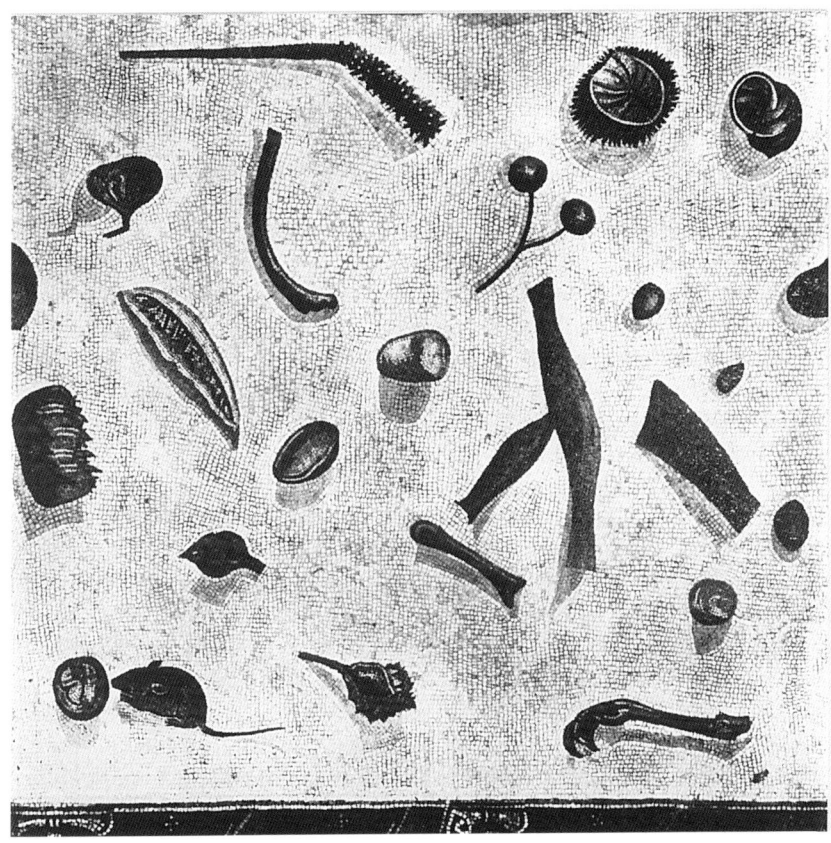

Abb. 14
Mosaik: *Ungefegter Boden*
(Rom, Vatikanisches Museum)

Betrachter, vor allem den mit der Stillebenmalerei der neueren Zeit vertrauten, an Vergänglichkeitssymbolik denken. Antike Textquellen scheinen eine solche Überlegung zu bestätigen, ist doch verschiedentlich davon die Rede, daß es Sitte war, vom Tisch herabgefallene Speisen nicht wieder aufzuheben, da diese den Toten als Nahrung bestimmt seien. Zurecht ist jedoch darauf hingewiesen worden, daß die wohl auf Sosos zurückgehenden römischen Mosaiken keine eigentlichen Speisereste zeigen, sondern bloße Abfälle *(purgamenta cenae)*, von denen auch die Toten nicht mehr zehren könnten.[18] Man sollte die Frage nach einer konkreten inhaltlichen Bedeutung des Mosaiks deshalb besser offen lassen.

Zusammenfassung

Dies gilt auch für den größten Teil der gemalten Eßwarenstilleben. Vitruv liefert zwar, wie eingangs dargestellt, einen Hinweis auf die Entstehungsumstände dieser Bildgattung, ob die Masse der römischen Darstellungen mit Früchten, Fischen und allerlei anderen Objekten aber noch als *Gastgeschenke* betrachtet worden ist, ist durchaus zweifelhaft. Zurückhaltung ist hier schon deshalb geboten, weil die Stilleben in den meisten Fällen lediglich kleine Flächen innerhalb großer und komplexer Wanddekorationen darstellen, parallel gesetzt zu Motiven ganz anderer Art, sie also, anders als in der neueren Malerei, kaum je selbständige Werke sind. Von den auf Stilleben vorkommenden Gegenständen geben nicht die Eßwaren, sondern zwei andere, deutlich seltener auftretende Motivgruppen die besten Anhaltspunkte, welche Botschaft intendiert gewesen sein kann. Eßwaren erscheinen relativ häufig gemeinsam mit Kultgeräten, wie man sie beim Opfer, im öffentlichen wie im privaten Bereich, verwandte. Die Kombination von beidem berechtigt zur Annahme, in den Lebensmitteln Opfergaben zu sehen, in den Bildern als ganzen demnach Anspielungen auf die römische Kardinaltugend der *pietas*, in diesem Fall der des Hausbesitzers.[19] Auf noch festerem Grund steht man bei den Stilleben, die ausschließlich Geräte und ähnliches zeigen. Es dominiert in dieser Gruppe die Wiedergabe von Schreibgerät und Geld, beides durchsichtige Hinweise auf den Wohlstand bzw. die durch diesen ermöglichte Bildung der Bewohner des Hauses.[20]

Auch die Eßwaren haben in ihrer Mehrzahl wohl keine tiefere Bedeutung als die an ihnen unmittelbar ablesbare. Was wir in literarischer Übertreibung von Petronius' Gastmahl des Trimalchio kennen, erscheint hier auf ein Alltagsmaß reduziert. Wessen Haus gefüllt ist mit Lebensmitteln, der muß um seine Existenz nicht bangen, sondern kann das Leben genießen. Vieles andere muß offen bleiben und kann bestenfalls erahnt werden. Wenn oben von einem möglichen Gegensatz zwischen griechischem Ursprung der Gattung Stilleben und römischen Darstellungsintentionen gesprochen wurde, so sei abschließend daran erinnert, daß typischer Bestandteil der römischen Villa und vielfach auch des einfacheren, in der Stadt gelegenen Hauses, der gestaltete, häufig mit Obstbäumen bepflanzte Garten war. Nicht nur die archäologisch nachgewiesenen *horti* selbst, sondern auch großformatige gemalte Gartenprospekte mit Pflanzen, Früchten und die Szenerie belebenden Vögeln dokumentieren die Freude an der Verknüpfung von Haus und *Natur*, von Drinnen und Draußen.[21] Wenn manches aus diesen Malereien in den Stilleben begegnet, so darf man die genannte Deutung wohl auch auf diese übertragen.

Antike Quellen

Von den vier im vorausgegangenen Text diskutierten Quellen folgen hier nur zwei. Die anderen eröffnen jeweils in unterschiedlichen Zusammenhängen zur nachantiken Tradition die entsprechenden Kapitel des anschließenden Quellenteils.

Vitruv über *Xenia* (um 25 v. Chr.)

Nam cum fuerunt Graeci delicatiores et fortuna opulentiores, hospitibus advenientibus instruebant triclina, cubicula, cum penu cellas, primoque die ad cenam invitabant, postero mittebant pullos, ova holera, poma reliquasque res agrestes. Ideo pictores ea, quae mittebantur hospitibus, picturis imitantes xenia appelaverunt.

Vitruvius, *De architectura*, Buch VI, 7, 4

Denn da die Griechen luxuriöser und vom Glück mehr mit Reichtum gesegnet waren, pflegten sie für die Gastfreunde, die von außerhalb zu Besuch kamen, Speisezimmer, Schlafzimmer und Speisekammer mit Speisevorrat einzurichten. Am ersten Tag pflegten sie zur Mahlzeit einzuladen, am folgenden Hühnchen, Eier, Gemüse, Obst und andere ländliche Erzeugnisse in die Gastwohnung zu schicken. Daher nannten die Maler, wenn sie das, was man den Gastfreunden zu schicken pflegte, auf einem Gemälde nachahmten, dies Xenia.

[Übersetzung von Curt Fensterbusch, Darmstadt 1964, S. 290/293]

Plinius d. Ä. über Sosos (vor 79)

Pavimenta originem apud Graecos habent elaborata arte picturae ratione, donec lithostrota expulere eam. Celeberrimus fuit in hoc genere Sosus, qui Pergami stravit quem vocant asaroton oecon, quoniam purgamenta cenae in pavimentis quaeque everri solent velut relicta fecerat percis e tessellis tinctisque in varios colores. Mirabilis ibi columba bibens et aquam umbra capitis infuscans; apricantur aliae scabentes sese in canthari labro.

Plinius d. Ä., *Naturalis Historia*, Buch 36, § 60

Die Bodenmosaiken (pavimenta) verdanken ihren Ursprung den Griechen, und sie wurden nach Art der Malerei kunstvoll ausgearbeitet, bis sie von farbigen Marmorfußböden (lithostroton) verdrängt wurden. Der berühmteste (Künstler) in dieser Gattung war Sosos, der zu Pergamon den 'ungefegten Raum' (oikos asarotos) aus-

legte, den man so nennt, weil er die Essensabfälle auf den Estrichen und was man sonst wegzukehren pflegt, aus kleinen und verschiedenfarbigen Mosaiksteinchen (so) nachgebildet hatte, als ob man sie liegengelassen hätte. Bemerkenswert ist dort eine Taube, die trinkt und das Wasser mit dem Schatten ihres Kopfes verdunkelt; andere sonnen sich, während sie sich auf dem Rand einer Kanne putzen.

[Hrsg. u. übersetzt von Roderich König, München 1992, S. 120/121]

Anmerkungen

[1] Das antike Stilleben ist bisher erst ansatzweise erforscht, weswegen wichtige Aspekte, vor allem die historische Entwicklung und die inhaltliche Bedeutung dieser Gattung, hier nur angesprochen, aber nicht eingehend dargelegt werden können. Der schmale Band von Eckstein, 1957 stellt die letzte monographische Behandlung des Themas dar und ist gleichzeitig eine Ergänzung zu dem umfassenden stilgeschichtlichen Abriß von H.G. Beyen, *Über Stilleben aus Pompeji und Herculaneum*, Den Haag 1928. J.-M. Croisille, *Les natures mortes campaniennes*, Brüssel 1965, besteht im wesentlichen aus einer katalogartigen Auflistung in Wort und Bild. Resümees der älteren Forschung bei Eckstein 1957, S. 11 f. und Croisille 1965, S. 18. Einen knappen Überblick über die Gattung gibt in neuerer Zeit: S. de Caro, Zwei »Gattungen« der pompejanischen Malerei: Stilleben und Gartenmalerei, in: G.Cerulli Irelli u.a. (Hrsg.), *Pompejanische Wandmalerei*, Stuttgart/Zürich 1990, S. 263–269, daneben siehe R. Ling, *Roman Painting*, Cambridge 1991, S. 153–156, sowie I. Scheibler, *Griechische Malerei der Antike*, München 1994, S. 173–176. Mit der Herkunft der Gattung und den Aussagen der antiken Kunstliteratur beschäftigt sich Rouveret 1987, S. 11–25. Der Sammelband Xenia. Recherches franco-tunisiennes sur la mosaïque de l'Afrique antique, Bd. I, 1990, geht nur am Rande auf die hier diskutierten Fragen ein. Für Hinweise zum Thema danke ich herzlich Christiane Schön.

[2] Vitruv VI, 7, 4. Übers. von C. Fensterbusch, Darmstadt 1981. S. hier S. 103.

[3] Vitruv I, 1, 5; 4, I, 9–10.

[4] Eckstein 1957 nimmt ohne Angabe von Gründen an (S. 32), die *Xenia* hätten bei den Griechen ursprünglich, gewissermaßen in der Funktion von Stellvertretern, als bescheidene Malwerke die Wände von Gastzimmern in privaten Häusern geschmückt.

[5] Ebenfalls zur Vorgeschichte des griechischen Stillebens gehört der Maler Pausias aus Sikyon (mittleres 4. Jh. v. Chr.). Nach dem Bericht des Plinius (n. h. XXXV, 125) liebte er ein Mädchen, das bekannt war für die von ihr erstmals hergestellten Kränze aus Blumen. Pausias eiferte ihr mit seinen Mitteln nach und schuf als eines seiner bekanntesten Werke ein Porträt dieses Mädchens mit einer Blumengirlande in den Armen.

[6] Vgl. Text und Erläuterungen auf S. 108.

[7] Im späteren 4. Jh. v. Chr., am Ende der klassischen Periode, läßt sich ein reiches Aufblühen pflanzlicher Ornamentik beobachten, in der Vasenmalerei ebenso wie in der Architekturdekoration. Der naheliegende Schluß, diese Tendenz habe folgerichtig zur Entstehung der Gattung Stilleben geführt, ist jedoch nicht ohne weiteres möglich, da es sich ihrer Eigenart nach jeweils um sehr unterschiedliche Dinge handelt.

[8] Von mehreren literarisch überlieferten Trägern dieses Namens gilt allgemein der in der ersten Hälfte des 3. Jhs. n.Chr. tätige sogenannte Philostrat II. als der Verfasser der *Eikones*.

[9] Hingewiesen sei auch auf die von P. Veyne, Les cadeaux des colons à leur propriétaires, in: *Révue archéologique* 1981, S. 251 entwickelte These, der Passus »Ich glaube, das Bild bringt diese Gastgeschenke dem Herren des Landguts dar« (Eikones II, 26, 4) stehe in Zusammenhang mit der in der späteren Kaiserzeit üblichen Praxis, daß Pächter dem Grundbesitzer Abgaben in Form von Naturalien zu zahlen hatten.

10 Eckstein 1957, S. 30. Auch daß es sich, wie Ecksteins Wortuntersuchung ergab (S. 32 Anm. 43), überwiegend um »feine, gewürzte Kost, Saucen und Fischspeisen« handelt, erscheint zweifelhaft: s. im Folgenden die Verwendung des Wortes bei Philostrat.
11 S. etwa Eckstein 1957, S. 32, der, mit Blick auf *Obsonia* und *Xenia*, von den »beiden hellenistischen Bildgattungen« spricht.
12 Plinius n. h. 35,112, übers. von R. König, 1978; siehe hier Text und Erläuterungen S. XXXV. - Zu Peiraïkos s.a. J.-M. Croisille, Deux artistes mineurs chez Pline L'Ancien, in: *Revue de Philologie* 42, 1968, S. 101–104.
13 Auch in der neueren Literatur wird häufig der Eindruck erweckt, die hier vorgestellten Begriffe seien zuverlässig definierbare Termini. Besonders problematisch wird dies, wenn etwa Erläuterungen zum Begriff *rhyparographia* gegeben werden, ein Wort, das die antike Literatur überhaupt nicht kennt (!), s. z.B. Rouveret 1987, S. 13, de Caro (wie Anm. 1) S. 264. Ausgehend von der unzulässigen Gleichsetzung *rhyparographos* mit *Maler von Eßwaren, Stillebenmaler* wird die Existenz einer griechischen Gattungsbezeichnung *rhyparographia* für Stilleben suggeriert und wird *Xenia* zum Begriff für eine Teilgattung gemacht – eine offenkundige Anlehnung an das Motivspektrum und die terminologische Praxis bei neuzeitlichen Stilleben.
14 Zusammenfassend hierzu J.J. Pollitt, *The Ancient View of Greek Art*, New Haven/London 1974, S. 228–233.
15 So die m. E. plausible Vermutung von H. Brunn, *Geschichte der griechischen Künstler*, Bd. II, 1889, S. 174 f.
16 Plinius n. h. XXXVI, 184, übers. von R. König, München 1992. S. Text auf S. 103 f.
17 Auch literarisch kennen wir das trompe l'oeil als etwas Abstoßendes. Eine an die Parrhasios-Anekdote anknüpfende Geschichte berichtet davon, man habe, um dem römischen Politiker Lepidus (1. Jh. v. Chr.) den Wunsch nach einem ungestörten Schlaf zu erfüllen, ein großes Gemälde mit der Wiedergabe einer Schlange anfertigen lassen, die die unablässig singenden Vögel schreckte und zum Schweigen brachte (Plinius n. h. XXXV,121).
18 Zur Deutungsfrage vgl. H. Meyer, *Archäologischer Anzeiger* 1977, S. 104–110; ferner J.J. Pollitt, *Art in the Hellenistic Age*, Cambridge 1986, S. 221 f.; Abbildungen der Mosaiken ebenda S. 220; Scheibler a.O. (Anm. 1), S. 175.
19 Eckstein 1957, S. 49–51, mit kritischer Darstellung älterer Thesen, wonach in den reinen Eßwarenstilleben ausnahmslos Opfergaben zu sehen seien.
20 Eckstein 1957, S. 56 f.
21 siehe M. Carroll-Spillecke, *KHPOS. Der antike griechische Garten*, München 1989, S. 63–65; dies. in: G. Hellenkemper-Salies (Hrsg.), *Das Wrack. Der antike Schiffsfund von Mahdia*, Ausst.-Kat. Bonn 1994, S. 901–910.

Hauptthemen in den Quellentexten

von Eberhard König, Bärbel Küster,
Christiane Schön und Christian Vöhringer

Stilleben als *Imitatio*

Wie die Antike das Verhältnis von Kunstwerk und Naturgebilde beurteilte, erhellen zwei gegensätzliche Anekdoten um den Athener Maler Zeuxis (aktiv um 425 v. Chr.):[1] Für sein Bild der Helena, anderer Version zufolge der Venus, hat er fünf Jungfrauen als Modelle studiert und dabei das jeweils Schönste ausgewählt.[2] Ein zweiter Standpunkt wird durch den Bericht vom Wettstreit zwischen Zeuxis und Parrhasios durch Plinius d. Ä. (23/24–79) in dessen Naturgeschichte bezeugt. Hier heißt es:

Plinius d. Ä. über Zeuxis und Parrhasios (vor 79)

Aequales eius et aemuli fuere Timanthes, Androcydes, Eupompus, Parrhasius. descendisse hic in certamen cum Zeuxide traditur et, cum ille detulisset uvas pictas tanto successu, ut in scaenam aves advolarent; ipse detulisse linteum pictum ita veritate repraesentata, ut Zeuxis alitum iudicio tumens flagitaret tandem remoto linteo ostendi picturam; atque intellecto errore concederet palmam ingenuo pudore, quoniam ipse volucres fefellisset, Parrhasius autem se artificem. fertur et postea Zeuxis pinxisse puerum uvas ferentem; ad quas cum advolassent aves, eadem ingenuitate processit iratus operi et dixit: »uvas melius pinxi quam puerum, nam si et hoc consummassem, aves timere debuerant.«

Plinius d. Ä., *Naturalis Historia*, Lat.-dt., übers. von R. König, Darmstadt 1973 ff., Bd. XXXV: Farben, Malerei, Plastik (1978), § 65, S. 55 ff.

Seine Zeitgenossen und Nebenbuhler waren Timanthes, Androkydes, Eupompos und Parrhasios. Der zuletzt genannte soll sich mit Zeuxis in einen Wettstreit eingelassen haben; dieser habe so erfolgreich gemalte Trauben ausgestellt, daß die Vögel zum Schauplatz herbeiflogen; Parrhasios aber hatte einen so naturgetreu gemalten leinenen Vorhang aufgestellt, daß der auf das Urteil stolze Zeuxis verlangte, man sollte doch endlich den Vorhang wegnehmen und das Bild zeigen; als er seinen Irrtum einsah, habe er ihm in aufrichtiger Beschämung den Preis zuerkannt, weil er selbst zwar die Vögel, Parrhasios aber ihn als Künstler habe täuschen können. Zeuxis soll auch später einen Knaben gemalt haben, der Trauben trug; als Vögel hinzuflogen, trat er erzürnt mit der gleichen Aufrichtigkeit vor sein Werk und sagte: »Die Trauben habe ich besser gemalt als den Knaben, denn hätte ich auch mit ihm Vollkommenes geschaffen, hätten sich die Vögel fürchten müssen.«
[Übersetzung von R. König und G. Winkler]

Kommentar

So oft diese Stelle später erörtert wurde, so selten hat man den letzten Satz beachtet. Es geht Plinius ja nicht allein um die Früchte des Zeuxis, sondern auch um den Knaben: Täuschen konnte Zeuxis mit dem Abbild von Gegenständen[3], von Menschen aber nicht.

Neuzeitliches Trompe-l'oeil beweist sich ebenso in der Objektmalerei. Schon in der Antike malte man unbelebte Gegenstände, um technische Kunstfertigkeit zu beweisen. Die hatten darüber hinaus den Vorteil, auf nichts außerhalb ihrer selbst zu verweisen und damit die Aufmerksamkeit auf das Können des Malers zu konzentrieren.[4] Idealisierte Menschendarstellung und der Natur täuschend nachgeahmte Objektschilderung widersprechen sich im Werk eines und desselben Malers nicht. *Nach der Natur oder nicht* richtete sich Zeuxis gemäß dem Sujet.

Das Interesse an einer Malerei, die sich mit der illusionistischen Darstellung von Gegenständen beschäftigt, setzt voraus, daß das Handwerkszeug dafür erarbeitet wurde. Im 5. Jh. v. Chr. entwickelten sich *Skiagraphia* (Helldunkel, wörtl. Schattenmalerei) und *Skenographia* (Perspektive), die der gemalten Fläche die Illusion von Raum und Masse verleihen ließen.

Leon Battista Alberti
über Qualitäten des Beiwerks (1435)

Ma poichè la istoria è summa opera del pictore, in quale del essere ogni copia et elegantia di tutte le cose, conviensi curare, sappiamo dipingniere non solo uno huomo, ma ancora cavalli, cani, e tutti altri animali e tutte altre cose degnie d'essere vedute. Questo così conviensi per bene fare copiosa la nostra istoria, cosa qual ti confesso grandissima. (S. 157)

Diro io quella istoria essere copiosissima, in quale a suo luoghi sieno permisti vechi, giovani, fanciulli, donne, fanculle, fancullini, polli, catellini, ucellini, cavalli, pechore, hedefici, province et tutte simili cose [...]. Ma vorrei io questa copia essere ornata di certa varietà, ancora moderata et grave di dignità et verecundia. (S. 117/119)

Et vedesi forza in ben comporre bianco presso a nero, che vasi per questo pajano d'argento, d'oro et di vetro et pajano dipinti risplendere. (S. 135/137)

Alberti, Leon Battista, *Leone Battista Alberti's kleinere kunsttheoretische Schriften* (= Quellenschriften für Kunstgeschichte und Kunsttechnik des Mittelalters und der Renaissance, Bd. XI), hrsg. von Hubert Janitschek, Wien 1877, Neudruck: Osnabrück 1970.

Weil aber die historia *das höchste Werk des Malers ist, in welchem er sich um jegliche Fülle des Seins und die Anmut aller Dinge kümmern muß, sind wir nicht nur fähig, einen Menschen zu malen, sondern auch Pferde, Hunde und alle anderen Tiere sowie alle anderen sehenswerten Dinge. Dies ist notwendig, um die* historia *ausgiebig darzustellen, eine Sache, wie ich bekenne, von größter Wichtigkeit.*

Jene historia *werde ich als am reichhaltigsten erklären, in der jeweils richtig postiert alte und junge Männer, Jungen, Frauen, Mädchen, Kleinkinder, Hühner, Hündchen, Vögel, Pferde, Schafe, Gebäude, ländliche Gegenden und dergleichen ähnliche Dinge vermischt sind. [...]. Ich möchte aber, daß diese Reichhaltigkeit mit Mannigfaltigkeit ausgeschmückt sei und darüberhinaus gemäßigt und voller Würde und Anstand.*

Welche Wirkung die richtige Zusammenstellung von Weiß und Schwarz hervorbringt, sieht man an den Gefäßen, die dadurch wie aus Silber, Gold oder Glas und zu glänzen scheinen.

[Übersetzung von Doris Müller-Ziem]

Kommentar

Im dreigeteilten Traktat *Della Pictura*[5] behandelt Leon Battista Alberti (1402–1472) vorrangig die perspektivische Erfassung der Welt. Zentralperspektivische Anlage setzt korrekte Projektion im zweidimensionalen Bild voraus. Dazu entwickelt Alberti ein Verfahren in vier Phasen: die Wahrnehmung der Gegenstände an ihrem bestimmten Ort, die Umrißzeichnung, die Komposition sowie Farbgebung und Beleuchtung.

Obwohl Alberti in *Della pictura* die *historia*[6] und damit das Menschenbild ins Zentrum stellt, ergeben sich doch wichtige Gesichtspunkte für das Stilleben. Erstmalig wird das zentralperspektivische Verfahren notiert, Grundlage auch für jede Entwicklung des Stillebens.[7] Erst das Interesse an Perspektive führt zur Darstellung von Innenräumen, welche die Künstler mit Gegenständen ausstatten, die sich rasch zu stillebenhaften Arrangements häufen oder aus der *historia* lösen, um eine eigene Bildfläche zu beanspruchen. Albertis Forderung, man solle alle sehenswerten Dinge darstellen, macht stillebenhafte Arrangements überhaupt erst der Abbildung würdig, und sei es zunächst nur im schmückenden Beiwerk.

Abb. 15
Jan Bruegel d. Ä.: *Großer Blumenstrauß*
(Mailand, Ambrosiana)

Jan Bruegel d. Ä. über Blumenstücke für Federico Borromeo und Ercole Bianchi (1606, 1608 und 1611)

[...] non de meno, senza ordine ho principiata et destinato a VS Ill.mo una Massa di vario fiori gli quali reucerani molto bello: tanta per la naturalezza come anco delle bellezza et rarita de vario fiori in questa parto alcuni inconita et non peiu uisto: per quella io son stata a Brusella per ritrare alcuni fiori del natural, che non si troue in Anuersa. VS Ill.mo sarra marauigliato in detta opera. [...] Gli fiori son grande comme il natural. [...]

Bruegel, Jan, Brief an den Kardinal Borromeo vom 14. April 1606, zitiert nach: Crivelli, Giovanni, *Giovanni Brueghel, sue lettere e quadretti*, Mailand 1868, S. 63.

[...] nichts desto weniger habe ich ohne Auftrag und für Euer Hochwohlgeboren bestimmt einen Strauß verschiedener Blumen begonnen, welche sehr schön gelangen: ebenso sehr wegen ihrer Natürlichkeit wie auch wegen der Schönheit und Seltenheit der verschiedenen Blumen, von denen einige in diesen Gegenden unbekannt sind und nicht gesehen werden können: deswegen bin ich in Brüssel gewesen, um einige Blumen nach der Natur zu malen, die es in Antwerpen nicht gibt. Euer Hochwohlgeboren wird erstaunt sein über dieses Werk. [...] Die Blumen sind so groß wie in der Natur. [...]

[Übersetzung von Doris Müller-Ziem]

[...] Con comodita del sig. Herculi Biancho mando a VS Ill.mo il quadro delli fiori fatta tutti del natturel: in detto quadro ho fatto tanto quanto sapir farre. Credo che non sia mai fatto tanti raro et vario fiori, finita con simla diligensa: d'inuerna farra un bel uedere: alcuni colori arriueno appresa poca il natural. Sotti i fiori ha fatta una Gioia con manefatura de medaiglie, con rarita del Maro. Metta poi VS Ill.mo per judicare, se le fiori non passeno ori et gioii. [...]

Bruegel, Brief an den Kardinal Borromeo vom 25. August 1606, ebenda S. 74–75.

[...] Die gute Gelegenheit mit dem Herrn Ercole Bianchi benutzend, sende ich Euer Hochwohlgeboren das Gemälde mit den Blumen, welche alle nach der Natur gemacht sind: in diesem Gemälde habe ich das Beste gemacht, was ich zu machen weiß. Ich glaube, daß niemals vorher so viele seltene und verschiedenartige Blumen mit ähnlicher Sorgfalt vollendet wurden: Im Winter wird es einen schönen Anblick geben: Einige Farben erreichen fast die Natur. Unter die Blumen habe ich ein

Schmuckstück gemalt mit handgefertigten Medaillen und Raritäten des Meeres. Ich überlasse es Euer Hochwohlgeboren zu urteilen, ob die Blumen nicht das Gold und den Schmuck übertreffen. [...]

[Übersetzung von Doris Müller-Ziem]

[...] Quanto il desiderio de VS del compartemento de fiore, VS me crede che quel è de grandissima opera: fastidioso a faire tutto del natural, che piu volonteiro farei doi altri quadretti de paiesi: gli fiori de questo ane son passato, detto quadretto besoigneria comincare il prima vera a venir al meza de febraro fin al mesa d agusto: per auiso. [...]

Bruegel, Brief an Ercole Bianchi vom 1. August 1608, ebenda S. 107.

[...] So sehr Euer Wunsch nach einem Arrangement von Blumen ist, glauben Sie mir, daß dies eine sehr schwierige Arbeit ist: es ist verdrießlich, alles nach der Natur zu malen, so daß ich lieber zwei weitere Landschaftsbilder machen würde. Die Blumen dieses Jahres sind verblüht. Dieses Bild müßte man im Frühling beginnen, Mitte Februar bis zum Monat August: das als Ankündigung. [...]

[Übersetzung von Doris Müller-Ziem]

[...] Gli fiori sone fastidioso a farle. Il prima chi io fece e quella del Sig. Cardinal: il secondo ho fatto per ser.mo Enfante in Brussello. Detta e tenuto in grand.mo estima, come io me a segura che VS non fara mancho: in questa ne in altre non me laisse aiutare. Gli fiori besoigni fare alle prima, sensa desseigni o boitssaturo: tutti fiori uengeno in quatra mesi, et sense inuencioni besoigni giungere in seime con gran discretcion. [...]

Bruegel, Brief an Ercole Bianchi vom 22. April 1611, ebenda S. 167–169.

[...] Es ist verdrießlich, Blumen zu malen. Das erste [Gemälde], welches ich gemacht habe, ist das des Herrn Kardinal. Das zweite habe ich für seine Durchlaucht den Prinzen in Brüssel gemacht. Dieses wird sehr hoch geschätzt, und wie ich mich versichert habe, werden Sie es nicht weniger schätzen: in diesem wie in anderen lasse ich mir nicht helfen. Die Blumen müssen alla prima gemacht werden, ohne Zeichnungen oder Entwürfe: alle Blumen kommen in vier Monaten, und ohne inventione müssen sie mit großer Unterscheidungsgabe zusammengefügt werden. [...]

[Übersetzung von Doris Müller-Ziem]

Kommentar

Jan Bruegel d. Ä. (1585–1625),[8] der jüngere Sohn des berühmten Bauernbruegels, war neben Ambrosius Bosschaert d. Ä. (1573–1621) der erste große Meister des Blumenstücks. Um 1589 brach er nach Italien auf, 1593 bis 1595 in Rom nachweisbar, lernte er Kardinal Federico Borromeo (1564–1631) kennen. 1597 wird Bruegel in Antwerpen als Meister in der Gilde geführt. 1604 war der Künstler in Prag, 1616 in Nürnberg. Zu Kardinal Borromeo dem Begründer der Mailänder Ambrosiana, stand Bruegel auch nach seiner Heimkehr in Kontakt: Ein Briefwechsel zwischen dem Maler und Borromeo sowie dem Mailänder Kunsthändler Ercole Bianchi in der Ambrosiana erstreckt sich von 1605 bis 1624.[9] Drei Briefe Bruegels beziehen sich auf den sogenannten Mailänder Blumenstrauß in der Ambrosiana (Abb.15).[10]

Bruegels Briefe an Ercole Bianchi lassen eine Idealvorstellung in seiner Arbeitsweise erkennen. Um Blumenstücke gebeten, gibt Bruegel vor, er male die Blumen, ihrem jeweiligen Erblühen in der Natur folgend, nach und nach von Februar bis August in natürlicher Größe ohne Vorzeichnung, *alla prima*, auf Holz- oder Kupfertafeln. Dabei fügte er mal hier mal dort eine Blume hinzu ohne *inventione*, aber mit *discrezione*, so daß sich über das Jahr eine Art Blumenteppich zu einem räumlichen Bilde verwandelte. Um die einzelnen Sorten bestimmbar zu machen, stellte er die Blüten zumeist unüberschnitten und ohne Schatten dar. Der Charakter des ganzen Bouquets läßt manchen Blumenstiel zu, der in der Natur zu kurz wäre, um noch bis in die Vase zu reichen.

Doch entgegen der im Brief entwickelten Vorstellung spielen bei Bruegel Studien eine ähnliche Rolle wie bei Bosschaert und de Gheyn; denn zuweilen wiederholt er bestimmte Blüten in Gemälden, die viele Jahre auseinander liegen; die prachtvolle Schwertlilie des Mailänder großen Blumenstraußes von 1606 gab es schon 1598 in einem Wiener Bild.[11] Das Prinzip der *Imitatio* hat aber noch ganz andere Grenzen, nämlich daß die Blumenstilleben, wenn sie im Herbst fertig waren, schließlich Blüten vereinten, die die Natur nicht gleichzeitig kennt.

Cornelis de Bie über Jan de Heem (1649)

Ioannes de Heem. Fruyt Schilder vyn Vytrecht /
GHy vroukens gaende groot en wilt soo seer niet kijcken / Op het gheschildert fruyt dat t'leven schijnt te g'lijcken, / Op dat u malle oogh u herte niet en quelt / En voor u teere vrucht een schets daer van en stelt. / Want t'aenlock van des' Const sal strackx den lust beroeren / Als ghy de wercken gaet van Ian de Heem beloeren. / Die hy afmaelen can soo soet op effen bert / Dat sy een swangher Vrou beroeren t'lustich hert. / T'is wonder dat hy weet met sulcken wonder trecken / Het leven soo het blijckt

in vruchten te ontdecken, / Sijn Kriecken staen soo soet, soo rijp de Muscadel / Garnaed, Pers, Abricock en alles staet soo wel. / En soo natuerelijck al oft her waer ghewassen / Soo wel doet hy des' Const op d'eyghen leven passen. / Den Gouverneur van t'Landt, een Hertoch hoogh van macht / Die houden dese Const in groote eer en acht. / Sijn werck is meerstendeel een glas vol wijn gheschoncken / Waer in dat leyt de schel van een Lamoen ghesoncken, / Daer by een Ceteroen, Oragni, Druyf, Granaet / En alderhande Fruyt dat naer het leven staet. / Veel schoone silver werk ghestelt wel in sijn oorden / Een taefelcleet van pan met louter goude booden, / En daer by oock een Luyt bestrickt en wel ghestelt / Op eenen bruynen grondt in d'ooghen vlijtich spelt. / Des' Const wort soo gheacht en wonderlijck ghepresen / Om haren cloecken aert en liefelijck net wesen, / Die door haer malsicheyt Natura niet en wijckt / Ghelijck aen haer Pinceel en edel wercken blijckt. / Dat wie haer vruchten siet moet sich daer in vernoeghen / Midts datter niet soo wel can by het leven voeghen, / By t'leven van het fruyt oft eenich blomghewas / Des' Const brenght alles op het leven wel te pas. [...]

Bie, Cornelis de, *Het gulden Cabinet van de edel vry schilder-const ontsloten door den lanck ghewenschten vrede tusschen de twee machtighe croonen van Spaignien en Vranckryck*, Antwerpen 1649, hier zitiert nach der 2. Ausgabe 1662, S. 216–217.

*Jan de Heem, Früchtemaler aus Utrecht /
Ihr Frauchen, die ihr dick werdet, wollt doch so sehr nicht schauen / Auf die gemalte Frucht, die dem Leben scheint zu gleichen, / Damit Euer törichtes Auge Euer Herz nicht quält / Und für Eure Leibesfrucht davon eine Idee bekommt. / Da der Anblick dieser Kunst schnell die Sinneslust berühren soll, / Wie Ihr die Werke von Jan de Heem belauern geht. / Was er abmalen kann, so süß auf ebnem Bord, / Daß es einer schwangren Frau das lustig Herz berühren kann. / Es ist ein Wunder, daß er mit solchem Wunder zu erreichen weiß, / Das Leben, wie es wirklich aussieht, in Früchten zu entdecken. / Seine Kirschen stehn so süß, so reif die Muskatellertraube, / Granat, Pfirsich, Aprikose und alles steht so gut, / So natürlich, als ob es gewachsen wäre, / So genau kann er diese Kunst dem eigentlichen Leben anpassen. / Der Gouverneur des Landes, ein Herzog hoch von Macht, / Die halten diese Kunst in großer Ehre und Achtung. / Sein Werk ist meistenteils ein Glas, voll Wein geschenkt, / Worinnen liegt die Schale von einer Limone versenkt, / Dazu eine Zitrone, Orange, Traube, Granatapfel / Und allerhand Früchte, die nach dem Leben gemalt sind. / Viel schönes Silberwerk, gestellt in seine Ordnung, / Ein Tischteppich, ein flaches Gefäß mit Boden aus lautrem Gold, / Und dabei auch eine Laute, bespannt und wohl plaziert, / Auf einen braunen Grund, in die Augen fleißig spielt. / Dessen Kunst wurde so geachtet und wunderbar gepriesen / Ihre schöne Art und lieblich nettes Wesen, / Welches durch seine Zartheit Natura nicht nachsteht, / Ihrer Malkunst und ihren edlen Werken zu gleichen scheint. / Daß wer ihre Früchte sieht, sich damit begnügen*

muß, / Daß dem Leben nichts hinzugefügt werden kann, / Dem Leben einer Frucht oder irgendeines Blumengewächses, / Dies alles bringt die Kunst genauso wie das Leben. [...]

[Übersetzung der Herausgeber]

Kommentar

Jan Davidz de Heem (1606–1683/84) prägte wie kein anderer die Stillebenmalerei des Goldenen Zeitalters in beiden Teilen der Niederlande. In Utrecht geboren, kam er nach Leiden, um sich später in Antwerpen niederzulassen. Wegen seines langen Lebens überspannt sein Schaffen fast das ganze 17. Jahrhundert, in der Darstellung von Raum dem Antwerpener Rubenskreis verpflichtet, durch duftige Wiedergabe von Blumen »holländisch« wirkend.

Zwischen beiden Regionen bewegt sich auch das literarische Schaffen des Notars und Historienmalers Cornelis de Bie (1621/22–1664), der den Utrechter in Antwerpen erlebte. Des Autors Schriften behandeln katholische Heilige, insbesondere Märtyrer; daneben hat er Komödien, moralische Satiren und einen *Spiegel vande verdrayde Werelt* geschrieben, der 1708 in Antwerpen gedruckt wurde.[12] Das *Gulden Cabinet*, de Bies Hauptwerk, ist ganz aus dem Geist der Friedensschlüsse jener Zeit geboren. Dabei zitiert der Titel nicht den Westfälischen Frieden von 1648, sondern den nur neun Monate währenden Friedensschluß von Rueil.

Cornelis de Bie würdigt die Kunst seiner Zeit besonders in den katholisch gebliebenen Regionen. Für die Geschichte der Terminologie zum Stilleben wie für die Entwicklung der niederländischen Sprache allgemein stellt Cornelis de Bie einen wichtigen Sonderfall dar: Er prägt den Begriff *vie coye* (stilles Leben) auf dem Porträtkupfer von David Bailly (S. 271 der Ausgabe Antwerpen 1662). In den südlichen Niederlanden verwendet nur er *still* in Zusammenhang mit Stilleben.

In Kupferstichen mit französischen Unterschriften bietet der Autor Porträts der niederländischen Künstler. Gedichte preisen ihre Arbeit ergänzt durch knappe Ausführungen zu Leben und Werk sowie Vorbildern in Antike und Neuzeit. Dort kehren die bekannten Beispiele aus dem Altertum und der nachantiken Kunstgeschichte wieder. Zu Jan de Heem beispielsweise erwähnt der Autor die Anekdote vom jungen Giotto, der seinen Lehrer Cimabue durch eine gemalte Fliege täuscht. Die Anspielung auf Zeuxis und Parrhasios schließlich bindet seinen Text ebenso in unseren Kontext ein wie eine Anekdote, daß Giovanni da Udine selbst den Papst zu täuschen verstand.

Der hier wiedergegebene Anfang des Gedichts zu Ehren Jan de Heems wendet sich an Schwangere auf eine Weise, in der tiefenpsychologische Deutungsmöglichkeiten von Stilleben mitschwingen mögen.¹³ Der Autor spielt zudem mit dem Wort *leven*; indem er das Verhältnis von Natur und Leben auf der einen Seite und der Kunst des Stillebenmalers Jan de Heem herausarbeitet. Nicht wiedergegeben sind die anschließenden Verse, die Leben ganz wörtlich nehmen; denn ihnen zufolge wird Jan de Heems Kunst mit ihm nicht sterben, weil er seinem Sohn die eigenen Fähigkeiten zu vermitteln wußte. Damit kann de Bie nur Cornelis de Heem (1631–1695) meinen, der freilich bei Erscheinen des Buchs erst 18 Jahre alt war.

Natur und Leben werden nachgeahmt, ohne daß ihnen etwas hinzugefügt wird; indem die Kunst der Natur in nichts nachsteht, ermöglicht sie nicht nur sich selbst das Überleben über den Tod des einen herausragenden Meisters hinaus (der übrigens erst 35 Jahre später starb), sondern entdeckt das Leben in unbeweglichen Früchten. Man beachte bei solch überbordendem barocken Spiel mit dem Wort *Leben* vor allem das Erscheinungsjahr: Denn der Text geht jenem Inventar von 1650 voraus, in dem zum ersten Mal überhaupt von Stilleben die Rede ist! Damit beweist Cornelis de Bie, daß man bereits vor der schriftlichen Niederlegung des Worts Stilleben all die poetischen Spiele mit dem Begriff treiben konnte, die noch heute das Schreiben über Stilleben bestimmen.

Francisco Pacheco über Stillebenmalerei (1649)

Es muy entretenida la pintura de las flores imitadas del natural en tiempo de primavera; y algunos han tenido eminencia en esta parte y [...] la antigüedad no careció desta gracia, que el primero en esta especie de pintura fue Pausanias [...]. (S. 124–125)

Tampoco falta en este tiempo quien se aficione al entretenimiento desta pintura, por la facilidad con que se alcanza y el deleite que causa su variedad.
La pintura a olio es más acomodata a este género, porque se puede retocar muchas veces y subir con la fineza de los colores a la verdadera imitación de las flores naturales. Puede haber maestria en los vasos de vidrio, de barro, de plata y oro y cestillos en que se suelen poner las flores y en la elección de las luces y diminución y apartamiento destas cosas entre si. Y alguna vez se pueden divertir en ellas buenos pintores, aunque no con mucha gloria, como veremos adelante, tratando de la calidad destas pinturas.
Por el mesmo camino va la pintura de las frutas, si bien pide más dificultad su imitación, por servir, en algunas ocasiones, a graves historias.[...] Alonso Vásquez no quiso quedarse atrás, haciendo demonstración en el famoso lienzo de Lázaro y el rico avariento; donde, en un aparador de vasos de plata vidrio y barro, puso mucha diversidad de colaciones y otras frutas, y un frasco de cobre puesto en agua a enfriar, todo pintado con mucha destreza y propriedad. Pero, hizo lo que no hacen otros

pintores de frutas, que dió a las figuras igual valentia que las démas cosas. También he probado este exercicio, y el de las flores, que jusgo no ser muy difícil. Por esto me parece que tal vez las podrán usar grandes pintores en sus historias, procurando poner mayor cuidado en las cosas vivas, como figuras y animales, donde se conserva mayor opinión. Y, porque no se pueden dar reglas a esta pintura, más de que se use de finos colores y de puntual imitación, pasaremos a la entretenida pintura de los lexos, y acabaremos este capítulo. (S. 125–127)

Otros se han inclinado a pintar pescaderías con mucha variedad; otros, aves muertas y cosas de caza; otros, bodegones con diferencias de comida y bebida; otros, figuras ridículas con sugetos varios y feos para provocar a (la) risa y todas estas cosas, hechas con valentía y buena manera, entretienen y muestran ingenio en la disposición y en la viveza. Verdad sea que los peces y aves y cosas muertas más facilmente se alcanza su imitación, porque en la postura que se elige al principio aguardan todo lo que quiere el pintor y en todas las cosas de comer, o beber, sucede el mismo, como en los vasos y frutas; pero, siendo las cosas vivas, peces, aves o animales dan más cuidado al pintor, por haber de hacer los movimientos naturales: [...]. (S. 135)

Pacheco, Francisco, *Arte de la pintura*, 1649, hier zitiert nach der Ausgabe: Madrid 1956, hrsg. von F. J. Sanchez Canton, 2 Bde., Bd. 2, S. 124 ff.

Ein Bild naturgetreuer Blumen im Frühling ist etwas sehr Vergnügliches; und einige haben auf diesem Gebiet Vorzüglichkeit erreicht [...]. Auch die Antike entbehrte dieses anmutige Genre nicht, denn der Erste in dieser Art von Malerei war Pausanias. [...] Es fehlt in unserer heutigen Zeit auch nicht an Malern, die von der Erhaltung dieser Gattung begeistert sind, denn sie ist mit Leichtigkeit zu erlernen und ihre Vielfalt ist sehr ergötzlich [...].
Die Ölmalerei ist besonders geeignet für diese Gattung, denn man kann immer wieder übermalen und durch die Feinheit der Farben eine getreue Imitation natürlicher Blumen erreichen. Es mag Meisterschaft geben im Malen von Vasen aus Glas, Ton, Silber oder Gold, von Körbchen, in die man die Blumen zu setzen pflegt, sowie in der Wahl des Lichts und im Arrangieren der Gegenstände untereinander. Manchmal amüsieren sich gute Maler damit, obwohl es nicht zu Ruhm führt, wie wir später noch sehen werden, wenn wir die Qualität solcher Malerei beurteilen.
Denselben Weg geht die Früchtemalerei, obwohl sie mehr Vorsicht verlangt und ihre Imitation größere Schwierigkeiten macht, um in einigen Fällen ernsten Historien zu dienen. [...] Alonso Vásquez wollte nicht zurückstehen und zeigte sein Können in dem berühmten Gemälde Lazarus und der reiche Geizhals, *hier legte er in eine Anrichte mit Gefäßen aus Silber, Glas und Ton eine große Vielfalt an kleinen Gerichten und anderen Früchten hinein, sowie eine Kupferflasche, die zum Kühlen in Wasser liegt, alles mit großer Geschicklichkeit und Genauigkeit gemalt. Aber er tat etwas,*

was andere Früchtemaler nicht machen, er gab den Figuren gleichen Wert wie den übrigen Dingen. Ich habe mich auch an dieser Übung versucht sowie an der mit den Blumen, die ich für nicht sehr schwierig halte. Deshalb scheint es mir, daß große Maler sie vielleicht in ihren Historienbildern verwenden könnten, indem sie darauf achten, eine größere Sorgfalt in lebende Dinge, wie Figuren und Tiere, zu legen, die höher geschätzt werden. Und, da man dieser Malerei keine Regeln auferlegen kann, außer daß man feine Farben verwende und eine sehr genaue Imitation mache, werden wir zur unterhaltenden Malerei des gesottenen Fleisches übergehen und beenden dieses Kapitel.

[...] Andere malten lieber Fische in großer Vielfalt, andere tote Vögel und Jagdstücke, wieder andere bodegones *mit verschiedenen Nahrungsmitteln und Getränken. Andere wiederum malten lustige Figuren mit verschiedenen häßlichen Gegenständen, um zum Lachen anzuregen. All diese Dinge sind vergnüglich und zeigen, wenn sie mit Kraft und Können gemacht sind, eine große Fähigkeit in Arrangement und Lebhaftigkeit. Es ist wahr, daß tote Fische, Vögel und andere Dinge leichter zu imitieren sind, da sie ihre Haltung, die am Anfang festgelegt wird, solange der Maler will, beibehalten. Dasselbe gilt für die Dinge zum Essen und Trinken wie für die Vasen und die Früchte; sind aber Gegenstände wie Fische, Vögel oder andere Tiere lebendig, so fordern sie vom Maler größere Sorgfalt, da er die natürlichen Bewegungen malen muß: [...]*

[Übersetzung von Doris Müller-Ziem]

Kommentar

Francisco Pacheco del Rio (1564–1654), in Sevilla aufgewachsener Maler und Literat, war Lehrer und Schwiegervater von Velásquez. Aus einfachen Verhältnissen stammend, genoß Pacheco eine vorzügliche Ausbildung, die ihm an der Wende zwischen Manierismus und Barock eine unverwechselbare Stimme gab. Aus seiner Lektüre antiker Autoren versteht sich die im Wort *lexos* enthaltene Anspielung auf *Obsonia*. Allerdings verwechselt er in seinem Buch über die Malerei zuweilen Namen wie hier Pausanias (statt Pausias?)

Gerade angesichts der klassischen Bildung erstaunt Pachecos Unvoreingenommenheit gegenüber der niederen Gattung. Aus Erfahrung im Atelier weiß er, daß man ein Stilleben in Öl durch viele korrigierende Malschichten nacheinander realisieren kann. Damit führt Pacheco ebenso wie sein Schüler Velásquez aus der Nachahmung der Natur in jene Auseinandersetzung mit Motiv und Malerei als Medium über, die von Chardin bis zu Cézanne und Picasso die Gattung bestimmen sollte.

Abb. 16
Jean-Baptiste-Siméon Chardin: *Das Olivenglas*
(Paris, Musée du Louvre)

Denis Diderot über Jean-Baptiste Siméon Chardin (Salon von 1765)

C'est celui-ci qui est un peintre, c'est celui-ci qui est un coloriste. Il y a au Salon plusieurs petits tableaux de Chardin; ils représentent presque tous des fruits avec accessoires d'un repas. C'est la nature même. Les objets sont hors de la toile et d'une verité à tromper les yeux. [...] L'artiste a placé sur une table, un vase de vieille porcelaine de la Chine, deux biscuits, un bocal rempli d'olives, une corbeille de fruits, deux verres à moitié pleins de vin, une bigarade, avec un paté.

Pour regarder les tableaux des autres, il semble que j'aie besoin de me faire des yeux; pour voir ceux de Chardin, je n'ai qu'à garder les yeux que la nature m'a donné, et m'en bien servir. Si je destinais mon enfant à la peinture, voilà le tableau que j'achèterais. Copie-moi cela, lui dirais-je, copie-moi cela encore. Mais peut-être la nature n'est-elle pas plus difficile à copier. C'est que ce vase de porcelaine est de la porcelaine; c'est que ces olives sont réellement séparées de l'oeil par l'eau dans laquelle elles nagent; c'est qu'il n'y a qu'à prendre ces biscuits et les manger; cette bigarade, l'ouvrir et la presser; ce verre de vin, et le boire; ces fruits, et les peler; ce pâté, et y mettre le couteau. C'est celui-ci qui entend l'harmonie des couleurs et ses reflets. O Chardin, ce n'est pas du blanc, du rouge, du noir que tu broies sur ta palette; c'est la substance même des objets, c'est l'air et la lumière que tu prends à la pointe de ton pinceau, et que tu attaches sur la toile. Après que mon enfant aurait copié et recopié ce morceau, je l'occuperais sur la Raie dépouillée[14] *du même maître. [...] On n'entend rien à cette magie. Ce sont des couches épaisses de couleur, appliquées les unes sur les autres, et dont l'effet transpire de dessous en dessus. D'autres fois on dirait que c'est une vapeur qu'on a soufflée sur la toile; ailleurs, une écume légère qu'on y a jetée. [...] Ah, mon ami, crachez sur le rideau d'Apelle et sur les raisins de Zeuxis. On trompe sans peine un artiste impatient, et les animaux sont mauvais juges en peinture. N'avons-nous pas vu les oiseaux du Jardin du Roi aller se casser la tête contre la plus mauvaise des perspectives? Mais c'est vous, c'est moi que Chardin trompera, quand il voudra.*

Diderot, Denis, Salon von 1765, in: *Oeuvres complètes de Diderot*, hrsg. von Jules Assézat und Maurice Tourneux, 20 Bde., Paris 1975 ff., Bd. 13, S. 379–381.

Das ist wahrhaftig ein Maler! Das ist ein Kolorist! Im Salon hängen mehrere kleine Gemälde von Chardin. Sie stellen fast alle irgendwelche Früchte mit dem Zubehör eines Mahles dar. Das ist die Natur selbst. Die Gegenstände treten aus der Leinwand hervor und haben eine Wahrheit, die die Augen täuscht. [...] Der Künstler hat auf einem Tisch ein altes chinesisches Gefäß, zwei Biskuits, ein Glas mit Oliven, einen Korb mit Früchten, zwei halbvolle Gläser Wein und eine Pomeranze mit einer Paste-te gruppiert. Um die Gemälde der anderen zu betrachten, muß ich mir, so scheint es, andere Augen anschaffen. Um die Gemälde Chardins zu betrachten, brauche ich nur die Augen zu behalten, die mir die Natur gegeben hat, und sie gut zu benutzen. Wenn ich meinen Sohn [sic!] für die Malerei bestimmt hätte, dann würde ich dieses Bild kaufen. »Mache mir eine Kopie davon«, würde ich zu ihm sagen, »und dann noch eine.« Aber vielleicht ist die Natur nicht schwieriger zu kopieren. Dieses Porzellangefäß ist wirklich aus Porzellan. Diese Oliven sind vom Auge wirklich durch die Flüssigkeit getrennt, in der sie schwimmen. Man braucht diese Biskuits nur zu nehmen und zu essen, diese Pomeranze nur aufzuschneiden und auszupressen, dieses Glas Wein nur anzufassen und auszutrinken, diese Früchte nur zu ergreifen und zu schälen, diese Pastete nur zu nehmen und das Messer anzusetzen. Dieser Mann versteht die Harmonie der Farben und der Reflexe. O Chardin, das ist nicht weiße, rote und schwarze Farbe, die du auf deiner Palette zerreibst; das ist die eigentliche Substanz der Gegenstände, das ist die Luft und das Licht, die du mit der Spitze deines Pinsels nimmst und auf die Leinwand überträgst. Nachdem mein Sohn dieses Stück kopiert und noch einmal kopiert hätte, würde ich ihn mit dem Enthäuteten Rochen *dieses Meisters beschäftigen. [...] Man versteht diese Magie überhaupt nicht. Da sind dicke, aufeinander aufgetragene Farbschichten, deren Effekt von unten nach oben durchdringt. In anderen Fällen möchten wir behaupten, ein feiner Dunst sei auf die Leinwand gehaucht, und wieder ein anderes Mal, ein leichter Schaum sei darauf gespritzt. [...] Oh, lieber Freund, pfeifen Sie auf den Vorhang des Apelles und auf die Trauben des Zeuxis. Man täuscht mühelos einen ungeduldigen Künstler, und Tiere sind schlechte Beurteiler in der Malerei. Haben wir nicht gesehen, wie die Vögel im Park des Königs sich die Köpfe an der schlechtesten Perspektive zerschmetterten? Aber Chardin täuscht auch Sie und mich, sooft er will.*

[Übersetzung von Friedrich Bassenge, zitiert nach: Diderot, Denis, *Ästhetische Schriften*, hrsg. von F. Bassenge, 2 Bde., Berlin/Weimar 1968, Bd. 1, S. 453 f.]

Kommentar

Die Schriften von Denis Diderot (1713–1784)[15] sind das wichtigste Zeugnis für die Kunsttheorie der französischen Aufklärung. Mit seiner *Encyclopédie* hatte Diderot 1751 bis 1777 bahnbrechend auch für die Ästhetik gewirkt, weniger zu Stilleben als zur Figurenmalerei beitragend. Dabei blieben die antiken Anekdoten präsent, wenn auch mit Verwechslung von Apelles und Parrhasios.

Verstanden ältere Autoren *Imitatio* im aristotelischen Sinne als Nachahmung der Natur,[16] so scheint sich dieser Begriff bei Diderot verändert zu haben, wenn er in Chardins »Stilleben mit Olivenglas« (Abb. 16) *die Natur selbst* sieht. Chardin (1699–1779), der die französische Stillebenmalerei zu höchster Blüte brachte, wurde 1728 als *Peintre dans les talents des animaux et des fruits* in die Akademie aufgenommen, seit 1743 Akademierat und 1755 deren Schatzmeister. Seine Stilleben kennzeichnen große Schlichtheit bei formalem Reichtum. Sein besonderes Augenmerk galt der maltechnischen Gestaltung.

Denis Diderot, *Imitation*, in der *Encyclopédie* (1765)

Imitation, *c'est la représentation artificielle d'un objet. La nature aveugle n'imite point; c'est l'art qui imite. [...] La nature est toujours vraie; l'art ne risquera donc d'être faux dans son* imitation *que quand il s'écartera de la nature, ou par caprice ou par l'impossibilité d'en approcher d'assez près. L'art de* l'imitation *en quelque genre que soit, a son enfance, son état de perfection et son moment de décadence. Ceux qui ont créé l'art n'ont eu de modèle que la nature. Ceux qui l'ont perfectionné n'ont été, à les juger à la rigueur, que les imitateurs des premiers; ce qui ne leur a point ôté le titre d'hommes de génie, parce que nous apprécions moins le mérite des ouvrages par la première invention et la difficulté des obstacles surmontés, que par le degré de perfection et l'effet. [...]*
Celui qui invente un genre d'imitation *est un homme de génie; celui qui perfectionne un genre* d'imitation *inventé, ou qui y excelle, est aussi un homme de génie.*

Diderot, Paris 1975 ff., Bd. 15, S. 168 f.

Nachahmung *ist die künstliche Darstellung eines Gegenstandes. Die blinde Natur ahmt nicht nach; nur die Kunst ahmt nach. [...] Die Natur ist immer wahr; die Kunst läuft also nur dann Gefahr, in ihrer* Nachahmung *unwahr zu sein, wenn sie von der Natur abweicht, sei es aus Willkür, sei es wegen der Unmöglichkeit, der Natur nahe genug zu kommen. Die Kunst der* Nachahmung *in irgendeiner beliebigen Gattung hat ihre Kindheit, ihren Zustand der Vollkommenheit und ihren Zeitpunkt des Verfalls. Diejenigen, die die Kunst schufen, hatten kein anderes Modell als die Natur. Diejenigen, die sie vervollkommneten, waren – streng genommen – nur die Nachahmer der ersten; doch nahm ihnen das nicht das Prädikat „Männer von Genie", weil wir den Wert der Werke weniger an der Priorität der Erfindung und der Schwere der überwundenen Hindernisse als am Grad der Vollkommenheit und am Effekt messen. [...] Wer eine Gattung der* Nachahmung *erfindet, ist ein Mann von Genie; wer eine erfundene Gattung der* Nachahmung *vervollkommnet oder sich in ihr auszeichnet, ist ebenfalls ein Mann von Genie.*

[Übersetzung von Friedrich Bassenge, ebenda, Bd. 1, S. 497 f.]

Kommentar

Die Begriffe *illusion* und *imitation de la nature*[17] erhellt Diderots Artikel *Imitation* in der Enzyklopädie 1765. Beim *homme de génie* fragt es sich, wie der Maler, der Gefahr läuft unwahr zu werden, wenn er in seiner Kunst vom Modell der Natur abweicht, selbst eine *Gattung der Nachahmung erfinden* kann? Dazu ist das *Erfinden einer Nachahmung* als Aufforderung zu begreifen, der Künstler solle seine eigene Darstellungsweise finden, so daß das Gemalte als von ihm interpretierte Natur erscheint.

Diderot meint nicht unwillkürliche Täuschung wie etwa im Wettstreit von Zeuxis und Parrhasios. Vielmehr geht es nun um einen bewußten Vorgang des Sehens und Vergleichens: Chardin setzt in den Stilleben optische Phänomene mittels Farbmaterie um. Indem er dicke Farbschichten übereinander legt, damit deren Effekt von unten nach oben durchdringt, und Bilder schafft, die sich je nach Entfernung verändern, eröffnet er den Weg zur Faszination von Kunst, die später unter dem Schlagwort der Realisation gefaßt wurde.[18]

Zwar vergleicht auch Diderot Chardins Gemälde mit Natur, jedoch ohne Gemaltes und außerbildliche Realität zu verwechseln. Deshalb spricht er nie von täuschender Nachahmung, sondern immer nur von Nachahmung der Natur. Dieser Zusammenhang wird beim Rückbezug deutlich, auch wenn er im Eifer der Salonkritik den Namen des Parrhasios durch den berühmteren des Apelles ersetzt. Diderot kann bewußtes Vergleichen beim Sehen genießen und damit einem Verständnis von Stillebenmalerei nahe kommen dem das Wie des Malens wichtiger wird als das Was. Da Diderot Vergleichen zwischen der *immer wahren Natur* und dem Gemälde genügt, blieb er an einer Schwelle stehen, die erst das entschiedener mediale Denken des 19. Jahrhunderts überschreiten sollte.

Jean-Etienne Liotard über die notwendige Kunstfertigkeit beim Stillebenmalen (1782)

[...] j'ai peint depuis un mois et demi quatre tableaux de suite. L'un sont des abricots, le deuxième, poires, figues et prunes, le troisième, des pèches, des poires bon chrétien, un rousselet, une torche et une clé; le quatrième, trois brugnons sur une petite assiette plate, un melon et un couteau. Je compte d'en faire un de raisins, un autre de pommes et de quelque autre manière. Ces quatre tableaux ont plus de fraîcheur et de vivacité, et les objets sont plus vrais que ceux de Vanhuisume, mais ils ne sont pas aussi finis. Quand je n'avais que trente ans, je ne les aurais pas fait aussi bien, ayant plus d'art que je n'en avais alors. On les a trouvés si beaux qu'on m'a obligé d'y mettre mon nom et mon âge de 80 ans. [...]

Brief an seinen Sohn vom 24. September 1782, Genf, Bibliothéque Publique et Universitaire, Ms. fr. 354, hier zitiert nach Faré 1962, Bd. 1, S. 172.

[...] ich habe in den letzten eineinhalb Monaten hintereinander vier Bilder gemalt. Auf dem einen sind Aprikosen, auf dem zweiten Birnen, Feigen und Pflaumen, das dritte zeigt Pfirsiche, Christbirnen, eine Zuckerbirne, ein Tuch und eine Schlüssel, das vierte drei Nektarinen auf einem kleinen flachen Teller, eine Melone und ein Messer. Ich habe vor, ein Bild mit Trauben zu malen, ein anderes mit Äpfeln und anderen Dingen. Diese vier Bilder besitzen mehr Frische und Lebendigkeit und die Gegenstände sind echter als die von van Huysum, aber sie sind nicht so vollendet. Als ich erst dreißig Jahre alt war, hätte ich sie nicht so gut machen können, denn ich besitze nun eine größere Kunstfertigkeit als damals. Man findet die Bilder so schön, daß man mich gedrängt hat, meinen Namen und mein Alter von 80 Jahren darauf zu setzen.[...]

[Übersetzung von Doris Müller-Ziem]

Kommentar

Zu Plinius und dem Wettstreit von Zeuxis und Parrhasios sowie zum Problem des Identisch-Machens beim Malen führt dieser Brief des Schweizer Malers Jean-Etienne Liotard (1702–1789) an seinen Sohn vom 24. September 1782 zurück.   *C. S.*

Anmerkungen

1. Vgl. hierzu auch Kris/Kurz 1980, S.89 ff. (zuerst: Wien 1934).
2. Cicero, *de invent.* 2,1, 1-3; Plinius d. Ä., *hist. nat.*, XXXV, 64.
3. Beim Trompe l'oeil gilt es, mehrere Dinge zu beachten. Unverzichtbar ist Lebensgröße. Nach Creighton Gilbert 1992 nutzt Trompe-l'oeil-Malerei häufig, daß Gemälde hängen, indem sie Gegenstände wählt, die ebenfalls an Wänden hängend angetroffen werden. Ein in der Tiefe stark reduzierter Vorhang eignet sich besonders als Objekt. Vgl. auch Milman 1982.
4. Schon bei Aristoteles (384–322 v. Chr.) klingt an, daß die Freude an der Nachahmung (*mimesis/imitatio*) nicht durch die Art des dargestellten Objekts entsteht, sondern dadurch, daß Objekt und Darstellung identisch sind (*Rhetorica*, 1371 b, 23). Solches Identisch-Machen hängt vom Künstler ab. Während sich der Betrachter an der Nachbildung erfreut, reflektiert er zugleich dessen Talent (Plinius, *hist. nat.*, XXXV, 112).
5. Die lateinische Fassung von 1435 übersetzte Alberti später für Brunelleschi ins Italienische.
6. Vgl. hierzu unseren Abschnitt zur Akademiedoktrin. Zur *historia* auch wegen Albertis Rückgriffen auf antike Rhetorik vgl. Kristine Patz, Zum Begriff der »Historia« in L.B. Albertis »De pictura«, in: *Zeitschrift für Kunstgeschichte* 49, 1986, S. 269-287.
7. Vgl. die auf S. 43 zitierte Stelle aus Panofsky, *Idea*.
8. Vgl. Stefania Bedoni, *Jan Bruegel in Italia e il Collezionismo del Seicento*, Florenz und Mailand 1983, sowie Ertz 1979 mit kritischem Oeuvreverzeichnis.

9   Wegen der langjährigen Schließung der Ambrosiana war der Originaltext unzugänglich.
10 Für eine Farbabb. des Mailänder Blumenstraußes s. zuletzt Ausst.-Kat. Rom 1995/96, Nr. 14.
11 Vgl. oben Anm. 128 auf S. 85 sowie Brenninkmeyer-de Rooij, Zeldzame bloemen, ›Fatta tutti del naturel‹ door Jan Brueghel I., in: *Oud Holland*, 104, 1990, S. 218–248.
12 Vgl. die Zusammenstellung im *Catalogue général des livres imprimés de la Bibliothèque Nationale*, Bd. 13, Paris 1903, Sp. 2–7; mit 31 Einträgen eigenständiger Schriften.
13 Vgl. das von Lützeler 1975, S. 854 f. zitierte Beispiel einer Interpretation eines Freud-Schülers Georg Groddeck eines Stillebens von Abraham Mignon.
14 Der *Enthäutete Rochen* war Chardins Aufnahmestück für die Akademie von 1728, heute im Louvre.
15 Zu Diderot siehe: Angelika Breitmoser, *Tradition als Problem in der Stillebenmalerei Jean-Baptiste Siméon Chardins*, München 1987. René Demoris, Diderot et Chardin. in: *La Voix du silence, Actes du Colloque d'Aix-en-Provence*, Université de Provence, 1986, S. 43–54. Herbert Dieckmann, *Cinq Leçons sur Diderot*, Genf/Paris 1959. Ders., Die Wandlung des Nachahmungsbegriffes in der französischen Ästhetik des 18. Jahrhunderts, in: *Nachahmung und Illusion*, hrsg. von H. R. Jauß, München 1969, S. 28–59. A. Dresdner, *Die Entstehung der Kunstkritik*, München 1968 (zuerst: München 1915). Hubertus Kohle, *Ut pictura poesis non erit. Denis Diderots Kunstbegriff*, Hildesheim/New York 1989. Siegfried Jüttner, Die Kunstkritik Diderots, in: *Beiträge zur Theorie der Künste im 19. Jahrhundert*, Bd. 1, Frankfurt a.M. 1971, S. 13–29. John W. McCoubrey, *Studies in French Still-Life Painting. Theory and Criticism: 1660–1860*. New York 1958 (Diss). Gundolf Winter, Diderot et Chardin. Pour un Fondement théorique de la »Peinture relationnelle«, in: *Le regard et l'Objet. Diderot critique d'art*. Actes du second colloque des Universités d'Orléans et de Siegen, hrsg. von Michel Delon und Wolfgang Drost, Heidelberg 1989, S. 111–131.
16 Vgl. hierzu: Gunter Gebauer und Christoph Wulf, *Mimesis. Kultur - Kunst - Gesellschaft*, Hamburg 1992, S. 81–89. Dort auch weitere Literaturhinweise.
17 Bereits Gundolf Winter hat vermutet, daß in Diderots Verständnis von Illusion ein Schlüssel seiner Wertschätzung von Chardins Malerei liegt. S. Winter wie Anm. 15, S. 113 ff.
18 Dieses Phänomen steht in engem Zusammenhang mit dem von Diderot im Salon von 1763 verwendeten Begriff *Heurté*: *Ce faire de Loutherbourg, de Casanova, de Chardin et de quelques autres, tant anciens que modernes, est long et pénible. Il faut chaque coup de pinceau ou plutôt de brosse, ou de pouce, que l'artiste s'éloigne de sa toile pour juger de l'effet. De près l'ouvrage ne paraît qu'un tas informe de couleurs grossièrement appliquées. Rien n'est plus difficile que d'ailler ce soin, ces détails avec ce qu'on appelle la manière large. Si les coups de force s'isolent, et se font sentir séparément, l'effet du tout est perdu. Quel art il faut pour éviter cet écueil! Quel travail que celui d'introduire entre une infinité de chocs fiers et vigoureux, une harmonie générale qui les lie et qui sauve l'ouvrage de la petitesse de forme! Quelle multitude de dissonances visuelles à préparer et à adoucir! Et puis, comment soutenir son génie, conserver sa chaleur, pendant le cours d'un travail aussi long? Ce genre heurté ne me déplaît pas (Salon de 1763, a. a. O., Bd. 13, S. 225).* (Diese Technik von Loutherbourg, von Casanova, von Chardin und einigen anderen, ebenso alten wie modernen, ist langwierig und mühevoll. Es ist notwendig, daß sich der Künstler nach jedem Strich des Pinsels oder besser der Quaste oder des Daumens von seiner Leinwand entfernt, um den Effekt zu beurteilen. Von Nahem erscheint das Werk nur wie ein unförmiger Haufen von Farben, grob aufgetragen. Nichts ist schwieriger als diese Sorgfalt, dieses Detail mit dem zu verbinden, was man »manière large« nennt. Wenn kraftvolle Eingriffe für sich allein stehen und getrennt erscheinen, ist der Effekt des Ganzen verloren. Was für eine Kunst ist nötig, diese Klippe zu vermeiden! Wie jene, in eine unermeßliche Vielfalt von stolzen und kraftvollen Schocks eine allgemeine Harmonie einzubringen, die sie verbindet und das Werk vor der Kleinlichkeit der Form bewahrt! Welche Menge von visuellen Dissonanzen sind anzulegen und zu mildern, und dann wie soll man sein Genie bewahren, sein Feuer behalten während eines so langen Arbeitsverlaufs? Dieses heurté-Genre mißfällt mir nicht (Übersetzung der Herausgeber).

Stilleben gegen die Absenz der realen Dinge

Der Aspekt des Malens von Gegenständen »gegen die Absenz«[1] ist eng mit der *Imitatio* verknüpft: Realistische, ja täuschende Nachahmung läßt Gemälde zum Ersatz für die realen Dinge werden, insbesondere, wenn diese wie Früchte und Blumen an den Jahreslauf gebunden waren.

Leonardo Giustiniani (vor 1446) und Filarete (1464) zur Aufhebung der Jahreszeiten durch Malerei

Laus picturae.

[...] naturae vires, ac potestatem adeo in plerisque rebus circumscriptam esse animadvertimus, ut non nisi Vere flores, Autumno fructus pariat, pictura vero sole sub ardenti nives, et hiberna tempestate Violas, Rosas, Poma, Baccasque, et affatim quidem procreet. [...]

Undatierter Brief an eine nicht identifizierte Königin von Zypern, zitiert nach Michael Baxandall, *Giotto and the Orators*, Oxford 1971, S. 161.

Lob der Malerei.

[...] bemerken wir doch, daß die Kräfte der Natur und ihre Macht in den meisten Dingen derart eingegrenzt sind, daß sie nur im Frühling Blumen und im Herbst Früchte hervorbringt, die Malerei aber unter glühender Sonne Schnee und bei winterlichem Wetter Veilchen, Rosen, Obst und Beeren, und dies sogar reichlich zu erzeugen vermag. [...]

[Übersetzung von B. Fenigstein, zitiert nach: Fenigstein, B., Leonardo Giustiniani, Halle 1909, S. 20]

Se non fusse stato degno esercizio non tanto arebbono lodato e onorato tal magistero, ché non è arte che abbia tanta forza di rapresentare la natura quanto ha questa; chè vedrete alcuna volta quelle che tempo non può, ne può fare e farà uno maestro in dimostrazione, mediante questo sapere adoperare di questi colori. Come non si vede fare di Gennaio, quando è la neve, delle rose a uno maestro che parranno proprio? E d'altri fiori ancora, e frutti di più ragioni? Si che abbia questo per uno il più degno esercizio che per mano si faccia la pittura.

Averlino, Antonio, genannt Filarete, *Trattato di Architettura*, hrsg. von Anna Maria Finoli und Liliana Grassi, 2 Bde., Mailand 1972, Bd. 1, S. 664.

Wenn es nicht würdige Arbeit gewesen wäre, dann hätte man einen solchen Meister nicht so gelobt und geehrt, weil es keine Kunst gibt, die so viel Kraft hätte, die Natur darzustellen wie diese Kunst. Denn ihr werdet einmal sehen, daß ein Meister das, was die Zeit nicht vermag, durch seine Fähigkeit, diese Farben zu handhaben, in der Praxis machen kann und machen wird. Warum sieht man nicht den Januar, wenn Schnee liegt, Rosen hervorbringen, die einem Meister würdig (eigen) erscheinen? Und andere Blumen und Früchte verschiedenster Art? So daß dies für jemanden, der mit der Hand die Malerei ausführt, die würdigste Übung sei.

[Übersetzung von Doris Müller-Ziem]

Kommentar

Die Möglichkeit, mit Farben Produkte der Natur unabhängig von Jahreszeiten zu erzeugen, hat bereits die Frührenaissance als Argument für die Überlegenheit der Malerei gegenüber der Natur angeführt.[2] Während Leonardo Giustiniani (gest. 1446), venezianischer Humanist und Schüler des Guarino da Verona (1374–1460), dieses Vermögen der Malerei abstrakt und allgemein zuschrieb, bezieht Filarete aktivisch auch den Maler ein, der als »Schöpfer« des Gemalten direkt gegen die Natur antrete: Er schaffe nicht nur nach der Natur, sondern auch parallel zu ihr.

Steht die *Imitatio naturae* hier im Wettstreit mit den handwerklichen Fähigkeiten der Meisterin Natur, so hat der Künstler wegen der Unvergänglichkeit von Malerei die Natur schon von vornherein besiegt. Darin liegt eine Motivation für das Malen von Blumen und Früchten, die, sind sie erst gemalt, gegen die mögliche Absenz ihrer realen Vorbilder stehen. Doch autonome Kunstwerke brachte erst die Zeit um 1600 hervor.

Federico Borromeo über die Freude an gemalten Blumen im Winter (1628)

Borromeo, Federico, *Pro suis studiis*, ungedruckt: Mailand, Bibliotheca Ambrosiana, Ms. G 310, inf.no.8, fol. 254v–255.
Original wegen der Restaurierung der Bibliothek nicht zugänglich.

[Wenn ich in meinem Studio bin] und es heiß ist, erfreuen mich Blumen und einige Früchte auf dem Tisch. Und am meisten habe ich es genossen, die Früchte des Frühlings und seine Blumen zu haben und stets im Sommer – je nach der Unterschiedlichkeit des Wetters – verschiedene Vasen im Zimmer zu haben und diese nach Gelegenheit und Gefallen zu verändern. Wenn der Winter naht und alles mit Eis überzieht, hat mich der Anblick – und ich imaginierte sogar den Geruch –, wenn auch nicht von echten, so doch von künstlichen Blumen [...] erfreut, wie er sich in Malerei ausdrückt, [...] und in diesen Blumen wollte ich die Vielfalt der Farben sehen, die nicht verfliegen wie bei einigen Blumen, die [in der Natur] angetroffen werden, sondern beständig und sehr dauerhaft sind.

[Übersetzung der Herausgeber nach der Fassung von Pamela Jones, Federico Borromeo as a Patron of Landscapes and Still Lifes: Christian Optimism in Italy ca. 1600, in: *Art Bulletin* 70, 1988, S. 261–272, bes. S. 269]

Kommentar

Federico Borromeo (1564–1631), seit 1595 Erzbischof von Mailand, hatte in den 1590er Jahren in Rom begonnen, Gemälde zu erwerben.[3] Seine Vorliebe für Landschaften und Stilleben begründet er mit mangelnder Zeit für Studium und Gebet in der Natur.[4] In der autobiographischen Schrift *Pro suis studiis* schildert er seine Gewohnheiten im Studiolo. Blumenstilleben waren ihm akzeptable Substitute, falls die echten Objekte nicht verfügbar waren. Die Malerei, die die Schönheit der Blumen aus dem Fluß der Zeit befreit und in dauerhafte Bilder überträgt, macht Farben dauerhaft, was Borromeo als Steigerung gegenüber natürlichen Blumen empfindet.

Jan Vos in Bildgedichten über Blumen-Stilleben von van Aelst und Pater Seghers (1662)

Bloemen door van Aelst geschildert

Hier komt de lieve Lent by wintertyd verschijnen. / Natuur, die al wie maalt door haar penceel verdooft, / Begint, nu zy dit ziet, van enk'len spyt te kwynen / Aurora, leg uw pruik vol roozen van uw hooft: / Hier groeijen roozen die uw hulsel overtreffen. / Zoo word VAN AELST, door Konst, de waereld door beroemt. / Wie and'ren overwint behoord men te verheffen. / Zyn hand, vol geesten, heeft hed blad van dit gebloemt / Beschildert met een glans, die nimmer zal verslensen. / Het loof dat heet en koud verduurt zal eeuwig staan. / Vrouw Venus zou haar krans om dit gewasch verwenssen; / Om, als zy hoogtyd houd, te pronken met de blaân; / Of als zy't hart van Mars aanminnig komt bestryen. / T cieraad der Vrouwen is de lyst der Schilderyen.

Vos, Jan, *Alle de gedichten van den poeet Jan Vos*, hrsg. von J. Lescaille, Amsterdam 1662, S. 566.

Blumen von van Aelst gemalt

Hier kommt der liebe Frühling, zur Winterszeit zu erscheinen. / Natur, die jeden, der malt, mit ihrem Pinsel betäubt, / Beginnt jetzt, wo sie dieses sieht, von einigem Leid zu verkümmern. / Aurora, lege die Perücke voller Rosen von Deinem Haupt: / Hier wachsen Rosen, die Deine Hülle übertreffen / So wurde van Aelst durch die Kunst in der Welt berühmt. / Wer andere überwindet, gehört erhoben / Seine Hand, geistreich, hat das Blatt dieser Blumen / Bemalt mit einem Glanz, der nimmer soll verblassen / Das Blatt, das Heiß und Kalt überdauert, soll ewig bestehen. / Frau Venus wird ihren Kranz wegen dieses Gewächses verwünschen; / Um, wenn sie Festtag hält, mit diesen Blättern zu prunken: / Oder wenn sie's Herz von Mars anmutig kommt bekämpfen / Die Zier der Frauen ist der Rahmen der Gemälde.

[Übersetzung von Dieter Beaujean]

Op de geschilderde bloemen van Pater Zeeger.

Bekoorelijke Lent, prieel der jaargetyen! / Gy pronkt, doch voor een poos, met uwe schilderyen; / Maar Zeegers laat zich niet bepaalen op paneel. / Hy schept, wanneer 't hem lust, door 't strijken van 't penseel, / Een leevendige Lent van bloemen uit zijn verven, / Die door geen zoomerzon, noch wintersneeuw bederven. / Gebreekt het hem aan geur, u aan stantvastigheidt. / Heeft hy de keurge bie geen honighdouw bereidt? / De spin die weet by hem, als u, geen gift te haalen. / Gy kunt niet dan het veldt met uw gebloemt bemaalen; / Maar Zeegers maalt gebloemt op autaar en aan muur. / De kunsten zijn bywijl veel starker dan Natuur.

Vos 1662, S. 534.

Auf die gemalten Blumen von Pater Seghers

Verführerischer Lenz, Garten der Jahreszeiten! / Du prunkst doch nur für eine Weile mit Deinen Gemälden; / Aber Seghers läßt sich nicht einschränken auf's Tafelbild. / Er schöpft, wann es ihm gefällt, durch das Streichen des Pinsels,/ Einen lebendigen Lenz von Blumen aus seinen Farben, / Die durch keine Sommersonne noch Winterschnee verderben. / Gebricht es ihm an Duft, Dir an Standhaftigkeit. / Hält er der wählerischen Biene keinen Honigtau bereit? / Die Spinne weiß bei ihm kein Gift so wie bei Dir zu holen. / Du kannst nichts als das Feld mit Deinen Blumen bemalen; / Aber Seghers malt Blumen auf Altar und an die Wand. / Die Künste sind zuweilen viel stärker als Natur.

[Übersetzung von Dieter Beaujean]

Kommentar

Auch im 17. Jahrhundert stehen gemalte Blumen gegen die Absenz. Der holländische Dichter Jan Vos (1610–1667) schrieb neben anderen Bildgedichten zwei über Blumenstilleben. Willem van Aelst (1625/26–nicht vor 1683),[5] der den Frühling im Winter erscheinen läßt, übertrifft sogar die Natur, die sonst alle Maler beschämt. In raffiniertem Spiel von echt und falsch fordert der Dichter Aurora auf, ihre eigenen Rosen gegen die besser gemachten vom Maler einzutauschen. Selbst Venus hätte lieber die gemalten als jene, aus denen ihr Kranz geflochten ist. Vor diesem Hintergrund dürften, wie schon Gregor Weber[6] vermutete, die Taschenuhren, die van Aelst und seine Nachfolger auf ihren Blumenstilleben darstellten, nicht nur die Vergänglichkeit der Blumenpracht thematisieren, sondern allgemein die Zeit, die durch die Malerei überwunden wird.

Während in beiden Gedichten die größere Wertschätzung gegenüber den Blumen des Malers auf deren Unvergänglichkeit gründet, kommt im Gedicht über Pater Daniel Seghers (1590–1661)[7] als weiteres Argument der Überlegenheit von Malerei hinzu, daß sie es ermöglicht, Blumen auch außerhalb ihrer natürlichen Umgebung in Innenräumen verfügbar zu machen. Tatsächlich waren manche Blumen, die aus Gemälden der Zeit um 1600 vertraut sind (Abb.15), zu kostspielig, um abgeschnitten zu werden.

Jan Bruegel d. Ä. über den Wert seltener Blumen (1608)

[...] Un quadret de fiori, qualo io retrove con discomede alli giardini: simile fiori son trop in e'stimi per aver in casa: io spera che su Sig.Illmo a'ura gusto questa iverna.
Jan Bruegel d. Ä. in einem Brief an Ercole Bianchi vom 26. September 1608, zitiert nach Crivelli 1868, S. 110.

[...] Ein Blumenbild, welches ich mit Mühe in den Gärten finde: ähnliche Blumen sind zu hochgeschätzt, um sie zu Hause zu haben: ich hoffe, daß der verehrte Herr daran in diesem Winter Freude haben wird.
[Übersetzung von Doris Müller-Ziem]

Kommentar

Im 16. Jahrhundert wird an europäischen Höfen die alte Tradition neu belebt, Obstgärten zu halten,[8] und um die Wende zum 17. Jahrhundert entstehen die ersten größeren botanischen Gärten. Wahrscheinlich steht das Auftreten des selbständigen Blumenstillebens just zu Beginn des 17. Jahrhunderts mit der neuen Faszination von Blumenzucht ebenso wie mit der aufkommenden Spekulation um Tulpenzwiebeln in ursächlichem Zusammenhang.[9]

Exotische Blumen blieben, wie Jan Bruegel d. Ä. (1568–1625) bezeugt, zu wertvoll, um in Vasen arrangiert ins Haus zu kommen, wo sie noch schneller als im Garten verwelken müßten, so daß die Malerei – gegen die Absenz – dauerhaften Ersatz schaffen muß.

Johann Georg Sulzer über Malerei und Reichtum der Natur (1792)

Selbst die einzelnen kleineren Kunstwerke der Natur, die Blumen, in ihren so mannichfaltigen und immer ergötzenden Gestalten, und in dem lieblichen Glanz, oder in dem Reichthum ihrer Farben, sind ein unschätzbarer Gegenstand des Geschmacks, der allemal dabey gewinnet. Da es nicht möglich ist, ohne beträchtlichen Aufwand, der selbst das Vermögen der meisten Reichen übersteigt, diesen angenehmen Theil der irdischen Schöpfung aus allen Gegenden des Erdbodens zu sammeln, und in Natur zu besitzen; so muß die Kunst des Mahlers darin uns zu Hülfe kommen, und diese Gattung des Reichthums der Natur uns genießen lassen.

Sulzer, J. G., Artikel Mahlerey, in: *Allgemeine Theorie der schönen Künste* (...), Neue vermehrte 2. Auflage, 4 Bde., Leipzig 1792–1794, Bd. 3, S. 309.

Kommentar

Daß Malerei gegen die Absenz bis zum Ende des 18. Jahrhunderts ein Programm blieb, spricht aus Johann Georg Sulzers Schrift *Allgemeine Theorie der Schönen Künste* von 1792. Den vorrangigen Nutzen eines Blumenstücks sieht er darin, ein Surrogat für die sinnliche Erfahrung zu schaffen, die anders nicht gemacht werden kann.   *C. S.*

Anmerkungen

[1] Den Begriff »gegen die Absenz« verwendet Gottfried Böhm bei Porträtmalerei, s. Böhm 1985, S. 11 f. Zum Folgenden vgl.: Hagsturm 1958; Segal 1982; Jones 1988 und 1993; Weber 1991 sowie den Beitrag von Norbert Schneider, Vom Klostergarten zur Tulpenmanie, in: Kat.-Ausst. Münster/Baden-Baden 1979–80, S. 294–312.

[2] Die Vorstellung von der Künstlerschaft der Natur stammt aus der Antike und ist durch Aristoteles bezeugt, vgl. hierzu: F. Solmsen, Nature as Craftsman in Greek Thought, in: *Kleine Schriften I*, Hildesheim 1968, S. 332–355. Für Aristoteles stellen Natur und Kunst keinen Gegensatz dar, sondern bedienen sich, wesensverwandt, gleichgerichteter Methoden, vgl. Aristoteles, *Physik* II,3; De partibus animalium I,1. siehe hierzu W. Fiedler, *Analogiemodelle bei Aristoteles*, Amsterdam 1978, S. 168–289. Zum Thema Natur versus Kunst und Dauer von Kunst gegen Tod und Vergänglichkeit siehe Hagsturm 1958, S. 81f.

[3] Als erstes Stilleben kommt Caravaggios Fruchtkorb in seine Sammlung (vor 1601). Es folgen ab 1606 Blumenstücke und Gemälde des Gattungszwitters Madonna im Blumenkranz von Jan Bruegel d. Ä. Zu Borromeos Sammlung siehe Jones 1993, S. 215–223.

[4] Jones 1988, S. 262 führt dafür einen Brief Borromeos an seine Mutter vom Mai 1599 an, den sie folgendermaßen übersetzt: »Today I have been in a garden, almost outside Rome, solitary and almost a hermit. I want to do this frequently in this present month, and also in the following ones, because [...] it cheers up the spirit [...]«.

[5] 1625/26 in Delft geboren als Sohn des Notars Jan van Aelst; Schüler seines Onkels Evert van Aelst; 1649 in Frankreich, 1656 in Italien, in Florenz mit einer goldenen Kette geehrt, wie Houbraken berichtet. Nach der Rückkehr in Amsterdam, wo er 1683 noch in der Prinsengracht wohnhaft erwähnt wird. Lehrer der Maria van Oosterwyck (hier S. 240ff.).

[6] Weber 1991, S. 173.

[7] Antwerpener Schüler Jan Bruegels des Älteren, 1611 Meister, 1614 in den Jesuitenorden eingetreten; hat zahlreiche Blumengebinde um Figurenbilder anderer Maler, darunter Rubens und Cornelis Schut gemalt.

[8] Vgl. auch den Sammelband *Tuinen in de Middeleeuwen*, hrsg. Von R. E. V. Stuip und C. Vellekoop, Hilversum 1992.

[9] Als älteste datierte, in den nördlichen Niederlanden gemalte Blumenstilleben gelten zwei nahezu identische von Roelandt Savery im Centraal-Museum in Utrecht und in New Yorker Privatbesitz von 1603, während der Blumenbruegel schon vor der Jahrhundertwende, z. B. um 1598 Gemälde wie den grossen Wiener Blumenstrauß geschaffen hat; vgl. Segal 1982, S. 309–337.

Von der eigenständigen antiken Gattung zum rhetorischen Beiwerk im 16. Jahrhundert

Die Antike kannte Stilleben nicht nur als Motive in gemalten Scheinarchitekturen, sondern auch als eigenständige Bilder.[1] Die anschaulichste antike Quelle, die *Xenia* in Philostrats *Eikones*, geht deshalb von Stilleben als Selbstverständlichkeit aus. In nachantiken Zeiten, die keine Stilleben kannten, mußte sich hingegen ein Gattungsproblem stellen. Die Bearbeiter der Texte waren Philologen. Unschwer erkannten sie die Rolle der *Xenia* als Ausschmückung im rhetorischen Konzept der *Eikones*, so daß sie die Beschreibungen von Stilleben aus der Antike als Zeugnisse für Bilder gar nicht recht ernst nehmen konnten.

Philostrats *Xenia* in den *Eikones* (vor 245)

Gastgeschenke I
(1) Schön ist es aber auch, Feigen zu pflücken und auch an diesen hier nicht stumm vorüberzugehen. Dunkle Feigen, triefend von Saft, sind hier auf Weinlaub gehäuft und samt den Rissen in ihrer Haut gemalt. Die einen lassen nur durch einen dünnen Riß ihren Honig hervorquellen, die anderen sind vor Reife beinahe geplatzt. Neben ihnen liegt ein Zweig, wahrlich nicht ohne Ertrag und Frucht; nein der Schatten seiner Blätter liegt auf Feigen, teils grünen Spätlingen, teils verschrumpften und überreifen; andere davon klaffen ein wenig auf und zeigen den glänzenden Saft, die dort an der Zweigspitze hat ein Sperling angepickt, und solche hält man ja für die süßesten Feigen. (2) Der ganze Boden ist mit Nüssen bedeckt, von denen einige aus der Hülse gequetscht sind; andere liegen noch geschlossen da, wieder andere zeigen ihr Inneres. Aber sieh dort auch Birnen über Birnen und Äpfel über Äpfeln, lose Haufen davon und Zehnerpyramiden, alle duftend und schimmernd wie Gold! Ihr Rot wirst du sagen, ist nicht von außen aufgetragen, sondern von innen erblüht. (3) Hier sind Gaben des Kirschbaums, eine Ernte, die wie Trauben im Korb liegt; der Korb aber ist nicht aus fremden Ruten geflochten, sondern von dem Baum selbst. Wenn du aber auf das Rebenbündel siehst und die daran hängenden Trauben, und wie man jede Beere sieht, dann wirst du weiß ich Dionysos besingen und über die Rebe das Lied anstimmen: »O Hehre, die Trauben spendet«. Man möchte sogar sagen, die Trauben auf dem Bilde seien eßbar und voll Wein. (4) Auch dies ist sehr hübsch: auf Feigenblättern gelber Honig, schon eingeschlossen in der Wabe und reif, herabzutriefen, wenn man ihn preßt. Und auf einem anderen Blatt ist frischer, noch zitternder Käse, dazu Kühlgefäße für Milch, die nicht nur weiß ist, sondern

auch schimmert; denn auch zu schimmern scheint sie von dem Rahm, der oben schwimmt.

Philostratos II., *Eikones*, übersetzt und erläutert von Otto Schönberger, München 1968, I, 31, S. 169/171.

Gastgeschenke II
(1) Der Hase im Käfig, der mit dem Netz gefangen wurde, sitzt auf den Hinterläufen, spielt mit den Vorderfüßen und spitzt seine Löffel ein wenig, blickt aber auch mit vollem Auge und möchte sogar nach rückwärts schauen aus Argwohn und immerwährender Angst. Der dort aber mit aufgeschlitztem Bauch und über die Läufe abgehäutet an der dürren Eiche hängt, beweist die Schnelligkeit des Hundes, der unter der Eiche sitzt, sich ausruht und zeigt, daß er allein ihn fing. Die Enten bei dem Hasen, zehn, zähl nur!, und die Gänse ebensoviele wie die Enten, braucht man nicht zu befühlen; denn an der Brust, wo bei den Wasservögeln das Fett in Fülle sitzt, sind sie überall abgerupft. (2) Wenn du aber gesäuerte Brote lieber magst, oder solche mit acht Einschnitten, da liegen sie in dem tiefen Korb. Und wenn du etwas Zukost willst, hast du es in ihnen, denn sie sind mit Fenchel und Eppich gebacken, auch mit Mohn, der süßen Schlaf bringt. Wenn es dich aber nach einer richtigen Tafel gelüstet, mußt du mit dem hier auf die Köche warten, für jetzt nimm mit Ungekochtem vorlieb! (3) Warum greifst du also nicht schnell nach den baumreifen Oliven, die hier aufgehäuft in einem andern Korb liegen? Weißt du nicht, daß du sie bald nicht mehr so frisch bekommen wirst, sondern schon ihres Schmelzes beraubt? Übersieh auch nicht das Naschwerk hier, wenn du dir etwas aus Mispeln und Zeuseicheln (Eßkastanien) machst, die er als glatteste Frucht in stacheliger Schale wachsen läßt, die man nur schwer abziehen kann. Fort auch mit dem Honig, da hier die sogenannte Feigenmarmelade, oder wie du sie nennen willst, bereit liegt! So süß ist diese Marmelade! Und sie liegt auf ihren eigenen Blättern, die der Marmelade ihre Frische verleihen. (4) Ich glaube, das Bild bringt diese Gastgeschenke dem Herren des Landgutes dar; der aber ist vielleicht im Bad und denkt an Wein von Pramnos und Thasos, während er doch den süßen Most auf dem Tische trinken könnte, damit er bei der Heimkehr in die Stadt nach Fruchtsaft und freien Tagen dufte und die Pflastertreter anrülpsen kann.

Ebenda, II, 26, S. 249/251.

Kommentar

Philostrats *Eikones* gehören zur literarischen Gattung der Ekphrasis, also der Beschreibung insbesondere von Kunstwerken. Der Autor Philostratos II., eigentlich Flavius Philostratus (um 165–245),[2] angeblich Sohn Philostrats des Älteren, stammte wohl aus Lembos und wurde in Athen als Sophist ausgebildet; später lebte er in Rom und in der Campagna. Im Vorwort berichtet er, die Gemäldebeschreibungen seien als Lehrvortrag vor Privatschülern in der Galerie einer Villa bei Neapel entstanden. Die direkt vor den Gemälden angefertigte Ekphrasis war als Muster gedacht, um Schülern das Deuten von Bildern als rhetorische Schulung zu vermitteln. Als ließe er in Analogie zum Theaterbrauch den Tragödien ein Satyrspiel folgen, schließt Philostrat zwei Reigen mythologischer Themen jeweils mit einem Bild von Früchten und Tieren ab. Auf die Anordnung der Bilder in der campanischen Villa kann daraus nicht geschlossen werden.

Da der Text weder die Anordnung der Gegenstände, noch die Richtung der Beschreibung präzisiert, gibt er keine Vorstellung von den Gemälden. In *Xenia I* ist nicht einmal gesagt, ob es sich um einen Innen- oder Außenraum handelt, während die in *Xenia II* erwähnte Eiche verrät, daß von einem Zwischending zwischen Stilleben und Landschaft die Rede ist.[3]

Wie die gesamten *Eikones* wenden sich die *Xenia* direkt an einen Zuhörer, der die Bilder betrachten konnte. Philostrat möchte glauben machen, die gemalten Dinge stünden greifbar zur Verfügung. Nur wenige Wendungen rufen überhaupt ins Bewußtsein, daß Gemälde und nicht Naturalien beschrieben werden. Philostrat verfährt nach der Horaz'schen Formel *ut pictura poesis*,[4] also *wie die Malerei, so die Poesie*; indem dieses Prinzip auch auf Bilder mit reiner Objektdarstellung übertragen wird, entsteht eine Art Stillebenerzählung.

In *Xenia I* könnten alle Früchte, einschließlich der Kirschen, zum gleichen Zeitpunkt, nämlich im September, geerntet werden. Zeit durch eigene Setzung zu durchbrechen, war für das antike Stilleben, wie auch die erhaltene Wandmalerei zeigt, kein Ziel, da es nicht von Interesse ist, daß gemalte Oliven ihren Schmelz nicht verlieren, weil Malerei sie in eine dauerhafte Form überführt hat.[5] *Xenia II* negiert einen weiteren zeitlichen Aspekt von Malerei. Indem er den Leser anspricht, als befänden sich beide im Gemälde, zeigt Philostrat, daß es ihm nicht auf das Spezifische von Malerei ankommt.

Eine kunsttheoretische Einschätzung von *Xenia* im Gattungsgefüge der antiken Malerei läßt sich aus Philostrats *Eikones* nicht zwingend ableiten: Im literarischen Konzept des gesamten Werks führen beide Beschreibungen eine Art leichtes Genre vor. Der antike Autor geht nicht hinter den lange vor seiner Zeit erfolgten Prozeß zurück, der zu autonomer Stillebenmalerei führte.

Blaise de Vigénère über *Xenia I* (1578)

Les Presens Rustiques
Argument:
Parmy les autres tableaux d'importance, ainsi que nous avons desia dict en un autre endroit, Philostrate a de coutume d'entremesler quelquesfois de petites plaisanteries & ioyeusetez, où il s'esgaye comme pour une recreation du subjet principal; ny plus ny moins que les Peintres parmy leurs ouvrages font des perspectives, figures d'arbrisseaux, de bestions, vieilles ruines, & demolitions d'edifices, montaignes & valées: ensemble tels autres accessoires & incidens, qui servent pour enrichir, & donner grace à leur besongne, & remplir ce qui sans cela demeureroit inutilement desnué & vuide, en danger d'offenser la veuë. Les Grecs les appellent parerga, *ou adioustements superflus, outre ce qui faict besoing. De mesme nostre Autheur, tout ainsi que si de la ville il s'en alloit faire quelque petit progrez, çà & là aux champs pour prendre l'air, & resioüyr son esprit, nous a voulu donner icy pour la fin & closture de ce premier livre, ie ne sçay quelles descriptions de fruictages, à guise de cornes d'abondance apposées de costé & d'autre en des stucs ou plattes-peintures, pour les renfermer avec art, & leur servir de compartiment. Ce qui ne nous apprend pas rien de soy, & ne sert d'autre chose que pour un plus ample contentement & satisfaction de l'oeil: neantmoins ie me douterois, quant à moy, que tous ces fruicts icy traictez comme pour petits Apophoretes & estreines de village, ne soient quelques ioyaux de plus grande importance que les figues communes, noix, poires, pommes, raisins, & autres semblables ouvrages de la nature vegetale, qui se communiquent à l'estomac par la bouche; ny le miel & caillé encores; & que sous cette Allegorie il n'y ait quelque follastrerie cachée, dont de peur d'offenser les tendres & modestes oreilles, il vaut mieux laisser l'interpretation à ceux qui y voudront de plus prez prendre garde. [...]*

Annotation (S. 267):
Ce Tableau est intitulé Xenia, *comme qui diroit* Hospitalitez, *à sçauoir les dons & presens qu'on fait à ses hostes. Les Latins les prenoie(n)t pour ce que nous apellons* Estreines, *qu'on se donne les vns aux autres le I. iour de l'an. [...]*
Or les anciens n'auoient point d'hostelleries où ils peussent loger allansvenans d'vn lieu à autre; parquoy ils estoient contraints de se retirer chez leurs amis, & vie(i)lles cognoissances, qu'ils laissoient comme en heritages à leurs successeurs. Et à cette fin auoient entr'eux certains mereaux ou semblables marques, couppées & my-parties de quelque bizarre façon en deux pieces: nous faisons presque ainsi de nos tailles; chacun en retenoit la sienne par deuers soy pour seruir d'enseignes; & l'appelloient xenion; *[...]. C'estoient les presens que les hostes, tant ceux qui logeoient, que qui estoient logez, car* xenos *signifie l'vn & l'autre, s'entre faisoient pour vn renouuellement & confirmation d'amitié. [...]*

De Vigenère 1578, zitiert nach: *Les Images, ou Tableaux de platte peinture des deux Philostrates, ... et les Statues de Callistrate, mis en françois par Blaise de Vigénère, ... enrichis d'arguments et d'annotations, reveus et corrigez sur l'original par un docte personnage de ce temps en la langue grecque ... avec des épigrammes sur chacun d'iceux, par Artur Thomas, sieur d'Embry*, Paris 1614, S. 266 f.

Die ländlichen Geschenke
Argument:
Zwischen die anderen Bilder von Bedeutung mischt Philostrat, wie wir schon anderen Orts gesagt haben, zuweilen gern kleine Scherze, an denen er sich erfreut wie bei einer Erholung vom Hauptgegenstand, nicht weniger und nicht mehr als die Maler in ihre Werke Perspektiven einfügen, Figuren von Bäumchen, von Befestigungen,[6] alten Ruinen, zerstörten Häusern, Bergen und Tälern, zusammen mit solchen anderen Nebensächlichkeiten und Beiwerk, die dazu dienen, die Arbeit zu bereichern und mit Grazie zu versehen und anzufüllen, was ohne solches Beiwerk unnötigerweise nackt und leer bliebe und Gefahr liefe, den Blick zu beleidigen. Die Griechen nennen solche Motive parerga *oder überflüssige Hinzufügungen über das Nötige hinaus. Desgleichen wollte unser Autor, genauso wie man aus der Stadt hier und da kleine Ausflüge in die Felder macht, um Luft zu schnappen und den Geist zu erfreuen, uns hier als Ende und Abschluß dieses ersten Buchs, ich weiß nicht welche,[7] Beschreibungen von Früchten geben, im Sinne der Füllhörner, die dekorativ in Stuck oder Malerei angebracht sind, um sie kunstvoll zu umschließen und als Gliederung zu dienen. Das will uns nichts im eigenen Recht sagen und dient zu nichts anderem als allgemeiner Befriedigung des Auges; nichtsdestoweniger möchte ich doch, soweit es mich betrifft, daran zweifeln, daß alle diese Früchte, die hier wie kleine Apophoreten[8] und Neujahrsgeschenke[9] vom Dorfe behandelt sind, nicht jedoch irgendwelche Juwelen von größerer Bedeutung als gemeine Feigen, Nüsse, Birnen, Äpfel, Trauben und andere vergleichbare Erzeugnisse der Obst und Gemüse bietenden Natur, ebensowenig wie Honig und auch Dickmilch. Daß unter solcher Allegorie keine versteckte Tollheit verborgen sei, sollte man aus Angst, zarte und anständige Ohren zu beleidigen, zur Interpretation jenen überlassen, die sich da besser in acht nehmen wollen.*

Anmerkung:
Dieses Bild ist Xenia *betitelt, was soviel heißt wie Gastlichkeiten, das meint die Gaben und Geschenke, die man seinen Gastgebern oder Gästen macht. Die Lateiner verstanden darunter, was wir Neujahrsgeschenke nennen, die man einander am 1. Tag des Jahres gibt.*
Nun hatten die Alten kein Herbergswesen, wo sie übernachten konnten, in dem sie vom einen zum anderen Ort gingen und kamen; deshalb waren sie gezwungen, bei

ihren Freunden einzukehren, und bei alten Bekanntschaften, die sie wie Erbteile ihren Nachkommen hinterließen. Und zu diesem Zwecke hatten sie gewisse Zeichen und ähnliche Marken, zerschnitten und in irgendeiner bizarren Art in zwei Teile geteilt; [...] jeder behielt davon sein Teil bei sich, damit es als Zeichen diene. Und dieses nannte man Xenion. Das waren die Geschenke, die man im Gastwesen, ob man nun Gäste aufnahm oder als Gast aufgenommen wurde – denn Xenos bedeutet das eine wie das andere – einander machte zur Erneuerung und Bestätigung von Freundschaft.

[Übersetzung der Herausgeber]

Blaise de Vigénère über *Xenia II* (1578)

Les Estreines de Village
Argument
Ce Tableau est du mesme tiltre (Xenia) & presque du mesme subiect que le dernier du precedent livre: car il nous represente icy force gibier & volatille, avecques de la tartre, des gasteaux & foüasses des champs: de bonnes herbes seiches, & des semences en lieu d'espiceries, selon l'usage d'alors, pour mettre és sauces: des fruicts d'hyver, avecques autres semblables morfialleries & harnois de gueule, que le censier apporte pour les estreines à son maistre. [...] Le tout à l'exemple de ces Drolleries qu'on apporte de Flandres; plus plaisantes aucunesfois (quand elles partent mesmement d'une bonne main) que ny les païsages, ny les peintures historiées: lesquelles ces menus ioyeux fatras de varietez, & desguisemens semez parmy, à guise de quelques petits entremets, rendent d'autant plus recommendables, que sans cette diversification dont la nature est si curieuse, les plus belles & parfaictes choses languissent ordinairement à nos sens: voire nous viennent à un contre-coeur & mespris.

De Vigénère 1614, S. 505.

Die Neujahrsgeschenke des Dorfs
Argument
Dieses Bild trägt denselben Titel (Xenia) und hat beinahe denselben Gegenstand wie das letzte des vorigen Buches; denn es stellt hier eine Menge Wild und Geflügel dar, mit Torten, Kuchen und Gebäck vom Lande, guten trockenen Kräutern und Körnern, die man statt Gewürzen, nach der Sitte von früher, in Saucen tat, von Früchten des Winters, mit anderen ähnlichen Leckereien und Angriffen auf den Gaumen, die der Zinsbauer als Jahresabgabe seinem Meister darbringt; [...] Das Ganze in der

Art jener Drolerien, die man aus Flandern einführt, zuweilen gefälliger (wenn sie zugleich von einer guten Hand stammen) als Landschaften oder Historienbilder. Diese machen solchen kleinen hübschen Plunder von Spielarten und Verstellungen, eingestreut wie Süßigkeiten, umso empfehlenswerter, als ohne solche Ablenkung, auf die die Natur so begierig ist, die schönsten und vollendeten Dinge unsere Sinne gewöhnlich anöden, so daß sie uns verstimmen.

[Übersetzung der Herausgeber]

Kommentar

Philostrats *Eikones* gelangten erst im 15. Jahrhundert von Konstantinopel aus in die lateinische Kultur. Nur eine Bilderhandschrift scheint zu existieren, die aber die *Xenia* unberücksichtigt läßt.[10] Übersetzt wurde Philostrat schon vor 1500, zu einer Zeit, ehe sich in der nachantiken Kultur ein Begriff von Stilleben entwickelte.[11] Erst neuerdings verwenden Übersetzungen für *Xenia* einen der heute üblichen Gattungsbegriffe.[12]

Besonderen Erfolg hatte die in zahlreichen Auflagen gedruckte Fassung von Blaise de Vigénère (1522/1523–1596), deren Erstausgabe 1578 in Paris bei N. Chesneau erschien. Der Bearbeiter, in Poucain im Bourbonnais geboren, diente als Sekretär verschiedenen Herren, die er auf weiten Reisen durch Europa begleitete, ehe er zum königlichen Kammersekretär wurde.[13] Er schrieb Geschichtswerke, übersetzte lateinische Autoren (wie Cäsar, Cicero, Livius und Tacitus) und verfaßte eine französische Version von Tassos *Befreitem Jerusalem*. Am Philostrat arbeitete er noch nach Erscheinen der ersten Fassung weiter, um das Werk durch Kallistrat zu ergänzen.[14]

Den Bruch zwischen Mythologie und Beiwerk bei Philostrat erklärt Blaise de Vigénère mit der Angemessenheit der *Parerga*. Als habe er eine Weltlandschaft seines eigenen Jahrhunderts vor Augen, geht er dann nicht auf das von Philostrat anschaulich Beschriebene ein. Der Kommentator hebt gerade bei seinem Bemühen, Malerbrauch zur Erklärung heranzuziehen, die Grenzen des von Philostrat geschilderten Gemäldes auf, als handele es sich nur um Ausschmückungen innerhalb einer Historie.

Von kunsttheoretischer Begrifflichkeit ist Blaise de Vigénère weit entfernt; *Xenia* ist für ihn ein Titel, kein Gattungsbegriff. Bei seinen Anmerkungen zu *Xenia I* verliert er sich (S. 266–269) in Erörterungen zum Reisewesen der Griechen, indem er nur dem Wortsinn von *Gastgeschenk* nachgeht. Dabei macht der französische Autor bereits den Fehler der späteren kunsthistorischen Literatur, den Gegenstand der Bilder ebenso wie die Gemälde selbst als Gastgeschenke zu sehen. Zugleich verquickt er sie in einer bemerkenswerten Tour de force durch die Etymologie des Wortes *Xenion*.

Beim zweiten Beispiel hat der Autor jedoch seinen Begriff für die künstlerische Gattung geschärft und eine Analogie von Philostrats Ausführungen zur Kunst der eigenen Zeit erkannt, wenn er ohne syntaktischen Anschluß auf flämische Drolerien weist. Dieser Begriff läßt aufhorchen, denn eigentlich bezeichnet man damit genrehaftes oder groteskes Beiwerk vornehmlich in Bilderhandschriften, wie sie in Flandern, aber nicht zu vergessen auch in Frankreich bis ins mittlere 16. Jahrhundert hin, also noch zu Lebzeiten des Übersetzers, geschaffen wurden. Etymologische Untersuchungen im Französischen führen den Begriff meist bis zu Saint-Julien, *Meslanges historiques* aus dem Jahre 1589 zurück; der früheste Beleg scheint jedoch die hier zitierte Stelle aus Blaise de Vigénères *Philostrat* zu sein.[15] Indem er hinzufügt, diese Bilder seien, zumal von guter Hand, oft gefälliger als Landschaften oder Historien, deutet Blaise de Vigénère an, daß zu seiner Zeit die Rangfolge von Gattungen durchaus diskutiert wurde.

Drolerien, nicht auf Stilleben eingegrenzt, sondern Genremalerei insgesamt bezeichnend, stehen der Reihung im Text zufolge hierarchisch unter Landschaften und Historien als höchster Gattung. Blaise de Vigénère vollzieht einen entscheidenden Schritt zum Bewußtsein, daß es im Gefüge der neuzeitlichen Malerei auch so etwas wie das Stilleben gibt. Die antike Quelle schärft seinen Blick auf die Gegenwart, die lange vor begrifflicher oder gar theoretischer Festlegung nicht nur die Rangordnung der Gattungen als hierarchisch begreift, sondern dem niederen Stilleben eine Chance allein aus künstlerischen Gründen einräumt. Diese Chance wußten Stillebenmaler bis zur Schwelle der Moderne zu nutzen.

Dagegen mag Blaise de Vigénère ebenso wie Literaten, Kritiker und später Kunsthistoriker kaum damit leben, rhetorische Ausschmückung sei einziger Zweck solcher Bilder. Der französische Autor führt sogar so weit in die spätere Diskussion um die Deutung von Stilleben und Genre, daß man feststellen kann: Schon vor der »Erfindung« des Stillebens und nicht erst angesichts der *pommes de Cézanne* verdächtigte man solche Bilder, Aussagen zu formulieren, die zu interpretieren vielleicht sogar unschicklich sei![16]

In einer auf den ersten Blick bizarren Anmerkung zu *Xenia II*, die hier nicht wiedergegeben ist, kommt Blaise de Vigénère noch einmal auf die Deutung zurück. Von einer Sprachassoziation, die im Französischen den Hasen *lièvre* und den Windhund *levrier* verbindet, gelangt er zu einer wundersamen Deutung, die ihn zu Philosophie und Politologie führt. Rhetorische Begabung macht ihn zum Stammvater all jener modernen Interpreten des Stillebens, die aus verborgener Symbolik eines bescheidenen Sujets über Kritik der politischen Systeme zur Welterklärung vorstoßen.[17]

Die Kupferstiche von Jaspar Isaac in der ersten illustrierten Philostrat-Ausgabe (1614)

Abb. 17
Jaspar Isaac: Illustrationen zu Philostrats *Xenia I* und *Xenia II*
De Vigénère 1614, S. 265 und 504

Kommentar

Noch in der reich illustrierten Fassung der *Images ou tableaux de platte peinture des deux Philostrates*,[18] die ab 1614 in Paris in mehreren Ausgaben erschienen ist,[19] bleiben die *Xenia* ein künstlerisches Problem. Zu Lebzeiten des 1596 verstorbenen Blaise de Vigénère hatte der Pariser Verleger Abel l'Angelier die Idee zu dieser Ausgabe und tat sich mit seinem Kollegen Matthieu Guillemot zusammen. Man wandte sich zunächst an Antoine Caron aus der Schule von Fontainebleau, der jedoch schon 1599 starb. 1614 waren auch die beiden Verleger tot. Die Ausgabe erschien schließlich nur mit dem Hinweis, man habe für die Kupferstiche bis nach Flandern geschickt, ohne die Verantwortlichen zu nennen; in späteren Drucken nennt sich ein Stecher Jaspar Isaac (*incidit*). Das anonyme Vorwort macht klar, daß die Bilder in Wirklichkeit wohl nie existiert haben, so daß es sich um etwas handele, was man nur vor dem geistigen Auge sehen könne.[20]

Unabhängig von Blaise de Vigénères Bezug zu flämischen Drolerien folgen die Kupferstiche dem Text so streng, daß die beginnende Stillebenmalerei nicht anklingt. Bei Philostrats zweitem Beispiel weist der Kupferstecher die Möglichkeit zurück, ein Jagd-Stilleben in der Art von Snyders abzubilden, und setzt den Text wörtlich um. Deshalb bringt er das von Philostrat Geschilderte in eine Landschaft; die einzelnen Motive reiht er wie Vokabeln gleichsam in Zeilen, die links beginnen. Rechts stellt er als Abschluß einen Jäger bei der Betrachtung solcher Reichtümer dar.

Die Gedichte von Thomas Artus Sieur d'Embry unter den Kupferstichen (1614)

Zu Xenia I

Estime qui voudra les choses magnifiques: / Les beaux presens rustiques / Contentent plus les cœurs, / Que toutes ces grandeurs: / Une vaine peinture / Est moins que la nature. / Tous ces dons enrichis d'or & d'orfebuerie, / Ne sont que tromperie: / S'ils ont de la beauté, / C'est en desloyauté / Rarement l'artifice / Se trouue sans malice.

De Vigénère 1614, S. 265.

Schätze, wer will, die großartigen Dinge / Die schönen ländlichen Gaben / Befriedigen mehr die Herzen / Als all diese Großartigkeiten: / Eine eitle Malerei / Ist weniger als die Natur. / All diese Gaben, bereichert durch Gold und Goldschmiedekunst / Sind nichts als Täuschung: / Wenn sie überhaupt eine Schönheit haben, / Dann ist es in Unehrlichkeit: / Selten findet sich ein Kunstwerk / Ohne Falschheit.

[Übersetzung der Herausgeber]

Zu Xenia II

Ces tourtes & ces gasteaux, / Tous ces fruicts & ces oyseaux / Sont plus savoureux au goust / Que tout le desguisement/ Qu'on fait ordinairement: / Et qui est de si grand coust. / Qui veut vivre simplement / Il vit außi longuement, / Ce sont nos desreglemens/ Qui nous abbregent nos ans.

De Vigénère 1614, S. 504.

Diese Pasteten und dieses Gebäck, / All diese Früchte und dieses Geflügel / Sind schmackhafter für den Geschmack / Als all diese Verkleidung, / die man gewöhnlich macht: / Und als die, die auf großem Fuße leben./ Wer einfach leben will, / Der lebt auch lang, / Es ist unser ausschweifender Lebenswandel, / Der unsere Jahre verkürzt.

[Übersetzung der Herausgeber]

Kommentar

In auffälligem Widerspruch zur reichen Bebilderung stehen die Verse, die seit 1614 die Kupferstiche des französischen Philostrat ergänzen. Thomas Artus Sieur d'Embry der sonst nur durch wenige Schriften moralischer Tendenz hervorgetreten ist[21], preist einzig das unverdorbene Landleben gegen eine falsche Welt. Ihm zufolge ist die Malerei eitel und der Natur unterlegen, so daß Bilder selbst zu jenem Luxus gehören, von dem sich jeder lossagen muß, der wahrhaft einfach leben möchte.

Zugleich aber weisen diese Gedichte den Weg zu jener Art von Interpretation nicht nur des Stillebens, die das Dargestellte für das Bild hält und von da aus die eigene Lebensphilosophie an den zu sehenden Objekten festmacht. Im Grunde verstehen diese Gedichte Philostrats *Xenia* als *Vanitas* und treiben den Gedanken so weit, daß die Malerei in Gombrichs Sinne selbst nichts anderes als eitler Tand, also Vanitas sei.[22]   *E. K.*

Anmerkungen

1   Vgl. hier den Beitrag von Klaus Junker S. 94f f.
2   Die Autorschaft ist nicht schlüssig zu klären, da eine ganze Familie von Sophisten den Namen Philostratos im 2. und 3. Jahrhundert trug; vgl. die Zusammenstellung im *Kleinen Pauly*. Lexikon der Antike, Bd. 4, 1975, hier benutzt Ausg. 1979, Sp. 779–784, mit ausführlicher Literaturübersicht. Pochat 1986, S. 80, schreibt die *Eikones* Philostrat d.Ä. zu und datiert sie um 170; die überwiegende Mehrzahl der Philologen, darunter R. König, denken hingegen an Philostratos II.
3   Den Terminus »Beschreibungsliteratur« verwendet die ältere Germanistik mehrheitlich für Landschaftsbeschreibungen (Hans Christoph Buch, *Ut pictura poesis. Die Beschreibungsliteratur und ihre Kritiker*

von Lessing bis Lukacs, München 1972). Doch hat zwischenzeitlich nicht zuletzt wegen des Nouveau Roman eine phänomenologische Begriffserweiterung stattgefunden (Manfred Smuda, *Der Gegenstand in der bildenden Kunst und Literatur*, München 1979). Den umfang- und facettenreichsten Beitrag stellt der von Gottfried Böhm und Helmut Pfotenhauer herausgegebene Band dar: *Beschreibungskunst – Kunstbeschreibung. Ekphrasis von der Antike bis zur Gegenwart*, München 1995.

4   Zu diesem Konzept und seiner Wirkung in der nachantiken Kunst siehe: Lee 1967.
5   Vgl. Briefe des Blumenbruegel an Kardinal Federico Borromeo (hier S. 112 f.).
6   Der Begriff *bestions* ist entweder eine Variante von *bestes*, heute *bêtes*, und bedeutet große wilde Tiere oder eine Fehlschreibung von *bastions*, also Befestigungen.
7   Die französische Formel »je ne sais quelles«, die der Autor an dieser Stelle einschiebt, bezeichnet eine grundsätzliche Distanz zu dem, wovon er redet. Vgl. Artikel »je ne sais quoi« in: *Ritter* u. a., Bd. 4, 1976, Sp. 639–644.
8   Der Kommentator verwendet einen hier im Deutschen nachgebildeten griechischen Begriff für die Abgabe von selbständig arbeitenden Sklaven.
9   In der mittelalterlichen französischen Kultur war Neujahr der eigentliche Tag für das Schenken; zugleich ist er Tributstag, so daß die Wendung im Französischen von den Gastgeschenken wegführt zum feudalen Tributswesen, das die Bauern zu Abgaben an die Landherren verpflichtete.
10 Heute in der ungarischen Nationalbibliothek Széchényi zu Budapest (Clmae 417), früher Cod. lat. 2365 in Wien: Übertragung des Antonio Bonfini aus Ascoli, die 1485 im Feldlager des ungarischen Königs Matthias Corvinus vor Wien entstand. Die Illuminierung durch Boccardino Vecchio umfaßt acht Prachtseiten; davon sind zwei abgebildet in: Csaba Csapodi und Klára Csapodi-Gárdonyi, *Bibliotheca Corviniana. La bibliothèque du roi Mathias Corvin de Hongrie*, Budapest 1982, Taf. VIII–IX, und Eintrag S. 50.
11 Der Übersetzung für Matthias Corvinus geht eine lateinische Interlinearversion voraus, zum griechischen Text des Palatinus 341, der aus Heidelberg in den Vatikan gelangte. Im Druck erschien zunächst die Übersetzung von Stefano Negri: *Philostrati Icones. Elegantissime a graeco authorum subditorum translationes...*, Mailand 1521; wieder gedruckt unter dem Titel Iconum Philostrati. Quae quidem praestare sui nominis ac studiosis utilia noverimus monumenta, nempe Translationes...*, in: Stephani Nigri... monimenta*, Basel 1532, S. 1–115.
12 So in der hier benutzten Ausgabe von Schönberger, München 1968, S. 169 und 249.
13 Vgl. z. B. Christian E. Jäckers *Allgemeines Gelehrten-Lexicon*, Leipzig 1751, Bd. IV, Sp. 1595 f.
14 Die Statuen des Kallistratos und der Heroikos sind in der zweiten Ausgabe, die 1597 erschien, hinzugekommen.
15 Vgl. die Nachweise in Anm. 196, S. 89.
16 Vgl. Schapiro 1965.
17 Unerreicht ist noch immer die globale Sicht, die der Ausstellungskatalog Münster/Baden-Baden 1979/80 bietet.
18 Der volle Titel lautet: *Les Images ou Tableaux de Platte Peinture des deux Philostrates sophistes grecs et les stautes de Callistraté. Mis en François par Blaise de Vigénère Bourbonnois. Enrichis d'Arguments et Annotations. Reueus et corrigez sur l'original par un docte personnage de ce temps en la langue grecque. Et representez en taille douce en cette nouvelle edition. Avec les Epigrammes sur chacun diceux par Artus Thomas Sieur d'Embry*, Paris 1614.
19 Der Katalog der Bibliothèque nationale verzeichnet solche von 1615, 1629, 1630 sowie bei drei verschiedenen Verlegern je eine Ausgabe von 1637, was die große Popularität des Werks beweist.
20 So im Advertissement 1614, 2. S. unten und 3. S. oben: *Car mesmes il y a grande apparence qu'ils n'ont iamais esté peints à la verité, ny executez des coloremens, de sorte que c'estoit vne chose corporelle qui ne se pouuoit voir que spirituellement*.
21 Vgl. z. B.: Thomas Artus, sieur d'Embry, *Discours contre la mesdisance*, Paris 1600; Übersetzung von Chalcondylus Laonicus, *Tableaux prophétiques président la ruine de la monarchie turque et le rétablissement de l'empire grec*, Lyon o.J. (gedruckt 1620).
22 Vgl. die auf S. 20 zitierte Interpretation.

Stilles Leben und tote Werke der Natur als schmückendes Beiwerk im Sinne von Rhetorik und Poetik

Ob man Stillebenmotive als sinnfreies schmückendes Beiwerk zu Historienbildern zu verstehen habe oder als Themen autonomer Gemälde in allegorischer Deutung mit Grundprinzipien der Weltordnung verbinden sollte, blieb auch nach dem Auftauchen der ersten unbestritten als Stilleben anerkannten Werke aus der Zeit um 1600 offen. Im Widerstreit, weil für Kunsttheoretiker unversöhnlich, sollten beide Standpunkte das große Jahrhundert der europäischen Stillebenmalerei überdauern. Ebenso beständig erwies sich die Vorstellung, die Aufgaben von Malern wie Dichtern seien in zwei große Bereiche zu scheiden: Der Charakterisierung des Menschen stehe die Schilderung des *Stillen Lebens* mit den *Toten Werken der Natur* gegenüber, worin Stilleben und Landschaft untrennbar eingeschlossen sind.

Charles Alphonse Dufresnoy über stillebenhaftes Beiwerk (1668)

Que celuy qui commence ne se haste pas tant d'étudier d'aprés Nature tout ce qu'il fera, qu'auparavant il ne sçache les Proportions, l'Attachement des Parties, & leurs Contours; qu'il n'ait bien examiné les excellens Originaux, & qu'il ne soit instruit des douces Tromperies de l'Art, qu'il aura apprises d'un sçavant Maistre, plûtost par la Pratique & en le voyant faire, qu'en l'écoutant seulement parler.
Cherchez tout ce qui aide vostre Art & qui luy convient, fuyez tout ce qui luy repugne. Les Corps de diverse nature aggrouppez ensemble sont agreables & plaisans à la veuë, aussi bien que les choses qui paroissent estre faites avec Facilité; parce qu'elles sont plaines d'esprit & d'un certain Feu celeste qui les anime: Mais vous ne ferez pas les choses avec cette Facilité, qu'apres les avoir long-temps roulées dans vostre Esprit: Et c'est ainsi que vous cacherez sous une agreable tromperie la peine que vous aura donné vostre Art & vostre Ouvrage; mais le plus grand de tous les Artifices est de faire paroistre qu'il n'y en a point.

Du Fresnoy, Charles Alphonse, *L'art de peinture traduit en français avec des remarques (...) par Roger de Piles,* Paris 1668, hier zitiert nach der französischen Ausgabe[1] Paris 1673, S. 68–71, Zeile 427–439.

Daß jener, der beginnt, nur sich nicht zu sehr eile, nach der Natur alles zu studieren, was er machen möchte, ehe er die Proportionen, die Anordnung der Teile und ihre Konturen kennt, ehe er hervorragende Originale gut studiert hat und ehe er von den süßen Täuschungen der Kunst unterrichtet ist, die er von einem kenntnisreichen

Meister lernen sollte, eher durch die Praxis und zuschauend, wie man das macht, als nur hörend, wie man darüber spricht.

Die Körper verschiedener Art, gemeinsam gruppiert, sind dem Blicke gefällig, ebenso wie die Dinge, die mit Leichtigkeit gemacht zu sein scheinen, denn sie sind voller Geist und von einem gewissen himmlischen Feuer, das sie beseelt. Aber Ihr werdet die Dinge erst mit solcher Leichtigkeit machen, wenn Ihr sie lange Zeit in Eurem Geiste bewegt habt. Und auf diese Weise werdet Ihr unter einer angenehmen Täuschung die Mühe verbergen, die Euch Eure Kunst und Eurer Werk bereitet hat; aber das Größte in allen Kunstgriffen ist, scheinen zu machen, daß es keine Mühe gibt.

[Übersetzung der Herausgeber]

Kommentar

Der Maler Charles Alphonse Dufresnoy (1611–1688) war Schüler von François Perrier und Simon Vouet; seit 1633 in Rom, schloß er 1636 enge Freundschaft mit Pierre Mignard. Ästhetisch verband er römische Anregungen von Raffael mit Tizian und den Carracci. Über Venedig, wo er anderthalb Jahre weilte, kehrte er zurück, um sich 1656 in Paris niederzulassen. Deckenmalereien dort wie Gemälde auf Leinwand zeugen von seiner Kunst; als langsam arbeitend soll er Félibien zufolge nur etwa 50 Werke geschaffen haben. Größeren Einfluß als durch Gemälde übte Dufresnoy durch das lateinische Gedicht *De Arte Graphica* aus. In Paris 1668 zum ersten Male im Original sowie gleichzeitig in Französisch gedruckt, ist es fortan in zahlreichen Ausgaben auf Französisch, Englisch und Flämisch erschienen.[2] Dufresnoy will junge Künstler zum Schaffen wie zum Verstehen von Historienmalerei anleiten, ohne explizit auf Stilleben einzugehen.

Vorbilder findet die Malerei nicht in der Natur, sondern im Atelier; deshalb gehört zur rechten Unterweisung in der Kunst der anerkannte Lehrmeister, dem man zuschauen soll. Vor die Natur hingegen solle erst der treten, der bereits ein gefestigtes Verständnis von Proportion und Zeichnung entwickelt und gute Originale ausgiebig studiert habe. Als habe auch Dufresnoy den holländisch geprägten Sinn des von ihm gar nicht verwendeten Begriffs *nature morte* verinnerlicht, kommt ihm direkt nach der Warnung vor dem Naturstudium das Arrangement von Körpern zur bildnerischen Einheit in den Sinn, das, wie Charles Sterling verdeutlicht hat, den eigentlichen Grundimpuls für Stilleben ausmacht.[3]

Roger de Piles in seinem Kommentar zu Dufresnoy (1668)

§ *434 (Les Corps de diverses nature agrouppez ensemble sont plaisans à la veuë.) Comme les Fleurs, les Fruits, les Animaux, les Peaux, les Satins […] les Argenteries, les Armures, les instrumens de Musique, les Ornemens, des Sacrifices Antiques, & mile autres diversitez agreables dont le Peintre pourra s'aviser. Il est certain que la diversité des Objets recrée la veuë, quand ils sont sans confusion, & qu'ils ne diminuent en rien la force du Sujet que l'on traitte. L'experience nous apprend que l'oeil se lasse de voir toujoûrs les mesmes choses, non seulement dans les Tableaux, mais encore dans la Nature.*

Du Fresnoy 1673, S. 224–225.

(Die Körper verschiedener Art, gemeinsam gruppiert, sind dem Blicke gefällig.) Wie die Blumen, die Früchte, die Tiere, die Leder, die Satins […] die Silbersachen, die Waffen, die Musikinstrumente, die Dekorationen, die antiken Opfer und tausend andere angenehme Mannigfaltigkeiten, deren sich der Maler bedienen kann. Sicher erfreut die Mannigfaltigkeit der Objekte den Blick, wenn sie ohne Verwirrung sind, und unter der Bedingung, daß sie in keiner Weise die Bedeutung des Hauptgegenstandes mindern, den man verhandelt. Die Erfahrung lehrt uns, daß das Auge ermüdet, immer dieselben Dinge zu sehen, nicht nur auf Bildern, sondern noch mehr in der Natur.

[Übersetzung der Herausgeber]

Kommentar

Für Roger de Piles (1635–1709) bedeutete der Kommentar zu Dufresnoy, einen ersten Versuch über Malerei zu schreiben. Es folgten der *Dialogue sur le coloris*, 1673 gleichzeitig getrennt gedruckt und an die hier benutzte zweite Auflage Dufresnoys angebunden, sowie für das Stilleben unergiebige Schriften wie das berühmte *Abrégé de la vie des peintres* von 1699.[4]

Während Dufresnoy an stillebenhaften Motiven allein künstlerische Probleme interessieren, die ihn dann über die scheinbare Leichtigkeit der Wiedergabe als anzustrebendes Ziel nachdenken lassen, geht Roger de Piles auf den Sinn und Zweck solcher Arrangements ein. Statt sie als autonome Aufgaben anzuerkennen, weist er ihnen wie in der literarischen Tradition die Aufgabe zu, den Inhalten der Historienmalerei dienstbar zu sein. Dabei trennt er die kleinen Gattungen ungenügend; denn statt die gemeinten Gegenstände in gültiger Rangordnung vom Lebendigen zum Unbelebten aufzuzählen, wie sie beispielsweise Graham 1695 verwendet,[5] springt er von Blumen und Früchten zu Tieren und Gegenständen, um bei den *sacrifices* zu enden. Da letztere einem antikischen Genre entstammen, bricht der Text mit der Vorstellung, alles hier Zusammengefaßte könne nach der Natur abgemalt werden.[6] Gemeint sind Dreifüße, Opferaltäre und ähnliche Gerätschaften, die antiken Themen authentisches Flair geben und im reinen Dekor neben Früchten Blumen und Instrumenten beliebt waren.

Bei all dem ist eines nicht zu vergessen: Solange Autoren wie Roger de Piles nur die Analogie zu Texten im Blick haben, kommen sie kaum auf die Idee, Gattungen wie Landschaft und Stilleben aus dem Kontext zu lösen. Bis zu jener Zeit gibt es nämlich weder in der Rhetorik noch in der Literatur ein Äquivalent zur Malerei von Stilleben oder Landschaft. Wohl aus diesem Grunde ist bei Roger de Piles innerhalb der unbeseelten oder unbelebten Gegenstände der Malerei die Rangfolge nebensächlich.

Joseph Addison über die Abschilderungen des Stillen Lebens und der Toten Werke der Natur in Miltons *Paradise Lost* (1712)

We may consider the Beauties of the Fourth Book under three Heads. In the First are those Pictures of Still-Life, which we meet with in the Descriptions of Eden, Paradise, Adam's Bower &c.[...]
In the Description of Paradise, the Poet has observed Aristotle's Rule of lavishing all the Ornaments of Diction on the weak unactive Parts of the Fable, which are not supported by the Beauty of Sentiments and Characters.[7] Accordingly the Reader may observe, that the Expressions are more florid and elaborate in these Descriptions, than in most other Parts of the Poem. I must further add, that tho' the Drawings of Gardens, Rivers, Rainbows, and the like dead Pieces of Nature, are justly censured in an Heroic Poem, when they run out into unnecessary length; the Descriptions of Paradise would have been faulty, had not the Poet been very particular in it, not only as it is in the Scene of the Prinicpal Action, but as it is requisite to give us an Idea of that Happiness from which our first Parents fell.

Addison, Joseph, in: *The Spectator*, No. 321, Saturday, March 8, 1712, S. 170f.

Wir können die Schönheiten des 4. Buches unter drey Hauptstücken betrachten. In dem ersten sind die Abschilderungen des stillen Lebens, welches wir in den Beschreibungen Edens, des Paradieses, Adams Laube usw. antreffen. [...]
In der Beschreibung des Paradieses hat der Dichter des Aristoteles Regel beobachtet, daß man alle Zierathen des Ausdrucks bey den schwachen und todten Theilen der Fabel, welche nicht durch die Schönheit der Gedanken und Charactere unter-

stützt werden, verschwenden soll. Diesemnach wird der Leser beobachten, daß die Ausdrückungen in diesen Beschreibungen zierlicher und ausgearbeiteter sind, als in den anderen Theilen des Gedichts. Ich muß ferner hinzusetzen, daß, obgleich die Schilderungen von Gärten, Flüssen, Regenbogen, und dergleichen todten Werken der Natur, in einem Heldengedichte mit Recht getadelt werden, wenn sie in eine unnöthige Länge hinaus laufen; so würde doch die Beschreibung des Paradieses mangelhaft gewesen seyn, wenn der Dichter nicht sehr umständlich dabey gewesen wäre; nicht allein weil es der Auftritt der Haupthandlung, sondern weil es auch nothig ist, uns einen Begriff von der Glückseligkeit zu geben, aus welcher unsere ersten Aeltern gefallen sind.

[Anonyme Übersetzung in: *Der Zuschauer*. Aus dem Englischen übersetzt, 4. Theil, Leipzig 1741, S. 362 (Stück 321)]

Kommentar

Wie eng das Denken über Bilder mit dem Verständnis von Texten zu tun hat, belegen diese Ausführungen über Beiwerk in Miltons *Verlorenem Paradies*. Ihr Autor Joseph Addison (1672–1719), der sich mit jeweils einem Buchstaben aus dem Namen der Muse CLIO zu erkennen gibt,[8] war Staatsmann, Dichter und Essayist. 1704 schrieb er das Gedicht *The Campaign. Marlborogh's Victory at Blenheim*; 1709/10 wirkte er als Sekretär des Lord Lieutenant von Irland. Während er eigene Dichtungen gern auf Lateinisch verfaßte, übertrug er Vergil und andere klassische Autoren ins Englische. Am *Spectator* war Addison seit dessen Ersterscheinen am 1. März 1711 mit 274 Stücken beteiligt. Eine umfangreiche Serie seiner Beiträge behandelt die großen Epen von Homer und Vergil; ihnen folgten siebzehn Stücke, die sich zwischen dem 5. Januar und 3. Mai 1712 Miltons *Verlorenem Paradies* widmeten.[9]

Addisons Text gehört zu den frühesten Zeugnissen für *Still-Life* im Englischen und bezieht in der Ausweitung des Wortsinns eine krasse Gegenposition zu Richard Graham, der in seinem Kommentar zu Drydens Übersetzung von Dufresnoys Gedicht 1695 nur die von Menschenhand gefaßten Gegenstände damit bezeichnete. Die wiedergegebene Übersetzung aus dem *Spectator* bietet den frühesten Beleg für Stillleben, wenigstens in der Wendung *stilles Leben*, im Deutschen. Weder Addison, noch sein anonymer deutscher Übersetzer rechtfertigen dabei das Substantiv *Leben*, obwohl sie damit die *Dead Pieces of Nature*, die *todten Werke der Natur*, meinen.

William Hogarth in seinen Entwürfen zur *Analysis of Beauty* (1753)

Let us begin with a description of what is termed still life, a species of painting in the lowest esteem because it is in general the easyest to do and is least entertaining [...] Landskip painting ship painting &c. must be rank(ed) with still life, also if only copied.

Hogarth, William, The Analysis of Beauty, Written with a View of Fixing the Fluctuating Ideas of Taste, London 1753, neu hrsg. von Joseph Burke, Oxford 1955, aus den Entwürfen, Anhang S. 213f.

Laßt uns mit einer Beschreibung dessen beginnen, was man als Stilleben bezeichnet, eine Sorte Malerei von niedrigster Wertschätzung, weil sie generell am einfachsten zu machen und am wenigsten unterhaltsam ist [...] Landschaftsmalerei, Schiffsmalerei usw. rangieren mit Stilleben, soweit nur abgemalt wird.

[Übersetzung der Herausgeber]

Kommentar

Der Maler William Hogarth (1697–1764) verfaßte mit seiner *Analysis of Beauty* den wichtigsten Beitrag zur Ästhetik der Aufklärung in England.[10] In den sprachlich ungenügend redigierten Entwürfen für die 1753 zum ersten Male gedruckte Schrift entwickelt er Gedanken zur Gattungshierarchie, die im Druck keine Rolle spielten. Für Hogarth steht das Stilleben nicht des Gegenstandes wegen am Ende der Rangfolge, sondern aus künstlerischen Gründen: Für den Maler ist es am einfachsten und am wenigsten unterhaltsam.

Beim Ende unseres Zitates läge es nahe, zu formulieren »selbst wenn sie nur kopiert werden«. Das aber widerspricht Hogarths Gattungshierarchie ebenso wie seinem Begriff *to copy*: Jene Sparten von Landschaftsmalerei, auf die die einschränkende Partizipkonstruktion nicht zutrifft, rangiert bei ihm höher als Stilleben. *To copy* meint nicht Kopieren nach Bildern, sondern Malen nach der Natur. Teile der Landschaftsmalerei löst er also unter dem Aspekt *nach dem Leben* aus der eigenen Gattung, um sie dem Stilleben zuzuordnen. Für den Künstler Hogarth, der das Wort Stilleben offenbar als lebensfremden *term* versteht, tritt Abmalen nach der Natur als ein Kriterium wieder in den Vordergrund, das Roger de Piles vergessen hat und das der Literaturkritiker Addison gar nicht brauchte.

E. K.

Anmerkungen

1 Auf den lateinischen Text, der in dieser Ausgabe ebenfalls mit abgedruckt ist, wurde hier verzichtet, weil keine entscheidenden Abweichungen zu bemerken sind und die wesentlichen Begriffe, auf die es ankommt, eher im Französischen als in der für Stilleben wenig ergiebigen lateinischen Sprache von Interesse sind. Der wichtigste Vers, 434, lautet im Lateinischen: *Corpora diversae naturae juncta placebunt.* In der Literatur wird eine Ausgabe von 1667 genannt, die ich nicht ausfindig machen konnte; vgl. z. B. Pochat 1986, S. 346.

2 Der Katalog der Pariser Nationalbibliothek verzeichnet folgende Ausgaben: Lateinisch: Paris 1668, Leipzig 1770; Pariser Ausgaben auf Französisch mit Kommentaren von Roger de Piles: Paris 1668, 1673, 1684, 1751; ergänzt durch Kommentare des Abbé de Marsy, hrsg. von Meunier de Querlon 1753; hrsg. von Renou 1789; hrsg. von A. Rabany-Beauregard 1810, 1824 und hrsg. von Henri Bernay de Nevers und Letillois 1836; Amsterdamer Ausgabe auf Französisch hrsg. von Claude-Henri Watelet 1761; Flämisch Antwerpen 1762; Italienisch Rom 1713. Die dort erwähnten englischen Ausgaben in Übersetzungen von William Mason mit Anmerkungen von Joshua Reynolds, York 1753 und Dublin 1783 sind zu ergänzen durch die nicht vermerkten Ausgaben von John Dryden mit Ergänzungen von Richard Graham ab 1695; zu diesen siehe S. 27 f.

3 Vgl. oben S. 15.

4 Vgl. Katalog der Pariser Nationalbibliothek Bd. 137, 1936, Sp. 570–573; vgl. allgemein: H. Gillot, *La quérelle des anciens et des modernes en France*, 1914, Neuausgabe Genf 1968; Pochat 1986, S. 354–357.

5 Vgl. oben S. 28.

6 Vgl. die enge Parallele bei Gérard de Lairesse, der mit de Piles eng verbunden war (hier S. 170 f.).

7 Hier gibt der moderne Herausgeber Donald F. Bond in einer Anm. den Hinweis:»Poetics 24.11.: Thus ought we to reserve all the Ornaments of Diction, for these weak parts. Those that have either good Sentiments, or Manners, have no occasion for them. A Brillant, or Glorious Expression, damages them rather, and serves only to hide their Beauty (Dacier's trans. pp. 408–409).«

8 Nicht ganz zufällig ist der Bezug zu Hoogstraten, der Entsprechendes unter dem Zeichen derselben Muse verhandelt (hier S 157 ff.).

9 Vgl. *Dictionary of National Biography*, Bd. I, Oxford 1949/50, S. 122–133.

10 Zur Literatur vgl. vor allem Dobai II, 1975, S. 639–717 mit ausführlichem Literaturverzeichnis S. 708 ff.; siehe auch Werner Busch 1977.

Parerga, *Uitspanningen van de kunst* oder Bestandteil nobler Malerei

Obwohl er selbst Stilleben malte, wertete der Rembrandt-Schüler Samuel van Hoogstraten solche Arbeit als Spielerei oder pures Handwerk ab. Erst eine Generation später mühte sich Gérard de Lairesse aus Lüttich, der in Amsterdam als Maler wirkte, dem autonomen Stilleben einen Platz zu geben. Beide Autoren waren Künstler; ihre Texte beweisen, wie präsent antike Anekdoten im Holland des sogenannten Goldenen Zeitalters waren. Franciscus Junius hatte mit seinem Buch über die antiken Bildkünste eine neue Grundlage geliefert, sich mit griechischen und römischen Künstlern zu identifizieren.

Franciscus Junius über das Rebhuhn des Protogenes (1638)

What we have sayd already, may serve for an introduction into a setled way of judging, and wee would willingly end with this, if wee had not something to say about the by-workes, commonly called Parerga *in the antient Greeke and Latine Authors.* »Parerga *are called such things,«* sayth Quintilian, *»as are added to the worke for to adorne it.«* [...] *If we doe finde in the meane while, That the Artificers hit the true force and facilitie of grace better in these sudden things than in the worke it selfe, yet must wee never be so inconsiderate in our judgment, as to preferre the by-work before the work:* Protogenes *his example may teach us, how much the indiscretion of such spectators discourageth the Artificer. Among many excellent Donaries that did adorne the city* Rhodes, *the picture* Jalysus *was much renowned; a painted Satyr also standing neere a pillar, whereupon a picture of a partridge being newly hung there, drew the eyes of all sorts of men so much, that the most excellent picture of* Jalysus *grew contemptible, and no body did any more regard it.* Protogenes *therefore finding himself much vexed, that the by-worke should be preferred before the worke it selfe, having asked leave of the Church-wardens, did put out the bird. Such another company of unadvisedly and impertinently judging Spectators made* Zeuxis *likewise cry out; These men commend the mud of our Art.*

Junius, Franciscus, *The Painting of the Ancients*, 1638, Buch III, Kap. VII, 13, zitiert nach Ausgabe 1991, S. 310–11.

Was wir bisher gesagt haben, mag als eine Einführung in eine begründete Art von Urteil dienen, und wir würden gern damit enden, wenn wir nicht noch etwas zu sagen hätten über Beiwerk, gemeinhin Parerga *genannt bei den alten griechischen und lateinischen Autoren.* »Parerga *werden solche Dinge genannt,«* sagt Quintilian,

»wie man sie dem Werk hinzufügt, um es auszuschmücken«. [...] Wenn wir derweil finden, daß die Künstler die wahre Stärke und Fähigkeit besser in diesen unerwarteten Dingen als im Werke selbst treffen, dann müssen wir immer noch nicht so unbedacht in unserem Urteil sein, das Beiwerk dem Werk vorzuziehen. Protogenes, sein Beispiel, mag uns lehren, wie sehr die Unfähigkeit solcher Betrachter zu urteilen den Künstler entmutigt. Zwischen vielen ausgezeichneten Weihgeschenken, die die Stadt Rhodos schmückten, war das Bild Ialysos sehr berühmt, ebenso ein gemalter Satyr, der an einem Pfeiler stand, auf dem das Abbild eines Rebhuhns zu sehen war. Das Abbild des Rebhuhns, neu aufgehängt, zog die Augen aller Art von Menschen so sehr auf sich, daß das höchst bedeutende Bild des Ialysos zunehmend verächtlich wurde und es keiner mehr anschaute. Protogenes, der sich deshalb verärgert zeigt, daß das Beiwerk dem Werk selbst vorgezogen werden sollte, tilgte den Vogel, nachdem er die Kirchenwärter darum gebeten hatte. Solch eine andere Gesellschaft von unberaten und impertinent urteilenden Betrachtern ließ Zeuxis aufschreien: »Diese Leute empfehlen den Dreck unserer Kunst«.

[Übersetzung der Herausgeber]

Kommentar

Franciscus Junius d. J. (1598–1677), Sohn des reformierten französischen Gelehrten François du Jon aus Issoudun, hatte infolge der religiösen Wirren der Zeit viele Landstriche Europas kennengelernt, ehe er unter dem Mäzenat von Thomas Howard, Earl of Arundel, in England sein Auskommen fand. Dort entstand das Buch über die *Pictura Veterum*, das 1637 zum ersten Mal auf Lateinisch in Amsterdam gedruckt wurde. 1638 folgte mit Widmung an Lady Arundel die wesentlich veränderte englische Fassung. An sie als Muster hielt sich ein Neffe des Autors mit der holländischen Ausgabe, Middelburg 1641, während die deutsche Fassung eng der älteren lateinischen Version folgt, die ihrerseits vom Autor selbst zeitlebens überarbeitet worden war und in stark abweichenden Fassungen häufiger gedruckt wurde.

Das Verhältnis zwischen den Ausgaben läßt sich vorzüglich an unserem Zitat zeigen. Zwar spricht der Autor auch im lateinischen Text von den *Parerga*, jedoch noch ohne die Anekdote vom *Rebhuhn des Protogenes* auszuführen. In der holländischen Fassung hingegen wird aus dieser Passage selbst rhetorisches Beiwerk, als habe Junius nicht nur den Wortlaut, sondern auch den Stellenwert der *Xenia* in Philostrats *Eikones* vor Augen: Nach dem ersten Satz wird 1641, S. 349, eingeschoben: *Dies sullen wy wat alleen dese korte bedenckinghe van de overwercken tot ons voorighe werck als een over-werck toevoeghen.* Wie das antike Vorbild endet auch Junius sein Buch, zumindest in den englischen und holländischen Ausgaben, mit diesem Wort zum Beiwerk und gibt der hier wiedergegebenen Überlegung unübersehbare Prominenz.

Von der Kunstgeschichte meist sträflich übersehen, gehört Junius zu den führenden Stimmen des 17. Jahrhunderts. Sein Begriff *Pictura* bezieht sich nicht nur auf Malerei, sondern auf alles Bildnerische. Als Quellensammlung gehört das Buch über die Bildnerei der Alten letztlich zu den Vorläufern unseres eigenen Versuchs. Zwar mag man den originären Anteil des Autors deswegen gering achten; wegen der vielfältigen Rezeption gibt Junius aber einen treffenden Eindruck von der Präsenz antiker Anekdoten und ästhetischer Überzeugungen.

Junius bezieht sich mit der hier wiedergegebenen Passage auf Strabon (64/63 bis nach 23 v. Chr.) über Protogenes, der um 370 v. Chr. in Kleinasien geboren wurde, aber in Athen und Rhodos arbeitete, wo er kurz nach 300 starb. Den Satyr *Anapauòmenos* soll er 305/304 während der Belagerung durch Demetrios Polyorketes gemalt haben. Dabei habe der Tyrann alles getan, daß der Künstler unbehelligt arbeiten konnte.

In Strabons *Griechischer Geschichte*[1] geht es ebenso wenig wie bei Junius um Stilleben, sondern um ein Rebhuhn, das lebend dargestellt war, als habe es sich auf der Säule niedergelassen, an der der Satyr lehnte. Zum Bericht gehört die Ausschmückung, gezähmte Rebhühner hätten das gemalte als ihresgleichen freudig beschnattert.[2] Damit fügt sich die Geschichte vom Kunsturteil; vor allem aber handelt es sich um den grundlegenden Text zum *párergon*. Bei Strabon wie Junius stoßen *érgon* und *párergon* direkt aufeinander, so daß die Umkehrung des Wichtigen, durch den zentralen Begriff für *Werk* ausgedrückt, ins Unwichtige, im Wortsinne *Beiwerk*, ungewohnt präzise bezeichnet wird.

In der Anekdote nimmt der Maler selbst die Rolle des gelehrten Kritikers ein und wendet sich gegen das törichte Publikum. Daß es sich bei solchen Berichten eher um rhetorische Figuren für eine ästhetische Haltung handelt, die keineswegs von allen Autoren geteilt wird, zeigt der Bericht von Eustathios,[3] der das schöne Rebhuhn als *hymnúmenon párergon* erwähnt, als hymnisch gepriesenes Beiwerk. Doch solche Anekdoten wurden nicht nur zu Topoi der Erzählung, sondern zu Verhaltensmustern: Pacheco beispielsweise berichtet 1649, Pablo Céspedes aus Córdoba habe einen irdenen Krug in einem Abendmahlsbild wieder getilgt, weil er die Aufmerksamkeit des Publikums zu sehr auf sich zog.[4]

Was in der modernen Diskussion die Rede vom Unterschied zwischen gutgemalter Rübe und schlecht gemalter Madonna ist, manifestiert sich in der nachantiken Tradition mit dem Beispiel des Protogenes: Das auch technisch bewunderte Hauptwerk *Ialysos* bot ähnlich wie der Satyr Stoff für Topoi.[5] Indem der Satyr mit dem Rebhuhn neben ein solches Monument gestellt wird, steht das ganze Wertsystem der Kunst auf dem Prüfstein.[6]

Samuel van Hoogstraten über das holländische Stilleben seiner Zeit und das Publikum (1678)

Van de dryderley graden der konst.
Het eerste gilde komt met Lippus bevonde vond van grotissen te voorschijn, of met zwierige festons, vlecht bloemkranssen, en stelt veelverwige ruikers in potten en vazen; en Wijntrossen en schoone Pers [...] en een helderen Wijnroomer op een zwangeren Dis; Papeljoentjes, Roomsche Haegdis, [...] of Muzijkboek en Vanitas in der eeuwicheit. Of zy bestellen keukens met allerley kost, van Vlees en Visch, en bekoorlijk Wiltbraet, en al wat onder den naem van stil leven begreepen is. [...]. Maer deze Konstenaers moeten weten dat zy maer gemeene Soldaeten in het veltleger van de konst zijn.

Die geene die tot het uitbeelden van de edelste verbintenissen van een geheele Historie zich onbequaem bevinden, zegt Junius, *vallen in 't gemeen aen 't deurknuffelen van den schild van eenich vermaert Kapitein, op een bouwvallig out Kasteel, op een zeltsame grotte met klimop, [...]; of iets, daer zy best mouwen aen weeten.*

Zeker de kunst is tot zulkeen misfortuin gekomen, datmen in de beroemste kunstkabinetten het meestendeel stukken vind, die niet anders, dan voor een lust of als in spel van een goet Meester behoorden gemaekt te worden, als hier een Wijntros, een Pekelharing, of een Haegedis, daer een Patrijs, een Weytas, of dat noch minder is. Welke dingen, schoonze ook hare aerdicheden hebben, alleen maer als uitspanningen van de kunst zijn. Darom zeyde Zeuxis, *als hy hoorde hoe 't gemeene volk [...] de voornaemste over t'hooft zach, dat zy uit onweetenheit niets anders, dan den droessem van de kunst preezen. En hier over was 't, dat hem* Protogenes *verstoorde, toen hy vernam dat zijn geschildert Patrijsken van de menichte meer, dan zijnen* Ialysus *geacht wiert.[...]*

Zeker 't is onvermakelijk te hooren, als somtijts onweetende, doch verwaende liefhebbers, het beste deel in eenich stuk willende aenwijzen, iets zoo gemeens uitpikken, dat by den Meester schier als slapende, of ten minsten van zijn voornaemen arbeyt rustende, gemaekt is. Deeze dingen zijn bij de ouden als overmaet of toegift tot het voornaemste werk geacht geweest, en wierden van hen Parerga *genoemt; en zijn by groote Meesters gemeenlijk door de hand van jongers en aenkomelingen, of van de geene, die daer een handwerk van konden, gemaekt. En waerlijk de kunst wort by veelen als een handwerk gebruikt, die al haer leeven lang ontrent een zelve, of altijts dergelijk werk bezich zijn. Deeze hebben den Schilder ook niet uit te lachen, die, op Cipresseboomen te schilderen afgerecht, toen hy van een Schipbreukigen mensch verzocht wiert het droevich Zee-ongeval voor hem uit te beelden, hem vraegde, of hy niet een Cipresseboom daer by geschildert begeerde? [...]*

D'oude Schilders dorsten (sic) van Piereykus *wel een Schilder van kleyne beuzelingen maken, schoon hy heele winkels met kramery: Ezeltjes met gras en kruit geladen, en tien duizent diergelijke dingen meer zeer nettekens uitfymelde, en daer veel gelt voor*

kreeg. Andreas Mantegna *hielt staende dat de Schilderyen, die maer nae't gemeene leven, en niet nae de schoonheyt der antijke beelden aerden, weynich om't lijf hadden.* Michel Agnolo Caravaggio, *daerentegen, hielt voor kinderwerk, en beuzelingen, al wat niet stip nae't leven geschildert was, hoedanich, of van wie ook ware. En* Buonarotti *maekte zelfs van al het schilderen met Olyverwe wyvenwerk. Die dit alles had willen ten argste duiden, zouw niet veel uitgerecht hebben. En zoo meyn ik dat zy ook niet en zullen, die my zouden willen afbrengen van dat ik het schilderen van gemelde snorrepijpen en snuysteryen in de laegste rang stel. Maer om dit eenichzins te zalven, zoo zeggen wy met* Plutarchus, *dat wy de Schilderye van een Haegdisse, van een aep, van een alderleelijksten* Thersites *tronie, jae't alderafschuwelijkste en verachtste, als't maer natuerlijk is, met lust en verwonderinge anzien, en zeggen, hoewel men het leelijke en mismaekte niet schoon, noch het slechte heerlijk kan maeken, dat leelijk nochtans mooy wort, door zijne natuerlijkheyt, en ten anzien van de naevolginge, de zelve lof verdient die men aen't uitgelezenste schuldich is te geven.*
De tweede bende komt met duizenderley verzieringen te voorschijn, en speelt met Kabinetstukken van allerley aert. Sommige brengen Satyrs, Bosgoden, en Thessalische Harders [...], laten de wandelweegen deurschieten, of bouwen een weelich Paradijs, [...]. Andere komen met nachten, [...], en mommerien hervoor: [...] of met Barbiers en Schoenmakers winkels, en verdienen de naem van Rhyparographi, *zoo wel als d'oude* Pyreykeus *voornoemt, [...].*
Wy zullen nu onze leergierige en eerzuchtige Schilderjeugt op den derden en hoogsten trap geleyden. [...]
[...] zijn de Historyen zoo rijk voor die nae den hoogsten trap der konst doelen, dat de keur veel duizenderley is. Maer wat hoeftmen verleegen te zijn, daer ons het heylich boek des Bijbels zoo rijkelijk werk verschaft? Op deezen hoogstverheven trap dan der Schilderkonst zit Clio, *d'eerste van haere zusteren, met duizent opgeslage boeken: [...]. Want die dezen trap, die de hoogste is, waerdichlijk beklimt, is in de konst niet alleen een opperste Veltheer, maer zelfs een gebiedende Prins. (S. 85)*

Vervolg van de drie graeden in de Schilderkonst.
[...] De Philosophen, van de zielen handelende, zeggen datze of van driederley natueren zijn, of datmen 'er driederley graeden van werkingen af bespeurt: d'eerste noemen zy de groeijende, en deeze zoude de oorzaeke van wasdom in alle kruiden, planten, boomen, mijnstoffen, en dergelijke toeneemende, doch ongevoelijke dingen zijn. De tweede noemen zy de gevoelijke of beroerende, en deeze eygenen zy allerley slach van levendige dieren, visschen, voogelen en de menschen toe. De derde noemen zy de denkende, [...] de Reedelijke, en met deeze zouden alle menschen begaeft zijn. [...] Wy zien de kruiden, bloemen, Edele gesteenten, en wat'er meerder zonder beweegen groeyt, met groote verwondering aen; maer hoe wonderlijker is't, het gevoogelte, dat door een gelijke kragt van de groeijende ziele zoo schoon met pluimen en vederen bekleet is, zich daer en boven te zien beweegen, en d'aerde verlaetende, door de dunne lucht te vliegen. [...] Echter staet dit vast, dat hoe overaerdig eenige

bloemen, vruchten, of andere stillevens, gelijk wy 't noemen, geschildert zijn, deeze Schilderyen evenwel niet hooger, als in den eersten graed der konstwerken moogen gestelt worden; al waerenze zelfs van de Heem, Pater Zegers, *jae* Zeuxis *en* Parrasius, *tot bedriegens toe uitgevoert. Tot den tweeden graed behooren alle kodderyen [...],* Brouwers *poetsen, [...], en* Pyreykus *Ezeltjes. Hoewel wy daerom niet toestaen, dat alle kladderyen, door 't verbeelden van gemelde voorwerpen, tot deeze graeden behooren. [...] Anders zoude den derden en hoogsten graed der konst wel den alderverachtsten zijn; want men ziet overal dozijn werk van doorluchtige Historyen. De Schilderyen dan, die tot den derden en hoogsten graed behooren, zijn die de edelste beweegingen en willen der Reedewikkenden schepselen den menschen vertoonen. [...]*

Hoogstraten, Samuel van, *Inleyding tot de Hooge Schoole der Schilderkonst. Anders de Zichtbaere Werelt. Verdeelt in negen Leerwinkels, yder bestiert door eene der Zanggodinnen*, Rotterdam 1678, S. 75–87.

Von den dreierlei Graden der Kunst.

Die erste Gilde kommt mit Lippus gefundenem Fund von Grotesken zum Vorschein oder mit eleganten Festons, geflochtenen Blumenkränzen und stellt vielfarbige Sträuße in Töpfe und Vasen, und Weintrauben [...] und Zitronen, einen klingenden Weinrömer auf einen vollbeladenen Tisch, mit Pilzen,[7] römischen Eidechsen [...] oder Notenbüchern und Vanitas in der Ewigkeit. Oder sie zeigen Küchenstücke [...] und alles, was unter dem Namen von Stilleben begriffen ist. [...]. Aber diese Künstler müssen wissen, daß sie nur gemeine Soldaten im Feldlager der Kunst sind. Diejenigen, die mit dem Ausbilden der edelsten Erfordernisse einer ganzen Historie nicht zurecht kommen, sagt Junius, *verfallen allgemein auf den Schildknauf eines mäßig bekannten Kapitäns, auf ein baufälliges altes Kastell, auf eine seltsame Grotte mit Steilwand, [...] oder auf etwas, was sie am besten vorzutäuschen wissen. Sicher ist die Kunst in solch eine unglückliche Lage gekommen, daß man in den berühmtesten Kunstkabinetten zumeist Stücke findet, die nicht anders als aus Lust oder Spiel von einem guten Meister gemacht sein dürften, wie hier eine Weintraube, ein Salzhering oder eine Eidechse, da ein Rebhuhn, eine Jagdtasche oder was noch weniger wert ist. Also Dinge, die, obschon sie auch ihren Reiz haben, nicht mehr sind als Entspannungen von der Kunst. Darum sagte* Zeuxis, *als er hörte, wie das gemeine Volk das Wichtigste auf dem Kopfe, daß sie aus Unwissenheit nichts anderes als den Trester der Kunst preisen. Und hierüber war* Protogenes *verstört, als er vernahm, daß sein gemaltes Rebhühnchen von der Menge mehr als sein* Ialysus *geachtet wurde. [...].*
Sicher ist es unerfreulich zu hören, wie manchmal unwissende, jedoch dünkelhafte Liebhaber, die den besten Teil in einem unbedeutenden Stück anpreisen wollen, etwas so Gemeines herauspicken, was vom Meister, geradezu als er schlief oder we-

nigstens als er sich von seiner vornehmeren Arbeit ausruhte, gemacht wurde. Diese Dinge sind bei den Alten als Übermaß oder Zugabe zum vornehmsten Werk geachtet worden, und wurden von ihnen Parerga *genannt und sind bei großen Meistern gemeinhin durch die Hand Jüngerer oder von Neuankömmlingen oder von denjenigen, die davon ein Handwerk beherrschten, gemacht worden. Und wahrlich, die Kunst wird von vielen als Handwerk gebraucht, die all ihr Leben lang unbeirrt eine und dieselbe oder immer gleiche Arbeit geschaffen haben. Diese haben den Maler auch nicht auszulachen, der, darauf spezialisiert, Zypressenbäume zu malen, als er von einem Schiffbrüchigen aufgefordert wurde, den furchtbaren Unfall auf See für ihn darzustellen, diesen fragte, ob er nicht auch eine Zypresse dareingemalt haben wollte.*
[...] Die alten Maler durften aus Peraïkos *durchaus einen Maler von kleinem Tand machen, obwohl er ganze Läden mit Kram, Esel, mit Gras und Kraut beladen, und zehntausend dergleichen Dinge mehr, sehr nett ausfummelte und dafür viel Geld kriegte.* Andrea Mantegna *hielt es für erwiesen, daß die Malereien, die nur nach dem gemeinen Leben und nicht nach der Schönheit der antiken Skulpturen arteten, wenig um den Leib hatten.* Michelangelo da Caravaggio *hingegen hielt für Kinderwerk und Tand alles, was nicht genau nach dem Leben gemalt war, wie dieses auch immer sei. Und* Buonarotti *hielt selbst alles Malen mit Ölfarbe für Weiberwerk. Wer dieses alles übelst deuten will, soll damit nicht viel ausrichten. Und so meine ich, daß man mich auch nicht davon abbringen soll, daß ich das Abmalen von genannten Späßen und Schnurren in den niedersten Rang stelle. Aber um dieses einvernehmlich zu lösen, so sagen wir mit* Plutarch, *daß wir die Malerei einer Eidechse, eines Affen, eines allerhäßlichsten* Thersites-*Gesichtes, ja, das Allerabscheulichste und Verachtetste, soweit es nur natürlich ist, mit Lust und Bewunderung ansehen, und sagen, wie, obwohl man das Häßliche und Mißgestaltete nicht schön, noch das Schlichte herrlich machen kann, daß das Häßliche dennoch schön wird durch seine Natürlichkeit und zum Ansehen durch das Publikum dasselbe Lob verdient, das man dem Auserlesensten zu geben schuldig ist.*
Die zweite Truppe kommt mit tausenderlei Verzierungen zum Vorschein und spielt mit Kabinettsstücken von allerlei Art. Einige bringen Satyrn, Waldgötter, und Thessalische Hirten [...], lassen weite Wege erblicken, oder bauen ein irdisches Paradies, [...]. Andere kommen mit Nachtbildern, [...] und Mummenschanz hervor, [...] oder mit Barbier- oder Schuhmacher-Läden, und verdienen den Namen Rhyparographi, *ebenso wie der schon genannte* Peraïkos *[...].*
Wir sollen nun unsere lehrbegierige und ehrsüchtige Malerjugend auf die dritte Stufe geleiten. [...]
[...] die Historien sind so reich für die, die nach der höchsten Stufe der Kunst streben, daß die Wahl viel tausenderlei ist. Was hat man nur verlegen zu sein, wo uns das heilige Buch der Bibel so reichlich Arbeit verschafft? Auf dieser höchsterhobenen Stufe der Malkunst sitzt Clio, *die erste ihrer Schwestern, mit tausend aufgeschlage-*

nen Büchern. [...]. Wenn einer diese Stufe, die die höchste ist, würdig erklimmt, ist er in der Kunst nicht nur der oberste Feldherr, sondern selbst ein gebietender Fürst.

Fortsetzung von den drei Graden der Malerkunst.
[...]. Die Philosophen, die von den Seelen handeln, sagen, daß diese von dreierlei Natur seien oder daß man bei ihnen drei Grade von Wirkung spürt: Die erste nennen sie die wachsende, und diese sollte die Ursache des Wachstums in allen Kräutern, Pflanzen, Bäumen, Erzen und dergleichen zunehmenden, aber gefühllosen Dingen sein. Die zweite nennen sie die fühlende oder berührende, und diesen rechnen sie allerlei lebendige Tiere, Fische, Vögel und die Menschen zu. Die dritte nennen sie die denkende, [...] die vernünftige, und mit dieser sollten alle Menschen begabt sein. [...] Wir sehen die Kräuter, Blumen, Edelsteine und was sonst noch mehr ohne Bewegung wächst, mit großer Bewunderung an; aber wieviel bewundernswerter ist es, einen Vogel zu sehen, der durch eine gleiche Kraft der wachsenden Seele so schön mit Flaum und Federn bekleidet ist, wie er sich da oben bewegt und die Erde verlassend durch die dünne Luft fliegt. [...] Jedoch steht fest, daß, wie überaus schön einige Vögel, Früchte oder andere Stilleben, egal wie wir es nennen, gemalt sind, diese Malereien dennoch nicht höher als in den ersten Grad der Kunstwerke gestellt werden mögen, wären sie selbst von de Heem, Pater Seghers, *ja* Zeuxis *und* Parrhasios *zur Täuschung ausgeführt. Zum zweiten Grad gehören alle Scherze [...],* Brouwers *Schwänke, [...] und* Peraïkos' *Eselchen. Obwohl wir deshalb nicht zugestehen, daß alle Kleckserein durch das Abbilden genannter Bildgegenstände zu diesen Graden gehören. [...] Anders wäre der dritte und höchste Grad der Kunst wohl der allerverachtetste; denn man sieht überall Dutzendwerk durchlauchtiger Historien. Die Malereien aber, die zum dritten und höchsten Grad gehören, sind die edelsten Gemütsbewegungen und wollen den Menschen vernünftige Geschöpfe vorführen. [...]*
[Übersetzung der Herausgeber]

Kommentar

Daß die Geschichte von Protogenes mit der Wertschätzung von Stilleben engstens verbunden ist, zeigt ihre zentrale Rolle bei Samuel van Hoogstraten (1627–1678). Als Schüler Rembrandts hat dieser Maler[8] Porträts, gute Historienbilder und zumindest ein Stilleben[9] geschaffen; berühmt ist das jugendliche Selbstporträt mit Vanitas von 1644 in Rotterdam (Abb. 18).[10] In verblüffenden optischen Versuchen erprobte er das Trompe l'oeil.[11] Andererseits hat Hoogstraten Perspektivkästen mit Ölbildern ausgestattet, von denen ein Exemplar in der Londoner National Gallery vollständig erhalten blieb.[12]

Obwohl sich Hoogstraten als Maler keineswegs auf das *voornaemste werk* beschränkte, nimmt er als Theoretiker streng akademische Standpunkte ein, denen er schließlich

Abb. 18
Samuel van Hoogstraten: *Selbstbildnis mit Stilleben*
(Rotterdam, Museum Boymans-van Beuningen)

seine gesamte Karriere verschrieb. In entschiedenem Gegensatz zu den Theoretikern der französischen Akademie gewichtet Hoogstraten allerdings die Arbeit nach der Natur ganz anders: Während jene solche Arbeit erst nach dem Studium der Alten und unter Anleitung des Lehrmeisters zulassen (hier S. 44 f.), setzt Hoogstraten die Natur voraus, die im eigenen Lande vielfältig zu studieren sei, ehe man sich nach Italien wenden solle.[13] Folgerichtig reiste er erst gegen Lebensende nach Rom.[14]

Hoogstratens Schüler Arnold Houbraken, der in seiner *Groote Schouburgh* von 1718–1721 die Erinnerung an seinen Meister lebendig hält,[15] preist vor allem dessen didaktische Fähigkeiten. Solchem Impetus ist auch die *Inleyding* von 1678 zu verdanken, ein Lehrbuch, das Maler mit klassischer Bildung konfrontiert und unablässig Junius und dessen *Pictura Veterum* zitiert.

Hoogstraten hat sein im Sterbejahr 1678 erschienenes Werk in neun nach den Musen benannte Abschnitte gegliedert. Zur Gattung Stilleben äußert er sich vor allem im dritten Buch, das Clio, der Muse der Geschichte, gewidmet ist; dabei verrät seine Formulierung, daß der Begriff für ihn nicht aus dem Leben stammt, sondern ein Fachausdruck ist. Die Zuordnung zur Geschichte ist nur scheinbar ein Widerspruch; denn Hoogstraten unterscheidet im Buch Clio drei Stufen der Kunst, von der Muse der Geschichtsschreibung bekrönt. Diese Vorstellung verwebt sich poetisch mit einer Heerschau der Kunst: Unter dem fürstlichen Oberbefehl des begabten Historienmalers müssen Stillebenmaler mit einem Platz im Fußvolk zufrieden sein.[16]

Trotz unverkennbarer Häme gegenüber Stilleben ist Hoogstratens Text der lebendigste und am kraftvollsten mit Auskünften gesättigte Beitrag der älteren Kunsttheorie. Der Autor faßt die wichtigsten Probleme des stillebenhaften Beiwerks und der Gattung zusammen. Die Zustimmung des zahlenden Publikums für das, was als Stilleben begriffen wird, beweist dem Historienmaler aus Rembrandts Kreis den Niedergang der Kunst, bei dem Dünkel von Kunstfreunden und einfallsloses Handwerk spezialisierter Fachmaler auf das Verdrießlichste zusammenwirken. Aus Junius entlehnt Hoogstraten Stimmen von Künstlern des Altertums, die seiner Kritik an der Kultur der Gegenwart größere Autorität geben und Standpunkte einer gelehrten Kunst vertreten, die sich weit über das Handwerk erhebt.

Selbstverständlich kann Hoogstraten den Schmutzmaler Peraïkos nicht auslassen. Auf der untersten Stufe bedenkt er den antiken Kollegen mit Spott; gegen Peraïkos spricht auch, daß er für die *beuzelingen* gutes Geld erhalten habe. Peraïkos darf jedoch auf der nächst höheren Stufe eines Systems wiederkehren, dessen einfachste Stufe das Stilleben besetzt. Die beiden erhabeneren Stufen der Kunst gehören dem Genre und der Historie; Landschaft hat keinen eigenen Platz.

Hoogstraten ist mit Vasari (hier S. 225 f.) einig, daß mit Grotesken und Festons das anfing, was man später mit Stilleben bezeichnete. Daß Hoogstraten das Verhalten von Stillebenmalern an einem Zypressenmaler erläutert, zeigt, wie wenig die Gattungen in seiner Kunsttheorie geschieden waren: denn Stilleben und Landschaft bilden noch eine Einheit.

In aufschlußreichem Bruch wendet sich Hoogstraten dann der Natürlichkeit als Qualität zu. Nachdem er die großen italienischen Maler Mantegna, Caravaggio und Michelangelo über das Für und Wider von antikem Ideal und der Arbeit nach der Natur hat zu Wort kommen lassen, löst er selbst den Konnex von Gegenstand und Machart, da durch Natürlichkeit auch das Allerabscheulichste *mooy* erscheine.

In einem zweiten Anlauf geht Hoogstraten die drei Stufen noch einmal durch: Nun bemüht er ungenannte Philosophen, um letztlich Ovids Dreiteilung der Aufgaben von Malerei zu bestätigen (hier S. 11): Die Dreistufigkeit entspricht neoplatonischen Graden der Beseelung vom Gefühllosen über das Fühlende zum Denkenden. Zur Zuordnung des – flugunfähigen – Rebhuhns als verachtenswerten Bildgegenstands in Antike und Gegenwart gehört auch die Tatsache, daß sich die zweite Stufe von Existenz im singenden und fliegenden Vogel verwirklicht. Der Lehre von den Materialien und ihrer Beseelung sind Bilder selbst von Zeuxis und Parrhasios (hier S. 108) unterworfen, deren Trompe l'oeils neben de Heem und Daniel Seghers auf niedrigster Stufe stehen.

Daß Hoogstraten von den Zeitgenossen nur zwei in Antwerpen tätige Maler, aber keine Holländer nennt, läßt aufmerken. Geringschätzung für Fachmaler, gerade auch für Landschafter und der Tribut für Historienmalerei lassen auf das Denken in Rembrandts Kreis rückschließen. Man verachtete gut verdienende Spezialisten in Holland und maß sich lieber an den großen Italienern und den Helden eines Junius, nicht ohne vernichtenden Blick auf Historienmalerei der Zeitgenossen; denn nach Hoogstraten birgt Hochschätzung, die ihrem Métier gebührt, für Historienmaler ein Risiko: Sind sie schlecht, dann sind sie die verachtetsten von allen.

Stilleben hingegen sind zwar Entspannung von ernsthafter Kunst; man macht sie im Schlaf. Doch wenn man sie gut macht, dreht man die Werte um. Die Möglichkeit von gut gemalter Rübe und schlecht gemalter Madonna (hier S. 201 f.) ist von keinem frühen Autor so klar und gescheit gesehen worden wie von dem offensichtlichsten Verächter des Stillebens, der selbst ein paar phantastische Beiträge zur Gattung lieferte.

Gérard de Lairesses *Großes Malerbuch* (1707)

Elfde Boek, Handelende van de Stillevens
Eerste Hoofstuk.
Doch vooraf moeten wy eerst het woord Stilleven verklaaren; zynde zo veel te zeggen als onbeweegelyke, of zieleslooze dingen, als bloemen, vruchten, goud, zilver, hout, steen, muziekinstrumenten, doode visschen, enz. konnende alle op verscheidene manieren, doch elk op zyne beurt, tot hoofdstoffen dienen om iets daar van op doek of paneel natuurlyker wyze op te stellen. Met deze genoemde voorwerpen kan men genoegsaame middelen vinden om allerhande slag van menschen en zinnen te voldoen, zo wel hooge en laage, als geleerde en eenvoudige. Wy zullen dan uit veele deze

navolgende, welke wy de schoonste, cierlykste, en aangenaamste oordeelen, tot voorwerpen verkiezen.
Eerstelyk, de Bloemen.
Ten tweden, Vruchten.
Ten derden, Goud, Zilver, en andere kostelyke Schatten.
Ten vierden, Muziekinstrumenten.
Deze vier soorten, konstig geschikt en wel uitgevoerd, mogen zo wel als de beste Schilderyen in zaalen en kabinetten zonder hinder geplaatst worden, mits hun behoorlyk licht ontfangende, en by malkander blyvende. Doch men dient dit voor af te weeten, waar in een schoon en konstig Stilleven bestaat: want het is niet genoeg, dat zodanig een Stuk natuurlyk en wel is geschilderd. De verkiezing is noch veel meer: die bekoort en voldoet de zinnen der aanschouwers, en maakt den Meester roemruchtig. Men moest wel beroofd van zinnen, of van gering verstand zyn, indien men wilde denken dat verlepte en verdorde bloemen iemand zouden konnen behaagen, al waar het in 't leven zelve, [...] en wie is' er die een Stuk met vruchten van de slegtste en gemeenste soort, en noch onryp, verrot, en bemorst, in een beste kamer of kabinet onder zyne fraayste konst zoude willen zien hangen of pronken, waar van het leven zelve ieder een doet walgen? [...]
Myn oordeel is dan, dat de schoonheid en deugd van een Stilleven alleenlyk in de alleruitgelezenste voorwerpen bestaat: ik zeg uitgelezenste, meenende daar mede dat men uit alle bloemen de schoonste en raarste moet verkiezen, gemeene en slegte uitgezonderd; [...] Het is ook niet waarschynlyk, dat lieden van vermogen, die alles rykelyk bezitten, eenig vermaak zouden scheppen in ouwerwetse goederen van spiegels, zilvere en goude potten, kannen, schenkborden, en andere kostelykheden meer, en met de zelve willen pronken, daar zy alles schoonder en cierlyker konnen hebben. [...] Wat koolen, wortelen en raapen, als mede kabeljaauw, zalm, haring, spiering, en diergelyke dingen aangaat, welke slegte en gemeene vercieringen zyn, niet eigen noch waardig om binnens huis in kamers te hangen, die zullen wy voorby gaan: die ze lust, mag zich na de markt vervoegen. 't Zelfde is het ook met paardetuigen op houte planken geschilderd, ook allerhande jachttuigen: doch deze laatste zyn niet heel oneigen, benevens zwynen, herten, haazen, als mede faisanten, patrysen, en andere doode vogelen meer, welke gemeenlyk van der Vorsten en Edellieden zin afhangen. [...]
Wat my aangaat, ik oordeel dat de welspreekendheid heel bekoorlyk voor het gehoor is. De deugd alleen is 't die de schoonheid aanminnelyk maakt. [...] Neen, zeg ik, de deugd moet doorstraalen: de reuk, smaak, gehoor of geluid kan het penceel niet afmaalen: maar door eenige verborgene betekenissen kan men den aanschouweren het zelve wel te verstaan geeven, ten minsten iets of wat daar van, het zy in basreleve door fabels, hierogliphen *of zinbetekenende figuuren, en andere dingen meer, [...].*
Wat de natuur en eigenschap der plaatsen in de Stillevens, zo binnen als buiten, belangt; wy zeggen, dat de zelve tweederlei zyn: verbeeldende de eerste als of het

tegen een vlakke muur ofschot hangende geschilderd waar; en de twede, als leggende op bank, tafel, of op de grond.
Wy stellen ook vast, dat geene voorwerpen, in de Stillevens te pas gebragt, minder dan levensgroot mogen verbeeld worden.
Het voegt ook niet, en het is tegens de natuur en de waare eigenschap van de Stillevens strydende, in een van alle de voornoemde verkiezingen eenige gekoleurde verbeeldingen of doorzicht te vertoonen, noch binnen, noch buiten, dat's te zeggen, landschap of architectuur, als mede geene levendige schepselen, het zy menschen, beesten of vogelen, waar door de naam van een regt of waar Stilleven geheel te niet zoude loopen; [...] Doch vermits een schoon basreleve meerder kennis en konst vereischt als een bloem, vrucht, en diergelyke, kan men in der zelver plaats een holle nis, met een borstbeeld daar in, vertoonen, van Goden of Godinnen op de zaak passende, als een Flora, Pomona, Bagchus, Apollo, Diana, *of anderen, na dat men het concept verkiest, en een byzonderen of algemeenen zin wil uitdrukken: want uit ieder konnen veele uitvloeijen. De bloemen zyn meenigerlei, en konnen, zo wel als de vruchten, in drie hoopen verdeeld worden, te weeten, in Lente, Zomer en Herfst. [...] De witte Lely is aan* Juno *toegewyd; de Zonnebloem aan* Apollo; *aan* Venus *de Roos;* Diana *en de Slaapgod eigenen zich de Maankoppen toe;* Ceres *de Koornbloemen;* Juno *de Granaatappelen;* Bagchus *den Vygenboom en Wyngaard;* Ceres *of* Isis *de Persikken en Koornairen;* Venus *en* Apollo *de Appelen;* Ops, *of Moeder Aarde, alles 't geen uit haaren schoot het geheele jaar door, als Lente, Zomer, Herfst, en Winter, voortkomt. Onder de Instrumenten is de Lier of Harp aan* Apollo, Mercurius, *en de* Musen *toegewyd; de Fluit aan* Pan *en* Venus; *de Trompet aan* Mars, *enz.*

[Concepten voor Basrelieves, dienende tot stoffeeringe der Stillevens.
Twede Hoofdstuk]

Eenige verbeeldingen op byzondere Persoonen toegepast, bekwaam om met Stillevens uitgevoerd te worden.
Derde Hoofdstuk.
Hoewel wy hier voor gezegt hebben, dat de vermaarde Kalf *in de Stillevens boven anderen heeft uitgemunt, heeft hy nochtans, zo min als zyne voorgangers en navolgers, reden van zyne verbeeldingen weeten te geeven, waarom hy dit of dat vertoonde: maar slechts het geen hem in den zin schoot [...] verbeeld, zonder eens zyne gedachten te hebben laaten gaan om iets van belang voort te brengen [...] Echter om te toonen dat zulks, [...] doenlyk is, zal ik eenige Tafereelen of Stillevens, op byzondere persoonen toegepast, opstellen, en alhier na malkanderen laaten volgen.*

Lairesse, Gérard de, *Het Groot Schilderboek*, Amsterdam 1707, 2. Auflage Haarlem 1740, S. 259–268.

Buch XI. Abhandlung von den still liegenden oder unbeweglichen Dingen.

Das 1. Capitel
Jedoch müssen wir vorher das Wort stillliegend [!] erklären: welches so viel heisset, als unbewegliche oder leblose Dinge, nehmlich Blumen, Früchte, Gold, Silber, Holtz, Stein, Musicalische Instrumenten, todte Fische welches alles auf verschiedene Manieren, jedoch ein jedes nach ihrer Ordnung zu einer Haupt Materie dienen kan, etwas davon auf ein Tuch oder Pannel natürlicher Weise vorzustellen. Man kan mit diesen bemeldten Objekten genugsame Mittel finden, allerhand Gattungen Menschen und Sinnen zu begnügen, so wohl hohe und niedere, als gelahrte und einfältige. Wir wollen daher aus vielen nur nachfolgende, so wir vor die schönsten, zierlichsten und angenehmsten halten/ zu unseren Objekten erwählen.
Erstlich die Blumen,
Zum andern, die Früchte.
Zum dritten, Gold, Silber, und andere köstliche Schätze,
Zum vierten, Musicalische Instrumenten.
Diese vier Gattungen, wenn sie künstlich geordnet und wohl ausgeführet, mögen eben so wohl als die besten Mahlereyen in Sääle und Cabinete ohne Hindernis gestellet werden/ wenn sie nur ihr gehöriges Licht empfangen und bey einander bleiben. Man muß aber dieses vorher wissen, worinnen ein schönes und künstliches still-liegendes Werck bestehet. Denn es ist nicht genug daß ein dergleichen Stück natürlich und wohl gemahlet sey; die Erwählung ist noch weit mehr: diese belustiget und vergnüget die Sinnen der Anschauer, und macht den Meister berühmt. Man müßte wohl der Sinnen beraubt, oder von schlechtem Verstande seyn, wenn man dencken wolte, daß erstorbene oder verdorbene Blumen, jemandem so würden gefallen können, als in dem Leben selbsten; […] und wer ist zu finden, der ein Stück mit den schlechtesten und gemeinsten, ja noch unreifen, verfaulten und morschen Früchten, in sein bestes Gemach oder Cabinet unter seine schönste Kunst-Stücke wolte hängen, oder prangen sehen, davon das Leben selbsten einen Eckel machet? […]
Demnach halte ich davor, daß die Schönheit und Tugend einer still-liegenden Sache bloß in den auserlesensten Objekten bestehe. Ich sage auserlesensten, womit ich meine, daß man unter allen Blumen die schönsten und rarsten erwählen, die gemeinen und schlechten aber absondern müsse; […] Es ist auch gar nicht wahrscheinlich, daß vermögliche Leute/ die alles reichlich besitzen, an altväterlichen Sachen von Spiegeln, silbernen und goldenen Gefäßen, Schenk-Tafeln, und anderen Köstlichkeiten mehr einige Ergötzung haben würden, und mit denselben prangen wolten, da sie alles schöner und zierlicher haben können. […] Was Kohl/ Kraut, Wurzeln und Rüben, wie auch Cabeljau, Salm, Hering, Spiering oder Eperlan und dergleichen Dinge angehet, welches schlechte und gemeine Auszierungen seynd, so seynd selbige nicht werth, daß man sie in dem Hause in ein Gemach hänge; daher wir sie vorbey gehen. Wer aber Lust dazu hat, der mag sich auf den Marckt verfügen. Ebenso ist es auch mit Pferde-Zeug auf hölzerne Bretter gemahlt/ oder allerhand Jagd-Gezeuge; jedoch seynd diese letztere, nebst den Schweinen, Hir-

schen, Hasen wie auch Fasanen, Rebhühnern, und auch anderen toten Vögeln mehr, welche gemeinlich von der Fürsten und Edelleute Sinnen dependieren, nicht gar zu uneigen. [...].

Was mich angehet, so halte ich davor, daß die Wohlredenheit dem Gehöre gar ergötzlich ist. Die Tugend allein ist es, welche die Schönheit liebens würdig macht. [...] Ich sage nein/ die Tugend und Krafft muß hervor strahlen. Der Geruch, der Geschmack, das Gehör, oder der Klang kan mit dem Pinsel nicht abgemahlet werden; nichts destoweniger aber kan man den Anschauern dasselbige durch einige verborgene Kennzeichen leicht, zum wenigsten etwas davon zu verstehen geben, es sey in Basreliefs durch Fabeln, hieroglyphische oder sinn-bedeutende Figuren, und andere Dinge mehr, [...]

Was die Natur und Eigenschaft der Plätze in still-liegenden oder unbeweglichen Dingen, so wohl innen als außen betrifft, sagen wir, daß derselben zweyerley ist, da wir das erste vorbilden als ob es an einer flachen Mauer, oder einem Verschlage hängend gemahlet wäre; und das zweyte, als ob es auf der Banck / dem Tische oder auf der Erden läge.

Wir behaupten auch, daß keine Objecten so in unbeweglichen vorkommen, geringer als in Lebens-Grösse vorgebildet werden dürffen.

Es schicket sich auch nicht, und streitet ganz wider die Natur und wahre Eigenschaft des still-liegenden oder unbeweglichen, daß man in eine von allen vorgemeldten Erwählungen, einige colorirte Vorbildungen oder Prospecte vorstellet; weder innen noch aussen; das ist, weder Landschaft noch Architectur wie auch keine lebendige Geschöpffe, es seyn Menschen, Thiere oder Vogel, als wodurch der Name eines rechten oder wahren unbeweglichen und stilleliegenden ganz zu nichte gemacht würde. [...] Obschon ein schönes Basrelief mehrere Kenntnis und Kunst als eine Blume, Frucht und dergleichen erfordert, so kan man an derselben statt eine hohle Niche mit einem Brust-Bilde darinnen vorstellen, welche von Göttern und Göttinen sich auf die Sache schicket, als eine Flora, Pomona, Bacchus, Apollo, Diana oder andere, nachdem man ein Concept erwählet, auch einen besondern oder allgemeinen Sinn ausdrücken will. Denn aus jedem können viele hervorflissen. Der Blumen seynd vielerley, und können eben so wohl als die Früchte in dreyerley Hauffen eingetheilet werden, nehmlich in Frühling, Sommer, und Herbst. [...]. Die weisse Lilie ist der Juno, die Sonnen-Blume dem Apollo, die Rose der Venus geweyhet; die Diana und der Schlaff-Gott eignet sich die Mohn-Köpfe zu; Ceres die Korn-Blumen; Juno den Granat-Apfel; Bacchus den Feigen-Baum und Wein-Stock; Ceres oder Isis die Pfersiche und Korn-Aehre; Venus und Apollo die Apffel; Ops oder die Mutter der Erden, alles was das gantze Jahr hindurch, als den Frühling, Sommer, Herbst und Winter aus ihrem Schooß hervor kommt. Unter den Instrumenten ist dem Apollo, Mercurius, und den Musen die Leyer; dem Pan und der Venus die Flöte; dem Mars die Trompete gewidmet.

[Das 2. Capitel. Concepte zu Basreliefs, welche zu Stoffirung der unbeweglich oder stille-liegenden Sachen dienen.]
3. Capitel. Einige auf besondere Personen gerichtete Vorbildungen, welche füglich mit still-liegenden Sachen ausgeführet werden mögen.
Ob wir wohl vorher gemeldet haben, daß der berühmte Kalf in stillen Dingen alle anderen übertroffen, so hat er gleichwohl, so wenig als seine Vorgänger und Nachfolger von seinen Vorbildungen Raison oder Beschied zu geben gewußt, warum er dieses oder jenes präsentirte, sondern nur schlechter Dings das, was ihm in den Sinn kam [...] vorbildete, ohne einmahl seine Gedancken zu haben, daß er etwas von Wichtigkeit hervor bringe, [...] Jedoch damit ich zeige, daß dieses [...] thulich ist: so will ich einige Tafeln oder Materien von stillen Sachen, so sich auf besondere Personen schicken, aufstellen, [...]
[De Lairesse, Nürnberg 1728, Zweyter Theil, S. 275ff.]

Kommentar

Nur ein Autor hat versucht, dem Stilleben im akademischen Sinne ein theoretisches Fundament zu geben: Gérard de Lairesse (1640–1711). In Lüttich geboren, kam er 1664 nach Amsterdam, wo er als Figurenmaler wirkte.[17] Der hoch angesehene Künstler,[18] war mit Pariser Kreisen vertraut und verkehrte mit Roger de Piles. *Das Malerbuch*, dem 1701 ein Buch über die Zeichnung vorausgegangen war,[19] ist 1707 in der Originalsprache und bereits 1728 in Deutsch erschienen, während die französische Übersetzung bis 1787 auf sich warten ließ.[20] Das Buch war äußerst erfolgreich, obwohl es in seiner künstlergerechten Unordnung noch heute Verwirrung stiftet.[21]

Gérard de Lairesse kennt in seinem Malerbuch eigentlich kein echtes Problem von Gattungen und Rangordnung. Freilich erscheint das Stilleben erst gegen Ende des Malerbuchs. Die Schrift, die das ältere Buch über die Zeichnung voraussetzt, beschäftigt sich im ersten Band mit all dem, was ein Maler aus der Erfindung schafft, während der zweite mit der Überschrift *Von den Abbildungen oder Contrefaiten* zum 7. Buch beginnt.[22] Somit liegt im Gegensatz von *Inventio* und *Imitatio* die wichtigste Ratio für die gesamte Gliederung.

Akademische Gattungshierarchie läßt sich auf solche Weise nicht präsentieren. Die aus der *Inventio* gespeisten Sparten Historie, Genre und Landschaft werden im ersten Band behandelt, Porträt, Perspektive und Stilleben im zweiten. Aus klassischer Konvention löst sich Gérard de Lairesse nur insofern, als er nach den Grundlagen der Malerei in Buch III auf den *Unterschied zwischen dem Antiquen und Modernen* und damit auf den in Paris entbrannten kunsttheoretischen Streit seiner Tage zu sprechen kommt.[23] Die Wertschätzung für *das bürgerliche und zierliche Moderne* (III, 2) läßt ihn die Genremalerei vor Historien abhandeln. Hier hat die Vanitas ihren Platz (III, 4); denn sie gehört zur Figurenmalerei; zum Stilleben schreibt er allerdings, Köstlichkeiten wie Gold, Silber und anderes seien eine Sorte von Stilleben, *Vanitassen* genannt.[24]

Auch Gérard de Lairesse greift ständig auf die Antike eines Junius zurück. Belesen und sprachlich fixiert, will der Autor Stilleben-Motiven Sprachcharakter verleihen. Dazu bedient er sich der alten emblematischen Tradition, die sonst im Schrifttum über Stilleben so gut wie keine Rolle spielt.

Dem Ziel zuliebe, die Malerei aus der Sphäre des Handwerks zu heben, unterwirft Gérard de Lairesse die Bildgegenstände auch des Stillebens einer Rangordnung. Der Akademiedoktrin folgend, verfeinert er die Maxime, den Wert eines Gemäldes konkret von den abgebildeten Gegenständen abhängig zu machen, in solcher Rechtfertigung von Stilleben verschüttet dieser spätgeborene holländische Maler damit die bei Hoogstraten angelegten Tendenzen zur Erkenntnis, daß eine gut gemalte Rübe besser als eine schlecht gemalte Madonna sei.

Mangelnde Systematik mag begründen, daß bei der Beschränkung auf Edles und Wertvolles wesentliche Sujets der Stillebenmalerei in der Zeit des Autors wie Bücher, Uhren und Totenschädel unerwähnt bleiben. Die Bevorzugung des auch in der Praxis Teuren begründet Gérard de Lairesse mit den Käufern der Gemälde. In einfacher Gleichung rechnet der Autor vor, daß sich jene, die ohnehin schon alles haben, nicht unbedingt Bilder mit minderwertigen Gegenständen an die Wände hängen mögen. Dazu entwirft Gérard de Lairesse ein System für Stilleben in der bürgerlichen Gesellschaft seiner Zeit, indem er bestimmte Gemälde für siegreiche Soldaten, Richter, Juristen und Geistlichen als angemessen anpreist.

Begriffliche Präzision läßt Gérard de Lairesse nicht nur die Emblematik stärken, sondern auch das Stilleben definieren; damit bietet er die erste und für lange Zeit ausführlichste Erklärung, was denn ein Stilleben sei. Zunächst macht er die beiden Raumkonstruktionen klar. Stillebenmotive sind entweder wie bei Jacopo de'Barbari vor eine flache Wand zu hängen, die als eigentliche Bildebene vorzustellen ist, oder in einem Tiefenraum auf waagerechten Grund zu legen. Wie beim Trompe l'oeil haben die Gegenstände in Lebensgröße zu erscheinen. Ansonsten grenzt Gérard de Lairesse die Gattung negativ ab, indem er Landschafts- oder Architekturprospekte ebenso wenig duldet wie *lebendige Geschöpffe, es sey Menschen, Thiere oder Vogel.*

Die Neigung des Autors zur gleichsam sprachlichen Kommunikation erlaubt ihm, innerhalb der Bilder begriffliche Gruppen wie Jahreszeiten zu bilden. Sie läßt ihn Reliefs als Felder der Mitteilung bevorzugen, weil sie Gelegenheit geben, Motive aus der Historie und anderen sprachstarken Sparten der Malerei ohne Verstoß gegen die Gattung in ein Stilleben so einzubringen, daß sich ein literarisch zu entschlüsselndes Bild ergibt. Dadurch und durch die schon erwähnte Neigung der attributiven Gleichsetzung von Blumen oder Gegenständen und Götternamen dringt klassische Bildung in das holländische Stilleben.

Unsystematisch schließt Gérard de Lairesse in seinem XI. Buch, das ja eigentlich die Stilleben insgesamt behandeln sollte, an die drei Kapitel zu diesem Thema lange antiquarische Erläuterungen an. Sie handeln von römischen Siegeszeichen, wie sie stillebenhafte Arrangements insbesondere in dekorativer Malerei und in Kupferstich-Vignetten ja häufig ergänzen. Die Einfügung der Antike entspricht der Wendung von Roger de Piles, der im Zusammenhang mit Stilleben-Motiven auf *sacrifices* kam (hier S. 149) ebenso wie dem Wirken des ersten »Stillebenmalers« Giovanni da Undine (hier S. 224 ff.)

Auch Gérard de Lairesse bricht also mit der Beschränkung des Stillebens auf die Malerei nach dem Leben, obgleich diese Maxime die Ratio für den ganzen zweiten Teil des Malerbuchs bildet. Mangel an konsequenter Durchführung läßt ihn im anschließenden Buch XII mit den Blumen ein zuvor schon ausführlich behandeltes Thema erneut aufnehmen. An solchen Bruchstellen müßte untersucht werden, ob die konzeptionell unglückliche Fügung darauf zurückgeht, daß das XII. Buch möglicherweise separat als »Abhandlung der Blumen« entstanden ist und nur notdürftig dann im *Schilderboek* seinen Platz fand. Für eine solche Erklärung spricht die Struktur des Buches über die Blumen, beginnt es doch mit einer gesonderten Einleitung und läßt Grundthemen wie Farben, Komposition und Schattierung, denen sonst im Malerbuch einzelne Kapitel oder sogar ganze Bücher gewidmet sind, nur auf Blumen angewandt wiederkehren.

Der Quellenwert des Textes für das Verständnis der Epoche der holländischen Stillebenmalerei ist zurecht umstritten.[25] Unklar bleibt, wie weit das hier ausgebreitete Gedankengut schon in älteren Generationen angelegt war. Denn obwohl sich der Autor selbst ganz entschieden gegen große Maler des Goldenen Zeitalters absetzt, bietet er doch eine immer wieder gut verwertbare Begrifflichkeit. Zwar wirken manche vokabelhafte Gleichsetzungen im *Schilderboek* künstlich und aufgesetzt; sie dürften aber verschriftlichen, was nicht erst Gérard de Lairesse in den Sinn gekommen ist.

Daß sein Buch vom Geist einer späteren Generation geprägt ist, zeigt der Autor in der hier am Schluß zitierten Passage über Willem Kalf.[26] Gérard de Lairesse distanziert sich von jenem Meister der Zeit um 1650, wirft diesem geradezu vor, er habe gar keinen Gedanken daran verschwendet, wozu seine Kunst gut sei. Damit bezeugt das *Schilderboek* von 1707 indirekt, daß ältere Stilleben eher zweckfrei ausgerichtet waren, und bietet zugleich eine vom Autor für sinnvoller erachtete Lesung der Bilder an   E. K.

Anmerkungen

[1] Strabon, *Historiká Hypomnémata* XIV, 2, 5, S. 652: *[...] und die Malereien des Protogenes, insbesondere der Ialysos und der auf eine Säule gestützte Satyr. Auf dieser Säule befindet sich ein Rebhuhn, vor dem, so sagt man, die Menschen so mit geöffnetem Mund verweilten, als das Gemälde gerade ausgestellt wurde, daß all ihre Bewunderung ihm zufiel, während der Satyr unbeachtet blieb, mit welcher Kunst er auch gemalt sein mochte.[...]. Als Protogenes sah, wie auf diese Weise die Hauptsache in den Rang eines Accessoires zurückgestuft wurde, ersuchte und erhielt er die Erlaubnis der Autoritäten des Heiligtums, den Vogel zu übermalen: und so geschah es.* (Übersetzung der Herausgeber.)

2 Hoogstraten kannte auch diese Wendung, denn an anderer Stelle (1678, S. 170) spricht er von der *Rebhuhn-Täuschung des Protogenes*; hierauf bezieht sich Brusati 1995, S. 12, mit leicht irreführendem Kommentar.
3 Vgl. Reinach 1921, § 501, S. 372–373.
4 Pacheco 1649, zitiert nach Ausgabe 1956, II, S. 138 f. – erwähnt von Veronika Schroeder, Zwischen Genuß und Askese. Stilleben von Sánchez Cotán bis Meléndez, in: *Henrik Karge* (Hrsg.), *Vision oder Wirklichkeit. Die spanische Malerei der Neuzeit*, München 1991, S. 182–199, bes. S. 187; freundlicher Hinweis von Tanya Laubach.
5 Die wichtigsten Quellen bei Reinach 1921, § 492–499, S. 368–373.
6 Eine reizvolle Perspektive ergibt sich für Jacopo de'Barbari, der die Anekdote gekannt haben dürfte: Indem er das Beiwerk zum einzigen Gegenstand eines Bildes macht, eröffnet er gegen Strabon die Diskussion neu. Entweder postuliert er von radikaler Künstlerposition aus, daß sogar ein totes Rebhuhn für ein Bild ausreicht, vielleicht aber läßt sich sein Gemälde als kritischer Test des Publikums verstehen. Wenn der italienische Maler nämlich die Position eingenommen hätte, die Strabon dem Griechen Protogenes zuschreibt, dann drückte die Münchner Tafel die Geringschätzung des Figurenmalers gegenüber Leuten aus, die sich wie Rhodier verhalten – oder noch schlimmer, weil ihnen es nicht einmal etwas ausmacht, daß das Rebhuhn tot ist.
7 Der Begriff *Papeljoentjes* macht hier Schwierigkeiten: gemeint sind wohl *Pampernoeljes*, also Champignons.
8 Vgl. Roscam Abbing 1993 und Brusati 1995.
9 *Vogelstilleben mit Katze*, Kunstmarkt, signiert und datiert 1669, Roscam Abbing 1993, Taf. 45; ein weiteres Stilleben ist optisch verzogen und gehört in einen Perspektivkasten (ebenda, Taf. 23). Brusati 1995 bildet keine echten Stilleben von Hoogstraten ab.
10 Museum Boymans-van Beuningen (Roscam Abbing 1993, Taf. 1).
11 Das schönste Beispiel ist das Trompe l'oeil *Alter Mann im Fenster* in der Galerie der Wiener Akademie der Künste (Roscam Abbing 1993, Taf. 14). Eine Spezialität in dieser Hinsicht sind Hoogstratens Pin-Wände mit Briefschaften (ebenda, Abb. 15, 29f. und 44). Die Bildfläche setzt der Künstler meist zu, wie das schon Jacopo de'Barbari tat; zuweilen aber öffnete er sie hinter einem vordergründigen Arrangement, so Roscam Abbing 1993, Abb. 16.
12 Ein Brief, der darauf abgebildet ist, trägt Hoogstratens Adresse; da er an den Künstler gerichtet ist, gibt es in der Literatur zuweilen Zweifel, ob Hoogstraten für die Arbeit verantwortlich war oder deren Adressat ist – Roscam Abbing 1993, Taf. 24 und 24 A, Brusati 1995, Nr. 86, Taf. IV–V.
13 Vgl. die Ausführungen von Brusati 1995, S. 226 f., die freilich daraus etwas »Holländisches« macht.
14 Vgl. Hoogstratens Schilderung, der von der »zucht om Italie, het kabinet der aloude beeldhouwery en schilderkonst te zien,« spricht; vgl. die Stelle in der Ausgabe von Roscam Abbing 1993, S. 20.
15 Vgl. die vorige Anm. sowie den hier diskutierten Text aus Houbrakens Buch mit Erläuterung auf S. 240ff.
16 Görel Cavalli-Björkmann entlehnt dieser Heerschau das Motto für die Einleitung zum Ausst.-Kat. Stockholm 1995, S. 9, ohne Quellenangabe.
17 Zum Gesamtphänomen siehe Roy 1992; dazu vgl. auch die Rezensionen von Lyckle de Vries in: *Oud Holland* 109, 1995, S. 113–115, und Claus Kemmer in: *Simiolus* 23, 1995, S. 186–1996, die Roys Schwächen in der Diskussion des *Schilderboek* hervorheben.
18 Barrasch 1990, Bd. II, S. 57, zitiert Jean Baptiste Descamps, der in seinem zwischen 1753 und 1763 erschienenen Werk *La vie des peintres flammands, allemands et hollandais* den Maler als holländischen Poussin preist. Selbst Winckelmann hat die Gemälde des Künstlers geschätzt.
19 Im Deutschen meist gemeinsam gebunden mit dem Malerbuch: *Des Herrn Gerhard de Lairesse... Grundlegung zur Zeichen=Kunst. Das ist Kurtzer und sicherer Weg/ durch welchen das Zeichnen/ vermittelst der Geometrie oder Meß=Kunst, vollkömmlich erlernet werden kan*, Nürnberg 1727.
20 Gérard de Lairesse, *Le Grand Livre des peintres d'art ou l'art de la peinture considéré dans toutes ses parties*, Paris 1787.

[21] Vgl. Barasch 1990, Bd. I, S. 57–73, der sein *bewilderment* übrigens nur aus der französischen Fassung schöpft; zu den hier besonders interessierenden Büchern XI und XII siehe dort S. 71–73.
[22] Vgl. Kauffmann 1955/57, S. 153–196; Dolders 1985, S. 197–220, sowie Pochat 1986, S. 350f. Der Einfachheit halber und wegen der Tatsache, daß bei der Abfassung ein Exemplar der deutschen Ausgabe von 1728 ständig verfügbar war, sind die kürzeren Zitate aus dem Malerbuch im Folgenden alle dieser Version entnommen, obwohl es selbstverständlich nötig wäre, jeweils auf einer Konkordanz zum holländischen Sprachgebrauch zu bestehen.
[23] Vgl. Pochat 1986, S, 351–354; vgl. H. Gillot, *La quérelle des anciens et modernes en France (1914)*, Genf 1968.
[24] Lairesse 1707, II, S. 266; vgl. de Pauw-de Veen 1969, S. 156.
[25] Man sollte freilich nicht so weit gehen wie Svetlana Alpers, die mit Gérard de Lairesse eine der wichtigsten, wenn auch leicht sekundären Quellen in ihrer *Kunst der Beschreibung* 1983 (dt. 1985) erst gar nicht erwähnt.
[26] Zu Kalf siehe Lucius Grisebach, *Willem Kalf*, Berlin 1975, der zurecht für den Künstler in Anspruch nimmt, daß dessen Bilder einer symbolischen Deutung wenig zugänglich sind.

Stilleben im Spiegel der Akademiedoktrin

Bereits Leon Battista Alberti hat in seinem Malereitraktat *Della Pittura* (hier S. 109f.) von 1435 die Rangordnung durch die Bevorzugung der Historie zumindest implizit anerkannt, aber noch keineswegs das Verhältnis der niederen Gattungen untereinander geregelt. Stillebenhafte Arrangements (*cose degnie d'essere vedute*) waren Alberti als *Decorum* innerhalb der Historie willkommen.

Gabriele Paleotti zur Angemessenheit von Stillebenelementen (1582)

Delle pitture profane che rappresentano varie cose, come guerre, paesi, edifici, animali, arbori, pinato et simili: Delle pitture [...] altre sono che, se bene paiono infruttuose, nondimeno non à cosi e servono per ornamento, et imitando il vero terminato dalla raggione dell'arte, figurano compartimenti di broccati, ricami, fregi, marmi, porfidi, bronzi [...]. Queste non riproviamo, né mettiamo propriamente in numero di vane, purché siano fatte col suo decoro et proporzionate ai luoghi.

Paleotti, Gabriele, *Discorso intorno alle immagini*, Bologna 1582, 2. Buch, 24 (zitiert nach Beth 1979, S. 7).

Weltliche Gemälde, die verschiedene Dinge wie Kriege, Landschaften, Gebäude, Tiere, Bäume und ähnliches darstellen: Es gibt andere Malereien [...], die, wenn sie auch, obwohl das nicht so ist, unfruchtbar zu sein scheinen, als Schmuck dienen und zwar indem sie das Wahre, das von der Ratio der Kunst bestimmt wird, nachahmen, und Teile von Brokat, Stickereien, Fliesen, Marmor, Porphyr, Bronze darstellen [...]. Diese weisen wir nicht zurück, noch rechnen wir sie eigentlich dem Eitlen oder Wertlosen zu, wenn sie mit entsprechendem Decorum gemacht sind und den Orten angemessen.

[Übersetzung von Doris Müller-Ziem]

Kommentar

Gabriele Paleotti (1522–1597), Rechtsgelehrter in Bologna und von 1546 bis 1556 Kardinalbischof von Santa Sabina in Rom, hat in seinem *Discorso intorno alle immagini* von 1582 die Ästhetik der Katholischen Reform grundlegend dargestellt. Im wesentlichen geht es um das religiöse Figurenbild. Doch auch Gemälden, die ausschließlich Gegenstände wiedergeben, gesteht der Autor zu, als Schmuck schätzenswert zu sein, solange sie gut gemacht und angemessen angebracht sind.

Vincenzo Giustiniani an Teodoro Amideni über den Rang des Stillebens bei Caravaggio (um 1620)

[...] per maggior intelligenza [...] farò alcune distinzioni, e gradi di pittori, del modo di dipingere. [...] (S. 121).

Quinto, il saper ritrarre fiori, ed altre cose minute, nel che due cose principalemente si richiedono; la prima, che il pittore sappia di lunga mano maneggiare i colori, e ch'effetto fanno, per poter arrivare al disegno vario delle molte posizioni de'piccoli oggetti, ed alla verità de'lumi; e riesce cosa assai difficile unire queste due circostanze e condizioni a chi non possiede bene questo modo di dipingere, e sopra a tutto vi ci ricerca straordinaria pazienza; ed il Caravaggio disse, che tanta manifattura gli era a fare un quadro buono di fiori, come di figure. (S. 122)

Giustiniani, Vincenzo, Lettera, in: M. Gio. Bottari, *Raccolta di lettere sulla pittura, scultura ed architettura...scritte da'più celebri personaggi dei secoli XV, XVI e XVII*, 8 Bde., Milano 1822–25, Vol. VI (1822), S. 121–129.

[...] zur besseren Verständlichkeit [...] werde ich einige Unterscheidungen machen, sowie Rangstufen von Malern, über die Art zu malen. [...]

Fünftens, die Fähigkeit, Blumen darzustellen sowie andere kleine Dinge, was vor allem zwei Dinge erfordert: Erstens, daß der Maler geschickt mit den Farben und ihren Effekten umzugehen weiß, um einen mannigfaltigen Entwurf vieler Positionen der kleinen Objekte erreichen zu können, sowie Echtheit der Lichtverhältnisse. Und einem, dem diese Art zu malen nicht zu eigen ist, gelingt etwas sehr Schwieriges, wenn er diese beiden Umstände und Bedingungen vereint. Vor allem benötigt man eine außergewöhnliche Geduld, und Caravaggio sagte, daß es genauso viel Arbeit sei, ein gutes Blumenbild herzustellen wie ein Figurenbild.

[Übersetzung von Doris Müller-Ziem]

Kommentar

Vincenzo Giustiniani (1564–1637) gehörte mit seinem Bruder Kardinal Benedetto Giustiniani (1544–1621) zu den großen Kunstsammlern seiner Zeit in Rom. Sie erwarben

Caravaggios erste Version des Heiligen Matthäus, als diese von den Auftraggebern zurückgewiesen wurde. Caravaggios Stil bestimmte ihre Sammeltätigkeit.
In einem undatierten Brief teilt Vincenzo Giustiniani die Malerei in zwölf Grade nach verschiedenen Vorgehensweisen beim Malen ein. Als fünften Grad nennt er das Malen von Gegenständen, Blumen und Stilleben. Komplexe Lichtverhältnisse bei gleichzeitiger Mannigfaltigkeit der Komposition, wie sie sich durch die Kleinteiligkeit von Blumen ergibt, erforderte neben außerordentlicher Geduld vor allem Talent. Als Autorität für seine Aussage führt er Caravaggio an, der sich gegen die erst von Félibien 1669 schriftlich niedergelegte Überzeugung ausspricht,[1] Stilleben gebühre niederer Rang, weil sie leichter zu malen seien als Figuren.

Der Konflikt sollte noch spätere Generationen beschäftigen. Jean Baptiste Dubois äußert 1719 in seiner Schrift *Reflexion critique sur la poésie et sur la peinture* zunächst, Maler sollten sich nicht mit Dingen beschäftigen, denen man im wirklichen Leben mit Gleichgültigkeit begegnet. Während er damit die Darstellung von *still-liegenden Gegenständen*[2] als Thema der Malerei ausschließt, erklärt er an anderer Stelle,[3] daß der Grund für die Aufmerksamkeit, die gewöhnlichen Gegenständen im Stilleben zuteil wird, nicht durch die Gegenstände an sich begründet sei, sondern durch die Kunstfertigkeit des Malers.[4]

André Félibien über die Rangfolge der Gattungen (1669 und 1666/88)

[...] La représentation qui se fait d'un corps en traçant simplement des lignes, ou en mêlant des couleurs est considerée comme un travail méchanique; c'est pourquoi comme dans cet Art il y a differens Ouvriers qui s'appliquent à differens sujets; il est constant qu'à mesure qu'ils s'occupent aux choses les plus difficiles & les plus nobles, ils sortent de ce qu'il y a de plus bas & de plus commun, & s'anoblissent par un travail plus illustre. Ainsi celui qui fait parfaitement des paysages est au dessus d'un autre qui ne fait que des fruits, des fleurs ou des coquilles. Celui qui peint des animaux vivans est plus estimable que ceux qui ne représentent que des choses mortes & sans mouvement; & comme la figure de l'homme est le plus parfait ouvrage de Dieu sur la terre, il est certain aussi que celui qui se rend l'imitateur de Dieu en peignant des figures humaines, est beaucoup plus excellent que tous les autres. [...].

Félibien, André, *Conférences*, Paris 1669, hier nach Préface, o. Seitenangabe.

[...] Die Wiedergabe eines Körpers durch das einfache Nachziehen der Linien oder, indem man Farben zusammenmischt, wird als mechanische Arbeit erachtet; das ist der Grund, warum es in dieser Kunst verschiedene Handwerker gibt, die sich mit unterschiedlichen Sujets befassen. Es ist sicher, daß sie sich in dem Maße, wie sie

sich mit den schwierigsten & nobelsten Dingen beschäftigen, von dem entfernen, was niedriger & gemeiner ist, & sie adeln sich durch eine hervorragendere Arbeit. Daher steht der, der vollendet Landschaften macht über einem andern, der nur Früchte, Blumen oder Muscheln macht. Derjenige der lebende Tiere malt, ist schätzenswerter als jene, die nur Dinge tot & ohne Bewegung darstellen, und so wie die Gestalt des Menschen das perfekteste Werk Gottes auf Erden ist, so sicher ist es auch, daß der, der sich zum Nachahmer Gottes macht, indem er die menschliche Gestalt malt, weitaus hervorragender ist als alle anderen. [...].

[Übersetzung der Herausgeber]

Quand l'Academie reçoit quel-qu'un, il est admis dans la Compagnie pour Peintre, ou pour Sculpteur. Les Peintres sont reçus selon le talent qu'ils ont dans la Peinture, distinguant ceux qui travaillent à l'histoire d'avec ceux qui ne font que Portraits, ou des Batailles, ou des Paisages, ou des animaux, ou des fleurs, ou des fruits, ou bien qui ne peignent que de miniature, ou qui s'appliquent à la gravure, ou à quelque autre partie qui regarde le dessin.

[Félibien, André, *Entretiens sur les vies et sur les ouvrages des plus exellents peintres anciens et modernes*, 5 Bde., Paris 1666–1688, zitiert nach der Ausg. London 1705, Bd. 4, S. 144.]

Wenn die Akademie jemanden aufnimmt, wird er für die Gesellschaft als Maler oder Bildhauer zugelassen. Die Maler werden gemäß des Talents, das sie für die Malerei haben, aufgenommen; unterschieden werden dabei jene, die Historien malen von denen, die nur Porträts machen oder Schlachten oder Landschaften oder Tiere oder Blumen oder Früchte oder aber die, die nur Miniaturen malen, oder die, die sich nur mit der Stecherkunst beschäftigen, oder ein anderer Teil, der sich mit anderen Teilgebieten, die zur Zeichnung gehören, befaßt.

[Übersetzung der Herausgeber]

Kommentar

Erst mit der Gründung der Pariser Académie Royale de peinture et de sculpture in Paris im Jahr 1648, bildete sich eine rigide Gattungshierachie aus, die von André Félibien (1619–1695) zum ersten Mal klar niedergelegt wurde. Dieser Architekt, seit 1667 Historiograph der Akademie, war nachhaltig durch Nicolas Poussin (1593–1665) beeinflußt, den er 1647 in Rom kennengelernt hatte. Die Gespräche mit dem Maler nutzte er in den *Entretiens* ab 1666 dazu, dessen Kunsttheorie darzustellen, so wie er sie verstand.[5]

Die Grundidee der Hierarchisierung erläutert Félibien in der Einleitung zu den *Conférences* von 1667,[6] die durch Colbert (1619–1683), den Superintendenten der Künste unter Ludwig XIV. und gleichzeitig Finanzminister, initiiert worden waren. In Félibiens Einleitung wird die bloße *Imitatio* als mechanische Arbeit erachtet; erst mit der Wahl der Bildgegenstände beginnt das Künstlerische. Deren Rang bemißt sich neoplatonisch nach dem Grad der Belebung, wobei Natur in der Landschaft mehr gilt als Blumen oder Früchte in Stilleben. Leben, auch das von Tieren, ist demnach höher einzuordnen als Totes, und potentielle Bewegung höher als Unbeweglichkeit.[7]

Stillebenmalern wurde jede *Inventio* abgesprochen. Diese war hochgeschätzt als angeborene Begabung, weil sie sich weder durch Studium noch durch Arbeit erwerben ließ.[8] Talent wurde nicht von der Neigung für bestimmte Sujets geschieden. Die Aussage der *Entretiens,* Maler würden gemäß ihres Talents aufgenommen, ist so eng mit der Unterscheidung nach Gegenständen verbunden, als sei *das Talent für bestimmte Sujets* gemeint. Deshalb wird ein denkbarer Gegensatz zwischen künstlerischer Qualität und davon unabhängigem Sujet von Félibien nicht ernsthaft erwogen. Der Zirkelschluß,[9] der Talent und Sujet unlösbar verbindet, bewirkte letztlich, daß Stillebenmaler in ihrer Gattung gebunden waren. Qualität blieb dabei unberücksichtigt.

Gegen solch niedere Bewertung des Stillebens gab es bereits recht früh Stimmen, die die Hierachie der Bildgegenstände zwar nicht in Frage stellten, dem Stilleben aber doch auch Positives abgewinnen konnten. Wahrnehmungsphänomene treten mehr und mehr in den Mittelpunkt.

Charles-Etienne Gaucher antwortet auf den *Désaveu des artistes* von Abbé Le Brun (1776)

L'auteur [Le Brun] par un effort d'imagination aussi rare que sublime, a conçu l'idée de diviser tous les artistes par classes et d'assigner des bornes aux différents genres. Fort bien! M. l'Abbé, voyons donc en passant quelques-unes des distinctions que vous avez taché d'établir parmi les membres de l'Accademie Royale de Peinture et de souligner l'embarras trop scrupuleux: Vous désignez M. Roland de la Porte, peintre de genre et de nature morte: à la bonne heure; mais personne n'ignore que M. Chardin a exellé dans ce même genre, et – d'après votre projet – il fallait donc lui donner la même qualification. Ce qui vous aura peut-être embarrassé, c'est que M. Chardin a peint plusieurs sujets d'une touche neuve, hardie, d'un effet vigoureux et qui ne ressemblent point à la nature morte. Pour vous tirer de là, vous lui aurez point donné d'épithète: vous avez raison; croyez-moi, ce projet est plus sage que celui de vouloir restreindre les artistes à ne s'exercer que dans un seul genre. Quoique Mademoiselle Vallayer paraisse avoir adopté celui de MM. Chardin et Roland de la Porte on ne peut qu'applaudir à la nouvelle dénomination que vous avez inventée pour elle: peintre de fruits et de fleurs! Il est vrai qu'elle peint plus souvent autre chose que des fruits et des fleurs; mais cela est bien plus galant pour une demoiselle que de l'appeler peintre de nature morte.[...] Mais que vous a fait M. le Prince pour l'appeler sèchement peintre de genre? De quel genre, je vous prie? De nature morte, des scènes galantes, familières, sérieuses, pathétique, tragiques, comiques, ect.?

Charles-Etienne Gaucher, *Désaveu des artistes*, Paris 1776, S. 11, 12 (zitiert nach Faré 1975, S. 271–72).

Der Autor [Abbé le Brun] hat in einer Anstrengung ebenso seltener wie erhabener Einbildungskraft die Idee entwickelt, alle Künstler nach Klassen zu ordnen und den unterschiedlichen Gattungen Grenzen zuzuweisen. Seht gut! M. l'Abbé, sehen wir uns doch einmal nebenher einige der Unterscheidungen an, die Sie unter den Mitgliedern der Königlichen Akademie der Malerei einzuführen versucht haben, um die skrupulöse Mühe zu unterstreichen. Sie bezeichnen M. Roland de la Porte als Genre- und Stillebenmaler: das kommt gerade recht; wer aber wüßte nicht, daß M. Chardin in derselben Gattung herausragte und – Ihrem Konzept zufolge – dieselbe Qualifikation verdient hätte. Das, was Sie vielleicht daran gehindert haben könnte, ist die Tatsache, daß M. Chardin mehrere Gegenstände gemacht hat, mit einem neuen, kühnen Zugriff (eigentl. Pinselstrich), von einer kraftvollen Wirkung, die überhaupt nicht der nature morte *ähnlich sieht. Um dem Dilemma zu entkommen, haben Sie ihm überhaupt keine Bezeichnung gegeben: Da hatten Sie recht; glauben Sie mir, dieses Verfahren ist vernünftiger, als wenn man die Künstler darauf festlegen wollte, nichts außer einer Gattung allein zu machen. Da nun Mademoiselle Vallayer das aufgenommen zu haben scheint, was MM. Chardin und Roland de la Porte tun, kann man nur der neuen Bezeichnung applaudieren, die Sie sich für sie ausgedacht haben: Maler von Früchten und Blumen! Tatsächlich macht sie ja meist etwas ganz anderes als Früchte und Blumen; aber es ist galanter für ein Fräulein, als sie Maler von toter Natur zu nennen [...]. Aber was hat Ihnen denn M. le Prince getan, daß Sie den nur Genremaler nennen? Von welcher Gattung bitte? Von toter Natur, galanten, familiären, ernsten, pathetischen, tragischen, komischen oder was für Szenen?*

[Übersetzung der Herausgeber]

Kommentar

Charles-Etienne Gaucher (1741–1804) antwortet in diesem anonym erschienenen Pamphlet auf den *Almanach historique et raisonné des Architectes, Peintres, Sculpteurs, Graveurs et Cizeleurs...*, zuerst 1776 bei Delalain und la Veuve Duchesne veröffentlicht. Gaucher war Stecher und er hat den sonst nicht nennenswerten Abbé Le Brun wegen dessen Kunst-

179

urteils angegriffen. Die zweite Ausgabe des Almanachs erschien nach der Ankündigung im *Journal de Paris* vom 4.1.1777 ohne Namensnennung; sie stieß ebenfalls auf Kritik. Ende 1776 wurde Abbé Le Brun Titularkanoniker der Kathedrale von Beauvais. Im frühen 19. Jahrhundert hat man den Almanach Jean Baptiste Pierre Le Brun (1748–1813) gegeben; erst neuerdings dem Abbé.[10]

Gauchers erfrischend ironischer Text spielt anzüglich mit der Wortbedeutung der toten Natur. Am Beispiel von Stilleben zeigt er auf, daß schon die Begriffe der Akademie an der Wirklichkeit vorbeigehen.

Dazu spießt er das Paradox auf, daß im Französischen Gattung *Genre* heißt und Genre seinerseits wieder eine Gattung ist. Obwohl einer der ersten, der die Wendung *nature morte* verwendet, ist Gaucher bereits ihr frühester Spötter. Er begreift ironisch, daß man ein Fräulein wie Anne Vallayer-Coster (1744–1818) nicht mit dem plakativen Wortsinn von toter Natur bezeichnen möchte, und macht dann auch deutlich, wie wenig die Worte der Kritiker zur Arbeit der Maler passen.

Gauchers Kritik wendet sich also gegen die Absurdität der Begriffe. Sein Text setzt voraus, daß Bezeichnungen wie *Peintre de genre et de nature morte* bereits derartig pejorativ geworden sind, daß selbst ein hartgesottener Akademiker einen so guten Maler wie Chardin nicht mit einem als Schimpfwort zu verstehenden Epitheton versehen möchte.

Sir Joshua Reynolds über die verschiedenen Fähigkeiten der Maler (1770)

[...] As for the various departments of painting, which do not presume to make such high pretensions, they are many. None of them are without their merit, though none enter into competition with this universal presiding idea of the art. The painters who have applied themselves more particularly to low and vulgar characters, and who express with precision the various shades of passion, as they are exhibited by vulgar minds, (such as we see in works of Hogarth,) deserve great praise; but as their genius has been employed on low and confined subjects, the praise which we give must be as limited as its object. [...].
In the same rank, and perhaps of not so great merit, is the cold painter of portraits. [...] Even the painter of still life, whose highest ambition is to give a minute representation of every part of those low objects which he sets before him, deserves praise in proportion to his attainment; because no part of this excellent art, so much the ornament of polished life, is destitute of value and use. These, however, are by no means the views to which the mind of the student ought to be primarily *directed. Having begun by aiming at better things, if from particular inclination, or from the taste of the time and place he lives in, or from necessity, or from failure in the highest attempts, he is obliged to descend lower, he will bring into the lower sphere of art a*

grandeur of composition and character, that will raise and ennoble his works far above their natural rank. [...]

Reynolds, Sir Joshua, *Discourses on Art*, London 1771, hrsg. von Robert R. Wark, New Haven 1981, Discourse III (1770), S. 51f.

*Es gibt viele unterschiedliche Bereiche der Malerei, die sich keinen solch hohen Anspruch anmaßen. Keiner unter ihnen ist ohne seinen Wert, obwohl keiner in Konkurrenz tritt zu dieser universal vorherrschenden Idee der Kunst. Die Maler, die sich stärker auf niedere und vulgäre Charaktere verlegt haben und die mit Präzision die verschiedenen Grade von Leidenschaft ausdrücken, wie sie bei vulgären Köpfen aufzuweisen sind (so wie wir sie in den Werken von Hogarth sehen), verdienen großes Lob; aber da ihre Genialität sich mit niederen und begrenzten Dingen beschäftigt hat, muß das Lob, welches wir geben, so begrenzt sein wie das Objekt. [...]
Auf dem gleichen Rang, und vielleicht mit nicht so viel Verdienst, ist der kalte Maler von Porträts.[...] Sogar der Maler von Stilleben, dessen höchstes Bestreben es ist, eine minutiöse Darstellung jeden Teiles dieser niederen Objekte, die er vor sich ausgebreitet hat, zu geben, verdient Lob im Verhältnis zu dem von ihm Erlangten; weil kein Teil dieser großartigen Kunst, die so sehr zur Verzierung des eleganten Leben dient, ganz ohne Wert und Verwendung ist. Dieses sind aber trotzdem nicht die Ansichten, auf die der Geist des Studenten vornehmlich gelenkt werden sollte. Hatte er begonnen, nach besseren Dingen zu streben und ist er nun, durch besondere Neigung oder durch den Geschmack der Zeit und des Ortes, an dem er lebt, oder durch Notwendigkeit oder durch Versagen in den höchsten Gattungen, gezwungen tiefer zu steigen, so wird er in die niederen Sphären der Kunst eine Größe von Komposition und Charakter bringen, die seine Werke nobilitiert und über ihren natürlichen Rang erheben wird.*

[Übersetzung der Herausgeber]

Kommentar

Sir Joshua Reynolds (1723–1792) räumt im dritten seiner *Discourses* 1770 ein, daß es für das Malen von Stilleben auch andere Beweggründe geben mag als nur mangelndes Talent für höhere Gattungen. Dem Präsidenten der Royal Academy zufolge können Maler, die sich von höheren Gattungen abwenden, etwa um die Nachfrage auf dem Kunstmarkt zu befriedigen, das niedere Stilleben durch höhere Impulse adeln. Diesen Gedanken sollte auch Goethe wieder aufgreifen.

Wolfgang Müller von Königswinter über Menschenbild und Stilleben (1854)

Echte wahre Kunstwerke stellen nicht allein organische Gebilde dar, sie müssen auch lebendige seelische Beziehungen haben und neben dem Wohlgefallen zugleich die Leidenschaften erregen; darin gehört die Historie und das Genre, ja selbst die Landschaftsmalerei, der Kunst an, auf ihrem eigentlichen Höhepunkte erregen sie Stimmungen im Geiste. Aber das ist nicht der Fall, wenn der Künstler Blumen, Obst, Wild und zierliche Modegerätschaften dem Auge vorführt, möge die Nachahmung auch noch so elegant, die Farbe noch so leuchtend und naturtreu, die Zeichnung noch so frappant sein, aber Haß, Zorn, Liebe, Begeisterung kann man nicht fühlen, es sei denn, der Beschauer wäre ein Feinschmecker oder Quincailleriehändler. [...] Ein warmes lebendiges Menschenantlitz, frisch auf die Leinwand geworfen, ist mir lieber, als hundert todte Schnepfen und Hasen, wenn sie auch noch so meisterlich gemalt sind.

Müller von Königswinter, Wolfgang, *Düsseldorfer Künstler in den letzten fünfundzwanzig Jahren*, Leipzig 1854, S. 371.

Kommentar

Obwohl Wolfgang Müller von Königswinter (1816–1873) in einem Buch über 25 Jahre Düsseldorfer Malschule einen historischen Rückblick über eine Kunst gibt, die auch das Stilleben pflegte, beherrscht sein Denken noch jene Emphase, die dem Menschenbild gilt. Dabei erinnert der Satz von den hundert toten Schnepfen an Goethes berühmtes Diktum vom ganzen Zeughaus wahrhafter antiker Nachtgeschirre.[11]

Vincent van Gogh und die Gattungshierachie (1888)

[...] ik verbeeld me altijd, dat er juist in figuur nog veel nieuwen kunnen opstaan, en hoe langer hoe wenschelijker begin ik het te vinden, men in een moeilijken tijd als tegenwoordig, juist zijn heil zoeke in het dieper ingrijpen in de hooge kunst. Want er is hooger en larger betrekkelijk; de menschen *zijn meer dan de rest, en trouwens ook heel wat moeielijker te maken.*

J. van Gogh-Bonger (Hrsg.), *Verzamelde Brieven van Vincent van Gogh*, Derde Deel, Vierde Druk, Amsterdam 1955, S. 129.

Ich glaube immer, daß gerade für Figuren noch viele Maler auftauchen können, und je länger desto mehr fange ich an, es wünschenswert zu finden, daß man in einer schwierigen Zeit wie der heutigen sein Heil in einem tieferen Eingehen gerade auf die hohe Kunst suche. Denn es gibt etwas Höheres und etwas Niedrigeres, gewissermaßen – der Mensch ist mehr als alles andere und übrigens auch bedeutend schwieriger zu malen.

[Übersetzung von van Gogh-Bonger 1988 (revidierte Ausg. der dreibändigen Übersetzung, Berlin 1928), Bd. 3, S. 48f]

Kommentar

Obwohl Vincent van Gogh (1853–1890) gerade auch seine seelische Verfassung in Stilleben auszudrücken verstand, kann sich der Maler mit den Aufgaben der Gattung nicht zufrieden geben. Ziel bleibt bei ihm in religiösem eher als philosophischem Sinne der Mensch. Malerei ist Ausdruck, nicht aber ein im eigenen Recht anerkanntes Medium. So modern die Formensprache dieses Künstlers auch wirken mag, so blieb er doch den emanzipatorischen Tendenzen der Kunst seiner Zeit verschlossen. *C. S.*

Anmerkungen

1 Vgl. hierzu den folgenden Text.
2 Jean Baptiste Dubois, *Reflexion critique sur la poésie et sur la peinture*, Paris 1747, Bd. 1, S. 51.
3 Ebd. S. 66–67.
4 Edmund Burke (1729–1797) konstatiert in seiner Schrift *A Philosophical Inquiry into the Origin of Our Ideas of the Sublime and Beautiful* von 1757, daß an Werken der Kunst, deren Sujet den Betrachter an sich gleichgültig läßt, die nachahmende Kunst des Malers erfreue, während in Werken, deren Thema den Betrachter ergreift, der Grund der ästhetischen Wirkung nicht in der Nachahmung, sondern in der Einfühlung in die dargestellte Wirklichkeit liege. 1, 16. Vgl. hierzu auch Dobai 1975, S. 62.
5 Félibien lernte Poussin als Sekretär des französischen Botschafters in Rom kennen. Vgl. hierzu: Y. Delaporte, André Félibien en Italie (1647–49). Ses Visites à Poussin et Claude Lorrain, in: *Gazette des Beaux-Arts*, 1958, S. 202. Zum Autor siehe das demnächst erscheinende Buch von Stephan Germer.
6 Vgl. hierzu: Boos 1966, S. 53–61.
7 Schneider 1989, S. 8, weist darauf hin, daß die Rangordnung der Bildgegenstände einem philosophischen Schema des Mittelalters, dem »Porphyrischen Baum«, entspricht, »wonach sich die Wirklichkeit als bloß Unkörperliches oder Körperliches über das Belebte, Beseelte bis hinauf zum Menschen als Krone der Schöpfung, der eine unsterbliche Seele besitze, aufbaut.« Vgl. hierzu: Carl Prantl, *Geschichte der Logik im Abendlande*, Leipzig 1855–1870, 4 Bde., Bd. 2, S. 345, Anm. 132.
8 Roland de Fréart de Chambray, *Idée de la perfection de la peinture*, Le Mans 1662, S. 11.
9 In welchem Maße das Sujet an das Talent des Malers gebunden war, verdeutlicht auch Roger de Piles im *Cours de la Peinture*, Paris 1708, S. 389: *Ainsi le génie a plusieurs degrés, et la nature en donne aux uns*

pour une chose et aux autres une autre; non seulement dans la diversité des professions mais encore dans les differentes parties du même art ou d'une même science. Dans la peinture par example, l'un aura du génie pour le paysage, pour les animaux ou pour les fleurs.« (Ebenso wie das Genie mehrere Abstufungen hat, und die Natur dem einen davon für eine Sache gibt und dem anderen für eine andere, nicht nur in den unterschiedlichen Berufen, sondern sogar in den unterschiedlichen Bereichen derselben Kunst oder derselben Wissenschaft. In der Malerei zum Beispiel wird der eine Genie für die Landschaft, Tiere oder Blumen haben.

[10] Als Verifizierung diente Fabienne Camus in ihrem Aufsatz, The Abbé Le Brun and his Almanach des Artistes, in: *Burlington Magazine* 135, 1993, S. 692–693, das *Privilège du roy* vom 5.12.1775.

[11] Angesichts von Goudts Stich nach Elsheimers Dresdener *Philemon und Baucis*: in: *Nach Falconet und über Falconet*, 1776, Berliner Ausgabe, Bd. 19, 1985, S. 69.

Der Stellenwert von Stilleben in der Goethezeit

Da erst Goethe und seine Zeitgenossen dem Stilleben im Deutschen einen Namen gegeben haben, werden wesentliche Belegstellen hier gesondert behandelt.

Johann Wolfgang von Goethe über *Einfache Nachahmung der Natur, Manier und Stil* (1789)

Einfache Nachahmung der Natur
Wenn ein Künstler, bei dem man das natürliche Talent voraussetzen muß, in der frühesten Zeit, nachdem er nur einigermaßen Auge und Hand an Mustern geübt, sich an die Gegenstände der Natur wendete, mit Treue und Fleiß ihre Gestalten, ihre Farben auf das genaueste nachahmte, sich gewissenhaft niemals von ihr entfernte, jedes Gemälde, das er zu fertigen hätte, wieder in ihrer Gegenwart anfinge und vollendete, ein solcher würde immer ein schätzenswerter Künstler sein; denn es könnte ihm nicht fehlen, daß er in einem unendlichen Grade wahr würde, daß seine Arbeiten sicher, kräftig und reich sein müßten.
Wenn man diese Bedingungen genau überlegt, so sieht man leicht, daß eine zwar fähige, aber beschränkte Natur angenehme, aber beschränkte Gegenstände auf diese Weise behandeln könne.
Solche Gegenstände müssen leicht und immer zu haben sein; sie müssen bequem gesehen und ruhig nachgebildet werden können; das Gemüt, das sich mit einer solchen Arbeit beschäftigt, muß still, in sich gekehrt und in einem mäßigen Genuß genügsam sein. Diese Art der Nachbildung würde also bei sogenannten toten oder still-liegenden Gegenständen von ruhigen, treuen, eingeschränkten Menschen in Ausübung gebracht werden. Sie schließt ihrer Natur nach hohe Vollkommenheit nicht aus.

Manier
Allein gewöhnlich wird dem Menschen eine solche Art, zu verfahren, zu ängstlich oder nicht hinreichend. Er sieht eine Übereinstimmung vieler Gegenstände, die er nur in ein Bild bringen kann, indem er das Einzelne aufopfert; [...] er erfindet sich selbst eine Weise, macht sich selbst eine Sprache, um das, was er mit der Seele ergriffen, wieder nach seiner Art auszudrücken, einem Gegenstande, den er öfters wiederholt hat, eine eigne bezeichnende Form zu geben, ohne, wenn er ihn wiederholt, die Natur selbst vor sich zu haben, noch auch sich geradezu ihrer ganz lebhaft zu erinnern.

Nun wird es eine Sprache, in welcher sich der Geist des Sprechenden unmittelbar ausdrückt und bezeichnet. Und wie die Meinungen über sittliche Gegenstände sich in der Seele eines jeden, der selbst denkt, anders reihen und gestalten, so wird auch jeder Künstler dieser Art die Welt anders sehen, ergreifen und nachbilden, [...].
Wir sehen, daß diese Art der Nachahmung am geschicktesten bei Gegenständen angewendet wird, welche in einem großen Ganzen viele kleine subordinierte Gegenstände enthalten. Diese letztere müssen aufgeopfert werden, wenn der allgemeine Ausdruck der großen Gegenstände erreicht werden soll, wie zum Exempel bei Landschaften der Fall ist, [...].

Stil

Gelangt die Kunst durch Nachahmung der Natur, durch Bemühung, sich eine allgemeine Sprache zu machen, durch genaues und tiefes Studium der Gegenstände selbst endlich dahin, daß sie die Eigenschaften der Dinge und die Art, wie sie bestehen, genau und immer genauer kennen lernt, daß sie die Reihe der Gestalten übersieht und die verschiedenen charakteristischen Formen nebeneinander zu stellen und nachzuahmen weiß, dann wird der S t i l der höchste Grad, wohin sie gelangen kann; der Grad, wo sie sich den höchsten menschlichen Bemühungen gleichstellen darf.
Wie die einfache Nachahmung auf dem ruhigen Dasein und einer liebevollen Gegenwart beruhet, die Manier eine Erscheinung mit einem leichten, fähigen Gemüt ergreift, so ruht der S t i l auf den tiefsten Grundfesten der Erkenntnis, auf dem Wesen der Dinge, insofern uns erlaubt ist, es in sichtbaren und greiflichen Gestalten zu erkennen. [...] Es läßt sich leicht einsehen, daß diese drei hier voneinander geteilten Arten, Kunstwerke hervorzubringen, genau miteinander verwandt sind, und daß eine in die andere sich zart verlaufen kann.
Die einfache Nachahmung leicht faßlicher Gegenstände – wir wollen hier zum Beispiel Blumen und Früchte nehmen – kann schon auf einen hohen Grad gebracht werden. [...] Es ist offenbar, daß ein solcher Künstler nur desto größer und entschiedener werden muß, wenn er zu seinem Talente noch ein unterrichteter Botaniker ist: wenn er, von der Wurzel an, den Einfluß der verschiedenen Teile auf das Gedeihen und den Wachstum der Pflanze, ihre Bestimmung und wechselseitige Wirkungen erkennt; wenn er die sukzessive Entwicklung der Blätter, Blumen, Befruchtung, Frucht und des neuen Keimes einsieht und überdenkt. Er wird alsdann nicht bloß durch die Wahl aus den Erscheinungen seinen Geschmack zeigen, sondern er wird uns auch durch eine richtige Darstellung der Eigenschaften zugleich in Verwunderung setzen und belehren. In diesem Sinne würde man sagen können, er habe sich einen Stil gebildet; da man von der anderen Seite leicht einsehen kann, wie ein solcher Meister, wenn er es nicht gar so genau nähme, wenn er nur das Auffallende, Blendende leicht auszudrücken beflissen wäre, gar bald in die Manier übergehen würde. Die einfache Nachahmung arbeitet also gleichsam im Vorhofe des Stils. [...]

Goethe, *Werke*, Hamburger Ausgabe, Bd. 12, München 11. Auflage 1989, S. 30–34.

Kommentar

Von seiner Italienreise (1786–1788) zurückgekehrt, schrieb Goethe *Einfache Nachahmung, Manier, Stil* für Wielands *Teutschen Merkur* von 1789. Der Text beschreibt das Erschaffen von Kunstwerken in einem dreistufigen System. Dabei ordnete Goethe einzelnen Stufen jeweils einen Begabungstypus zu. Die Basis bildete die einfache Nachahmung der Natur. Dafür eignen sich Gegenstände, die in Ruhe betrachtet werden können und leicht zu haben sind. Beide Voraussetzungen werden von *toten* oder *still-liegenden* Gegenständen erfüllt, so daß Goethe hier den Stillebenmaler vorstellt. Aus solcher Arbeit entwickelt Goethe ein Psychogramm in Umdeutung der ursprünglichen Bedeutung von Stilleben; denn das Gemüt, welches solche Arbeiten ausführt, muß »still« sein, der Maler von *Stilleben* also ein *stilles Leben* führen.

Manier, der Begriff für die nächst höhere Stufe, bezeichnet – wie Goethe selbst versichert[1] – ohne negativen Beigeschmack das Malen mit der *Seele*, im Gegensatz zum Malen nach der Natur. Indem der Künstler der Gesamterscheinung des Bildes den einzelnen Gegenstand unterordnet, entsteht die eigene Sprache vor allem des *Landschaftsmalers*.

Die dritte Stufe ist der Stil, der im Gegensatz zur Manier wiederum stärker auf der Nachahmung der Natur fußt. Er ermöglicht der Kunst, an *höchsten menschlichen Bemühungen, Erkenntnis* und dem *Wesen der Dinge* teilzuhaben. Zwar nennt Goethe an dieser Stelle in erster Linie die menschliche Gestalt. Doch erläutert er angesichts fließender Gattungsgrenzen an der Malerei von Blumen und Früchten, wie über das bloße Kopieren hinaus Stil auszubilden ist. Im Stil nämlich müssen hohe technische Fertigkeiten *über das Mögliche hinaus* mit einer ausgeprägten Kenntnis der Dinge zusammentreffen. Dadurch kann der Maler dem Betrachter durch seine Wiedergabe das *Wesen der Dinge* vorführen und ihn sogar mit Blumen- und Fruchtstilleben *in Verwunderung setzen* **und** *belehren*. Einfache Naturnachahmung, wie sie in Stilleben ihren direktesten Ausdruck findet, wird nach der Horazschen Formel, ›Kunst müsse belehren und erfreuen‹ (prodesse et delectare),[2] in den *Vorhof des Stils* gehoben.[3]

Johann Heinrich Meyer über die Gegenstände der bildenden Kunst (1798)

Von den Gegenständen überhaupt

Sondern wir von Werken der bildenden Kunst aller Art dasjenige ab, was ihnen durch Form und Farben, durch geistige und mechanische Behandlung geliehen wird, so bleiben nur noch die Stoffe, die Gegenstände zu Betrachtung übrig. Wir unterscheiden dreyerley Arten: Die ersten sind die vorteilhaften, der Kunst angemessen

und bequem. Das Werk liegt gleichsam schon im Keime darin, und wächst unter der pflegenden Hand des Künstlers schnell hervor.
Die anderen, welche man gleichgültige oder unthätige Gegenstände nennen möchte, [...] sind unbedeutend, wenn nicht das Genie des Künstlers Gehalt hineinlegt.
Die dritte Art sind die widerstrebenden, welche, den ersten Forderungen zuwider, sich nicht selbst aussprechen. An ihnen ist alle Mühe verlohren, weil sie dem Beschauenden nicht deutlich werden können. [...]

Von den vorteilhaften Gegenständen
Die einfache Darstellung rein menschlicher Handlungen scheint der Kunst und durch sie uns selbst wieder am nächsten zu liegen; es bedarf bei ihnen keiner Erklärung, sie wirken unmittelbar. Wir gehen deswegen von ihnen aus, und denken sie uns auf einer gewissen Stufe. Höher hinauf setzen wir die historischen Darstellungen, einzeln oder im Zyklus, dann folgen die Charakterbilder, ferner die erfundenen (poetischen) mythischen und allegorischen Bilder, ganz zuoberst setzen wir die symbolisch bedeutenden, ebenfalls einzeln oder im Zyklus.
Haben wir nun auf diese Weise die höchste Höhe erreicht, so finden wir tiefer als die rein menschlichen, die Szenen des gemeinen Lebens; auch gebührt den Tierstücken und den Landschaften ein Platz unter den Gegenständen, welche für die Darstellung tauglich sind, weil sie nach ihrer Art wirksam und bedeutend sein können, ob sie gleich immer ein geringeres Interesse einflößen, als diejenigen, welche menschliche Handlungen und Figuren zum Grunde haben. [...]

Von den gleichgültigen Gegenständen
Wir nennen gleichgültige Gegenstände für die bildende Kunst diejenigen, welche an und für sich nichts Bedeutendes, Anziehendes oder Rührendes enthalten, welche uns in Ruhe und Untätigkeit lassen, wenn sie gleich darstellbar und faßlich sind. Hier tritt der Fall ein, daß der Künstler, im eigentlichsten Sinne, das Kunstwerk selbst erschafft, weil er notwendig dafür sorgen muß, durch Ausbildung des Ganzen, durch kluge Erfindungen im einzelnen, welche nach den Umständen von seiner Willkür abhängen, dem Werk ein Interesse zu geben. Da der Stoff selbst keinen Wert hat, sondern bloß leidend ist, so kommt es ganz darauf an, was er aus demselben machen will und kann. [...]
Gleichgültige Gegenstände sind uns also: mystische Bilder, pompöse Darstellungen, als Opferaufzüge, Triumphe, Mahlzeiten, sodann Bildnisse von der gewöhnlichen Art, landschaftliche Aussichten, Frucht- und Blumenstücke, totes Wild und dergleichen. [...] (S. 236)

Stilleben
Todtes Wild, Blumen, Fruchtstücke und dergleichen haben keinen geistigen Werth, der Gegenstand ist ohne höheren Ausdruck, er kann an sich keine Theilnahme erre-

gen, nur eine treue, ja erhöhende Nachahmung kann uns an dergleichen Werken interessieren. Wir sehen die Kunst und den Künstler, nicht aber die vorgestellte Sache. (S. 244)

Meyer, Johann Heinrich, Über die Gegenstände der bildenden Kunst, in: *Propyläen*, Bd. 1, 1. und 2. Stück 1798, zitiert nach fototechnischem Nachdruck, Stuttgart 1965, S. 72 ff.

Kommentar

Die Schrift des Schweizer Malers und Kunstsachverständigen Johann Heinrich Meyer (1760–1832) *Über die Gegenstände der bildenden Kunst* erschien – sicher in genauer Abstimmung mit Goethe – in den *Propyläen* 1798. Meyer entwirft, ohne die grundsätzliche Gattungshierarchie aufzugeben, neue Kategorien, um die Sujets der bildenden Kunst in *vorteilhafte, gleichgültige* und *widerstrebende* Stoffe zu scheiden.

Das Stilleben rechnet Meyer gemeinsam mit Stoffen der Figurenmalerei den gleichgültigen Gegenständen zu. Da diese selbst keine Anteilnahme für sich beanspruchen, setzt ihre Darstellung den Künstler frei. Von ihm allein hängt ab, ob dem Werk schließlich Interesse zukommt. In den drei Kategorien manifestiert sich eine deutliche Trennung zwischen inhaltlicher und technischer Seite der Malerei wie schon bei Diderot, der im bildenden Künstler den Poeten und den Maler unterschied.[4]

Christian Ludwig von Hagedorn über Jan van Huysum (1762)

Es kann in diesen Gemählden dieses grossen holländischen Frucht- und Blumenmahlers die blaue mit der weissen Traube vergesellschaftet, uns ein Beispiel der Gegenstellung und Abwechslung für die Mannichfaltigkeit anzeigen. Bei diesen reifen Früchten liefern vielfärbige, und zum Teil frischere Blätter schon die angenehmsten Farben für die Verbindung. Ein dunkles gebrochenes Grün in einem der trefflichsten Gemählde dieses Meisters breitet eine Ruhestelle in den Gemählden aus, und erwecket die Bewunderung des Beobachters, wenn er mit seiner Aufmerksamkeit vom Ganzen auf die Teile gehet. Ein lebhafteres Grün in andern Gemälden dieses Nacheiferers der schönen Natur mischet sich unter Rosen, und andere Blumen, von mehr als einer Art, gibt jeglicher geschlossenen Knospe eine andere Schattierung, und vereiniget sie unter einer herrlichen Beleuchtung.

Hagedorn, Christian Ludwig von, *Betrachtungen über die Mahlerey*, Leipzig 1762, Bd. 2, S. 600.

Kommentar

Christian Ludwig von Hagedorn (1712–1780), Bruder des Schriftstellers Friedrich Hagedorn, Diplomat, später Direktor von Galerie und Akademie in Dresden, hatte gegen den Zeitgeschmack Landschaften, Stilleben und Tierstücke des niederländischen 17. sowie des deutschen und französischen 18. Jahrhunderts gesammelt.[5] Dem 1755 als *Lettre à un amateur de la peinture* erschienenen Verzeichnis seiner Privatsammlung mit beigefügten Kurzbiographien deutscher Künstler des 18. Jahrhunderts folgten die *Betrachtungen über die Mahlerey* 1762, die kurze Zeit später ins Französische übersetzt wurden. Das von Diderot,[6] Lessing, Goethe und Herder geschätzte Werk wollte Geschmack durch Übung des Auges schulen. Hagedorn schätzt das Technische beim Stilleben, auf das er Kategorien aus der Historienmalerei wie »Mannichfaltigkeit« (*varietà*) überträgt. Das Zitat stammt aus dem Kapitel *Von der Erhöhung und Mässigung des Lichts und Schattens*.

Johann Heinrich Merck über Stilleben und Sammler (1779)

[...] Man lacht so oft über den Geschmack unserer teutschen Sammler, wenn sie sich, wie man sagt, an nichts als niedrigen Gegenständen ergötzen, vor einem Krebs, einem Römerglas, einer wohlgemahlten Serviette, einer Traube oder Pfirsich erstaunt dastehen. Und doch haben die guten Leute recht. Sie freuen sich über das, was sie verstehen. Die Form des Trinkglases können sie beurtheilen, und an den Contur des Pfirsichs konnte ihnen auch nichts entwischen, das irgend unrichtig gewesen wäre. Wodurch freylich der Künstler sie täuschte, die glückliche Zusammenstellung der Lokalfarben, die Beobachtung der Perspektiv, die vortheilhafte Beleuchtung, die erhöhten Reflexe, die stärker angegebnen Schatten, die Tockierung des Pinsels, alles dies entdecken sie nicht in seinem Zusammenhang, und das wars doch, was es eigentlich zu einem Kunstwerk machte.

Merck, Johann Heinrich, Briefe über Mahlerey an eine Dame in: *Der teutsche Merkur,* November 1779, S. 104–112.

Kommentar

Johann Heinrich Merck (1741–1791) zählt auf, weswegen der »teutsche Sammler« Stilleben schätzte. Ein Grund ist die, wie sie meinen, überprüfbare Nachahmung der Natur.[7]

Johann Georg Sulzer über das Pittoreske in der Malerei (1793)

Pittoresk oder malerisch pflegt man in einem ganz besonderen Sinne alle die Vorstellungen in der Natur zu nennen, die das Auge einzig und allein durch ihre eigenthümliche Schönheit fesseln, ohne daß sie sich die geringsten Reize von den Nebenumständen borgen, womit ihre Betrachtung verbunden seyn kann. [...] Wenn der Maler etwas schön finden soll, so muß die Sache, die er betrachtet, blos darum gefallen, weil sie einen unmittelbar schönen Eindruck auf sein Auge macht. [...] Je fähiger ein Gegenstand ist, die auf ihn geworfenen Lichtstrahlen so aufs Auge zurück zu werfen, daß in den Sehnerven eine Erschütterung dadurch erzeugt wird, die sich in eine süße Empfindung auflösen muß; desto mehr findet sich der Maler berechtigt, einen solchen Gegenstand schön zu nennen. [...] Er beurtheilt das Schöne blos nach Farbe und Gestalt. Gefällt ihm diese, so wird er die Sache schön nennen, und wenn die ganze Welt von Nichtkennern schrie, daß sie häßlich wäre. [...]

Sulzer, Johann Georg, *Nachträge zu Sulzers allgemeiner Theorie der schönen Künste*, Leipzig 1793, S. 31ff.

Kommentar

Im Zusammenhang mit Stilleben findet man häufig den Begriff des Pittoresken. Im Holländischen entspricht ihm das Wort *schilderachtig*, dessen unterschiedliche Facetten Boudewijn Bakker jüngst dargelegt hat.[8] Seit van Mander (hier S. 228f.) wird der Ausdruck für das Malenswerte gebraucht. Er bezeichnet die Ausschmückung im rhetorischen Sinne ebenso wie die unverblümte Nüchternheit des nicht sprachgewandten Malers. Im wesentlichen konzentriert sich der Wortsinn auf *nach der Natur* zu gestaltende malenswerte Blicksensationen. Das zuerst in Italien um die Mitte des 17. Jahrhunderts von Boschini gebrauchte Wort *pittoresco* ist im Kontext des Poussinisten- und Rubenisten-Streites zu verstehen. Boschini schlägt sich bereits in seiner Einleitung auf die Seite der Rubenisten: *Der Maler gestaltet ohne Form, oder vielmehr mit Formen, die die Gestalt der sichtbaren Dinge verformen, er strebt somit nach einer malerischen Kunst.*[9] Zwischen 1730 und 1830 wurde *picturesque* in England vor allem zur Kennzeichnung von Landschaftsmalerei verwendet. Als pittoresk galt dort die Darstellung von Ruinen, verdorrten Bäumen, Felsabbrüchen und ähnlichem.[10] Besonders durch die englischen Theoretiker wurde das Pittoreske an die Seite des Erhabenen und Schönen gestellt.

Aus den Nachträgen zu Johann Georg Sulzers (1720–1779) *Allgemeiner Theorie der schönen Künste*, die im Jahre 1793 gedruckt wurden, wird ersichtlich, wie das Pittoreske im Deutschland der Goethezeit aufgefaßt wurde. Das Prinzip des Malerischen stammt aus der Landschaftsmalerei und gilt über die Theorie des Schönen auch im Stilleben.

Friedrich Wilhelm Basilius von Ramdohr über das Schöne in den nachbildenden Künsten (1793)

Achtes Buch, Eilftes Kapitel / Wesentlich schön an dem Aeußeren eines Gemähldes, mithin wohlgefällig für das Auge, ist Alles was zur mahlerischen Wirkung gehört./
[...] Zu dem Wohlgefälligen für das Auge gehört an einem Gemählde zuerst das Angenehme[...], und zwar wesentlich für die Mahlerey dasjenige, welches aus der Farbengebung und dem Helldunkeln fließt. Vermöge der ersten stellt sie nicht nur die Lokalfarbe mit allen Modificationen vor, welche Ründung und Zufall des Lichts darin hervorbringen, sondern auch den Ton, oder die Farbe des Lichts, welches die ganze Tafel, mithin alle darin befindliche Körper gemeinschaftlich beleuchtet.
[...] Das Frische, Saftige, Duftige, Markigte, Sammentne, Pikante der Farben und des Lichts würkt nicht blos auf das Auge, sondern auch mittelbar auf die Sinne des Geschmacks, des Geruchs, und sogar des betastenden Gefühls. Das Zusammenstehen der Farben und Lichter, ihr Abweichen von einander, bringt ein Spiel hervor, welches unmittelbar unsere innere Rührungsfähigkeit in Bewegung setzt.
Zweytens gehört hieher die unbedeutende Wohlgestalt [...]. In Ansehung dieser Wohlgestalt hat die Mahlerey sehr viel Charakteristisches. Ich habe bereits gesagt, daß sie sich theils in den Umrissen zeigen kann, an denen das Auge hinauf und hinab läuft [...] (S. 97–99)

Dreizehntes Kapitel / Begriff eines schönen Gemähldes /
Der Begriff eines schönen Gemähldes läßt sich dahin angeben.
Es ist ein durch schöne Fertigkeiten des Geistes und der Hand bearbeitete und von andern Gegenständen abgesonderte flache Tafel, in deren Raume specifike stillstehende Profile individueller Körper in dem Maaße enthalten sind, daß der Beschauer an der Aehnlichkeit des vollständigen Abglanzes dieser Profile mit ihren individuellen Vorbildern aus einem festen Gesichtspunkte sich belustigen, und zu gleicher Zeit das Aeußere dieser Tafel mittels der mahlerischen Würkung dem Auge wohlgefällig, und das Innere derselben mittelst Bedeutung, Geist, Ausdruck des ganzen Werks für seinen Geist interessant finden könne. (S. 115)

Vierzehntes Kapitel / Es gibt aber verschiedene Arten der Mahlerey nach der Verschiedenheit der Körper, welche sie darstellt, und der Mittel, womit sie darstellt. In dieser Rücksicht erhält der Begriff eines schönen Gemähldes noch besondere Bestimmungen. /
[...] Die Mahlerey theilt sich freylich in verschiedene Unterarten, sowohl in Rücksicht der Gegenstände, welche sie bearbeitet, als auch in Rücksicht der Mittel, womit sie arbeitet. So giebt es Stilleben, Thierstücke, Landschaften, Perspektiven, Architekturstücke, Bildnisse, Charakterstücke, plastische und mimische Darstellungen des Menschen.

Fünfzehntes Kapitel / Schönheit des Stillebens /
Also zuerst die Stilleben! Ein Stilleben ist eine Darstellung von Geräthschaften, abgebrochenen Früchten, Teppichen, Eßwaaren u. s. w. Kann ein solches Gemählde ein schönes Kunstwerk sein?
Bis jetzt hat man diese Werke eines Maltese, van Huysum, de Heem, Castiglione und anderer dafür gehalten. Wir wollen sehen ob mit Recht?
Niemand wird leugnen, daß eine solche Darstellung eines mahlerischen Effekts fähig sey. Also mag uns dieser Zweifel nicht aufhalten. Aber die Bedeutung, der Geist, der Ausdruck?
Ich sage: seht nicht die Körper, die in dem Gemählde enthalten sind, seht den Körper, der sie enthält, im Ganzen an, und fragt dann, ob diese Stücke vorhanden sind oder nicht! Wenn ihr dann findet, daß die Individualität in ihren ergreifensten Bestandtheilen wieder geliefert ist, daß ihr das Gefäß wegheben, den Teppich befühlen möchtet, daß der Raum der Tafel wie ausgehöhlt da steht; so glaubt mir, das Gemählde hat allerdings Bedeutung, und höchst vortreffliche Bedeutung, nämlich die der mehr als gewöhnlichen Wahrheit. Die Tafel, die ihr da vor euch seht, liefert, als Nachbildung der Würklichen betrachtet, ein solches Ueberher über das Nothdürftige zur Reproduktion des Scheins eines individuellen Körpers überhaupt, daß euer Geist unmöglich umhin kann, selbst bey der Anschauung Vergnügen zu empfinden. Ein Vergnügen, welches demjenigen völlig gleich ist, welches ihr empfindet, wenn euch ein menschlicher Körper, nach Gattung und Art ausgezeichnet, vollständig, richtig und zweckmäßig aufstößt.
Wenn nun eben diese Tafel im Ganzen einen Geist in dem Künstler ahnden läßt, der diese an sich indifferenten Gegenstände auf eine Art angesehen hat, womit man sie gewöhnlich nicht ansieht, mit einem Auge, das sie eines mahlerischen Effekt fähig hielt; wenn es sein Werk ist, daß sie so zusammengruppiert diesen Effekt hervorbringen; wenn diese Behandlung einen Pinsel zeigt, den kein Handwerker, kein Mechanikus so führen könnte, so erhält die Tafel im Ganzen Geist. Wenn der Ton des Ganzen das Herz des Beschauers in eine bestimmte Schwingung von Feyer, Zärtlichkeit, Ergötzung setzt, wenn wir uns ihm in Achtung nähern, oder uns mit Wohlwollen dazu hingezogen fühlen, oder wenn es uns gleichsam anlacht, so erhält diese Tafel im Ganzen Ausdruck.
Dies findet sogar bey einem Küchenstücke von Teniers statt. Umsonst mag Sulzer über den geschlachteten Ochsen lachen. Hatte er in dem Gemählde nichts wie diesen gesehen, so sollte er sich ganz des Genusses einer Kunst enthalten haben, deren Wesen und Bestimmung er wahrscheinlich auch in dem Gemählde der Transfiguration von Raphael verkannt haben würde. Es kommt also hier auf die Wahl des Sujets gar nicht an. [...] (S. 117–119)
Ramdohr, Friedrich Wilhelm Basilius von, *Charis oder über das Schöne und die Schönheit in den nachbildenden Künsten*, Leipzig 1793, 2 Bde., Bd. 2.

Kommentar

Eine überraschend moderne Einschätzung des Stillebens findet sich bei dem Kunstschriftsteller, Epiker und Dramatiker Friedrich Wilhelm Basilius von Ramdohr (1757–1822). In seinem seinerzeit positiv aufgenommenen Hauptwerk *Charis* wollte er dem Kunstliebhaber »eine Apologie des empirischen Geschmacks vor dem Forum der Vernunft« und dem philosophisch Interessierten eine aus der Analyse der menschlichen Triebe abgeleitete Theorie des Schönen und des Geschmacksurteils bieten.[11]

Ramdohrs Kapitel über Stilleben beginnt mit einer Definition. Indem er Stilleben als echten Sammelbegriff verwendet, der nicht nur die vom Menschen geschaffenen, toten Dinge, sondern auch Blumen und Früchte darunter subsumiert, geht er Heinrich Meyer voraus.[12] Die Einteilung in Gattungen bleibt erhalten, doch ist sie für Ramdohr weniger ein rigides System als eine sachliche Gliederung nach Bildgegenständen. Dabei unterscheidet er zwischen Inhalt und Objektcharakter der Malerei, »Innerem« und »Äußerem«.

Ramdohr macht das Qualitätsurteil vom subjektiven Empfinden des Betrachters abhängig. Dieser soll selbst beurteilen, ob das Dargestellte eine bestimmte ›taktile‹ Wirkung erzielt. Bewirkt das Stilleben diesen Effekt, dann liegt darin für Ramdohr auch die »Bedeutung« des Bildes, so daß die Frage nach dem Inhalt des Bildes mit seiner Präsenz beantwortet wird. Auf das Bild nicht auf das Dargestellte, kommt es an. Dies ermöglicht Ramdohr, zuvor als häßlich bewertete Bildgegenstände[13] wie Rembrandts, nicht Teniers', *Geschlachtete Ochsen*[14] wegen der qualitätvollen Malerei zu schätzen.

August Wilhelm Schlegel über das Stilleben (1801–04)

Dies führt uns auf die Betrachtung der Gattungen in der Malerei, wobei wir mit der untersten anfangen und mit der höchsten endigen wollen. [...] Die erste Kunststufe ist das Stilleben. Das pittoreske Prinzip offenbart sich hier schon in der Anordnung, welche keine steife Regelmäßigkeit und Symmetrie haben darf. Ein sauber aufgekramter Tisch mit gerade aufeinander geschichteten Büchern u. dgl. wäre ein schlechter Gegenstand für ein Stilleben. Die Sachen müssen vielmehr verschoben und mit einer zufälligen Nachläßigkeit hingeworfen sein, damit sie einander zum Teil verdecken und in mannigfaltigen Lagen erscheinen, Reflexe und Licht und Schatteneffekte hervorbringen. Da jedoch die Gegenstände tot und von geringer Bedeutung sind, so darf weder Beleuchtung noch Anordnung zu große Prätension machen; in der Ausführung muß alsdann bescheidener treuer Fleiß das Beste tun. Wenn man nun noch hinzufügt, daß keine an sich ekelhaften widerwärtigen Gegenstände gewählt werden, und daß sie nicht auf eine befremdliche Weise, die sich schwerlich im Zimmer der unordentlichen Gelehrten oder auf dem Anrichtebrett der geschäftigen Köchin von selber trifft, zusammengestellt oder gehäuft werden dürfen, so ist man mit den

Regeln für diese äußerst beschränkte Kunstgattung, die übrigens mit höheren in Verbindung gesetzt werden kann und oft gesetzt worden ist, so ziemlich fertig.
In einer schon etwas höheren malerischen Sphäre bewegt sich der Blumen- und Fruchtmaler. Wir sind im wirklichen Leben gewohnt, diese Gegenstände nicht nur zum Wohlgeruch und Geschmack, sondern auch für das Ergötzen des Auges auf eine gefällige anmutige Art in Sträußen und Körben zu ordnen, und der Künstler, dem man gern verstatten wird, die Produkte verschiedener Jahreszeiten und Klimate zu vermengen, hat dabei noch größere Freiheit der geschmackvollen Wahl. Blumen und Früchte sind Teile von Pflanzen; frisch abgepflückt haben sie eine Art von Leben, welches ausgedrückt werden soll, so daß hier die Bedeutung, die Offenbarung des Inneren durch das Äußere, schon zunimmt. [...] Dazu kommen für den Maler nun noch zufällige Belebungen, Tautropfen, abgeschüttelter Blumenstaub, von Insekten angestochene oder sonst beschädigte Stellen der Früchte usw. Alles dies mit Sinn aufgefaßt, der lebendige Hauch der Pflanzenwelt darüber verbreitet, dann Eleganz der Formen und harmonische Anordnung, können zusammen sehr reizende Bilder geben, die sich sogar schon als Ganzes schließen, so daß man nicht gern etwas hinweg- oder hinzudenken möchte, welches beim bloßen Stilleben kaum möglich ist.

Schlegel, August Wilhelm, *Die Kunstlehre*, hier zitiert nach der Ausgabe von Edgar Lohner (Kritische Schriften und Briefe II), Stuttgart 1963, S. 173 ff.

Kommentar

In August Wilhelm Schlegels (1767–1845) Vorlesung *Über schöne Litteratur und Kunst* wird der Begriff des Pittoresken im Stilleben auf ein Arrangement des scheinbar Ungeordneten und des mannigfaltig Bunten gebracht. Befremdliche Unordnung wird ebenso wie der häßliche Bildgegenstand ausgeschlossen. Der Gegenstand des Bildes bestimmt seinen Wert, wobei Schlegel nur in einem Nebensatz recht allgemein bemerkt, daß diese unterste Form des Stillebens mit höheren Gattungen in Verbindung gesehen werden kann.

Dem Leben, nicht der Kunst entstammt das *Ergötzen des Auges* an Blumen- und Früchtearrangements. Wenn es dann heißt, *die Bedeutung, die Offenbarung des Inneren durch das Äußere*, könne erst in Gegenständen wie Blumen und Früchten wahrgenommen werden, dann dringt ein romantisches Begreifen von stillen Leben in Schlegels Begriff vom Stilleben.
C. S.

Anmerkungen

1. Hamburger Ausgabe, Bd. 12, S. 34.
2. Horaz, *Ars Poetica*, V. 333f.
3. In *Der Sammler und die Seinigen* werden die »Nachahmer« nochmals unterschieden in bloße Kopisten und Nachahmer, durch die »Kunstwahrheit als schöner Schein« entsteht. »Kunstwahrheit« ist jedoch ein Begriff, der den Stil kennzeichnet (vgl. hierzu: Berliner Ausgabe, Bd. 19, S. 269). Dieses Empfinden wird bei Goethe durch ›manche deutsche, niederländische und französische Porträten und Stilleben‹ erzeugt. Berliner Ausgabe, Bd. 19, S. 261.
4. Poet war der bildende Künstler, insofern er die Idee hatte, Maler, insofern er technische Kunstfertigkeit (faire) besaß: »Was ist die schönste Technik ohne Idee? Das Verdienst eines Malers. Was ist eine schöne Idee ohne Technik? Das Verdienst des Dichters.« Salon von 1767, zit. nach: *Ästhetische Schriften*, hrsg. von Friedrich Bassenge, Bd. 2, S. 187. Zu Diderots Unterscheidung zwischen »partie idéale« und »partie technique« s. Bukdahl 1980/1982, Bd. 1, S. 324–370.
5. Teile eines Inventars sind abgedruckt bei: Wiecker 1993, S. 70–124.
6. Zur Beziehung zwischen Hagedorn und Diderot s. Bukdahl 1980/1982, Bd. 2, S. 116–135.
7. Ähnliches findet sich schon bei Aristoteles *Rhetorica* (1371b, 23).
8. Bakker 1995 mit nützlicher Zusammenfassung der Wortgeschichte von *pittoresk* und Verwandtem.
9. Boschini, M., *Carta del Navegar Pitoresco, Venezia 1660. Neuausgabe:* Hrsg. von A. Pallucchini, Venedig, Roma 1966. Dt. zitiert nach Pochat 1986, S. 324.
10. Gilpin, William, *Essays on Picturesque Beauty*, 1792; Uvedale Price, *Essay on the Picturesque as Compared with the Sublime and the Beautiful*, 1794.
11. Friedrich Wilhelm Basilius von Ramdohr, *Charis oder über das Schöne und die Schönheit in den nachbildenden Künsten*, Leipzig 1793, 2 Bde., Bd. 1, S. 12.
12. Vgl. hierzu Essay S. 30ff.
13. Zum »häßlichen Bildgegenstand« in der Stillebenmalerei des 18. und 19. Jahrhunderts s. Beth 1979, S. 98–139.
14. Rembrandt, *Geschlachteter Ochse* 1655, Paris, Louvre; vgl. Kenneth M. Craig, Rembrandt and Slaughtered Ox, in: *Journal of the Warburg and Courtauld Institute* XLVI, 1983, S. 235–240, mit neuerer Literatur.

Stilleben als Realisation

Gattungsgrenzen zu sprengen wurde im 19. Jahrhundert erste Aufgabe des antibürgerlichen Künstlers. Der Anwalt, Literatur- und Kunstkritiker Jules-Antoine Castagnary (1830–1888) formulierte in einer seiner ersten Salonkritiken 1857 die mit einer Aufwertung des Individuums einhergehende Vision von einer neuen, fortschrittlichen Kunst. Der Salon von 1857 wurde für Castagnary zum Mikrokosmos der Entwicklungsmöglichkeiten von Kunst, er repräsentiere *la loi évolutive de l'art*.[1] Wenn auch das Stilleben nicht an erster Stelle stand, so gehörte es doch in den Kanon derjenigen Bildformen, die Hoffnungsträger für eine demokratische Erneuerung durch das Bürgertum wurden.

Castagnary über den Tod der Historienmalerei (1857)

La peinture religieuse et la peinture historique ou héroïque se sont graduellement affaiblies, à mesure que s'affaiblissent comme organismes sociaux, la théocratie et la monarchie auxquelles elles se réfèrent; leur élimination, à peu près complète aujourd'hui, amène la domination absolue du genre, du paysage, du portrait, qui relèvent de l'individualisme: dans l'art comme dans la société, l'homme devient de plus en plus homme.
Tant que la religion a tenu la tutelle de la société et a protégé sa lente formation; tant que la foi, circulant dans le corps social comme la sève dans les rameaux, a fait verdoyer et fleurir chaque civilisation naissante, l'art a été divin, exclusivement divin. Imbu de la superstition du ciel, l'artiste a cherché ses sujets hors de l'homme, qui lui semblait misérable et laid; hors de la nature où il ne sentait pas sourde et vivre l'âme universelle. [...]
La peinture historique n'a donc plus qu'à faire son acte de contribution et se préparer à la mort. Et de même que dans la vie sociale, l'absorption de l'autorité implique un agrandissement de l'individu, de même la disparition de la peinture historique se résoudra pour l'art en un accroissement de puissance.

Castagnary, Jules-Antoine, La Philosophie du Salon de 1857, in: ders., *Salons 1857–1879*, Paris, Bd. 1, 1892, S. 7 und 10.

Die religiöse und die Historienmalerei sind in dem Maße allmählich erschlafft, in dem die Theokratie und die Monarchie, auf die sie sich bezogen, als gesellschaftliche Träger erschlafften. Nachdem sie heute fast vollständig beseitigt sind, haben das Genrebild, die Landschaft, das Porträt, welche dem Individualismus entsprechen, bald die absolute Vorherrschaft errungen: in der Kunst wie in der Gesellschaft wird der Mensch immer mehr Mensch.

Solange die Religion die Gesellschaft am Gängelband hielt und ihre langsame Entwicklung schützte, solange der Glaube, der im gesellschaftlichen Körper floß wie der Saft in den Zweigen, jede neu entstehende Zivilisation grünen und blühen ließ, war die Kunst ausschließlich eine göttliche gewesen. Vom religiösen Aberglauben durchdrungen, hatte sich der Künstler seine Sujets außerhalb des Menschen gesucht, den er für erbärmlich und häßlich hielt, außerhalb der Natur, in der er nicht die Weltseele quellen und leben fühlte. [...] Auch der Historienmalerei bleibt nur noch, Buße zu tun und sich auf den Tod vorzubereiten. Und so wie im gesellschaftlichen Leben die Auszehrung der Autorität eine Erstarkung des Individuums mit sich bringt, so wird das Verschwinden der Historienmalerei der Kunst ein Wachstum an Kraft bescheren. [...]

[Übersetzung aus *Realismus als Widerspruch*, hrsg. von Klaus Herding, Frankfurt/M. 1978, S. 158–160]

Kommentar

Mit der Forderung, die Sujets der Malerei *nicht außerhalb des Menschen* und nicht *außerhalb der Natur* zu sehen, bleibt die französische Kritik im Naturalismus der Naturwahrheit als Qualitätsmaß des Stillebens treu. Gleichzeitig kehrt die Stillebenmalerei zu den Anfängen zurück: Gattungen werden zum Beispiel in den Bildern Edouard Manets (1832–1883) oder Gustave Courbets (1819–1877) überschritten, die Porträt- oder Figurendarstellung mit Stilleben kombinieren, Fruchtstilleben mit lebenden Tieren darstellen, oder in denen Jagdstilleben mit Jagdszenen und Landschaften vereinen. In diesen Vermischungen zeigt sich der Beginn der Ablösung von einer normativen Ästhetik der Gattungen.

Castagnary über Manets Zola-Bildnis im Salon von 1868

Cette année lui a valu un véritable succès. Son portrait de M. Zola est un des meilleurs portraits du Salon. Les accessoires, table, livres, gravures, tout ce qui est nature morte, est traité de main de maître. Le personnage principal n'est pas aussi heureux, sauf la main qui est très belle et le velours du paletot qui est étonnant. Malheureusement la figure manque de modelé: elle semble un profil appliqué sur un fond. Cela tient à ce que l'artiste n'a pas le don des nuances; il fait noir et blanc, et difficilement arrive à faire tourner ses objets.

Castagnary 1892, S. 314.

Dieses Jahr brachte ihm einen wahrhaften Erfolg. Sein Porträt von Zola ist eines der besten Porträts im Salon. Die Accessoires, Tisch, Bücher, die Graphik, das ganze Stilleben ist von Meisterhand. Die Hauptfigur ist nicht so glücklich, mit Ausnahme der Hand, die sehr schön und der Samt der Jacke, der erstaunlich ist. Leider fehlt es dem Gesicht an Modellierung; es wirkt wie ein auf einem Hintergrund aufgeklebtes Profil. Das kommt davon, daß der Künstler kein Talent für die Abstufungen von Tönen hat; er malt mit Schwarz und Weiß, und es fällt ihm schwer, seine Objekte so zu malen, daß er sie im Raum drehen kann.

[Übersetzung der Herausgeber]

Kommentar

Was für Castagnary einen Kritikpunkt an Manet darstellt, mangelhafte Modellierung im Gesicht, ist für Zola gerade das neue, moderne Moment an Manets Malweise: die starken Kontraste, die gleichermaßen in der Figurenmalerei wie im Stilleben seine Bilder bestimmen. Der Schriftsteller und Kunstkritiker Emile Zola (1840–1902), der in Manet einen analytischen Maler sieht, hält es für eine besondere Fähigkeit, wie dieser Maler versteht, die dominierenden Farbtöne herauszuarbeiten und großflächig zu modellieren. Seine Studie über Manet leitete dessen Anerkennung durch die Zeitgenossen ein.

Emile Zolas Plädoyer für Manet (1867)

Il nous faut, et je ne saurais trop le répéter, oublier mille choses pour comprendre et goûter ce talent. Il ne s'agit plus ici d'une recherche de la beauté absolue; l'artiste ne peint ni l'histoire ni l'âme; ce qu'on appelle la composition n'existe pas pour lui, et la tâche qu'il s'impose n'est point de représenter telle pensée ou tel acte historique. Et c'est pour cela qu'on ne doit le juger ni en moraliste, ni en littérature; on doit le juger en peintre. Il traite les tableaux de figures comme il est permis, dans les écoles, de traiter les tableaux de nature morte, je veux dire qu'il groupe les figures devant lui, un peu au hasard, et qu'il n'a ensuite souci que de les fixer sur la toile telles qu'il les voit, avec les vives oppositions qu'elles font en se détachent les unes sur les autres. Ne lui demandez rien autre chose qu'une traduction d'une justesse littérale. Il ne saurait ni chanter ni philosopher. Il sait peindre, et voilà tout: il a le don, et c'est là son tempérament propre, de saisir dans leur délicatesse les tons dominants et de pouvoir ainsi modeler à grands plans les choses et les êtres.

Emile Zola, Edouard Manet, Etude biographique et critique (1867), in: Emile Zola, *Ecrits sur l'art*, hrsg. von Jean-Pierre Leduc-Adine, Paris 1991, S. 153.

Um diese Begabung zu verstehen und Gefallen an ihr zu finden, müssen wir, ich kann es nicht oft genug wiederholen, tausend Dinge vergessen. Hier geht es nicht mehr um eine Suche nach der absoluten Schönheit; der Künstler malt weder die Geschichte noch die Seele; was man Komposition nennt, existiert für ihn nicht, und die Aufgabe, die er sich stellt, ist keineswegs, diesen Gedanken oder jene historische Tat darzustellen. Und deshalb darf man ihn weder als Moralisten noch als Literaten beurteilen. Er behandelt Figurenbilder, wie man nach den Regeln der Schulen Stilleben behandelt; das heißt, er stellt die Figuren ein wenig auf's Geratewohl vor sich hin und ist nur bestrebt, sie so, wie er sie sieht, mit den starken Kontrasten, in denen sie sich voneinander abheben, auf der Leinwand festzuhalten. Verlangen sie nichts anderes von ihm als eine wörtlich genaue Umsetzung. Er könnte weder singen noch philosophieren. Er kann malen, und das ist alles: er hat die Gabe, und das ist sein eigentümliches Temperament, subtil die dominierenden Farbtöne zu erfassen und so die Dinge und Lebewesen, die er malt, großflächig zu modellieren.

[Emile Zola, Eine neue Malweise: Edouard Manet (1867), in: *Schriften zur Kunst. Die Salons von 1866–1896*, dt.von Uli Aumüller, Frankfurt/M. 1989, S. 60]

Kommentar

Wie schon bei Castagnary geht es auch Zola um eine Revolution in der Kunst und die Abkehr von den eingefahrenen Bahnen der Malerei. Zolas Interpretationen des modernen Künstlers in dem Roman *Das Werk* nach dem Vorbild von Edouard Manet und Paul Cézanne führten zu starken Spannungen und schließlich zum Bruch mit beiden Malern. Diese fühlten sich durch *Das Werk* falsch dargestellt und karikiert.

Das provokante Pathos, mit dem Zola gegen die zeitgenössischen ›Schinken‹ herzieht, gipfelt in der Revolution durch die Mohrrübe, die *zum eisernen Bestand der modernen Ästhetik*[2] wird.

Emile Zola über die revolutionäre Rübe (1886)

Il en arrivait à déclamer contre le travail au Louvre, il se serait, disait-il, coupé le poignet, plutôt que d'y retourner gâter son oeil à une de ces copies, qui encrassent pour toujours la vision du monde où l'on vit. Est-ce que, en art, il y avait autre chose que de donner ce qu'on avait dans le ventre? Est-ce que tout ne se réduisait pas à planter une bonne femme devant soi, puis à la rendre comme on la sentait? Est-ce qu'une botte de carottes, oui, une botte de carottes! étudiée directement, peinte naïvement, dans la note personnelle où on la voit, ne valait pas les éternelles tartines de l'École, cette peinture au jus de chique, honteusement cuisinée d'après les recettes? Le jour venait où une seule carotte originale serait grosse d'une révolution.

Zola, Emile, *L'Œuvre* (1886), in: *Œuvres complètes*, Les Rougon-Macquart 5, Paris 1967, S. 464f.

Es kam mit ihm so weit, daß er gegen die Arbeit im Louvre vom Leder zog; er würde sich, so sagte er, eher eine Hand abhacken, als daß er dorthin zurückkehrte, um sich das Auge an einer jener Kopien zu verderben, die einen für immer den Blick für die Welt, in der man lebt, versauen. Gab es denn in der Kunst etwas anderes als das, was man im Bauche hatte? Beschränkte sich nicht alles darauf, ein Prachtweib vor sich hinzupflanzen, es dann so wiederzugeben, wie man es auffaßte? War ein Bund Mohrrüben, unmittelbar studiert, naiv, in der persönlichen Note gemalt, in der man es sieht, nicht ebensoviel wert wie die ewigen Schinken der Ecole des Beaux-Arts, wie diese Malerei mit Kautabakbrühe, die schändlicher Weise nach Rezepten gekocht wird? Der Tag nahte, an dem eine einzige Mohrrübe eine Revolution bedeuten würde.

[Zola, Emile, *Das Werk*, dt. von Hans Balzer, München 1976, S. 59f]

Kommentar

Wird die Vermischung der Gattungen schon seit Mitte des 19. Jahrhunderts als eine Revolution der Kunst vorangetrieben – Zola greift nicht von ungefähr das einstmals niederste Sujet auf, um die großen Veränderungen anzukündigen –, existieren nebenher ebenso auch konservativere Kunstvorstellungen. So kritisiert Max Liebermann (1847–1935) mit Bezug auf Zola gerade die Vermengung unterschiedlicher Aufgaben in der Malerei; und im Gegensatz zu Manet und Courbet besteht für ihn die Bildaufgabe der Madonna fort.

Max Liebermann über malerische Phantasie und Stilleben (1922)

[...] Ein Bund Spargel, ein Rosenbukett genügt für ein Meisterwerk, ein häßliches oder ein hübsches Mädchen, ein Apoll oder ein mißgestalteter Zwerg: aus allem läßt sich ein Meisterwerk machen, allerdings mit dem nötigen Quantum Phantasie; sie allein macht aus dem Handwerk ein Kunstwerk. [...]
Der Satz, daß die gutgemalte Rübe besser sei als die schlechtgemalte Madonna, gehört bereits zum eisernen Bestand der modernen Ästhetik. Aber der Satz ist falsch; er müßte lauten: die gutgemalte Rübe ist ebensogut wie die gutgemalte Madonna.

Wohlgemerkt als rein malerisches Produkt, denn, zur Beruhigung frommer Gemüter sei's gesagt, es fällt mir beileibe nicht ein, zwei ästhetisch so ungleichwertige Gegenstände miteinander vergleichen zu wollen. Auch weiß ich wohl, daß die Darstellung einer Madonna noch andere als rein malerische Ansprüche an den Künstler stellt, und daß sie als künstlerische Aufgabe schwerer zu bewältigen ist als ein Stilleben. Obgleich in einem Vierzeiler das Genie Goethes ebenso sichtbar ist als im Faust, kann als künstlerische Leistung »Über allen Wipfeln ist Ruh« doch nicht mit dem Faust verglichen werden. Aber die spezifisch malerische Phantasie des Künstlers kann sich in einem Stilleben gerade deshalb stärker zeigen als in der Darstellung des Menschen, weil das Bund Spargel nur durch die künstlerische Auffassung interessiert, an dem Menschen, am Kopf oder an einem schönen Frauenkörper interessiert uns – namentlich an letzterem – auch noch der dargestellte Gegenstand.

Der spezifisch malerische Gehalt eines Bildes ist um so größer, je geringer das Interesse an seinem Gegenstande selber ist; je restloser der Inhalt eines Bildes in malerischer Form aufgegangen ist, desto größer der Maler.

Also vom rein malerischen Standpunkt aus ist »die Schlüsselübergabe von Breda« des Velásquez in nichts wertvoller als eines seiner Küchenstilleben: ja sogar könnte ein solches malerisch wertvoller sein, wenn Velasquez die Küchengerätschaften besser gemalt hätte als die Heerführer auf dem großen Historienbild. Worauf es hier allein ankommt, ist klar auszudrücken, daß der Wert der Malerei absolut unabhängig vom Sujet ist, und nur in der Kraft der malerischen Phantasie beruht.

Liebermann, Max, *Die Phantasie in der Malerei*, Berlin 1922, S. 24–26.

Kommentar

Erst spät kommt die Phantasie in die Rede über Stillebenmalerei. Liebermann verknüpft mit ihr die entscheidende Kraft, welche aus beliebigem Objekte malerischen Wert schöpft. Sein Augenmerk gilt der spezifisch künstlerischen Phantasie, sie kann sich an Objekten ohne gesellschaftlichen Rang reiner beweisen. Es ist ein Kreis in sich geschlossenen Interesses am zu malenden Objekt: Weil es den Maler nur und ausschließlich als Gemaltes interessiert, kann er sich so rein wie nirgends sonst auf seine spezifische malerische Phantasie in bezug auf das Objekt konzentrieren.

Cézanne im Gespräch mit Gasquet (1896/1904)

Tenez, ce que je n'ai pas encore pu atteindre, ce que je sens que je n'atteindrai jamais dans la figure, dans le portrait, je l'ai peut-être touché là... dans ces natures mortes... Je me suis scrupuleusement conformé à l'objet...J'ai copié. [...] Nous parlions des portraits. On croit qu'un sucrier ça n'a pas une physiognomie, une âme. Mais ça change tous les jours aussi. Il faut savoir les prendre, les amadouer, ces messieurs-là... Ces verres, ces assiettes, ça ce parle entre eux. Des confidences interminables... Les fleurs, j'y ai renoncé. Elles se fanent toute de suite. Les fruits sont plus fidèles. Ils aiment qu'on fasse leur portrait. Ils ont là comme à vous demander pardon de se décolorer. Leur idée s'exhale avec leur parfums. Ils viennent à vous dans toutes leurs odeurs, vous parlent des champs qu'ils ont quittés, de la pluie qui les a nourris, des aurores qu'ils épiaient. En cernant de touches pulpeuses la peau d'un belle pêche, la mélancholie d'une vieille pomme, j'entrevois dans les reflets qu'elles échangent la même ombre tiède de renoncement, le même amour du soleil, le même souvenir de rosée, une fraîcheur [...]

Joaquim Gasquet: Cézanne, Paris 1926, darin sind die Dialoge »Ce qu'il m'a dit...« abgedruckt; zitiert nach: *Conversations avec Cézanne*, hrsg. von P.-M. Doran, Paris 1978, S. 156f.

Sehen Sie, was ich noch nicht habe erreichen können, was ich – ich fühle es – niemals mit dem menschlichen Gesicht, im Porträt, erreichen werde; hier bin ich vielleicht nahe daran gekommen, in diesem Stilleben. Ich habe mich gewissenhaft an das Objekt gehalten... Ich habe kopiert.[...] Wir sprachen von Porträts. Man glaubt, daß eine Zuckerdose keine Physiognomie, keine Seele hat. Aber das verändert sich auch täglich. Man muß sie zu nehmen wissen, sie umschmeicheln, diese Herren da... Diese Gläser, dieser Teller, die sprechen miteinander, sie tauschen unentweglich Vertraulichkeiten aus... Auf die Blumen habe ich verzichtet. Sie verblühen sofort. Die Früchte sind treuer. Sie lassen sich gern malen. Es ist, als wollten sie um Vergebung bitten, daß ihre Farbe vergeht. Ihre Idee strömt mit ihrem Duft aus. Sie kommen zu Ihnen in allen ihren Gerüchen, erzählen Ihnen von den Feldern, die sie verlassen haben, von dem Regen, der sie genährt, von den Morgenröten, die sie erschaut. Wenn man mit fülligen Strichen die Haut eines schönen Pfirsichs umschreibt, die Melancholie eines alten Apfels, so ahnt man in den Reflexen, die sie tauschen, den gleichen lauten Schatten des Verzichtes, die gleiche Liebe der Sonne, dieselbe Erinnerung an den Tau, eine Frische [...].

[Übersetzung aus *Gespräche mit Cézanne*, hrsg. von Michael Doran, Zürich 1982, S. 192–94]

Kommentar

Joaquim Gasquet und Paul Cézanne (1839–1906) begegneten sich das erste Mal im April 1896. Bis 1904 trafen sie relativ kontinuierlich zu Gesprächen zusammen. Gasquet schrieb sein Cézanne-Buch erst im Winter 1912/13, sechs Jahre nach Cézannes Tod. Cézannes Stilleben haben sowohl hinsichtlich der Farbbehandlung wie auch in der perspektivischen Konstruktion eine breite Wirkung auf nachfolgende Künstlergenerationen entwickelt. Die Farben der Figuren und damit ihre Formen im Raum sind aus einer kontinuierlichen chromatischen Skala zwischen Schatten, Lokalfarbe und Licht entwickelt. Die sich daraus ergebende *lückenlose Festigkeit des Farbzusammenhangs*[3] gelingt, so der Künstler selbst, am besten im Stilleben. Cézanne versteht seine Stilleben jedoch gleichermaßen als Porträts der dargestellten Dinge, deren eigener Geschichte er in seinen Bildern Ausdruck geben möchte.

Rilke über Farbe und Bewegung in einem Stilleben Cézannes (1907)

4. November (1907). Vormittag. Im Zuge Prag-Breslau
[...] Daneben eine Nature morte mit der blauen Decke; zwischen ihrem bürgerlichen Baumwollblau und der Wand, die mit leicht bläulicher wolkiger Bläulichkeit überzogen ist, ein köstlicher grau glasierter großer Ingwertopf, der sich nach rechts und links auseinandersetzt. Eine erdiggrüne Flasche von gelbem Curaçao und weiterhin eine Tonvase, zu zwei Dritteln von oben nach unten grün glasiert. Auf der anderen Seite in der blauen Decke, aus einer vom Blau bestimmten Porzellanschale teilweise herausrollende Äpfel. Daß ihr Rot in das Blau hineinrollt, erscheint als eine Aktion, die so sehr aus den farbigen Vorgängen des Bildes zu stammen scheint, wie die Verbindung zweier Rodinscher Akte aus ihrer plastischen Affinität.

Rilke, Rainer Maria, *Briefe über Cézanne*, hrsg. von Clara Rilke-Westhoff, Frankfurt o. J., S. 68f.

Kommentar

Rainer Maria Rilke (1875–1926) schreibt in einem Brief an Clara Rilke-Westhoff von einer Ausstellung moderner Bilder im Prager Manes-Pavillon kommend, seine Beobachtungen zu einem der vier dort ausgestellten Bilder Cézannes nieder. Ihn interessieren besonders Bewegung durch Farbe und die Farbgestaltung, deren Dichte in seiner Beschreibung plastische Qualitäten und eine derartige eigene Vitalität bekommt, daß er den Vergleich zur Plastik Auguste Rodins verwendet.

Wilhelm Trübner und Carl Schuch
über die Farbe im Stilleben (1892)

Ob es inhaltlich interessant ist oder nicht, davon die Beurteilung eines Bildes abhängig zu machen, wird jederzeit zu falschen Resultaten führen, da es vielen großen Künstlern gelungen ist, interessante wie uninteressante Gegenstände rein künstlerisch darzustellen. (S. 62)
Je einfacher der Gegenstand, desto interessanter und vollendeter kann ich ihn malerisch und koloristisch darstellen. (S. 128)

Trübner, Wilhelm, Das Kunstverständnis von heute (1892); in: Ders., *Personalien und Prinzipien*, Berlin 1918.

So hält ein Laie ein gemaltes Stilleben von Hasen und Rehen nur dann für koloristisch, wenn etwa noch ein zinnoberrot gekochter Hummer und eine Schüssel mit Zitronen hinzugefügt ist oder wenn eine brennende Lampe mit rotem Schirm eine farbige Lichterscheinung darüber ausstrahlt. Denn beim Laien muß das Farbige, ebenso wie das Geistvolle und Schöne, im Gegenstand von Natur aus schon vorhanden sein. »Populäre Koloristen« können nur von Natur aus schönfarbige Gegenstände behandeln, wenn sie als koloristisch gelten wollen, während durch reinkünstlerisches Darstellungsvermögen jeder Gegenstand, auch der von Natur aus farbloseste ebenso wie der farbigste, gleich gut koloristisch behandelt werden kann.

Die Verwirrung der Kunstbegriffe (1898); in: ders., *Personalien und Prinzipien*, Berlin 1918, S. 58.

Meine Stilleben sind mir alle zu aufdringlich an Realität. Es fehlt Distanz, Luft, die Dämmerung des Raumes. Meine Sachen sind alle bis an die stärkste Lokalfarbe getrieben, woraus sich ein Widerspruch ergibt; denn die Lokalfarbe ist so genommen, als hätte man das Objekt unter der Nase und durch Zeichnung und Perspektive als stünd's doch in der Entfernung. Der Ton deutet letzteres auch an, aber die Lokalfarbe widerspricht und ist zu hart, zu laut. Was ist denn der Ton (anderes) als die Modifikation, die die Lokalfarbe erleidet durch die zweifache Bedingung des Lichts und der Entfernung? [...] Und die Bedeutung des Tons ist die, daß er den Dingen das Materielle nimmt und nur die ätherische Essenz der Erscheinung festhält.

Schuch, Carl zit. nach: Hagemeister, Karl, *Carl Schuch. Sein Leben und seine Werke*, Berlin 1913, S. 34–36.

Rote, grünlich schillernde; grau, grünblau und violett schillernde Tauben; Hahn, allerlei Gemüse und Grünzeug, vom Graugrün bis zum spitzigen Grün, Hummer von äußersten Rot (50 Zentimeter lang), Zinn mit Glanzlichtern, Krug und einer ganzen

Säule Teller, herumknallende Orangen, weiße Tücher, Chiantiflaschen verschiedener Couleurs, Zwiebelkränze, weiße und rote, ausgeschnittene Zitronen, Holzscheffel, Höcker, Körbe mit Grünem, Holz aller Leuchtbarkeiten, Tongeschirr und noch gelbe Rüben. All das drängt sich auf einer Leinwand von 1,85 bis 1,60 Meter tollfarbig auf hellweißem Grund zusammen [...].

Schuch, Carl, Beschreibung des »Großen Küchenstillebens« (1879). Zitiert nach Ausst-Kat.. *Carl Schuch*, München/Mannheim 1986, S.68.

[...] wie fabelhaft gewissenhaft Schuch vorging, ein Werk coloristisch vorher fertig zu haben, ehe er es malte [...]. Lange prüfte er, um das gestellte Stilleben herumschleichend, die Farben, aus denen er es malen wollte, hatte er dies festgestellt, so begann er. Es war ein Vergnügen, hinzuschauen, mit welch bedächtiger Delikatesse er Ton für Ton hinsetzte.

Hagemeister, Karl, über Schuch (1913). Zit. nach Ausst.-Kat. München/Mannheim 1986, S. 67.

Kommentar

Die Schriften Carl Schuchs (1846–1903) und Wilhelm Trübners (1851–1917), beide gehörten während ihrer künstlerisch entscheidenden Jahre zum Leibl-Kreis in München, verdeutlichen, welch hohen Rang die Farbgestaltung für diesen Kreis hatte. Schuchs Brief stammt aus seiner Münchener Zeit; Trübner hat 1896 München verlassen. Dem gründerzeitlichen Geschmack dort war der koloristische Realismus ebenso fremd wie das Stilleben. Die symbolistische Figurenmalerei von Franz von Stuck und Lenbach beherrschte den Markt.

In der Auseinandersetzung mit den Stilleben Cézannes steht für Trübner und Schuch die Gestaltung der Perspektive weniger in Frage: Auch Raum ist für Schuch ein Problem von Farbigkeit und Lokalfarbe in *Distanz*, *Luft* und *Dämmerung*.

Lovis Corinth und Hans von Marées über das Stilleben zum Erlernen der Malerei (1908)

Das Stilleben
Außer dem menschlichen Modell sind selbstverständlich alle andern Dinge ebenfalls für das Studium nützlich und malenswert. Man muß nur ordentlich auswählen und die richtige Auffassung bei jedem nach seiner Individualität dafür im Kopfe haben.

Der Atelierwinkel mit seinem unzähligen Durcheinander ist von jeher ein Lieblingsmotiv aller Maler gewesen. Oft reizen zufällig auf den Tisch geworfene Gegenstände zum Malen: Papiere, Briefe, aufgerissen, mit gesiegelten und mit Marken beklebten Kuverts.
Was man so oft zufällig findet, sucht der Maler auch bildlich zusammenzustellen und nennt dann dieses Arrangement: Stilleben (nature morte).
Man strebt in diesen Arrangements ebenfalls das scheinbar Zufällige an; natürlich wird man meistens bedacht sein, Sachen hinzustellen, welche zueinander passen und auch auf koloristisches Zusammengehen der Farben Wert legen.
Grundprinzip ist hier wie in der ganzen Kunst die möglichste Einfachheit. [...]
Nebst der Form und dem Ton sind genau die kalten und warmen Farben und Schatten zu beobachten, die Veränderung der Lokalfarben vermittels Augenblinzeln zu verfolgen. Eine besondere Aufmerksamkeit ist auf die Größe der einzelnen Objekte zu legen: wohl immer wird das Stilleben in Lebensgröße ausgeführt werden, und dabei werden leicht die einzelnen Sachen größer ausfallen, wie sie in der Natur sind. Das muß entschieden vermieden werden. [...]
Hier füge ich einen Brief des Malers Hans von Marées an, den er an eine Schülerin gerichtet hat: »Ich mache Sie darauf aufmerksam, daß Sie dabei niemals einen Gegenstand für sich betrachten, sondern stets beobachten, wie sich derselbe zu seiner Umgebung verhält. Sei es nun in seiner Begrenzung, d. h. Form, oder auch in der Farbe. Wenn Sie sich das zur Gewohnheit machen, so werden Sie bald dahinter kommen, daß man rund malen kann, ohne zu modellieren. Unser Auge nimmt zunächst in der Natur nur verschieden begrenzte und gefärbte Flecken wahr, und nur unsere Erfahrung und unser Wissen lassen uns auch die ganzen Gegenstände erkennen. Schon die bloße naive Nachahmung dieser Flecken bringt stets eine gewisse Täuschung hervor. Davon würde ich an Ihrer Stelle ausgehen, weil Sie auf diese Weise zuerst dazu kommen, die Mittel, mit denen man nachahmt, zu beherrschen. Ganz falsch ist es, sich die Handgriffe, die Manier eines andern anzugewöhnen, weil man sich damit einen Block zwischen die Augen und die Natur, der besten Meisterin, setzt. Es versteht sich ganz von selbst, daß auf diese Weise kein erschöpfendes Bild gemalt wird, doch wollen wir heute bei diesem Punkte stehen bleiben, weil sich dann nach und nach aus diesem rohen Block etwas Feines herausmeißeln läßt.«

Corinth, Lovis, *Das Erlernen der Malerei (Ein Handbuch)*, Berlin 1908.

Kommentar

Lovis Corinth (1858–1925) gibt in seinem *Handbuch* eine praktische Anleitung für das Malen von Stilleben als Teil des Studiums. Er nennt die konventionellen Bildgegenstände, das kompositorisch zu beherrschende Durcheinander und die Lokalfarbigkeit, die Perspektive usw. Im pädagogischen Duktus dieser Schrift schleicht sich eine recht konservative Kunstkonzeption ein. Erst im ausführlichen Zitat eines Briefes von Hans von Marées (1837–1887) wird deutlich, daß auch für das Stilleben impressionistische Kunstvorstellungen rezipiert wurden.

Fast gleichzeitig zu Corinths Anleitung für das Stilleben löst sich in Paris der Kubismus von der Repräsentation der Dinge als Bildillusion. Zum einen wird mit der Collage und Assemblage der Illusionismus der Kunst hinterfragt, zum anderen wird damit der Weg in die Abstraktion möglich. Die Gattungen werden angesichts der Ablösung vom gemalten Bildgegenstand hinfällig.

Apollinaire über Titel und Bildgegenstände der Kubisten (1912)

Beaucoup des peintres nouveaux peignent des tableaux où il n' y a pas de sujet véritable. Et les dénominations que l'on trouve dans les catalogues jouent alors le rôle des noms qui désignent les hommes sans les caractériser.
[...] Dans le cas dont il s'agit, on condescend encore parfois à se servir de mots vaguement expliquatifs comme »portrait«, »paysage«, »nature morte«; mais beaucoup de jeunes artistes-peintres n'emploient que le vocale général de peinture.
Ces peintres, s'ils observent encore la nature, ne l'imitent plus et ils évitent avec soin la représentation de scènes naturelles observées ou reconstituées par l'étude.
La vraisemblance n'a plus aucune importance, car tout est sacrifié par l'artiste aux vérités, aux nécessités d'une nature supérieure qu'il suppose sans la découvrir. Le sujet ne compte plus ou s'il compte c'est à peine.[...]
Un Picasso étudie un objet comme un chirurgien dissègue un cadavre.

Apollinaire, Guillaume, Les peintres cubistes, in: *Oeuvres en prose complètes*, Bd. 2, Paris 1991, S. 9f.

Viele der neuen Maler malen ausschließlich Bilder, auf denen kein erkennbarer Bildgegenstand mehr zu sehen ist. Die Betitelung in den Katalogen spielt dann die gleiche Rolle wie Namen, die Menschen bezeichnen, ohne sie zu charakterisieren. [...]
Manchmal läßt man sich dazu herab, den Bildern unbestimmte Titel zu geben wie »Porträt«, »Landschaft«, »Stilleben«. Viele junge Maler verwenden jedoch nur noch den allgemeinen Begriff Malerei.
Wenn diese Maler auch noch die Natur beobachten mögen, so ahmen sie sie doch nicht mehr nach und vermeiden tunlichst die Darstellung in der Natur beobachteter und im Atelier sorgfältig rekonstruierter Szenen.
Das Abbildende hat in der Malerei keinerlei Bedeutung mehr, denn der Künstler opfert nun alles den Wahrheiten, den Notwendigkeiten einer höheren Natur, die er

voraussetzt, ohne sie zu entdecken. Der Bildgegenstand [sujet] zählt nicht mehr, und wenn er noch zählt, so doch nur wenig. [...]
Picasso studiert einen Gegenstand wie ein Chirurg, der einen Leichnam seziert.

[Apollinaire, Guillaume, Über den Bildgegenstand in der modernen Malerei, Übersetzung aus: Hajo Düchting, *Apollinaire zur Kunst, Texte und Kritiken 1905–1918*, Köln 1989, S. 151f.]

Kommentar

Mit Guillaume Apollinaires (1880–1918) Formulierungen, daß die Künstler nach einer höheren Natur strebten, vermeint man ein leichtes Nachhinken der zeitgenössischen Kritik zu vernehmen. Denn welche höhere Wahrheit ließe sich mit einer toten Kunst auf dem Seziertisch erreichen? Der Vergleich des französischen Textes mit der deutschen Übersetzung zeigt, daß Hauptbegriffe der Kunsttheorie nicht einfach zu übertragen sind. Der eigentliche Wortsinn von *vraisemblance* ist Wahrscheinlichkeit, also eine Qualität der Präsentation und nicht des Abbildens.

Die Bildgattungen werden mit dem Bestreben nach reiner Malerei hinfällig. Im Dezember desselben Jahres, 1912, entstehen die ersten Collagen, in die Georges Braque (1882–1963) und Pablo Picasso (1881–1973) Zeitungsartikel und andere Materialien integrieren. Die neuen Materialien versetzten dem Kunstpublikum einen Schock. Apollinaire veröffentlicht 1913 eine Art Solidaritätsbekundung für seine Künstlerfreunde.

Apollinaire über neue Bildmaterialien (1913)

On m'a aussi parlé de candélabres en terre glaise qu'il fallait appliquer sur une toile pour qu'ils en parussent sortir. Pendeloques de cristal, et ce fameux retour du Havre. Les guitares, les mandolines.
Moi je n'ai pas la crainte de l'Art et je n'ai aucun préjugé touchant la matière des peintres. Les mosaïstes peignent avec des marbres ou des bois de couleur. On m'a mentionné un peintre italien qui peignait avec des matières fécales; sous la Révolution française, quelqu'un peignit avec du sang. On peut peindre avec ce qu'on voudra, avec des pipes, des timbres-poste, des cartes postales, ou à jouer, des candélabres, des morceaux de toile cirée, des faux cols. Il me suffit, à moi, de voir le travail fournie par l'artiste que l'on mesure la valeur d'une œuvre d'art.

Apollinaire, Guillaume, Pablo Picasso, Montjoie! 14. März 1913 (wiederveröffentlicht in: *Les peintres cubistes*), zitiert nach: ders., *Chroniques d'art 1902–1918*, hrsg. von L.-C. Breunig, Paris 1960, S. 369f.

Man hat mir auch von irdenen Kandelabern erzählt, die auf die Leinwand gedrückt wurden, um den Anschein zu geben, sie kämen daraus hervor. Kristallkugeln und die berühmte Rückkehr aus Le Havre, die Gitarren und die Mandolinen. Ich selbst fürchte mich nicht vor der Kunst, und ich hege keine Vorurteile gegen die von Malern benützten Materialien. Die Mosaizisten malen mit Marmorstücken oder bemalten Holzteilen. Man kennt auch einen italienischen Maler, der mit seinen Fäkalien malte. Zur Zeit der Französischen Revolution malte jemand mit seinem Blut. Man kann malen, womit man will, mit Pfeifen, Briefmarken, Postkarten, Spielkarten, Kandelabern, Teilen eines Wachstuchs, gestärkten Kragen. Mir genügt es, die Arbeit zu sehen. Man muß die Arbeit sehen können. An der investierten Arbeitszeit läßt sich der Wert des Kunstwerkes abschätzen.

[Düchting, S. 196]

Kommentar

Apollinaire legt die Verteidigung der Materialienvielfalt in der Kunst historisch an – die traditionsreichen Gegenstände der Collagen von Picasso und Braque (Pfeifen, Briefmarken, usw.) ragen nunmehr aus der Bildfläche heraus. Mit den Collagen ist nicht nur eine Überschneidung von Gattungen wie Stilleben, Porträt oder Figurenmalerei bildwirksam geworden, in den Bildmitteln und Materialien wird vielmehr ein Mittelding zwischen Malerei und Plastik erreicht. Das Stilleben erlangt, von den auf die neuen Bildmittel fixierten Zeitgenossen verkannt, zudem eine bisher nicht dagewesene politische Dimension: Die Ausschnitte aus Zeitungen verweisen nicht nur auf die Aufnahme von Schrift-Zeichen in das Bildfeld moderner Kunst, die Text- und Wortbruchstücke sind vielmehr der zeitgenössischen linken Tagespresse entnommen und mischen sich in die politischen Geschehnisse ein.[4] B. K.

Vincent van Gogh in Briefen an seinen Bruder (1885–1888)

[...] Wat het werk betreft, ik heb den laatsten tijd zooals ik reeds schreef druk stilleven geschilderd, en dat is mij uitmuntend bevallen. Ik zal er U van sturen.
Ik weet wel dat zij moeielijk te verkoopen zijn, maar het is verduiveld nuttig en ik zal er van den winter veel aan blijven doen. Gij zult ontvangen een groot stilleven van aardappels, waar ik getracht heb corps *in te brengen, ik bedoel de stof uit te drukken zoo dat het bonken worden, die zwaarte hebben en stevig zijn, die men voelen zou als men er mede gegooid werd. [...]*

van Gogh-Bonger, Johanna (Hrsg.), *Verzamelde Brieven van Vincent van Gogh*, Derde Deel, Vierde Druk, Amsterdam 1955, Brief 425, Herbst 1885, S. 64.

Herbst 1885
[...] Was meine Arbeit betrifft, so habe ich in letzter Zeit, wie ich schon schrieb, eifrig Stilleben gemalt, und das hat mir außerordentlich gefallen. Ich werde dir einige schicken. Ich weiß wohl, daß sie schwer zu verkaufen sind, aber es ist verteufelt nützlich, und ich werde im Winter fleißig dabei bleiben. Du wirst ein großes Stilleben mit Kartoffeln erhalten, in das ich Körperhaftigkeit zu bringen versucht habe, ich meine die Materie so auszudrücken, daß es Klumpen werden, die Schwere haben und fest sind, die man fühlen würde, wenn man damit beworfen würde. [...]

van Gogh, Vincent, *Briefe an seinen Bruder*, hrsg. von Johanna van Gogh-Bonger, Frankfurt/M. 1988 (revidierte Ausg. der dreibändigen Übersetzung, Berlin 1928), Bd. 2, S. 699f.

[...] Nu, de nesten zijn ook op een zwart fond geschilderd, opzettelijk, om de reden dat ik er ronduit voor uit wil komen in die studies, dat de voorwerpen zich niet in hun natuurlijke entourage, doch op een conventioneel fond bevinden. Een levend *nest in de natuur is heel iets anders, men ziet 't nest zelf haast niet, men ziet de vogels. Gegeven dat men nesten* uit zijn nestenverzameling *wil schilderen, zoo kan men er niet sterk genoeg bij zeggen dat 't fond en entourage in de natuur heel anders is, ik maake 't fond botweg zwart. Dat in een stilleven anders een fond van kleur mooi is – zeker. In Amsterdam zag ik stillevens van juffrouw Vos die ik uitmuntend* vond, *heel wat mooier dan Blaisse Desgoffe, werkelijk van Beyerenachtig. Ik dacht er nog bij, dat die eenvoudige stillevens van haar heel wat meer kunstwaarde hadden dan menig pretentieus doek van andere Amsterdammers.*

Van Gogh-Bonger 1955, Brief 428, Herbst 1885, S. 72f.

[...] Nun, die Nester sind auch absichtlich auf einen schwarzen Hintergrund gemalt, und zwar deshalb, weil ich in diesen Studien gerade betonen will, daß die Gegenstände sich nicht in ihrer natürlichen Umgebung, sondern vor einem konventionellen Hintergrund befinden. Ein lebendes *Nest ist etwas ganz anderes, man sieht das Nest selbst fast gar nicht, man sieht die Vögel.*
Gesetzt den Fall, man will Nester aus einer Nestersammlung *malen, dann kann man nicht stark genug betonen, daß Hintergrund und Umgebung in der Natur ganz anders sind; ich habe den Hintergrund einfach schwarz gemacht. Daß sonst in einem Stilleben ein farbiger Hintergrund schön ist – sicherlich. In Amsterdam sah ich Stilleben von Fräulein Vos, die ich ausgezeichnet* fand, bedeutend *schöner als Blaise Desgoffe – wirklich ähnlich denen van Beyerens. Ich dachte noch dabei, daß diese einfachen Stilleben bedeutend mehr Kunstwert haben als manche prätentiöse Leinwand von anderen Amsterdamern.*

[Van Gogh-Bonger 1988, Bd. 2, S. 718f.]

Kommentar

Vincent van Goghs (1853–1890) Interesse, das wird sowohl bei den *Nestern* als auch an den *Kartoffeln* verdeutlicht, gilt spezifischen Eigenschaften von Gegenständen, die malerisch zu bearbeiten und ohne beeinträchtigende Nebensächlichkeiten, wie Hintergründe, die gleichwohl »schön« sein können, zu »erforschen« seien. Den Spaß, den er beim Malen hatte, erwähnt er seinem Bruder gegenüber noch vor der Nützlichkeit. Welchen Zweck er mit dem Malen von Kartoffeln verfolgt, schreibt er nicht ausdrücklich, doch ist aus dem Zusammenhang erkennbar, daß sie Werken anderer Gattungen nützen sollen, die sich besser verkaufen ließen. Theos Sorge, der dem Bruder mit jedem Brief hundert oder fünfzig Franc zukommen läßt, veranlaßt Vincent zu diesem Hinweis, während sein Text fortfährt, das eigene Gefallen am Malen von Stilleben näher zu beschreiben. Ein spezifischer Bezug zu den Gegenständen, die jeweils besonderer visueller Eindrücke wegen ausgewählt werden, ist es, worum er ringt: Die Kartoffeln sollen spürbar Schwere haben, das Nest nicht von Vögeln verdeckt werden und da es ihm nicht um den Unterschied zwischen verschiedenen Nestern geht, kann der Hintergrund entfallen.

Van Gogh über die Notwendigkeit von Modellen (1888)

Gauguin me disait l'autre jour, qu'il avait vu de Claude Monet un tableau de tournesols dans un grand vase japonais très beau, mais – il aime mieux les miens. Je ne suis pas de cet avis – seulement ne crois pas que je suis en train de faiblir. Je regrette comme toujours, ainsi que cela t'est connu, la rareté des modèles, les mille contrariétés pour vaincre cette difficulté-là. Si j'étais un tout autre homme, et si j'étais plus riche je pourrais forcer cela, actuellement je ne lâche pas et mine sourdement. Si à quarante ans je fais un tableau de figures tel que les fleures dont parlait Gauguin, j'aurais une position d'artiste à côté de n'importe qui. Donc persévérance!

Van Gogh-Bonger 1955, Brief 563, Dezember 1888, S. 361.

Dezember 1888
Gauguin sagte mir gestern, er habe bei Claude Monet ein Bild mit Sonnenblumen in einer großen japanischen Vase gesehen, aber meines gefiele ihm besser. Dieser Meinung bin ich zwar nicht, aber ich glaube auch nicht, daß ich anfange, schlechter zu werden. Ich bedaure immer wieder, wie Du ja weißt, die Sache mit den Modellen, die 1000 Schwierigkeiten, die es dabei gibt und die zu besiegen sind. Wenn ich ein anderer Mensch wäre, viel reicher, so könnte ich das erzwingen. So aber gebe ich nach und werkle im Stillen.

Wenn ich mit 40 Jahren ein Figurenbild mache wie das Blumenstück, von dem Gaugin sprach, so könnte ich mich als Künstler ich weiß nicht neben wen alles stellen. Also durchhalten!

[Van Gogh-Bonger 1988, Bd.3, S. 405f.]

Kommentar

In dem drei Jahre später verfaßten Brief wird dem Bruder gegenüber die Notwendigkeit, sich an verfügbaren Motiven zu schulen, um zu Erfolg zu gelangen, in den Vordergrund gestellt. Das Urteil Paul Gauguins (1848–1903), der den Spätherbst 1888 auf van Goghs Einladung in Arles verbrachte, kann erst in der Übertragung auf höher geschätzte Gattungen als Vorzeichen »besserer Zeiten« verstanden werden, die aber möchte Vincent seinem Bruder schon lange ankündigen. Der Unterschied zwischen den kanonischen Gattungen ist für den Maler bereits auf die gegenständliche Ebene herabgesunken, was zählt, sind die künstlerisch-handwerklichen Zugriffe auf die Objekte, die Art und Weise, wie Gesehenes umgesetzt wird. Das belegen die in den Monaten zuvor entstandenen Landschaften insofern treffend, als das Herbstwetter landschaftliche Blicke als besonderen visuellen Anlaß bot, dem er nachging, weil sie sonst nicht zu haben waren. Wiederum herrscht die Praxis vor aller Theorie, und weder Stilleben noch Figurengemälde entstanden.

Die Briefauszüge können nicht mit dem gleichen Recht wie manch andere Texte dieser Quellensammlung als in sich geschlossene Aussagen behandelt werden, es lohnt sich deshalb eine ausführlichere Lektüre, um zu ermessen, welcher Wert den Äußerungen im Verhältnis zu den berichteten Geschehnissen des Tages, zu Briefskizzen und zu entstehenden Werken zukommt.

Heidegger über van Goghs Bauernschuhe (1935)

Oder sollten wir jetzt unversehens, gleichsam beiher, schon etwas über das Werksein des Werkes erfahren haben?
Das Zeugsein des Zeuges wurde gefunden. Aber wie? Nicht durch eine Beschreibung und Erklärung eines wirklich vorliegenden Schuhzeuges; nicht durch einen Bericht über den Vorgang der Anfertigung von Schuhen; auch nicht durch das Beobachten einer hier und dort vorkommenden wirklichen Verwendung von Schuhzeug, sondern nur dadurch, daß wir uns vor das Gemälde van Goghs brachten. Dieses hat gesprochen. In der Nähe des Werkes sind wir jäh anderswo gewesen, als wir gewöhnlich zu sein pflegen.

Heidegger, Martin, *Der Ursprung des Kunstwerkes*, Stuttgart 1960, S. 29.

Kommentar

Um van Goghs *Bauernschuhe*[5] rankt sich ein quellenwürdiger Disput. Der Philosoph Martin Heidegger (1889–1976) hat an ihnen seinen Gebrauch der Worte *Ding* und *Zeug* exemplifiziert, aber weit darüberhinaus auch gedeutet, wo genaue Kenntnis der Umstände, unter denen die Gemäldefolge entstand, zu entgegengesetzten Folgerungen hätte führen müssen.[6] Heideggers sehr emphatischer und kultifizierender Ding-Begriff führt weit über das von van Gogh Gemalte und durch Beschreibung des Sichtbaren Nachvollziehbare hinaus. Der Zeugcharakter der Schuhe weist bei Heidegger auf eine essentielle Wahrheit des Dinges, die diesem innewohnt, obwohl es nicht das primäre Objekt des Malers war.[7]

Ding im emphatischen Sinne Heideggers genannt zu werden, bleibt einer kleinen Zahl würdiger Gegenstände vorbehalten: *Kreuz* und *Krone*, *Bild* und *Buch*, *Spange* und *Spiegel* zählt Heidegger in seinem Vortrag *Das Ding* 1950 auf.[8] Die wenigsten erfüllen jenes Kriterium, das zu ihrem Zeug-Dasein führt, die »Dienlichkeit« welche sich mit »Verläßlichkeit« verbindet. Kultische Würde drückt sich in der abgedruckten Passage aus, die den Übergang vom Zeug zum Werk benennt, ja beschwört.

Eine Auseinandersetzung mit dem Thema »Stilleben im 20. Jahrhundert« muß mit den folgenschweren Gegen-Positionen der Avantgarden um 1920 rechnen, die mit idealistischer Ästhetik zu brechen versuchten.[9] In dem Moment, als die Antinomie Kunstschönes versus Naturschönes nicht mehr bedingungslos tradierbar war, nur noch eine fortgesetzte Kritik dieses bürgerlichen Verhältnisses oder aber blinde Fortsetzung geschah, brach die Hierarchie der Gattungen als verbindlich ordnendes Unternehmen zusammen. Auch dieser Zusammenbruch war jedoch nicht verbindlich in dem Sinne, daß nicht Stilleben anderen *systematischen Alters* noch entstanden wären.[10] Die mit dem voranschreitenden 20. Jahrhundert dringlicher werdende Auseinandersetzung mit der Verdinglichung wurde deshalb in anderen Bildkünsten und Medien fortgeführt.

Einerseits geht die Verdinglichung mit Entfremdung einher, andererseits entspricht ihr eine Kulturentwicklung, die zunehmend Natur als das Unnatürliche neben kulturell geprägter Wirklichkeit erscheinen läßt. Künstlerische Auseinandersetzung geht vielfach wieder zu einem kommentierenden Beiwerks-Dasein über, das sie als Stillebenhaftes, als *parergon* bereits einmal gehabt hatte.

Die folgenden Quellen sollen einen Blick auf das weite Feld dieser Auseinandersetzungen öffnen, mehr nicht. Sie sind nicht *per definitionem* Quellen zum Stilleben. Stattdessen handeln sie in einer Zeit, da kategorialisierende Zugriffe von Wissenschaft auf ihre Objekte als Verdrängungsunternehmen verstanden werden, von Kunst-Objekten, die ihrerseits verdrängte Seiten der gegenständlichen modernen Welt bearbeiten. Es ist also ein Problembezug, der das Stilleben-Erbe ausweist; ferner bleiben Auswahl und Isolierung, sowie Fokussierung, Material- und Oberflächenfaszination weiterbestehende Kriterien.

Brief von René Magritte an Michel Foucault
über »Les mots et les choses« (Mai 1966)

Cher Monsieur,
Il vous plaira, j'espère, de considérer ces quelques réflexions relatives à la lecture que je fais de votre livre »les mots et les choses«[...]
Les mots Ressemblance et Similitude vous permettent de suggérer avec force la présence – absolument étrange – du monde et de nous-mêmes. Cependant, je crois que ces deux mots ne sont guère différenciés, les dictionnaires ne sont guère édifiants quant à ce qui les distingue.
C'est me semble-t-il que, par exemple, les petits pois entre eux ont des rapports de similitude, à la fois visibles (leur couleur, leur forme, leur dimension) et invisibles (leur nature, leur saveur, leur pesanteur). Il en est de même du faux et de l'authentique, etc. Les »choses« n'ont pas entre elles de ressemblances, elles ont ou n'ont pas des similitudes.
Il n'appartient qu'à la pensée d'être ressemblante. Elle ressemble en étant ce qu'elle voit, entend ou connait, elle devient ce que le monde lui offre.
Elle est invisible tout autant que le plaisir ou la peine. Mais la peinture fait intervenir une difficulté: il y a la pensée qui voit et qui peut être décrite visiblement. »Les Suivantes« sont l'image visible de la pensée invisible de Velásquez. L'invisible serait donc visible parfois? A condition que la pensée soit constituée exclusivement de figures visibles.
A ce sujet, il est évident qu'une image peinte – qui est intangible de par sa nature – ne cache rien, alors qui le visible tangible cache immanquablement un autre visible – si nous en croyons notre expérience.
Il y a depuis quelque temps, une curieuse primauté accordée à »l'invisible« du fait d'une littérature confuse, dont l'intérêt disparaît si l'on retient que le visible peut être caché, mais que ce qui est invisible ne cache rien: il peut être connu ou ignoré, sans plus. Il n'y a pas lieu d'accorder à l'invisible plus d'importance qu'au visible, ni l'inverse.
Ce qui ne »manque« pas d'importance, c'est le mystère évoqué en fait *par le visible et l'invisible, et qui peut être évoqué* en droit *par la pensée qui unit les »choses« dans l'ordre qui évoque le mystère.*
Je me permets de proposer à votre attention les reproductions de tableaux ci jointes, que j'ai peints sans me préoccuper d'une recherche originale de peindre.
Je vous prie etc...

René Magritte

Michel Foucault, *Ceci n'est pas une pipe*, o. O. 1973, S. 85–87.

Sehr geehrter Herr,
Wie ich hoffe, wird es Ihnen belieben, folgenden Überlegungen Aufmerksamkeit zu schenken, die ich bei der Lektüre Ihres Buches Die Ordnung der Dinge *angestellt habe [...]*
Die Wörter Ähnlichkeit *und* Gleichartigkeit *machen es Ihnen möglich, die – absolut fremde – Gegenwart der Welt und unser selbst mit Nachdruck deutlich zu machen. Allerdings glaube ich, daß diese beiden Wörter unzureichend unterschieden sind; die Wörterbücher tragen zu ihrer Unterscheidung kaum etwas bei.*
So bin ich der Auffassung, daß z.B. zwischen den Erbsen Gleichartigkeitsbeziehungen bestehen, die zum Teil sichtbar (Farbe, Form, Größe) und zum Teil unsichtbar sind (Natur, Geschmack, Gewicht). Ebenso ist es mit dem Falschen und dem Echten usw. Die »Dinge« haben miteinander keine Ähnlichkeit, sie haben Gleichartigkeiten oder sie haben keine Gleichartigkeiten.
Nur dem Denken ist es eigen, ähnlich zu sein. Es ähnelt, indem es das ist, was es hört, sieht oder erkennt; es wird zu dem, was ihm die Welt darbietet.
Es ist unsichtbar, genau so wie das Vergnügen oder der Schmerz. Aber die Malerei bringt da eine Schwierigkeit: es gibt da Denken, das sieht und das sichtbar beschrieben werden kann. Die Meninas *sind das sichtbare Bild des unsichtbaren Denkens von Velasquez. Sollte das Unsichtbare also manchmal sichtbar sein? Dies ist möglich unter der Voraussetzung, daß das Denken ausschließlich aus sichtbaren Gestalten besteht.*
Es ist auch offensichtlich, daß ein gemaltes Bild – das von Natur aus unberührbar ist – nichts verbirgt, während das berührbare Sichtbare unausbleiblich ein anderes Sichtbares verbirgt – wenn wir unserer Erfahrung Glauben schenken dürfen.
Seit einiger Zeit wird dem »Unsichtbaren« ein merkwürdiger Vorrang eingeräumt – von seiten einer konfusen Literatur, deren Interesse verschwindet, wenn man daran festhält, daß das Sichtbare verborgen werden kann, daß aber das Unsichtbare nichts verbirgt: es kann erkannt oder nicht erkannt werden, nichts weiter. Es gibt keinen Grund, dem Unsichtbaren mehr Bedeutung zuzubilligen als dem Sichtbaren, oder umgekehrt.
Dasjenige, das der Bedeutung nicht »ermangelt«, ist das Mysterium, das de facto *vom Sichtbaren und vom Unsichtbaren hervorgerufen wird und das* de jure *vom Denken angerufen werden kann, welches die »Dinge« in der Ordnung eint, von der das Mysterium hervorgerufen wird.*
Ich erlaube mir, Ihrer Aufmerksamkeit die beiliegenden Reproduktionen von Bildern zu empfehlen, die ich gemacht habe, ohne in der Malerei nach Originalität zu suchen.

René Magritte

[Michel Foucault, *Dies ist keine Pfeife*, dt. von Walter Seitter, München 1974, S. 55f.]

Kommentar

René Magrittes (1898–1967) Brief an Michel Foucault (1926–1984) steht am Anfang eines Austauschs von Philosoph und Künstler, der heute in Buchform vorliegt.[11] Sein Bezugspunkt liegt in jenem bahnbrechenden Werk Foucaults, das eine historische Relativierung der Humanwissenschaften vornahm und wichtige taxonomische Bedingtheiten, gewissermaßen »klassifikatorische Vorurteile«, von Wissenschaft durch Vergleich verschiedener Wissenschaften nachwies, *Les mots et les choses*, erstveröffentlicht 1966.[12] Magrittes Kommentar stützt sich nur auf das erste und das zweite Kapitel.

Was Foucault nach eigener Wissenschaftsauffassung archäologisch zu rekonstruieren versucht, eine historische Entwicklung von Denkformen der Ähnlichkeitsbeziehungen und Gleichartigkeiten, spitzt Magritte ganz im Sinne seiner berühmten Pfeife (Abb. 19), die Verkürzung sei erlaubt, zu: sie ist eine, oder sie ist keine. Abbild und Wort, Ding und Zeichen stehen in einer Beziehung oder nicht. Magrittes Beispiele arbeiten an Ideogrammen, die Dinge vereinfachen und nach deren Wahrheit fragen. Es geht ihm nicht um Probleme der Umcodierung oder Überdeterminierung, diese fielen bei ihm unter *Mysterium*.[13]

Claes Oldenburg: Kritik als Kuchen (1965)

It is neither a real pie that lacks pie qualities nor a fake pie that seems real. This »sculpture« is an illusory object like the poster, but since it creates no illusion, it is logically, just what it is, that is, a reality. Yet a piece of plastic or fabric pie is not real, either. It is the bastard child of illusion... it is purposely not like art any more than it is like pie... since the purpose of the pie is to dispel illusion, it might more properly be called a criticism object than an art object.

Zit. nach Manfred Smuda, *Der Gegenstand in der bildenden Kunst und Literatur*, München 1979, S. 139.

Es ist weder ein wirklicher Kuchen, dem es an Kuchenqualität mangelt, noch ein falscher Kuchen, der real erscheint. Diese »Skulptur« ist ein täuschender Gegenstand, ähnlich einem Plakat, nur erzeugt es keine Täuschung und ist deshalb folgerichtig einfach, was es ist, also eine Realität. Trotzdem ist ein Stück Kunststoff- oder Textilgewebe-Kuchen auch nicht wirklich. Es handelt sich um einen Bastard der Illusion ... es ist absichtlich nicht mehr wie Kunst, aber auch nicht mehr wie ein Kuchen ... da es der Zweck des Kuchens ist, Täuschungen aufzulösen, sollte er vielleicht besser »Kritikgegenstand« und nicht mehr Kunstwerk heißen.

[Übersetzung der Herausgeber]

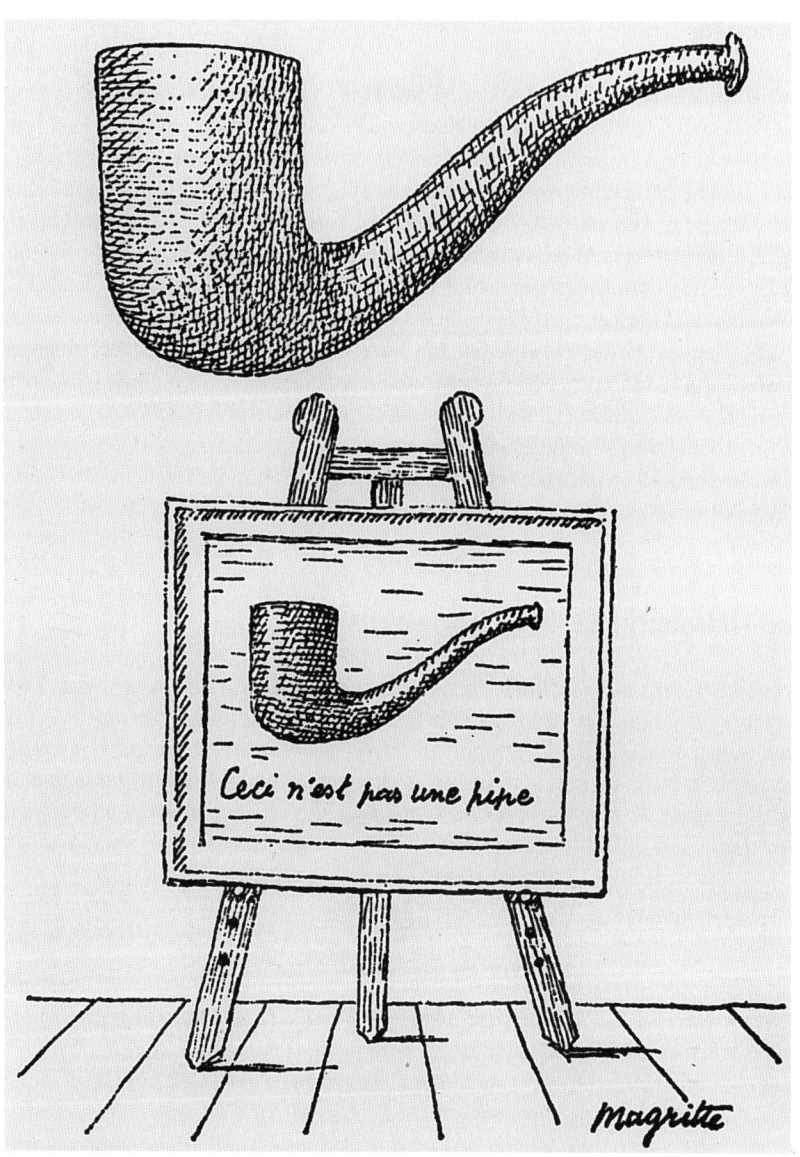

Abb. 19
René Magritte: *Ceci n'est pas une pipe*, Stich
© VG Bild-Kunst, Bonn 1996

Kommentar

Claes Oldenburgs (geb. 1929) Kuchenobjekt setzt die Auseinandersetzung um Ähnlichkeit oder Gleichheit in kritischer Richtung fort, weil er mit Täuschungen rechnet, die anders als bei Magritte nicht in Begriffen von Identität oder Nicht-Identität entscheidbar sind. Die Beziehung auf Realität wird überboten durch die Macht des Künstlers, Gegenstände in eigenem Recht zu setzen, oder wie das Wort vom *Bastard der Illusion* anklingen läßt, zu zeugen. Weder *Imitatio* noch *Inventio* als Konzepte bruchlos fortsetzend, versucht Oldenburg sie durch eigene Schöpfungen, an deren Künstlichkeit kein Zweifel besteht, zu kritisieren. Die Opposition von *criticism object* und *art object* ist jedoch nur dann sinnvoll, wenn mit dem verfremdeten Realitätsbezug auch die Beziehung des Kuchenobjekts auf Kunst fortbesteht, das heißt wenn mit Betrachtererwartungen gespielt werden kann. Diese Erwartungen haben die Gattung Stilleben entscheidend geprägt. Die volle künstlerische Autonomie erhält die Gattung erst durch ihre Auflösung in »Objektkunst«, die ihrer Objekte selbst mächtig ist. Insofern ist Oldenburg nicht der einzige Maler, der die Auseinandersetzung mit dinglichen Erscheinungen durch unterschiedliche Mittel dreidimensionaler Darstellung versucht.

Joseph Beuys zu »Das Schweigen von Marcel Duchamp wird überbewertet« (1964)

Ich selbst habe den Begriff Anti-Kunst nur methodisch eingesetzt, um etwas über das allgemeine Problem auszusagen, um innerhalb von Fluxus etwas für das Ganze der Kunst zu bewirken. Das Anti bezieht sich für mich auf den überkommenen Kunstbegriff und seine auf Einzelaspekte zurückgenommene Isolation, ansonsten hat es keinen Sinn; genauso wie sich die oft von mir genannten Begriffspaare Mathematik und Anti-Mathematik, Physik und Anti-Physik usw. für mich alleinstehend erübrigen, da sie nur Teilbereiche ansprechen; benötigt werden jedoch beide Pole, um zu erweiterten Begriffen zu gelangen.

Zit. nach Götz Adriani, Winfried Konnertz u. Karin Thomas, *Joseph Beuys, Leben und Werk*, Köln 1973, S. 139.

Kommentar

Joseph Beuys (1921–1986) bezieht in seinen Assemblagen dagegen eine andere Position, ihre Materialität ist so real, wie sie vergänglich ist. Die montierten, geformten, zitierten, gehäuften Bestandteile bringen ihren Überschuß an Zeichenhaftigkeit zwar zu einem gemeinsamen Gebilde ein: in die als Grab bezeichnete Vitrine. Doch ist das »Werk« dialogisch konzipiert, jedes wahrnehmbare Element läßt Assoziationsketten entstehen, die nicht ohne Widerstreit oder sogar partielle Beliebigkeit sind. Damit stellt es sich als »Gegen-Werk« dar.

Beuys hat mit *Fluxus* und *sozialer Plastik* einen neuen Anspruch an Kunst propagiert. Seine Werke gehen von sozialen Bezügen der verwendeten Stoffe aus, die Institution Kunst soll eine soziale Praxis werden. Das Sammeln wird bei Beuys zu einer vorrangigen künstlerischen Tätigkeit, die er gefolgt vom Anordnen ausübt; Kunstaktionen gehören zum Vorfeld vieler Werke, machen diese andererseits aber zu Nachbereitungen, wenn nicht sogar arbiträren Niederschlägen der Aktionen.

Hasengrab V (Alpen) (Abb. 20) aus dem Jahr 1965 steht im Zusammenhang mit Beuys' Aktion *Wie man einem toten Hasen die Bilder erklärt* (Galerie Schmela, Düsseldorf). Nicht die Tatsache, daß dem toten Hasen Kunst erklärt wird, sondern die Art und Weise ist Beuys Thema. Da die Teilnehmer an der Aktion keines der Bilder, sondern nur den erklärenden Beuys mit dem Hasen sehen konnten, wurde ihnen eine Situation vorgeführt, die Kunst außerhalb menschlicher Zentrierung denkt.[14] Der vermenschlichte Hase hat sein Grab unter Gefundenem, das mehrheitlich aus der Aktion stammt und von Beuys mit einer kleinen Schweizer-Flagge zu Alpenbild und Auferstehungshoffnung erklärt wird. Die landschaftliche Bedeutung der Assemblage steht in Parenthese. Das Begräbnis des Hasen wird behauptet, kann aber nicht erkannt werden. Also bleibt dem Betrachter in der unübersichtlichen Häufung von zeichenhaften Spuren nur eine fortgesetzte Suche, die auf Signale des Hasen hofft.

C. V.

Abb. 20
Joseph Beuys: *Hasengrab V* (Alpen), 1965,
(Stockholm, Nationalmuseum)
© VG Bild-Kunst, Bonn 1996

Anmerkungen

1. Zitiert nach *La Promenade du critique influent. Anthologie de la critique d'art en France 1850–1900,* hrsg. von Jean-Paul Boillon, Nicole Dubreuil-Blondin u.a., Paris 1990, S. 62.
2. Vgl. Liebermanns Text mit Erläuterungen, S. 201f.
3. Vgl. Kurt Badt, *Die Kunst Paul Cézannes,* Ansbach 1956, S. 40, der hier Novotny zitiert.
4. Vgl. Patricia Leighton, *Re-ordering the Universe. Picasso and Anarchism,* 1897–1914, Princeton 1989.
5. Heidegger bezieht sich auf die Bauernschuhe, die der Künstler selbst trug, nur in der Einzahl, obwohl es verschiedene Werke gibt, von denen hier nur auf einige hingewiesen sei. Zwei Gemälde befinden sich im Rijksmuseum Vincent van Gogh, Amsterdam: Im Werkverzeichnis von J.-B. La Faille, *Vincent van Gogh,* Paris 1939, Nr. 248, und Nr. 249. La Faille Nr. 250 zeigt *Drei Paar Stiefel,* 49 x 72 cm, Öl auf Leinwand, Sammlung Mme. Marcel Kapferer, Paris.
6. Auf Heideggers *Der Ursprung des Kunstwerks* (Stuttgart 1960), zuerst als Vortrag am 13. November 1935 in der Kunstwissenschaftlichen Gesellschaft gehalten, antwortet Meyer Schapiro, The Still-life as a Personal Object – a Note on Heidegger and van Gogh, in: *The Reach of Mind. Essays in Memory of Kurt Goldstein,* New York 1968, S. 203–209.
7. Der Text ist leicht greifbar in *Reclams Universal-Bibliothek,* Nr. 8446, Stuttgart 1960 (und weitere Auflagen).
8. Ders., *Vorträge und Aufsätze,* Pfullingen 1954 (1990), S. 157–175.
9. Peter Bürger, *Theorie der Avantgarde,* Frankfurt/M. 1974.
10. Damit ist die Tatsache gemeint, daß auch im späten 20. Jahrhundert nach Maßstäben etwa des 19. Jahrhunderts gemalt wird. George Kubler, *The Shape of Time,* New Haven und London 1962, hat dafür den Untersuchungstitel *systematisches Alter* gefunden (S. 99ff).
11. M. Foucault, *Dies ist keine Pfeife,* (Mit Briefen und Zeichnungen Rene Magrittes und einem Nachwort v. W. Seitter) Frankfurt/M., Berlin, Wien 1983.
12. Deutsch: *Die Ordnung der Dinge,* Frankfurt/M.1971 (8. Aufl. 1989).
13. In einem Vortrag von Roland Barthes aus dem Jahr 1964 finden sich grundlegende Aussagen zum Verhältnis Objekt und Zeichen aus strukturalistischer Sicht: Vortrag im Rahmen eines Kolloquiums über die Kunst und Kultur in der zeitgenössischen Zivilisation, Fondazione Cini, Venedig. Wiederabdruck in: ders., *Das semiologische Abenteuer,* Frankfurt/M. 1988, S. 187–198.
14. Eine ausführliche Beschreibung und Dokumentation der Aktion findet sich in: Uwe M. Schneede, *Joseph Beuys – Die Aktionen, Kommentiertes Werkverzeichnis mit fotografischen Dokumentationen,* Stuttgart 1994.

Stillebenmaler und -malerinnen von der Antike bis an die Schwelle zur Moderne

Weil Plinius einem Rhyparographos, also einem Schmutzmaler, in seiner Naturgeschichte einen Namen gab, kennt die Kunstliteratur den Griechen Peraïkos, dessen bloßer Name für die Erinnerung genügt. Damit war ein Künstler, bei dem sich streiten läßt, ob er dem Genre oder dem Stilleben zuzuordnen sei, für die nachantike Welt zur Person und seine *Rhyparographie* zum Begriff geworden.

Viele Stillebenmaler waren Spezialisten, nicht nur bei Goethe findet sich (hier S. 185) die Vorstellung, ein wahrer Stillebenmaler habe einen besonderen Charakter.[1] Deshalb und wegen der Spannung zwischen dem geringen akademischen Ansehen solcher Künstler und dennoch versprochener Unsterblichkeit lohnt ein Blick auf biographische Notizen. In ihnen wandeln sich die Formen der Mitteilung über Künstler. Der Bogen spannt sich von einer Kurzbiographie aus Vasaris Viten über die zeitgenössische Kolportage durch Huygens zu Walpoles Eintrag, der in ein Lexikon passen würde, und schließlich zum Zeitungsinterview aus New York.

Plinius über den Rhyparographos Peraïkos (184)

Namque subtexi par est minoris picturae celebres in pencillo; e quibus fuit Piraeicus arte paucis postferendus: proposito nescio an distuixerit se, quoniam humilia quidem secutus humilitas tamen summam adeptus est gloriam. tonstrinas sutrinasque pinxit et aselos et obsonia ac similia, ob haec cognominatus rhyparographus; in iis consummatae voluptatis, quippe eae pluris veniere quam maximae multorum.

Plinius 1978, XXXV, 112.

Denn es ist sinnvoll, hier diejenigen Künstler anzuführen, die mit dem Pinsel in der Genremalerei berühmt sind; zu ihnen zählt Peiraïkos, der in der Kunst nur wenigen nachzustellen ist: Ich weiß nicht, ob er sich vorsätzlich abgesondert hat, weil er sich nur von gewöhnlichen Gegenständen leiten ließ und doch gerade in diesem Kleinen den höchsten Ruhm erwarb. Er malte Barbierstuben und Schusterwerkstätten, Esel, Gemüse[2] und Ähnliches und erhielt deshalb den Beinamen ›Schmutzmaler‹; aus diesen Werken spricht vollendetes Vergnügen, so daß sie zu höherem Preis verkauft wurden als die größten [Bilder] von vielen.

Plinius 1978, XXXV, 113.

Kommentar

Peraïkos ist in keiner anderen antiken Quelle verbürgt. Sicher handelt es sich bei dem von Plinius beschriebenen Schaffen um ein Phänomen des Hellenismus. Ob Peraïkos in diesem Kontext mehr als eine erfundene Erzählfigur für bestimmte künstlerische Entwicklungen ist, bleibt im Unklaren. Der antike Autor wußte fraglos, daß jener Art von Malerei, über die er berichtet, der Eigenname für den Erfinder, und sei er auch fiktiv, Aufmerksamkeit sichern würde. In der Neuzeit verwendeten gelehrte Autoren den Terminus Rhyparographie bis in die Aufklärung als eine Art Gattungsbegriff eher für Genreszenen als für Stillebenmotive. Samuel van Hoogstraten und Shaftesbury beispielsweise charakterisieren damit eine verwerfliche Malerei, für die in neuerer Zeit der Genremaler Adriaen Brouwer steht.[3] Unausgesprochen verrät der Text eine Gattungshierarchie, wenn Plinius erstaunt feststellt, des Schmutzmalers Bilder würden teurer verkauft als die anderer Maler.

Giorgio Vasari über Giovanni da Udine (1568)

[...] Giovanni, il quale, essendo ancor putto, si mostrò tanto inclinato al disegno, che era cosa maravigliosa; perciochè, seguitando la caccia e l'uccellare dietro al padre, [...] tutte le sorti d'animali e d'uccelli [...]. Questa inclinazione veggendo Francesco suo padre, lo condusse a Vinezia, e lo pose a imparare l'arte del disegno con Giorgione da Castelfranco; col quale dimorando il giovane, sentì tanto lodare le cose di Michelangelo e Raffaello, che si risolvè d'andare a Roma ad ogni modo. E così, avuto lettere di favore [...], se n'andò là: [...] accommodato nella scuola de'giovani di Raffaello, apprese ottimamente i principj dell'arte. Il che è di grande importanza; perciochè, quando altri nel cominciare piglia cattiva maniera, rade volte addiviene ch'ella si lasci senza difficultà, per apprenderne una migliore.

[...] in brevissimo tempo seppe tanto bene disegnare e colorire con grazia e facilità, che gli riusciva contraffare benissimo, per dirlo in una parola, tutte le cose naturali d'animali, di drappi, d'instrumenti, vasi, paesi, casamenti e verdure; intanto che niun de' giovani di quella scuola il superava. Ma sopratutto si dilettò sommamente di fare uccelli di tutte le sorti, di maniera che in poco tempo ne condusse un libro tanto vario e bello, che egli era lo spasso ed il trastullo di Raffaello; appresso il quale dimorando un Fiamingo chiamato Giovanni, il quale era maestro eccellente di far vagamente frutti, foglie, e fiori similissimi al naturale, se bene di maniera un poco secca e stentata, da lui imparò Giovanni da Udine a fargli belli come il maestro, e, che è più, con una certa maniera morbida e pastosa, la quale il fece in alcune cose, come si dirà, riuscire eccellentissimo. Imparò anco a far paesi con edifizj rotti, pezzi d'anticaglie; [...]. Raffaello adunque, che molto amò la virtù di Giovanni, nel fare la tavola della Santa Cecilia, che è in Bologna, fece fare a Giovanni un organo

che ha in mano quella Santa, il quale lo contraffè tanto bene dal vero, che pare di rilievo; ed ancora tutti gli strumenti musicali che sono a' piedi di quella Santa: e, quello che importò molto più, fece il suo dipinto cosi simile a quello di Raffaello, che pare d'una medesima mano. Non molto dopo, cavandosi da San Piero in Vincola fra le ruine ed anticaglie del palazzo di Tito per trovar figure, furono ritrovate alcune stanze sotterra, ricoperte tutte, e piene di grotteschine, di figure piccole e di storie, con alcuni ornamenti di stucchi bassi. [...] Queste grottesche adunque (che grottesche furono dette dall'essere state entro alle grotte ritrovate), fatte con tanto disegno, [...] entrarono di maniera nel cuore e nella mente a Giovanni, che [...] riuscendogli il farle con facilità e con grazia, [...]. E condotto di mezzo e basso rilievo tutto quell'ornamento, lo tramezzò poi di storiette, di paesi, di fogliami, e varie fregiature, nelle quali fece lo sforzo quasi di tutto quello che può far l'arte in quel genere. Nella qual cosa egli non solo paragonò gli antichi, ma, per quanto si può giudicare dalle cose che si son vedute, gli superò; perciochè quest'opere di Giovanni per bellezza di disegno, invenzione di figure, e colorito, o lavorate di stucco o dipinte, sono senza comparazione migliori che quell'antiche, [...]. Ma che dirò delle varie sorti di frutti e di fiori che vi sono senza fine, e di tutte le maniere, qualità e colori, che in tutte le parti del mondo sa produrre la natura in tutte le stagioni dell'anno? E che parimente di varj instrumenti musicali che vi sono naturalissimi? [...] Ed ardirò oltre ciò d'affermare, questa essere stata ragione che, non pure Roma, ma ancora tutte l'altre parti del mondo si sieno ripiene di questa sorte pitture. Perciochè, oltre all'essere stato Giovanni rinnovatore e quasi inventore degli stucchi e dell'altre grottesche, da questa sua opera, che è bellissima, hanno preso l'esempio chi n'ha voluto lavorare; [...].

Vasari, Giorgio, *Le Vite de' più eccellenti pittori, scultori ed architettori*, hrsg. von Gaetano Milanesi, Florenz 1878–1885, Bd. VI, S. 549–551.

[...] Giovanni [...], der schon als Kind eine solche Liebe zur Kunst zeigte, daß man sich verwundern mußte; denn wenn er mit dem Vater auf die Jagd und zum Vogelfang ging, so zeichnete er [...] alle Arten Thiere und Vögel ab [...]. Als sein Vater Francesco hieraus den angeborenen Trieb erkannte, brachte er ihn nach Venedig zu Giorgio da Castel Franco, damit er die Kunst lerne, bei dem er indeß die Werke Michelangelo's und Raffael's so vielfach rühmen hörte, daß er beschloß, auf allen Fall nach Rom zu gehen. Mit Empfehlungsbriefen [...] begab er sich dahin und lernte, [...] in der Schule Raffaels aufs beste aufgenommen, die ersten Anfänge der Kunst; eine Sache von größter Wichtigkeit, denn nimmt jemand beim Beginn eine schlechte Manier an, so kann er sich meist nur mit großer Mühe davon frei machen, um eine bessere zu gewinnen. [...] in sehr kurzer Zeit lernte er so vollkommen zeichnen, und mit solcher Anmuth und Leichtigkeit malen, daß er, um es mit einem Wort zu sagen, Gegenstände jeder Art, als Thiere, Gewänder, Instrumente, Gefäße, Landschaften,

Gebäude und Wirklichkeit so treu nachzubilden verstand, daß er von keinem der jungen Leute jener Schule übertroffen ward. Vor allem machte es ihm größte Freude alle Arten Vögel darzustellen; und er zeichnete in kurzer Zeit ein ganzes Buch voll so mannichfaltig und schön, daß Raffael aufs äußerste sich daran ergötzte. Bei diesem nun wohnte ein Flammänder, Namens Giovanni, ein trefflicher Meister in lieblicher treuer Nachbildung von Früchten, Laub und Blumen, obwohl er eine etwas trockene, harte Manier hatte; von ihm lernte Giovanni von Udine, diese Gegenstände in gleicher Vollkommenheit, ja noch mehr in jener weichen, körnigen Manier malen, durch welche er zuweilen, wie ich weiterhin sagen werde, sich so sehr hervorthat. Auch lernte er Landschaften mit verfallenen Gebäuden und Ueberresten von Altherthümern darstellen [...]. Raffael, der die Kunst Giovanni's sehr liebte, ließ ihn auf der Tafel von der hl. Cäcilia, welche in Bologna ist, die Orgel malen, welche die Heilige in Händen hält, und die er so täuschend nach der Wirklichkeit zeichnete, daß sie wie erhoben erscheint; so wie sämmtliche musikalische Instrumente zu Füßen der Cäcilia, und was viel mehr sagen will, er ahmte in der Behandlung die Manier Raffaels so vollständig nach, daß es eine und dieselbe Hand zu seyn scheint. Nicht lange nachher, als man zwischen den Ruinen und Ueberresten vom Palaste des Titus Statuen suchte, fand man einige unterirdische, mit Grottesken, kleinen Bildern und einigen flach erhobenen Stuccaturen gezierte Zimmer. [...] Diese Grottesken (denn Grottesken nannte man sie, weil sie innerhalb der Grotten gefunden waren), [...] gingen Giovanni so zu Herz und Sinn, daß er [...] sie mit Leichtigkeit und Anmuth ausführen lernte, [...]. Alle diese Zierrathen führte er flach und halb erhoben aus, brachte Bilder, Laubwerk und verschiedene Einfassungen dazwischen an und leistete fast das Höchste, was die Kunst in derlei Dingen hervorbringen kann. Ja er erreichte hierin nicht nur die Alten, sondern übertraf sie, soweit man nach dem urteilen kann was bis jetzt gefunden ist, denn die Werke Giovanni's sind durch Schönheit der Zeichnung, Zusammenstellung der Figuren, Colorit, Stuccaturen, und Malerei ohne Vergleich besser als die antiken [...]. Was aber erzähle ich von den mannichfaltigen Sorten Früchten, und Blumen, die man in unzählbarer Menge in allen Formen und Farben dort findet, welche die Natur zu jeder Jahreszeit in den verschiedensten Gegenden der Erde ans Licht lockt? Was von den mancherlei auf das treueste abgebildeten musikalischen Instrumenten? [...] Ueberdies wage ich zu behaupten, es sey Ursache worden, daß außer Rom auch alle übrigen Gegenden durch solcherlei Malereien Schmuck erhielten, denn Giovanni war Erneurer, ja fast Erfinder der Art Stuccaturen, und anderer Grottesken, und sein schönes Werk galt als Vorbild für alle, welche ähnliche Dinge arbeiten wollten [...].

[Vasari, Giorgio, Leben der ausgezeichnetsten Maler, Bildhauer und Baumeister, dt. von Ernst Förster, Bd. V, Stuttgart und Tübingen 1847, S. 21–35.]

Kommentar

Der als Biograph unsterblich gewordene Maler Giorgio Vasari (1511–1574)[4] begründet in der Vita des Giovanni da Udine (1487–1561) durch die Geschichte eines namentlich genannten und gerühmten Erneuerers und Erfinders eine künstlerische Spezialität, die Stilleben und Landschaft faßt.

Vasari, am 30.7.1511 in Arezzo geboren, wo seine Ausbildung begann, lebte seit 1524 in Florenz, ab 1531/32 abwechselnd dort und in Rom; am 27.6.1574 starb er in Florenz. Seine monumentalen Arbeiten als Architekt (z. B. das Gebäude der Uffizien) und als Maler (Sala dei Cento Giorni in Rom) stehen hinter der Leistung als Kunstliterat und Organisator (Vasari war Gründer der Florentiner Accademia del Disegno 1563) erheblich zurück.

Vasaris Hauptwerk sind deshalb die *Viten*, die in erster Auflage 1550 und in erweiterter Fassung 1568 erschienen sind. Die kunsthistorische Mitteilung in Biographien ist zwar älter, hat aber durch Vasari ihre vorbildliche Form gefunden. Vasari regte Begriffe wie Gotik und Renaissance an und prägte durch sein auf Michelangelo und Florenz fixiertes Urteil die Kunstgeschichtsschreibung, die, tief in seine Gedankengänge verstrickt, noch heute unentschieden ist, wie viel sie ihm glauben soll. Vasaris Topoi, legendenhafte Ausschmückungen und Fehlurteile bleiben sicher ebenso interessant wie die unschätzbaren zutreffenden Angaben, die er liefert.

Obwohl Landschaft und Stilleben als Gattungen noch ungetrennt sind und Giovanni da Udine kein autonomes Bild der einen oder anderen Art schuf, vereint der Text doch für die Objektmalerei wesentliche Elemente:[5] Den Knaben aus dem randständigen Friaul, der von Hause aus nichts mit der Kunst zu tun hat, drängt es zu naivischem Zeichnen nach der Natur. Wie in der berühmten Episode in Giottos Vita, der als Hirtenknabe sein Vieh gezeichnet haben soll,[6] machen Zeichnungen auf die frühe Begabung aufmerksam.

Das Malen selbst erlernt der junge Mann dann in anerkanntem Stil. Vor die Wahl zwischen Venedig und den mittelitalienischen Zentren gestellt, geht er nach Rom zu Raffael, den er durch eine Bravourleistung emsigen Naturstudiums, überzeugt. In den »Vogel-Porträts« lebt das mittelalterliche Musterbuch weiter, das man als Beweis der eigenen Kunstfertigkeit mit sich führte.[7] Zur Ausbildung gehört zugleich Orientierung an einem flämischen Maler.[8] Daß der vielleicht nur fiktive Gast in Raffaels Werkstatt für Vegetation kompetenter gewesen sein soll, erkennt Vasari uneingeschränkt an, um im künstlerischen Wettstreit schließlich Giovanni da Udine doch über den Flamen Jan zu erheben.

Zur natürlichen Begabung, der Arbeit nach der Natur, der Ausrichtung an Raffael und dem Lernen beim flämischen Gast kommt noch die Orientierung am antiken Vorbild hinzu. Grotesken in Wandmalereien, wie man sie im Palast des Titus und in der Domus aurea fand, die die Forschung in diesem Zusammenhang gern zitiert,[9] bereiten das spätere Stilleben vor.

Alle wesentlichen Forschungsthemen zur Vorgeschichte der Gattung werden in dieser Biographie behandelt. In erster Linie erhalten zwar jene Forscher Recht, die bei der Herausbildung des Stillebens Italien den Vorzug geben. Indem sich der Italiener Giovanni da Udine aber an einem nicht identifizierten Flamen orientiert, erkennt Vasari auch die nördliche Komponente an, um schließlich antiken Grotesken ihren Teil an der Erfindung einer neuartigen Malerei jenseits der Figuren zuzugestehen. Selbst die später häufig beschworene Hierarchie der Bildgegenstände findet sich bereits bei Vasari. Vom Beseelten in der Luft steigt man hinab zu den Wassertieren, um dann zu Früchten, Blumen und endlich zu Artefakten zu kommen.[10]

Die Spezialisierung garantiert innerhalb einer großen Werkstatt einen eigenen Rang. Zuständig wird er auch für Landschaft und damit für alles, was außerhalb der Figurenmalerei liegt, doch sollen seine Beiträge zu Hauptwerken seines Meisters wie der heiligen Cäcilie, heute in der Pinakothek zu Bologna,[11] gar nicht als solche erkennbar sein.

Daß Giovanni im Pantheon neben seinem unsterblichen Meister begraben wurde, hat ebenfalls dazu beigetragen, den Ansätzen zu Stilleben und Landschaft im Umkreis Raffaels einen Platz in der Geschichte der Kunst auch bei jenen Geschichtsschreibern zu geben, die mit solcher Malerei wenig anzufangen wußten. Im Englischen erscheint das Wort *Still-life* zum ersten Male gedruckt, um die Themen von Peraïkos und Giovanni da Udine zu bezeichnen.[12]

Carel van Mander über den Blumen- und Fruchtmaler Lodewijk Jans van Valckenborch, genannt van den Bosch (1604)

Daer is noch gheweest eenen Lodewijck Jans van den Bos, gheboren tot s'Hertoghen Bosch, die seer fraey was van Fruyten en ghebloemt, die hy t´somtijdt maeckte als staende in een glas met water, en gebruycter grooten tijt, gedult en suyverheyt in, dat alles scheen natuerlijck te wesen: maeckende oock op de Bloemkens en Cruydekens den Hemelschen dauw: daer beneffens oock eenighe Beestgens, Vijwouters, Vlieghskens, en dergheleijcke, ghelijck men zijn dinghen hier en daer by den liefhebbers mach sien. Hy was oock fraey van beelde(n), als te sien is by Constliefdighen Melchior Wijntgis te Middelborgh, daer van zijner handt is eenen seer schoonen Ieronimus, vier groote ronden, so branden, Fruyten, als Bloem-potten, en ander stucxkens, seer wel en suyver gehdaen. Oock is by Jaques Razet van hem een glas met bloemen, seer aerdich gheschildert: en om dieswille ick niet veel anders van hem weet te schrijven, stel ick hem hier beneffen zijnen Lantsman, oft geboortstadts genoot, op dat zijnen naem en lof onder den Schilders in gedacht blijve.

Van Mander 1908, S. 142–144.

Es gab auch einen Lodewijck Jans van den Bos, geboren zu Herzogenbusch, der sehr schön Früchte und Blumen malte, welch letztere er oft in einem Glas mit Wasser wiedergab, und auf die er so viel Zeit, Geduld und Sorgfalt verwandte, dass sie natürlich zu sein schienen. Er malte auch den himmlischen Tau auf den Blumen und Kräutern, ferner auch allerlei Insekten, Schmetterlinge, kleine Fliegen und dergleichen, wie man es auf seinen Bildern, die sich hier und dort bei den Kunstfreunden finden, sehen kann. Er malte auch schöne Figuren, wovon man sich bei dem kunstliebenden Melchior Wijntgis zu Middelburg überzeugen kann, wo sich von seiner Hand ein sehr schöner Hieronymus, vier grosse Rundbilder – Brände, Früchte und Vasen mit Blumen darstellend – und andere sehr gut und sorgfältig durchgeführte Arbeiten befinden. Auch bei Jakob Razet ist ein Glas mit Blumen von seiner Hand zu sehen, das sehr hübsch gemalt ist. Und weil ich nicht viel anderes über ihn zu schreiben weiss, setze ich ihn hier neben seinen Landsmann und Mitbürger, damit sein Name unter den Malern in löblicher Erinnerung bleibt.

[Übersetzung von Hanns Floerke, ebenda, S. 143–145]

Kommentar

Carel van Mander (1548–1606), ein Haarlemer Maler, von seiner Kunst her ein Romanist, war der erste Niederländer, der »sich über die Theorie der Malkunst Rechenschaft gibt«[13]. Sein *Schilderboeck* von 1604 wirkte auf spätere Generationen beispielhaft; noch Arnold Houbraken bezog sich 1718/20 in seiner *Schouburgh* auf dieses Werk. In den Jahren zwischen dem Frieden von Vervins 1598 und der Erstveröffentlichung 1604 entstand der komplexe Text, der mit einem akademischen Lehrgedicht *Den Grondt der edel vry Schilderconst* beginnt, danach die Viten antiker, italienischer sowie niederländischer und deutscher Maler beschreibt, um mit einer Auslegung von Ovids *Metamorphosen* und einer Hieroglyphenlehre zu enden.

Den Begriff *Stilleben* kennt van Mander nicht; wohl aber erwähnt er den einen oder anderen Spezialisten der zu seiner Zeit gerade entstehenden selbständigen Gattung.[14] Der hier abgedruckte Text über einen vergessenen Stillebenmaler aus s'Hertogenbosch verrät eine gewisse Ratlosigkeit: Der Autor kennt keine Daten und vermag den Maler nicht recht einzuordnen. Deshalb fügt er die kurze Bemerkung über ihn einfach der Lebensbeschreibung von Hieronymus Bosch an, weil beide durch dieselbe Geburtsstadt verbunden sind.

Floerke weist in einer dem Text angefügten Anmerkung auf das *Dictionnaire des Peintres* von Siret hin, in dem dieser Maler mit dem sicher irrigen Sterbejahr 1507 erwähnt ist. Carel van Mander charakterisiert die Bilder ja so anschaulich, daß sie sich unschwer in die Gruppe früher niederländischer Stilleben mit Früchten und Blumen, Insekten und Schmetterlingen der Zeit gegen 1600 einfügen; dazu paßt ebenso die gepriesene Wiedergabe von Tau.

Daß Lodewijck Jansz. van Valckenborch, genannt van den Bosch, um 1525 bis 1530 geboren, in Vergessenheit geriet, mag an seiner Rolle beim Bildersturm 1566 in Herzogenbusch gelegen haben. In seiner Heimatstadt gehörte er zu deren führenden Kräften (der Statthalter Gosewijn Pijnappel nennt ihn *eenen van heur lieder principaelsten*)[15] und mußte deshalb im Folgejahr auswandern. Bilder von ihm sind nicht identifiziert; und daß ein Anführer der Bilderstürmer zunächst Themen wie den von beiden religiösen Parteien verehrten Hieronymus malte, um sich dann von aller Figurenmalerei abzuwenden und dem Stilleben zu widmen, hat die Kunstgeschichtsschreibung vergessen.

Über das, was Stillebenmaler machen, äußert sich Carel van Mander im vorausgehenden Lehrgedicht mit keinem Wort.[16] Im Einzelfall aber weiß er die *Natürlichkeit* als Vorzug zu würdigen. Die Brände, die der Maler in Tondi dargestellt haben soll,[17] rücken ihn in die Nähe von Jan Bruegel d. Ä. und verdeutlichen, wie eng Blumen- und Früchtestücke mit phantastischer Landschaftsmalerei verbunden waren. Auffällig ist dabei die Terminologie, die – vielleicht in alter germanischer Sprachtradition – allein der Figur die Bezeichnung *Beeld* zugesteht, um beim *beeldenstorm* das unberührt zu lassen, was Lodewijk zu seinen Spezialitäten macht.

Für den Typ von Kunstliteratur, den Carel van Manders *Schilderboek* verkörpert, ist die an Vasaris *Vite* orientierte Mischung aus Gesamtwürdigung und Hinweisen auf einzelne lokalisierte Werke charakteristisch. Neuzeitliche Versuche, bei solchen Autoren erwähnte Maler und erhaltene Bilder miteinander zu verbinden, haben von den Ortsangaben profitiert, wo man Arbeiten ihrer Hand findet. Freilich war van Manders Erwähnung des Lodewijk Jansz. van den Bosch im Anschluß an Hieronymus Bosch nicht nur unpräzise, sondern auch unfreiwillig irreführend.

Abb. 21
Johannes Torrentius: *Stilleben mit Kandare*
(Amsterdam, Rijksmuseum)

Constantijn Huygens über Johannes Torrentius (1629)

Qui haec forte picturae studiosi legunt, dudum a me exigere opinor, ut Ioannem Torrentium *intactum abire non sinam. Nec facile mihi tempero, quin, ad picturam hominis quod attinet, paucis exponam, arbitrari me, in exprimendis inanimatis monstri similem esse, nec temere extiturum, qui vitrea illa et stannea et fictilia et ferrea lucida fere nec, ut hactenus pene creditum fuit, sub potestate penicilli nata tantâ vi simul atque accurato genere elegantiae repraesentet. Non sum nescius* Gheini *patris invidiam commovisse operum horum sane, ut in rebus novis accidit, [...] illud quodammodo asserere non dubitem, nihil in* Geiniacis *reperiri, cuius ratio aut methodus peritiores fugiat,* Torrentium *ambiguas omnium mentes exercere et hactenus quidem frustra disceptantes, quo insolenti genere colorum, olei et, si diis placet, penicillorum utatur. Quâ fluctuantium incertitudine arreptâ vel autor ipse, callidae hypocriseos artifex, vel hominis ignarissimi plerique clientes vulgare stolide sustinuerunt, colores ipsos, dum ab illâ quasi divinâ manu teruntur, edere quid nescio musici et harmonici, quale de coelorum rotis pari veritate philosophi quidam venditarunt. Nam, ut vulgo fit, ab applausu in admirationem, hinc in stuporem, denique in miraculorum assertionem abrepti fuere, ut et narranti domino (eo enim vocabulo sanctus impostor a cultoribus compellari meruit), enthusiasmo se quodam coelesti tam ignotae artis donum subito adeptum, tanquam sacrae paginae adstipulentur, cum profecto, si quae hic inspiratio praevia est, manca fuerit necesse sit et potiore mysterii parte defecerit. Hominum enim aut caeterorum quorumvis animalium formandorum tam pudende rudis est, ut, quae pari cum primis illis veneratione censeri volunt, peritissimi vix adspectu dignentur. [...] Vitae morumque hominis nihil est necesse* Catonem *ut agamus. Qui in reum, fortean saeviuscule, animadverterunt* Harlemii *rectores, illud sane elicuerunt hominem probri plenum, corruptelis adulteriisque famosum, denique ›antitheòn tina kai plánon‹, eo dementiae nascentem sectam adduxisse, ut iam et vitia sua in virtutibus collocasset et impietatem religioso quodam cultu procurasset adorari. Utor superstitiosis vocabulis in re turpissimâ, quam religione velatam scio, adeo quidem, ut exspirantes quosdam in desperato vitae articulo* Torrentium *(horreo referens) sospitatorem inclamasse constet. [...], rimari adhuc non potui, extare praeter unicam picturam doctrinae quidquam vel sapientiae, quâ vel modice cordatos mortales affici non indigneris. Fatentur linguarum omnium et literarum post vernaculam rudem esse, studiis nec sacris, nec profanis unquam vacasse, doctissimis interim doctiorem nihil ignorare. Ipsum si interroges, fastidioso quodam genere modestiae deprimentem se invenias et affectatulâ, quâ pollet, facundiâ omnium rerum inscitiam profitentem. Talem domi paternae meae observavi, cum aliquando, stipatus aliquot non infimae conditionis aut ingenii viris, studiose me adiret (meum enim valde gratiosum nomen apud summum philosophum, etiam ignoti, semper fuisse referunt), visendae quasi machinae speculatoriae gratiâ, quâ rerum foris obiectarum species in occluso loco candidae tabellae inducuntur;*

eâ enim tum ex Anglia et a Drebbelio nuper redux exactissimâ et summâ cum oblectatione pictorum utebar. Hic Torrentius, *humilem quam dixi modestiam et morum civilitatem ubique prae se ferens, fluxis imaginibus quasi per admirationem intentior, rogare me, ecquid homunculi, quos in tabulâ adspiciebat, extra triclinium vivi obversarentur. Cum affirmassem promptior et, ut fit, oblectandis amicis obiectorum diversitate occupatior, mox egressi simplicem quaestionem et in re nulli non hodie manifestâ simulatam inscitiam expendens, suspicari non vane coepi, peritum fucum eius maxime inventi esse, quod nescire penitus videri curasset. Quin adstipulantibus* Gheiniis *contendere deinceps ausus fui, hoc praecipue adminiculo instructum hominem vafrum consecutum in pictura fuisse, quod ›enthousiasmo‹ popellus imputare suo more et iudicio amasset. Suspicionem hactenus firmat hinc picturae* Torrentii *cum his umbris proxima similitudo, tum artis eius ad obiecti veritatem ›to anelegkton, to‹, ut asserunt, ›anellipes‹, de quo securos omni modo spectatores volunt. Nec satis miror, quâ socordiâ tot pictores nostri iucundae sibi rei perinde atque utilis auxilium neglexerint hactenus, vel ignorarint.*

Constantijn Huygens, Autobiographie, hrsg. von J.A. Worp in: *Bijdragen en Mededelingen van het historisch Genootschap*, 18, Utrecht 1897, S. 1–122, bes. S. 81–84:

Ich denke, daß die an der Malerei Interessierten, die diese Seiten lesen, besonders von mir erwarten, daß ich Johannes Torrentius *nicht unbesprochen lasse. Ich bin dann auch gern bereit, was seine Malerei betrifft, zu erklären, daß der Mann meiner Meinung nach in der Wiedergabe von leblosen Gegenständen ein Wunder scheint. Ich glaube nicht, daß schnell jemand daher kommen wird, der imstande ist, Gegenstände aus Glas, Zinn, Ton und Eisen, die eine besondere Art Glanz haben und die man eigentlich zu schwierig erachtete für den Pinsel, mit so viel Ausdruckskraft und mit solch subtiler Schönheit abzubilden weiß. Es ist mir bekannt, daß der maßlose Enthusiasmus über dieses Werk durch das große Publikum (wie es nun einmal geht, wenn etwas ganz neu ist) bei* de Gheyn *Senior Verdruß erweckt hat. [...] aber ich wage wohl festzustellen, daß in de Gheyns Arbeit nichts ist, was Kenner die Herangehensweise und Methode betreffend, vor Rätsel stellt.* Torrentius *aber läßt alle, die etwas von seinem Werk verstehen wollen, im Ungewissen, und alle Diskussionen über seine Anwendung einer abweichenden Art von Pigment, von Öl und, nicht zu glauben, selbst von Pinsel haben bisher auch nichts erbracht. Dieser Unsicherheit der ernsthaften Kritik hat man sich bedient. Der Maler selbst nämlich, ein meisterlicher Scharlatan, oder seine Anhänger, größtenteils große Nullen, haben das unsinnige Gerücht in die Welt gebracht, daß dem Pigment, sobald es durch seine geradezu göttliche Hand gerieben sei, Harmonieklänge entlockt würden. Genauso wie die Harmonie der Sphären, die einige Philosophen von der gleichen wahrheitsliebenden Sorte uns weismachen wollen. Wie es oft geschieht, kam es bei seinem Anhang vom Beifall zur Bewunderung, von der Bewunderung zum größten Erstaunen und schließlich zum Wunderglauben selbst. Als ob es die Heilige Schrift selbst sei, glauben sie den Worten ihres Herrn (das ist die Art, wie sich der heilige Betrüger bei ihnen einzuführen wußte), daß zugleich von himmlischer Verführung mit der Gabe dieser unbekannten Kunst gesprochen wird. Wenn hier von einer ein für allemal gegebenen Inspiration die Rede ist, dann muß etwas schief gegangen sein, was gerade den wichtigsten Aspekt des Mysteriums betrifft. Seine Darstellung von Menschen und anderen Lebewesen, für die man dieselbe Wertschätzung wünschte wie für seine schon genannte Arbeit, ist nämlich so schändlich primitiv, daß wahre Kenner dafür überhaupt keinen Blick übrig haben. [...] Ich habe nicht vor, mich als* Cato *von des Mannes Lebenswandel aufzuspielen. Das Regiment von Haarlem ist sicher allzu hart gegen das Opfer vorgegangen, aber man hat auf alle Fälle ans Licht gebracht, daß* Torrentius *ein Mann ist voll Sittenlosigkeit, ein berüchtigter Verführer und Ehebrecher*, ja »gottlos und voller Betrug,« *daß er die Sekte, die um ihn entstand, so verrückt gemacht hat, daß sie seine Untugenden als Tugenden ansah und seine Gottlosigkeit mit einer Form von religiösem Kult umgab. Ich brauche Begriffe aus der Welt des Aberglaubens für dieses sittenlose Verhalten, von dem ich weiß, daß es in das Gefäß der Religion gehüllt war. Das ging selbst so weit, daß es Sterbende gegeben haben soll, die im wahnhaften Augenblick ihres Hinscheidens* Torrentius *als ihren Heiland anriefen. Ein Schauder faßt mich, wenn ich dieses niederschreibe. [...] aber ich bin bisher nicht dahinter gekommen, ob es neben seinem alleinigen Talent als Maler noch etwas an besonderer Lehre oder Weisheit in dem Mann gibt, womit er Menschen mit wenigstens noch ein bißchen gesundem Verstand zu Recht imponieren sollte. Sie geben zu, daß er außer seiner Muttersprache in keiner einzigen anderen Sprache oder Literatur zu Hause ist und sich weder theologischen noch profanen Studien gewidmet hat. Und doch soll er die größten Gelehrten in den Schatten stellen und alles wissen. Wenn man ihn nun selbst fragt, dann wird man immer merken, daß er sich mit einer Art abwehrender Bescheidenheit zurückzieht und mit seiner typischen, etwas affektierten Manier zu sprechen sein Unwissen in Allem und Jedem offenbar erkennen läßt. Ich habe das im Hause meines Vaters festgestellt, wo er einmal in Gesellschaft mit einer Anzahl Männern von ansehnlicher Position und Verstand mich dringend um meinen Rat fragte (man sagt, daß mein Name bei diesem obersten Philosophen jederzeit einen angenehmen Klang gehabt hat, obwohl ich ihm unbekannt war). Sein Vorwand war, daß er mein optisches Gerät sehen wollte, mit dem ich in einem geschlossenen Raum auf einem weißen Tuch die Umrisse projizieren konnte von Dingen, die sich draußen befinden. Von dem Instrument von großer Präzision, das ich kurz zuvor von Drebbel aus England mitgebracht hatte, machte ich nämlich Gebrauch auch zu großem Vorteil anderer Maler.* Torrentius *nun, der überall mit seiner schon erwähnten einfachen Bescheidenheit und mit seinen lebhaften Manieren prunkte, schaute mit gespielter Verwunderung auf die tan-*

zenden Figürchen und fragte mich, ob die Menschlein, die er auf dem Tuch sah, außerhalb des abgeschlossenen Raumes auch lebendigen Leibes anwesend seien. Ich antwortete unmittelbar, seine Frage bestätigend, und war dann beschäftigt, die Freunde mit einer Anzahl von sehenswerten Dingen zu unterhalten. Aber als sie dann weggegangen waren, dachte ich an die unsinnige Frage und die gespielte Unwissenheit über etwas, das gegenwärtig doch jeder weiß. Der Gedanke kam über mich, daß er sehr wohl über die Erfindung auf der Höhe war, aber daß er den Eindruck erwecken wollte, es nicht zu sein. Unter Beifall der de Gheyns habe ich später selbst feststellen können, daß der schlaue Fuchs gerade mit Hilfe dieses Instruments beim Malen den Effekt erzielte, daß das einfältige, unkritische Publikum an seiner Malweise so oft göttlicher Inspiration zugeschrieben hat. Meine Vermutung wurde insoweit bestärkt, als die Ähnlichkeit zwischen Malereien von Torrentius *und den Silhouetten frappierend ist, und folglich, daß seine Kunst, verglichen mit dem wirklichen Objekt, etwas Ungreifbares, etwas Vollkommenes hat. Man nimmt wahr, daß das für die Zuschauer unverkennbar anwesend ist. Ich kann mich nicht genug darüber erstaunen, daß so viele Maler in unserer Zeit von diesem für sie doch so angenehmen und nützlichen Hilfsmittel bisher keinen Gebrauch gemacht haben oder selbst von dessen Existenz nichts wissen.*

[Übersetzung der Herausgeber]

Kommentar

Die Kunstgeschichtsschreibung zitiert gern aus der Autobiographie, die Constantijn Huygens (1596–1687)[18] 1629, also in seinem 33. Lebensjahr, geschrieben hat. Das auf Lateinisch verfaßte Manuskript, heute in der Haager Bibliothek, hat Worp 1897 veröffentlicht; inzwischen liegen holländische Übersetzungen von Kan und Heesakkers vor.[19]

Huygens schildert die künstlerische Situation jener Zeit[20] und nimmt zu dem erst 23jährigen Rembrandt Stellung.[21] Sein Blick auf die Kunst war dadurch geschärft, daß er selbst gezeichnet und gemalt hat, mit den de Gheyns[22] befreundet war und sich mit Fragen der Optik beschäftigte. Auch mit Jacob Hoefnagel[23] war er vertraut; wohl in dessen Art hat er im Wettstreit mit Anna und Tesselschade Visscher ein paar Haselnüsse, Kerzenstumpf und Tabakspfeife mit einer Fliege gemalt.[24]

Huygens' Vater war Sekretär des Statthalters; eine vorzügliche Ausbildung führte den Sohn später in dieselbe Position wie sein Vater.[25] Svetlana Alpers hat nicht ganz zu Unrecht Huygens zu einem Kronzeugen ihrer These gemacht, das, was sie als *Kunst der Beschreibung* bezeichnet, sei von der gebildeten holländischen Gesellschaft getragen worden.[26]

Der Malerei widmet Huygens in seiner Autobiographie eine erstaunlich lange Passage.[27] Verschiedenen Sparten gibt er teilweise am Griechischen orientierte Bezeichnungen,

235

ohne sie in Gattungen einzuteilen. Die Reihenfolge, in der er die Maler nennt, wirkt eher assoziativ; so reiht er unter die *historiographos pictores* den *zoographum* Snyders ein,[28] nachdem er zunächst über Hendrick Vroom als *in re marinâ artifex* gesprochen und der *ruralium pictorum* gedacht hat. Schon die Nähe zu den de Gheyns garantiert, daß Huygens, der sich ebenfalls der Naturkunde verschrieben hat, Blumenmaler wie Jan Bruegel d.Ä. und Ambrosius Bosschaert schätzt.[29]

Die hier wiedergegebene Passage läßt sich Alpers entgehen[30] – vielleicht, weil sie für sich selbst zum intellektuellen Programm erhoben hat, nur *nicht mit Kunst befaßte* Texte heranzuziehen.[31] Dabei belegt der Text die Brisanz der *Naturbeschreibung*. Sozialgeschichtlich erstaunt, daß man einen Stillebenmaler von problematischer Reputation mit Leuten von Stand und Verstand nach Hause einlädt, um ein Phänomen der Optik zu demonstrieren.

Huygens bringt eine *Camera obscura* aus England mit,[32] wo er sie vom Holländer Drebbel erhalten hat.[33] Der Sohn des hohen Beamten beabsichtigt, damit in seiner Heimat zur Verbesserung der Malerei beizutragen. Der Dilettant aus dem gebildeten Publikum geht sogar so weit, mit befreundeten Künstlern die Technik eines anderen Malers zu untersuchen. Die noch heute diskutierte Frage, ob denn überhaupt zu entscheiden sei, wie weit für Gemälde eine *Camera obscura* benutzt wurde, wird von Huygens ebenso wie von den de Gheyns bejaht. Mit Hilfe der *Camera obscura* erhält bei Torrentius die Malerei etwas Ungreifbares.

Huygens' Bericht über Johannes Torrentius, der in Wirklichkeit Jan Simonsz van der Beeck hieß,[34] ist mit einer Ironie geschrieben, die die Lebensumstände des Künstlers verniedlicht. Den 1589 in Amsterdam geborenen Maler, über dessen Herkunft und Ausbildung wenig bekannt ist, hatte man nämlich am 30. Juni 1627 in Haarlem verhaftet, in einem maßlos grausamen Prozeß gefoltert, um ihn wegen unsittlichen Verhaltens zunächst zum Tode und dann zu zwanzig Jahren Zuchthaus zu verurteilen. Das brutale Vorgehen der Haarlemer Justiz, das bruchlos schlimmsten Inquisitionsbrauch in reformierte Praxis umsetzte, hatte weithin Empörung hervorgerufen, der sich Huygens verschließt; er versteckt seine eigene Meinung hinter dem rechtskräftigen Urteil, das er zitiert.

Zwar sollte sich das Geschick des Mannes, der den Kiefer und die Beine zerschlagen, im Haarlemer Kerker saß, noch einmal wenden; denn am 30. Mai 1630 forderte Karl I. den Prinzen von Oranien auf, den Maler nach England an seinen Hof zu entlassen. Die Zeit dort brachte Torrentius jedoch ebensowenig Glück: 1642 nach Amsterdam zurückgekehrt, ist er 1644 gestorben.

Die *cause célèbre* der Kriminalgeschichte wird in der Forschung als Randnotiz behandelt, weil nur ein erhaltenes Gemälde in Amsterdam (Abb. 21) von Torrentius zeugt. Nachdem sich Bredius 1909 bemüht hatte, dem Künstler einen Platz zu geben, ist heute das Lebendigste über diesen randständigen Charakter bei dem polnischen Essayisten Zbiginiew Herbert nachzulesen, der für ein Buch das Amsterdamer Gemälde zum Titel nimmt: *Stilleben mit Kandare*.[35]

Für Stilleben ist die Passage über Torrentius jenseits aller Skandalgeschichten interessant. An der Hierarchie der Gattungen läßt Huygens keinen Zweifel: Zwar erkennt er die Wiedergabe von Glanz und Stofflichkeit als Leistung von Rang an; doch schon die Wendung, die die Kunstfertigkeit ausdrückt, verläßt das Niveau, wenn Torrentius als *monstrum* bezeichnet wird.

Die Darstellung von Unbelebtem (*in exprimendis inanimatis*), für die einer der seltenen lateinischen Begriff analog zum französischen Ausdruck *inanimé* zu fassen ist, bleibt für Huygens akademisch dem Tierbild und erst recht dem Menschenbild untergeordnet. Bei aller Faszination für die Optik disqualifiziert sich der im kleinen Fache unübertreffliche Stillebenmaler jedoch, wenn er bei Menschen und Lebewesen versagt.

Huygens' Erstaunen über Torrentius wirft ein ungewöhnliches Licht auf das Verhältnis von Natur und Malerei: Offenbar hatte man sich so an die Arbeit von Malern gewöhnt, die ohne optische Hilfsmittel arbeiteten, daß man deren Arbeit als unvollkommen, aber greifbar akzeptierte. Indem Torrentius die *Camera obscura* nutzt, weckt er bei Kennern der Materie die Sensation unbegreiflicher Vollkommenheit; bei törichten Betrachtern aber den Eindruck göttlicher Inspiration. Das einfache Publikum, das Belesenheit nicht zum Kriterium von Weisheit macht, gerät in Verzückung, wenn sich in veränderter Optik und schlüssiger Stofflichkeit Blicksensation an vertrauten Gegenständen bewährt.

Wo Materie und Wirkung aufeinander prallen, wirkt die Verdächtigung mit, der Scharlatan und Lebemann Torrentius sei ein gottloser Geist. Die für Huygens durch die *Camera obscura* erklärbare Sensation erweckt den Wahn, die Künstlerhand überwinde das Materielle und überführe es in Sphärenklänge. In solcher Aussage trifft sich neoplatonisches Gedankengut mit der schlichten Aufgabe, Materialien in ihrer unterschiedlichen Beschaffenheit wiederzugeben. Daß es dabei um Glanz geht, läßt Erinnerungen daran zu, daß zurückreichend bis zu Schriften wie *De Coelesti Hierarchia* des Pseudo-Dionysius Areopagita der Glanz der Gegenstände den Grad verrät, in dem sie von Gottes nur intelligibler, aber nicht sichtbarer Schönheit zeugen.[36]

Die Vermutung, es könne sich bei Torrentius um einen Rosenkreuzer gehandelt haben, wäre durch neoplatonisches Gedankengut zu stützen.[37] Dem widerspricht aber kraß, daß in englischen Inventaren von Torrentius Bilder mit anzüglichen oder grotesk unzüchtigen Themen erwähnt werden und der Maler im Prozeß einen Lebenswandel zugegeben hat, der zur Sittenstrenge der Rosenkreuzer nicht paßt. Dem Rosenkreuzertum steht das einzige Gemälde, das von Torrentius bekannt ist, heute im Amsterdamer Rijksmuseum[38] nicht fern. Daß freilich das Monogramm *ER* auf dem Bilde als *Eques Rosae Crucis* zu lesen ist, überzeugt mich nicht.[39] Wenig kunstvoll werden Zinnkrug, Glas, irdener Krug und eiserne Kandare ohne Überschneidungen präsentiert, dabei wird in einem platonischen Konzept Geometrie über das Akzidentielle gesetzt.

Die Objekte auf diesem signierten und 1614 datierten Gemälde bestätigen Huygens, der Stofflichkeit als sensationelle Spezialität des Malers wertet. In eigenartiger Untersicht werden die Gegenstände von der unsichtbar befestigten Kandare bekrönt. Da unter den

Objekten ein Notenblatt mit einem Gedicht prangt, wirkt das Gemälde wie ein Emblem.⁴⁰ Die Eigenart wird noch gesteigert durch die Gestaltung als Rundbild, das die Gegenstände gleichsam im Spiegel zeigt.

Der Text auf dem Notenblatt *ER wat buten maat bestaat / int onmaats quaat verghaat* sinniert über Maß und Maßlosigkeit, wenn man ihn in etwa so übersetzt: *Was außer Maß besteht, / ins Unmäßige gleich vergeht.* Kanne, Glas und Krug passen vom Vokabelwert des Maßes wie auch von dessen abstrakter Bedeutung vorzüglich zueinander; die Mäßigung selbst wird durch die Kandare ausgedrückt.

In seiner Moral scheint das Gemälde dem Lebenswandel des Künstlers bizarr zu widersprechen, der als ein Scharlatan unter den Emblematikern anderen eine Moral verkündet, um die er sich selbst nicht schert. Nicht viel ändert es, mit Fred Meijer die Idee für das Amsterdamer Bild Roemer Visscher zuzuschreiben, dessen *Sinnepoppen* 1614 ein Emblem aus den beiden Flaschen und dem Glas, ohne Kandare und Notenblatt abbilden.⁴¹

Nicht einmal zur Vanitas paßt das Rundbild von Torrentius, weil die Mahnung zum Maßhalten ohne eine Vokabel zur Vergeblichkeit des Daseins auskommt. Es wirkt wie ein virtuoses Trompe l'oeil, das sich kaum in die holländische Stillebenmalerei einordnen läßt.

Größere Dimension erhält der Skandal in Haarlem, wenn man bedenkt, daß in s'Hertogenbosch der zum Stilleben bekehrte Maler Lodewijk van Valckenborch als Bilderstürmer verfolgt wurde. Torrentius bot in seinen Bildern ähnliche Gegenstände in sensationell veränderter Sicht. Zeitgenossen wie Giordano Bruno wurde die Suche nach neuer Wissenschaft zum Verhängnis. War Torrentius ein ähnlicher Fall für protestantische Autoritäten?

Cornelis de Bie über Pater Seghers (1649)

Daniel Seghers
Onder het gheselschap vanden H. Naem Iesus.
Constich Blom-Schilder van Antwerpen, gheboren Anno 1590.

Als ick Picturas *Hof met vreughden had doorwandelt / Al waer de schoon Pinceel der Schilders wort ghehandelt, / [...] / Midts mijn Const-gierich hert van* Flora *wert weerhouwen, / Die daer de gulde poort van haren hof ontsloot / Waer* Gloris *al t'gheblompt met water staegh begoot. / Dat sy aen een Fonteyn met silvre gieters haelde / Om dat het sonnen licht t'ghewas te seer bestraelde, / Den schoot der vruchtbaer aert was heel ghecoloriert / Met alderley coleur gheverft en opghecierd. / De roosen stonden daer als gloyende robijnen, / Die t'glansich hemels licht seer constich quam beschijnen, / Alwaer dat* Zeghers *sat in* Floras *lust Prieel / En boetsten aerdich naer t'gheblompt met sijn Pinceel. / Vol schoon vermenght coleur heeft hy de*

Const ghedreven / Al oftse had gheweest in't bloesem van haer leven, / [...] / Soo fraey ghecoloriert dat t'leven schier doet wijcken / Door d'edelheyt der Const, die t'leven schijnt te gh'lijcken, / Vol cloecke sachticheyt seer aenghenaem en soet / Dat Breughel *vol van gheest daer voor noch wijcken moet. / De snel ghewiechte Faem met lof sijn Const beperelt / En maeckt Freer* Zeghers *naem seer kenbaer al de werelt, / Het edel Hollants Hof dat gheeft ghetuyghenis / Hoe t'Princen Cabinet daer med' behanghen is. /* Henricus Frederick *sijn jonst oock wilde thoonen / Aen dese suyver Const als hy haer quam verschoonen, / Met menich schoon juweel van lauter gout ghesmet / Als hy aen* Daniel *gaf een aerdich fraey Palet. / Een Thientien met een Cruys en twelf Pinceele stecken / Waer med' hy* Zeghers *Const quam tot nieu' lusten wecken / Een Maelstock van fijn gout, dat d'eel Princers hem gaf / Daer op een, doots hooft staet, tot teecken van sijn graf. / Tot een velt teecken dat het leven vande menschen / Moet als een weecke bloem in corten tijt verslensen, / Ist wonder cloecken gheest terwijl ghy al t'gheblompt / Met veel vervich coleur soo by het leven compt [...] / Want schoon den levens aert in sijn Schildry ontbreckt / T' is meerder als de Const dat in sijn blommen steckt. / De Const en can ons maer een levens schijnsel geven / Maer die sijn blommen siet die sietse aen voor t' leven, / Die gheenen worm oft mol in' t minst beschaden can / Want sy is afghepluckt, de wortel isser van. / En sonder wortel wort ghesaeyt op sijn Paneelen / De wortels moeten dan sijn* Zeghers *eel Pinceelen, / Dat is den rechten gront, sijn doode verf bethoont / Dar door Freer* Zeghers *Const het leven in haer woont.*

de Bie, 1649, hier zitiert nach der Ausgabe 1662, S. 212–215.

Daniel Seghers
zugehörig der Gesellschaft des Namen Jesus (dem Jesuiten-Orden) / kunstreicher Blumenmaler aus Antwerpen, geboren im Jahr 1590.

Als ich Picturas Hof mit Freuden hatte durchwandelt, / Wo überall der schöne Pinsel der Maler wird gehandelt / [...] / Da wurde mein kunstgierig Herz von Flora bezwungen, / Die dort die goldene Pforte ihres Hofs aufschloß [...]. / Die Rosen standen da als glühende Rubinen, / Vom glänzenden Licht des Himmels sehr künstlich beschienen, / Dort wo der Seghers *saß in Floras Lust-Laube / Und scherzte anmutig über das Geblümte mit seinem Pinsel. / Voll schön gemischter Farbe hat er die Kunst getrieben / Als ob sie in der Blüte ihres Lebens gewesen wäre, / [...] / So schön koloriert, daß das Leben geradezu zu weichen scheint / Vor der edlen Qualität der Kunst, die dem Leben scheint zu gleichen, / Voll stattlicher Zartheit sehr angenehm und süß, / Daß* Bruegel *voll von Geist davor noch weichen muß. / Die schnell geweckte Fama mit Lob seine Kunst beperlt / Und macht Bruder Seghers' Namen sehr kenntlich in der Welt, / Des edlen Hollands Hof gibt davon Zeugnis, / Wie des Prinzen Kabinett damit behangen ist. /* Henricus Frederick *seine Gunst wollte zeigen / Für diese feine Kunst, als er kam zu verschönern / Mit manchem schönen Juwel von lauter Gold geschmückt, / Als er* Daniel *gab eine schöne Palette. / Ein Zehnguldenstück mit einem Kreuz und zwölf Pinsel darin steckend, / Womit er Seghers' Kunst zu neuen Lüsten kam wecken, / Ein Malstock aus feinem Gold, den der edle Fürst ihm gab, / Darauf ein Totenkopf steht zum Zeichen seines Grabs. / Zu einem Feldzeichen, daß das Leben des Menschen / Als eine vergängliche Blume in kurzer Zeit vergehen wird, / Zeugt von wunderschönem Geist, während Dir alle Blumen / Mit vielfarbiger Couleur so dem Leben gleichkommen. [...] / Wenn schon des Lebens Art in seiner Malerei auflebt, / Dann ist es mehr als die Kunst, was in seinen Blumen steckt. / Die Kunst nun kann uns bloß eines Lebens Scheinbild geben, / Wer aber seine Blumen sieht, der sieht sie an für's Leben, / Dem kein Wurm oder Maulwurf im geringsten schaden kann, / Wenn sie ist abgepflückt, die Wurzel ist davon. / Und ohne Wurzel wird gesagt über seine Bilder / Die Wurzeln müssen dann sein Seghers' eigne Pinsel, / Das ist der rechte Grund, seine tote Farbe zeigt, / Daß durch Pater Seghers' Kunst das Leben in ihr wohnt.*

[Übersetzung der Herausgeber]

Kommentar

Der Bilderstürmer aus s'Hertogenbosch konnte den Eindruck erwecken, die Blumenmalerei sei eine Spezialität jener vom alten Glauben abgefallenen Maler gewesen, die durch eigenes Tun ihre Kunst der herkömmlichen Aufgaben beraubt haben. Der bizarre Fall Torrentius mochte die Vorstellung noch vertiefen, daß Stillebenmalerei und tiefgreifende geistliche Veränderungen Hand in Hand gingen. Daniel Seghers (1590–1661) aber, der hier bereits im Abschnitt über Stilleben gegen die Absenz vorkam (hier S. 139 f.), wirkte als Jesuit daran, den Kult der alten Kirche wieder in alle Welt zu tragen.

In der Tat hat Seghers auch kaum reine Stilleben hinterlassen; berühmt wurde er eher durch Gemälde, in deren Zentrum Gestalten der Heilsgeschichte stehen. Doch brilliert der Künstler in der Blumenmalerei; durch sie erwarb er sich Anerkennung weit über die katholischen Lande hinaus. Nicht nur für den Katholiken aus Lier, Cornelis de Bie, dessen *Gulden Cabinet* bereits behandelt wurde (hier S. 116 f.), ist der Jesuit eine positive Gestalt; noch Samuel van Hoogstraten wird ihn über andere Vertreter der Zunft stellen.[42]

Arnold Houbraken über Maria van Osterwyck (1719)

Maria van Oosterwyk is geboren op den 20 van Oegstmaant 1630. binnen Noodtdorp buiten Delf, [...].
Zy die al vander jeugt aan blyken gaf van een groot vernunft en drift tot de Schilder-

konst, heeft dat kragtig dorstralende konstvuur door tegenstreven niet gedooft, maar in tegendeel het selve door moedgeving opgewakkert. Waarom zy ook ziende dat hare geneigtheit tot het schilderen van Bloemen, en ander stilstaande leven helde, voor zig een geacht en bekwaam Leermeester uitkoos, namentlyk den vermaarden Bloemschilder Johan de Heem tot Uitrecht. [...]
Hare wyze van schilderen was uitvoerig kragtig, zacht, en weer snel, naar de voorwerpen die zy zig voorstelde, gelyk bloemen die zulks om hare dunheit, en helderheid, zoo men de natuur in hare schoonheid wil nabootzen, vereisschen. 't was de konstluister die hare Tafereelen zoodanig bemint maakte, dat de meeste Hoven, waar in de konstliefde huisvest, daar op verlieden. [...]
Zy was, [...] zedig en buiten gemeen godsdientig, nochtans vrolik, en byzonder yverig in 't voorzetten van hare Konst, 't geen langzaam, om dat zy de netheit en uitvoerigheit betrachtte, voortging; waar om 'er ook maar een klein getal van bloemstukken [...] in de Waerelt is. Zy is in haar 63ste Jaar, noch ongetrout zynde, gestorven [...].
Geertje Pieters, haar Dienstmaagt, die vele jaren by haar gewoont heeft, en welke zy ook gebruikte tot het vrywen van haar verven, heeft zy, ziende in haar een natuurlyke drift en geneigtheit tot de Konst, in hare wyze van schilderen onderwezen. En deze is zoo veer daar in gekomen dat zy zich zelve daar mee geneert, en, zoo ik 't wel heb, noch leeft en te Delft woont.

Houbraken, 1718–21, hier zitiert nach der Ausgabe 1943, Bd. II, S. 168–170.

Maria van Oosterwyck ist am 20. August 1630 zu Nootdorp nächst Delft geboren, [...].
Von Jugend auf zeigte sie Spuren eines grossen Talentes und Neigung zur Malerei, welche sie ausbildete. Da sie sah, dass ihr Talent zur Darstellung von Blumen und Stilleben hinneigte, wählte sie sich den berühmten Blumenmaler Johann de Heem in Utrecht zum Lehrmeister aus. [...]
Ihre Manier war ausführlich, energisch, zart und dennoch schnell, wie die Blumen, ihre Vorbilder, die sie sich auswählte, die eine derartige Behandlung, wenn man sie in ihrer natürlichen Schönheit darstellen will, wegen ihrer Zartheit und Feinheit erheischen. Der kunstvolle Schmelz machte die Bilder so gesucht, dass die meisten Höfe, welche die Kunst pflegten, sich in dieselben verliebten.[...]
Sie war [...] sittsam und ungewöhnlich fromm, dabei heiter und besonders eifrig im Ausüben ihrer Kunst, die aber langsam vorwärts ging, da sie die Detailarbeit in Anspruch nahm. Deshalb gibt es von ihr nur eine kleine Anzahl von Blumenstücken. Sie starb am 12. November 1693, 63 Jahre alt und ledig zu Eutdam. [...]
Geertje Pieters, ihre Magd, die viele Jahre bei ihr wohnte und von ihr zum Abreiben ihrer Farben verwendet wurde, hat sie, da sie an ihr eine angeborene Lust und Neigung wahrnahm, in ihrer Kunst unterwiesen. Diese machte solche Fortschritte, dass sie sich davon ernähren konnte, und so wol ich unterrichtet bin, noch zu Delft wohnt.

[Übersetzung von Alfred von Wurzbach, zitiert nach: Arnold Houbraken's *Grosse Schouburgh der Niederländischen Maler und Malerinnen*, hrsg. von A. von Wurzbach, Wien 1880, Bd. 1, S. 244f.]

Kommentar

In scharfem Gegensatz zu dem Hohn, den sein verehrter Lehrer Samuel van Hoogstraten für Stillebenmaler und deren Erfolg bei Kunstliebhabern hatten, berichtet der zunächst in Dordrecht und ab 1710 in Amsterdam wirkende Maler Arnold Houbraken (1660–1719) mit Gleichmut von der Fachmalerei.[43] Anders als Hoogstraten wendet er die Zustimmung des Publikums keineswegs gegen die Künstler; vielmehr beurteilt er wie Philips Angel 1642 Maler auch nach ihrem ökonomischen Erfolg.[44] Houbraken ist in neuerer Zeit widersprüchlich beurteilt worden. Schon 1893 hat Hofstede de Groot die Leistung des Geschichtsschreibers gegen ältere Ablehnung rehabilitiert. Für den Stellenwert der klassizistisch geprägten Theorie hat man sich jedoch kaum interessiert.[45] Houbraken gehört zu den ersten Autoren in der Kunstliteratur, die im Titel Maler und Malerinnen gleichberechtigt nennen. Frauen waren im Kunstbetrieb seiner Zeit tätig; er selbst hatte in Antonyna eine als Malerin erfolgreiche Tochter. Maria van Oosterwyck widmet er sich ausführlicher als vielen Männern in der Kunst; frauenfeindliche Untertöne fehlen.[46] An Maria van Oosterwyck (1630–1693) verdeutlicht Houbraken, was Frauen zur Stillebenmalerei bringen konnte: Wenn sich Talent und Neigung vor jeder Ausbildung zeigen, muß ein Lehrmeister gefunden werden. Die später berühmte Künstlerin findet diesen in Jan de Heem, dem anerkanntesten Stillebenmaler ihrer Zeit; sie selbst bildet dann ihre Magd Geertje Pieters zur Malerin aus. Zur Karriere als Malerin gehörte der Verzicht auf Familie. Houbraken zeichnet das Bild einer international renommierten und hochbezahlten Spezialistin, die ihrer Herkunft aus einer Predigerfamilie entsprechend sittsam und fromm ist.

Während die moderne Kunstgeschichte Marias Magd Geertje Pieters vergessen hat, erschien schon 1862 eine erste Monographie ihrer Maria van Oosterwyck (von Bosboom Toussaint). Bilder von ihr in Dessau, Dresden, Den Haag, Kopenhagen, Petersburg, Schwerin und anderswo sorgten dafür, daß auch ihre Kunst nicht vergessen wurde. Die ausführliche Würdigung bei Houbraken wird die Aufmerksamkeit für diese Künstlerin bestärkt haben, die an die führenden Höfe ihrer Zeit lieferte.

Im Text irritiert die Wendung von der Schnelligkeit, die dem Blühen und Verwelken der Blumen gerecht wird, zur Langsamkeit der Arbeit, auf die ebenso Wert gelegt wird. Das versteht sich wohl topisch: Houbraken kommt es zunächst auf die angemessene Arbeitsweise und Treffsicherheit an; am Ende aber will er die Seltenheit und die hohen Preise für die Gemälde von Maria van Oosterwyk erklären. Was er für die eine Charakteristik brauchte, blieb bei der zweiten als Widerspruch unaufgelöst stehen.

Francesco Maria Tassi über Evaristo Baschenis (1750)

Di maggior laude io reputo degno quegli, che contenendosi in un sol genere di pittura arrivi a toccarne la metà, che non istimo colui il quale aspirando a divenir pittore universale, non giunga alla perfezione in niuno. Cosi l'intese il Baschenis, che dal genio portato ad una nuova sorta di pittura, ed in questa fondato il suo studio, arrivò a tal grado di virtù, che saranno le opere sue stimatissime in ogni luogo. Nacque alli 4. Decembre 1617, ed ispirato da Dio a vestir l'abito religioso, fu mandato da'Genitori alle scuole per apparare ciò, che è neccessario per un tale stato. Attendeva Evaristo con diligenza a'suoi studj, ma nello stesso tempo resister non potendo ad un naturale impulso, che del continuo l'accendeva d'imparar l'arte del disegno, non vedeva mai cosa ch'ei non s'ingegnasse di copiarla in quel modo, che poteva un suo pari, che mai non aveva maneggiato matitiojo, o pennello. Vedendo però la mirabile riuscita, che faceva, è probabile che da qualcuno dei tre famosi pittori allora viventi nel Borgo San Leonardo, over pur esso dimorava, cioè Salmeggia, Cavagna, e Zucco, abbia voluto avere i primi ammaestramenti. Cresciuto poi ad età convenevole si fece Prete, e tutto il tempo che restavagli dalle sue funzioni ecclesiastiche, lo impiegava nel disegnare diligentemente, copiando tutto ciò dal naturale, che gli si parava davanti. Quello in che veramente rusci, fu una bizzarrissima maniera, che egli s'inventò; e questa sua propria, nè più usata da altri, nè più veduta; e fu il dipingere ogni sorta di strumenti da suono con incredibile naturalezza, e verità; e n'è riuscito con tanta perfezione, che io non so ch'altri l'abbia uguagliato giammai.

[...] come seguè ad una poco avveduta persona, che vedendo in un quadro dipinto un lauto tutto coperto di polvere a riserva di alcune naturali striscie, che pareano fatte da qualcuno, che avesse voluto porre le mani sul quadro; e volendo col proprio fazoletto pulirlo, s'accorse dell'inganno, e fu motivo a'circostanti di qualche burlevole trattenimento. [...]

Le opere di questo eccellentissimo artefice non si veggono collocate alla pubblica vista, non essendo questo genere di pitture proprio per adornare altari, nè chiese; quindi è che si trovano solamente nelle particolari gallerie de'nobili, e nelle private case de'cittadini.

[...] essendo le sue opere in ogni luogo non solo dagli uomini intendenti assaissimo riputate, ma da ogni sorta di persona ancora, che non vi è alcuno per imperito, che sia, il quale subito vedute le pitture di questo artifice, che hanno una qualità tutta propria loro, non resti preso da grande diletto e maraviglia.

Tassi, Francesco Maria, *Vite de'pittori, scultori e architetti Bergamaschi*, Bergamo 1793 (1750 geschrieben und posthum veröffentlicht), neu hrsg. von Franco Mazzini, Mailand 1970.

Lobenswerter ist meiner Ansicht nach jener, der sich auf eine Gattung der Malerei beschränkt und darin zum Ziel kommt, als jener, der anstrebt, universaler Maler zu werden, und schließlich in keiner Gattung Vollkommenheit erlangt. So hielt es auch Baschenis, der von der Neigung zu einer neuen Art Malerei gebracht, und in dieser seine Studien begründend, zu einer solchen Stufe von Tugend und Können kam, daß seine Werke überall in höchstem Maße geschätzt sein werden. Er wurde am 4. Dezember 1617 geboren, und da ihm von Gott eingegeben wurde, sich in geistliches Gewand zu kleiden, wurde er von seinen Eltern in die Schulen geschickt, um zu lernen, was zu einem solchen Stand notwendig ist. Evaristo widmete sich fleißig seinen Studien, konnte aber einem natürlichen Trieb nicht widerstehen, der ihn ständigt anhielt, die Kunst des Zeichnens zu erlernen. Nie sah er etwas, was er nicht kopieren wollte, so wie jemand es eben vermochte, der nie Bleistift oder Pinsel zu brauchen gelernt hatte. Angesichts des wunderbaren Gelingens ist es aber wahrscheinlich, daß er bei einem der drei berühmten Maler, die damals im Borgo San Leonardo lebten, wo auch er selbst wohnte, nämlich Salmeggia, Cavagna und Zucco, ersten Unterricht hatte. Als er dann in das passende Alter kam, ließ er sich zum Priester weihen, und alle Zeit, die ihm neben seinen kirchlichen Pflichten blieb, brachte er fleißig mit Zeichnen zu, indem er, was immer ihm vor die Augen kam, von der Natur kopierte.

Was ihm besonders gelang, war eine äußerst ungewöhnliche Manier, die er selbst erfand; und diese war ihm eigen und wurde in der Folge weder von anderen gebraucht, noch hat man je wieder eine ähnliche gesehen; es handelte sich darum, jede Art von Musikinstrumenten mit unglaublicher Naturtreue und Wahrheit zu malen; und dies gelang ihm mit solcher Vollkommenheit, daß ich nicht wüßte, daß ihm andere darin je ebenbürtig gewesen wären.

[...]. Man sieht soviel Naturtreue in allem, was er gemalt hat, daß man sich täuschen läßt; wie es einer zu wenig vorgewarnten Person erging, die in einem Bild eine bis auf wenige Streifen vollständig mit Staub bedeckte Laute sah, die aussah, als hätte jemand mit den Händen das Bild berühren wollen, und mit dem Taschentuch den gemalten Staub abwischen wollte und dabei den Betrug erkannte, was die Umstehenden zu einigen spöttischen Bemerkungen veranlaßte. [...]

Die Werke von diesem überaus hervorragenden Meister sieht man nicht im öffentlichen Raum, da diese Gattung von Malerei nicht geeignet ist, Altäre oder Kirchen zu schmücken; daher findet man sie nur in den privaten Galerien der Adligen und in unzugänglichen Bürgerhäusern.

Seine Werke werden allgemein nicht nur von Kennern hoch geschätzt, sondern von jeder Art von Leuten, so daß es niemanden, und sei er noch so ungebildet, gibt, der beim Anblick der Gemälde dieses Meisters mit ihrer ganz eigenartigen Qualität nicht sofort von großem Vergnügen und Erstaunen erfaßt würde.

[Übersetzung der Herausgeber]

Kommentar

Der Ausbildung des Priesters Evaristo Baschenis (1617–1677) zum Maler[47] liegt dem Bergamasker Biographen Francesco Maria Tassi zufolge ein innerer Ansporn zugrunde, dem eine spezielle Begabung entspricht. Als Autodidakten stellt der Autor den Maler vor, zweifelt aber an dieser Überlieferung; dabei wird deutlich, wie man sich eine Ausbildung vorzustellen hat: Der junge Künstler sollte sich auch nach Tassi an einem Lehrmeister orientieren. Erst daran schließt sich die Auseinandersetzung mit dem an, was vor Augen steht und was man vor der Natur erarbeitet.

Im Gegensatz zu Vasaris *Vita* des Giovanni da Udine gibt es jedoch im Umfeld des Stillebenmalers Baschenis keine stilprägende Persönlichkeit. Die Zeiten haben sich gewandelt, und deshalb kann der Spezialist im eigenen Recht in der Kunst überleben. Baschenis entwickelt demnach eine unverwechselbare Manier. Diese hat weder flämische noch antike Wurzeln, sondern ist vom Künstler selbst gesetzt und wirkt angeblich nicht einmal schulbildend; durch Einzigartigkeit beweist sich das besondere Genie.

Zum Beweis der Trefflichkeit wird ein Topos bemüht, der antiken Anekdoten der Augentäuschung entstammt. Staub malte Baschenis virtuos auf Musikinstrumente und zeigte durch gemalte Fingerspuren auf den Körpern von Lauten, daß diese lange Zeit unberührt verstaubten. Nun versucht ein Betrachter, der mit den Tricks des Malers nicht vertraut ist, den Staub auf dem Instrument im Bild vom Bild selbst abzuputzen.

Durch den Staub auf den Instrumenten hat der Bergamasker Zeit evoziert. Der Maler wird auf die Lauten aufmerksam; doch er entreißt sie nicht ihrem Schlaf, sondern stellt diesen nur dar. Dabei beobachtet er, daß die Viola nicht staubbedeckt ist, als gehe es um den Schlaf der älteren Lautenmusik im Gegensatz zur neuen Musik aus der Zeit des Malers. Zugleich wird ein Wettstreit angedeutet, in dem die Musik vergeht, die Malerei selbst dann, wenn die Saiten verstummt und die Instrumente verstaubt sind, eine aus dem Zustand des achtlos zu lange Liegengelassenen Harmonie gewinnen kann.

Horace Walpole über Jan van Zoon (1764)

Francis Vanson, or Vanzoon, Was born at Antwerp, and learned of his father, a flower painter, but he came early into England. Vertue and Graham commend the freedom of his pencil, but his subjects were ill-chosen. He painted still-life, oranges and lemons, plate, damask curtains, cloths of gold, and that medley of familiar objects that strike the ignorant vulgar. In Streater's sale [...] were near thirty of Vanson's pieces, which sold well; among others, was the crown of England, and birds in water-colours. Vanson's patron was the earl of Radnor, who at his house in St. Jame's square, had near eighteen or twenty of his works, over doors and chimnies, &c. there was one large piece, loaded with fruit, flowers, and dead game by him, and his own portrait in it, painted by Laguerre, with a hawk on his fist. Some of his pictures were eight or nine feet high, and in them he proposed to introduce all the medicinal plants in the physic garden at Chelsea, but grew tired of the undertaking, before he had compleated it. [...] he died in the year 1700, at past fifty years of age.

Horace Walpole, *Anecdotes of Painting in England*, Bd. 3, hier zitiert nach Ausg. London 1786, S. 19.

Francis Vanson oder Vanzoon ist in Antwerpen geboren und lernte bei seinem Vater, einem Blumenmaler, aber er ging früh nach England [...]. Vertue und Graham kommentierten die Freiheit seines Pinsels, aber seine Gegenstände waren schlecht ausgewählt. Er malte Stilleben, Orangen und Zitronen, Geschirr, Damast-Vorhänge, Stoffe und Gold, und diese Mischung gewöhnlicher Gegenstände, die den unwissenden Pöbel begeistern. In Streaters Auktion [...] waren fast dreißig Gemälde von Vanson, die sich gut verkauften; unter anderem die Krone von England und Vögel in Aquarell. Vansons Förderer war der Earl von Radnor, der in seinem Haus in St. James' Square, etwa 18 oder 20 seiner Arbeiten hatte, über Türen und Kaminen usw., dort war ein großes Werk, vollgeladen mit Früchten, Blumen und totem Wild von ihm, mit seinem eigenen Porträt darin, gemalt von Laguerre, mit einem Falken auf der Faust. [...] Einige seiner Bilder waren acht oder neun Fuß hoch, und in ihnen beabsichtigte er, alle medizinischen Pflanzen im Heilkräutergarten von Chelsea einzuführen, aber das ermüdete ihn derart, daß er das Unternehmen abbrach, bevor es vollendet war. [...] er starb im Jahr 1700, die fünfzig hatte er schon überschritten.

[Übersetzung der Herausgeber]

Kommentar

Bemerkenswert ist diese Passage von Horace Walpole (1717–1797) schon wegen des Autors: Walpole, 4. Earl of Oxford, war in London geboren, in Eton und King's College, Cambridge, erzogen und hatte sich nach einer wenig erfolgreichen Karriere in der Politik einer unermüdlichen Tätigkeit als Schriftsteller gewidmet. Berühmt sind die 1762–1780 in vier Bänden erschienenen *Anecdotes of Painting,* zu denen auch ein *Catalogue of Engravers Born and Resident in England* von 1763 gehört.[48]

Hinter dem von Walpole irrig als Francis Vanson oder Vanzoon bezeichneten Stillebenmaler verbirgt sich ein Jan van Son oder van Zoon, der um 1650 in Antwerpen geboren und vielleicht erst 1723 in London gestorben ist.[49] Bilder von ihm sind in Augsburg, Brou, Brüssel, Dresden und Lille erhalten. Der Text wurde hier aufgenommen, weil er bereits einem Eintrag in modernen Künstlerlexika gleicht, in dem Name, Herkunft und Lebensverhältnisse eines Malers kurz und zuweilen recht irrig zusammengefaßt werden.

Der aus aus den Niederlanden nach London eingewanderte Spezialist findet einen adligen Gönner, der sein Haus mit den Gemälden des Künstlers ausstaffiert. Andere Bilder verbleiben im Besitz eines Londoner Händlers, in dessen Familie der Fremde einheiratet. In der Auktion des angeheirateten Onkels Streater werden zahlreiche Bilder vereint; sie geben Walpole, der die Kunstszene Londons auch von dieser Seite her aufmerksam verfolgt, einen Maßstab für die äußere Wertschätzung des Oeuvres, wenn er bemerkt, daß sie gut weggingen. Als einer der frühesten Belege für das Wort *still-life* im Englischen – nun anders als bei Graham die ganze Palette von Früchten über Silber zu Tüchern und anderem bezeichnend – erklärt Walpoles Text solche Sujets für falsche Wahl.

Von persönlichem Ruhm des heute vergessenen Künstlers Jan van Zoon zeugt, daß er als Schöpfer eines Stillebens im eigenen Bild porträtiert wurde. Das Vorhaben, die Heilpflanzen von Chelsea in monumentalen Bildern festzuhalten, reiht seine Stillebenmalerei lange, nachdem die Gattung zur Selbstverständlichkeit geworden war, in alte Traditionen ein: Das Projekt erinnert an Jean Bourdichons Pflanzen aus der Zeit um 1500 und hat im 18. Jahrhundert zahlreiche Parallelen: Der spanische Maler Meléndez präsentierte dem Principe de Asturias Stilleben unter enzyklopädischen Aspekten, die er vermutlich erst im nachhinein an die Gemälde heranbrachte. Giacomo Nani hatte auf ähnliche Weise 24 Stilleben geordnet, während Bartolomeo Bimbi zwischen 1694 und 1719 für den Großherzog Cosimo III. de Medici die Flora der Toskana aufnahm.[50]

William Harnett im Interview (zw. 1885 u. 1892)

William Harnett – Still Life Painter
[...] My father died in Philadelphia when I was a little boy, and I was obliged to do something to help support my mother and the children. [...].
In telling you how I paint pictures from still-life models, it would be well for me to give you in brief a sketch of my early career in art, for the trials and hardships that I underwent were the sole reasons for my taking up that line of art work. [...].
When I was seventeen years old, I began to learn the engravers' trade. I worked on steel, copper and wood, and finally developed considerable skill in engraving silverware. This latter work then became my chief occupation. In 1867, when I was 19 years old, I entered the Philadelphia Academy of Fine Arts, as a pupil, studying with the night class. Two years later I found work in this city and came here to study in the National Academy of Design and take advantage of the free art school in the Cooper Institute. In this way I worked for various large jewelry firms during the day and at the art schools at night until 1875, when I gave up engraving and went wholly into painting. [...]

Poverty Directs a Choice

This very poverty led to my taking up the line of painting that I have followed for the past 15 years. It came about this way. I could not afford to hire models as the other students did, and I was forced to paint my first picture from still life models. These models were a pipe and a German beer mug. After the picture was finished I sent it to the Academy and to my intense delight it was accepted. What was more it was sold. I think it brought $ 50. That was the first money I ever earned with my brush and it seemed a small fortune to me.

[...] In this sketch of my life, with its struggles and its victories, I have given you a fair idea of the hard work that is necessary for a friendless boy to undergo before he becomes recognized. Art is not an easy mistress, and those who win her favors must work patiently and strive persistently.

Choosing Still life Models

[...]. I always group my figures, so as to try and make an artistic composition. I endeavor to make the composition to tell a story. The chief difficulty I have found has not been the grouping of my models, but their choice. To find a subject that paints well is not an easy task. As a rule, new things do not paint well. New silver does not look well in a picture. I want my models to have the mellowing effect of age. [...]
New models selected without judgment as to their painting qualities, would be utterly devoid of picturesqueness, and would mar the effect of the painting beyond all hope of reparation.

[...] In painting from still life I do not closely imitate nature. Many points I leave out and many I add. Some models are only suggestions. Take the flute in one of the accompanying illustrations. The flute that served as a model is not exactly like the one in the picture. The ivory was not on the flute at all, and the silver effects for the keys and bands I got from a bright silver dollar. [...] The whole effect in still life painting comes from its tone, and the nearer one attains perfection, the more realistic the effect will be.

Arrested for Counterfeiting

Several years ago I had an experience that is far more amusing to recollect than it was to pass through, and illustrates the peculiar hardships that a still life painter sometimes undergoes when he makes an unlucky choice of a model. I painted three United States notes on panels. They were old bills, frayed at the edges and full of creases, and I painted them life-size.

A few days after, one of them was exhibited in this city, and had attracted several notices from the daily newspapers. I received a call from two well-dressed men at my studio.

[...] I was suspected of turning out counterfeit bank notes and they had come to arrest me [...] I explained to the chief how I had happened to do the work and I showed him the harmless nature of it. Harmless though it was, it was clearly against *the law, and I was let go with a warning not to paint any more life-like representations of the national currency. [...]*

Nicht genau identifizierter New Yorker Zeitungsausschnitt[51] aus der Zeit zwischen 1885 und 1892 in den Alfred Frankenstein Papers, Archives of American Art, Smithsonian Institution, Washington D. C., abgedruckt von Hermann W. Williams Jr., Notes on William M. Harnett, in: Antiques 43, 1943, S. 260–262.

William Harnett – Stillebenmaler

[...] Mein Vater starb in Philadelphia, als ich ein kleiner Junge war, und ich war verpflichtet, etwas zu tun, um meine Mutter und die Kinder unterstützen zu helfen. [...].
Wenn ich Ihnen erzähle, wie ich Bilder von Stilleben-Modellen male, wäre es gut für mich, Ihnen in Kürze einen Überblick über meine frühe Karriere in der Kunst zu geben. Die Anfechtungen und die großen Anstrengungen, die ich erduldete, waren die einzigen Gründe dafür, diese Art von künstlerischer Arbeit aufzunehmen. [...]
Als ich 17 Jahre alt war, begann ich das Handwerk des Kupferstechers zu erlernen. Ich arbeitete an Stahl, Kupfer und Holz, und ich entwickelte schließlich ein bemerkenswertes Geschick darin, Silber zu gravieren. Diese spätere Arbeit wurde dann meine Haupttätigkeit. 1867, als ich 19 Jahre alt war, trat ich der Philadelphia Academy of Fine Arts bei, als ein Schüler, der in der Nacht-Klasse studierte. Zwei Jahre später fand ich Arbeit in dieser Stadt und kam hierher, um an der National Academy of Design zu studieren und die freie Kunstschule des Cooper Instituts zu nutzen. In dieser Art abeitete ich für verschiedene große Juwelen-Firmen während des Tages und bei Nacht an den Kunstschulen bis 1875, als ich das Stecherhandwerk aufgab und mich ganz der Malerei zuwandte.

Armut bestimmt die Wahl

[...] Gerade diese Armut brachte mich dazu, jene Richtung von Malerei zu verfolgen, der ich die letzten fünfzehn Jahre gefolgt bin. Das kam so: Ich konnte mir nicht leisten, wie die anderen Studenten Modelle zu mieten, und deshalb war ich gezwungen, mein erstes Bild nach Stilleben-Modellen zu malen. Diese Modelle waren eine Pfeife und ein deutscher Bierkrug. Nachdem das Bild fertig war, schickte ich es der Akademie und zu meiner heftigen Freude wurde es angenommen. Was noch mehr bedeutete, es wurde verkauft. Ich denke, es brachte 50 Dollar. Das war das erste Geld, das ich je mit meinem Pinsel verdiente und mir kam das wie ein kleiner Reichtum vor.
[...] In dieser Skizze meines Lebens mit seinen Kämpfen und seinen Siegen habe ich eine einigermaßen zutreffende Vorstellung von der harten Mühe gegeben, die ein Knabe ohne Freunde durchzustehen hat. Kunst ist keine einfache Herrin; und jene, die ihre Gnade finden, müssen geduldig arbeiten und beharrlich streben.

Wie man Stilleben-Motive aussucht:
[…]. Ich gruppiere meine Gegenstände, als wollte ich eine künstlerische Komposition machen. Ich lege Wert darauf, daß ich diese Komposition eine Geschichte erzählen lasse. Die wesentliche Schwierigkeit, auf die ich dabei gestoßen bin, war nicht die Gruppierung der Gegenstände, sondern ihre Auswahl. Ein Sujet zu finden, das sich gut malt, ist keine einfache Aufgabe. In aller Regel malen sich neue Sachen nicht gut. Neues Silber sieht in einem Gemälde nicht gut aus. Ich möchte vielmehr, daß meine Motive den mildernden Effekt des Alters haben. […]
Neue Motive, die ohne ein Urteil über ihre malerischen Qualitäten ausgesucht sind, würden entschieden jeder pittoresken Wirkung entbehren und die Wirkung des Gemäldes hoffnungslos verderben. […]
In Bildern mit Stilleben imitiere ich die Natur nicht genau. Viele Punkte lasse ich aus und andere füge ich hinzu. Einige Modelle sind nur ausgedacht. Nehmen Sie beispielsweise die Flöte in einer der Abbildungen hier. Die Flöte, die als Modell diente, ist nicht exakt so wie die im Bild. Das Elfenbein war keineswegs auf der Flöte, und die silbernen Effekte der Schlüssel und Bänder habe ich von einem glänzenden Silberdollar. […]. Der gesamte Effekt in der Stillebenmalerei beruht auf der Tonigkeit und je mehr man Perfektion darin erlangt, desto realistischer wird der Effekt sein.

Festgenommen wegen (Geld)fälschung
Vor einigen Jahren machte ich eine Erfahrung, die weit amüsanter zu erinnern ist, als sie zu erfahren war, die nämlich die speziellen Härten illustriert, die ein Stilleben-Maler manchmal erfährt, wenn er eine ungückliche Wahl des Modells getroffen hat. Ich malte drei Dollar-Scheine auf Gemälden. Es waren alte, abgenutzte und faltige Banknoten, und ich malte sie lebensgroß.
Ein paar Tage darauf war eines davon in der Stadt ausgestellt und bewirkte einige Erwähnungen in der Tagespresse. Ich bekam Besuch von zwei gut gekleideten Herren in meinem Atelier.
Ich stand unter Verdacht, Blüten hergestellt zu haben und sie kamen, um mich festzunehmen […].
Ich erzählte dem Chief, wie es dazu kam, daß ich die Arbeit ausführte und ich zeigte ihm die Harmlosigkeit davon. Harmlos wie es war, verstieß es doch offensichtlich gegen das Gesetz, und ich wurde mit einer Verwarnung entlassen, nie wieder lebensechte Darstellungen von der nationalen Währung zu malen […].

[Übersetzung der Herausgeber]

Kommentar

William Michael Harnett, 1848 vermutlich im irischen Cork geboren, kam als Kind nach Philadelphia, lebte von 1878 bis 1886 in Europa und starb 1892 in New York.[52] Im Kreise der bedeutenden Stillebenmaler, die Amerika im späten 19. Jahrhundert hervorgebracht hat, ist Harnett sicher seit seiner Wiederentdeckung in den 1940er Jahren der bekannteste, auch wenn er nicht so gewagte Bilder schuf wie John Haberle oder John Frederick Peto. Wie diese hat er nur wenige Vorläufer wie die Gijsbrechts und nimmt Tendenzen vorweg, die seit dem Surrealismus in der Auseinandersetzung mit dem Medium Tafelbild aktuell wurden (Abb. 12).[53]

Durch den Journalismus dringt in die Kunstliteratur auch das direkte Zeugnis des Künstlerinterviews. Harnetts Schilderung zeigt, wie lebendig Topoi vom Künstler für dessen Lebensweg selbst sind. Das gilt für den Ausgangspunkt ebenso wie für die verinnerlichte Hierarchie der Gattungen: Harnett übertrifft in einer Anekdote alle Vorgänger dadurch, daß er das Trompe l'oeil sogar dem Delikt der Geldfälschung nähert. Topisch ist sein Bedauern aus des jungen Harnett Sicht, die im Figurenbild höhere Aufgaben sieht, daß er sich dafür die Modelle nicht hatte leisten können.[51] Denn Not zwingt ihn zum Malen dessen, was er mit leiser Ironie *still life models* nennt.

In Harnetts Lebensweg vermischen sich Motive, die für europäische Künstler in gleicher Weise gelten, mit gewissen Grundzügen amerikanischen Pioniergeistes. Der Rückblick gilt einem mühsamen Weg vom *errand boy*, der für Mutter und Geschwister als Zeitungsverkäufer Geld verdient, über den ersten Verkauf eines Bildes bis zum etablierten Künstler; dabei sind hier Passagen ausgelassen, die eingehend von positiven Überraschungen über erzielte Preise berichten. Über die Begabung und die daraus erwachsene Neigung zur Malerei wird nicht viel gesagt. Gegenüber Stillebenmalern früherer Generationen setzt sich Harnett durch die schroffe Ablehnung von Lehrern und die dadurch freigesetzte Unabhängigkeit ab. Den künstlerischen Erfolg verdankt er allein dem Mut, auf sich selbst zurückgeworfen aus seinem Leben das Beste zu machen.

Dieses Lebensideal schließt freilich nicht aus, daß man aus der als randständig empfundenen Situation für eine lange Zeit die Orte aufsucht, an denen anerkannte Künstler leben. Längere hier nicht wiedergegebene Passagen im Interview seien deshalb kurz resümiert: Nach enttäuschenden Erfahrungen mit Kunstlehrern in Amerika gelangt Harnett zuerst nach London. Von dort aus führt ihn der Zufall zunächst für ein halbes Jahr zu einem Mäzen nach Frankfurt und von dort für vier Jahre nach München. In Deutschland arbeitet er den Zwiespalt zwischen der eigenen Manier und dem Angebot an Vorbildern ab, um – zeittypisch für Künstler an der Schwelle zur Moderne – die persönliche Eigenart zunehmend als entschiedene Stärke zu empfinden. Paris mit den berühmten Ausstellungen des Salons bleibt unterdessen ein wichtiges Ziel. Die eigentliche Weihe und Anerkennung erhält Harnett durch einen Salon-Triumph, bei dem eines seiner Bilder in der Jahrespublikation von Louis Enault 1884 abbildungswürdig wird. Erst nach diesem Erfolg in Europa, ist es Zeit, nach Amerika zurückzukehren.

Viel Inhaltliches gibt der Künstler im Interview nicht preis. Daß die Gegenstände auf seinen Bildern eine Geschichte erzählen sollen, ließe sich im Horazschen Konzept unterbringen, das dann *ut poesis pictura* hieße, wenn man die *American short story* als *poesis* sieht. Der für das »Lesen« solcher Geschichten nötige Prozeß, läßt sich mit einer Reflexion Hegels fassen, die Kurt Forster zu Harnetts Zeitgenossen John Haberle anführt. Der deutsche Philosoph schreibt über die Einbildungskraft: *Zuerst tut sie [...] weiter nichts, als dass sie die Bilder ins Dasein zu treten bestimmt. So ist sie nur reproduktive Einbildungskraft [...]. Zweitens aber ruft die Einbildungskraft die in ihr vorhandenen Bilder nicht bloss wieder hervor, sondern bezieht dieselben aufeinander und erhebt sie auf diese Weise zu allgemeinen Vorstellungen. Auf dieser Stufe scheint sonach die Einbildungskraft als die Tätigkeit des Assoziierens der Bilder. Die dritte Stufe in dieser Sphäre ist diejenige, auf welcher die Intelligenz ihre allgemeinen Vorstellungen mit dem Besonderen des Bildes identisch setzt, somit ihnen ein bildliches Dasein gibt. Das sinnliche Dasein hat die doppelte Funktion des Symbols und des Zeichens, so dass diese dritte Stufe die symbolisierende und die zeichenmachende Phantasie umfasst [...].*[54]

Wichtiger ist dem Maler, von der Stofflichkeit seiner Motive zu sprechen, dem Alter, das ihnen *picturesqueness* gibt, womit er nicht die pittoreske Vielfalt, sondern die Einpassung in den Gesamtton des Bildes fast in Wölfflins Sinn meint.

Ironischer Sinn und topische Erzählweise läßt die Treffsicherheit seiner Kunst durch eine Anekdote anschaulich machen, indem er zum Schluß von dem nicht nur von ihm abgemalten Dollarnoten spricht.[55] Dabei geht es nicht so sehr um das seit Magritte geschärfte Bewußtsein für den Unterschied der Malerei zu dem, was sie abbildet, vielmehr gibt er den Polizeibeamten spöttisch einen Platz in jener illustren Reihe von Kennern und Banausen, die sich seit der Antike von Malern durch Stillebenmotive haben täuschen lassen.

Ganz mit dem Konzept des Trompe l'oeil freilich läßt sich die Anekdote mit den Dollarscheinen nicht erklären. Aus ihr spricht auch der geschärfte Sinn für die erstaunliche Story. Ansätze dazu bietet schon Manet 1880, wenn er um Spargelbündel und nachgereichte Spargelstange eine Episode webt, die das Stilleben als Teil einer Geschichte interessant zu machen imstande ist (hier S. 67). Bei Harnett wird die Story nicht zu den Bildern hinzuerzählt, sondern aus den Gegenständen so ablesbar, daß Sprache sie in Zeitabläufe umzusetzen vermag. Das ist etwas Neues in der Geschichte des nachantiken Stillebens, zumal der Künstler keinen Gedanken an Vanitas aufkommen läßt. Stilleben wird damit zu einer abgeklärten bürgerlichen Malerei, die virtuose Qualitäten des Trompe l'oeil mit Witz und Hintersinn der *short story* verbindet. *E. K.*

Anmerkungen

1. Zur Neigung zum Stilleben als Charakter siehe die oben S. 57 erwähnte Stelle aus den Vorstadtgeschichten von Heinrich Seidel; siehe auch Beth 1979, S. 32.
2. *Obsonia* wird hier auf die Bedeutung *Gemüse* eingeschränkt, wäre eigentlich mit *Zukost* zu übersetzen.
3. Zu Hoogstraten siehe Text und Erläuterungen S. 157 ff.; Shaftesbury 1914, S. 134–137.
4. Zu Vasari siehe: T.S.R. Boase, *Giorgio Vasari. The Man and the Book. The Andrew W. Mellon Lectures in the Fine Arts 1971* (= Bollingen Series XXXV), Princeton 1979; Leon Satkowski, *Giorgio Vasari. Architect and Courtier*, Princeton 1993; siehe auch Winner 1995, S. 259–278; Alpers 1995, S. 217–258.
5. Giovanni da Udine wird in der älteren Kunstliteratur in aller Regel erwähnt, so von Graham 1695 (vgl. oben S. 27 f.). Die neuere Forschung berücksichtigt ihn meist in größeren Zusammenhängen, siehe: Nicole Dacos, *Le logge di Raffaello. Maestro e bottega di fronte all'antico*, Rom 1977. Siehe auch Sterling 3. Aufl., 1985, S. 35–41, Nicole Dacos und Caterina Furlan, *Giovanni da Udine 1487–1561*, Udine 1987; Annalisa Bistot Piana, Giovanni da Udine, in: *Arte Veneta* XLII, 1988, S. 183–185.
6. Vasari, *Vite*, hrsg. von G. Milanesi, Bd. I, Florenz 1878, S. 370–372 in der Vita di Giotto.
7. Zum Musterbuch allgemein vgl. Scheller 1963 sowie ders., Exemplum, Amsterdam 1996.
8. Vasari gibt mit Giovanni, also Jan einen Allerweltsnamen an, der nicht zur Identifizierung einlädt; der prominenteste Flame diesen Namens, der während der Hochrenaissance in Rom war, Jan van Scorel, reiste erst 1520 los und erreichte die Stadt nicht vor Raffaels Tod.
9. Vgl. S. 46.
10. Vgl. die Reihenfolgen bei Félibien und Roger de Piles sowie bei Graham 1695 (siehe hier S. 176 f., 149 f. und 27 f.).
11. Zu Raffaels Cäcilia siehe zuletzt: Regina Stefaniak, Raphael's Santa Cecilia. A Fine and Private Vision of Virginity, in: *Art History* 14, 1991, S. 345–372; zu den Instrumenten: Reinhold Hammerstein, Raffaels heilige Caecilia. Bemerkungen eines Musikhistorikers, in: *Begegnungen* 1993, S. 69–79.
12. Vgl. oben S. 27 f.
13. Vgl. Hoecker 1916, S. 322.
14. Vgl. Miedema 1981 zur Wortwahl und zur Erschließung des Textes.
15. Vgl. die Wiedergabe der Quelle bei Ch. C.V. Verreyt, De Schilder Lodewijk Jansz. van Valckenborch, gezegd van den Bosch, in: *Oud Holland* 8, 1890, S. 235–240, bes. S. 238.
16. Vgl. die Analyse des Textes von Hoecker 1916.
17. Offenbar handelt es sich um phantastische Landschaften mit nächtlichen Bränden, wie sie noch der Blumenbruegel gemalt hat.
18. Zu Huygens vgl. Rosalie L. Colie, *Some Thankfulnesse to Constantine*, Den Haag 1956; Bots 1973.
19. Worp 1897, S. 1–122; in diesem Zusammenhang sei Rebecca Duckwitz herzlich für die Beschaffung eines Exemplars gedankt. Vgl. Kan 1971, sowie: Constantijn Huygens, *Mijn jeugd*, übersetzt von C.T. Heessakkers, Amsterdam 1987.
20. Worp 1891, S. 106–136; G. Kamphuis, Constantijn Huygens als kunstcriticus, in: Kan 1971, S. 141–147.
21. Ausgabe 1897, S. 78 über das 1629 datierte Gemälde *Judas gibt die Silberlinge zurück*, heute in englischem Privatbesitz; vgl. Seymour S. Slive, *Rembrandt and His Critics*, Den Haag 1953, S. 9–26; schöne Farbabb. bei Christian Tümpel, *Rembrandt. Mythos und Methode*, Königstein i.T. 1986, S. 36.
22. Auch Jacques de Gheyn gehört zu den Helden von Svetlana Alpers 1983, bzw. 1985, passim bes. S. 166 ff. mit interessanten Vergleichen aus dessen Zeichnungen, jedoch ohne zu berücksichtigen, ob Motive über Papier gestreut werden oder auf Gemälden monumentalisiert sind.
23. Zu Jacob Hoefnagel siehe Emil Chmelarz, Georg und Jakob Hoefnagel, in: *Jahrbuch der kunsthistorischen Sammlungen des Allerhöchsten Kaiserhauses* XVII, 1896, S. 275 ff.; neuerdings siehe auch Thea A.G. Wilberg-Vignau-Schuurman, *Die Emblematischen Elemente im Werke Joris Hoefnagels*, 2 Bde. Leiden 1969, Bd. I, S. 9.
24. Vgl. Worp 1897, S. 66: *Unam uxor obtinuit, carminibus olim decantatam, cum inter me et Vischeras*

virgines iucunda harum rerum aemulatio intercederet. In eâ nuces, arellanas duas, candelae frustum, tubulum paetiarium et, si memini, muscam maiusculam ad vivum sic expressi, ut, praeterquam Hoefnaglio et universis spectatoribus, Gheiniis ambobus, parcis praeconibus, non simulatam laudem extorserint.

25 Einen repräsentativen Eindruck der Persönlichkeit, der Vertrautheit mit Kunst und der intelligenten Malerei, die Huygens offenbar zu inspirieren verstand, gibt Thomas de Keysers ganzfiguriges Bildnis von 1627, das Huygens mit Sekretär oder Boten zeigt, London, National Gallery, vgl. Alpers 1985, Abb. 1, S. 43.

26 Alpers 1985, S. 41–68.

27 Worp 1897, S. 62–90.

28 Worp 1897, S. 71 und 72.

29 Worp 1897, S. 67 f.

30 Sie geht nur in einer Anm. mißverständlich darauf ein; vgl. Alpers 1985, Anm. 20, S. 389.

31 Alpers 1985, S. 41 f.

32 Vgl. Wheelock 1977, S. 101 ff.

33 Vgl. Gerrit Terrie, *Cornelis Drebbel*, Amsterdam 1932 und L.E. Harris, *The Two Netherlanders: Humphrey Bradley and Cornelis Drebbel*, Leiden 1961; sowie Alpers 1983 und 1985, passim.

34 Die ins romanhaft Schaurige reichende Lebensgeschichte wird zuletzt von Fred G. Meijer kühl resümiert im Amsterdamer Ausst.-Kat. 1993, S. 319f. Grundlegend bleibt die Monographie von Abraham Bredius, *Johannes Torrentius*, Amsterdam 1909, der der Autor Een nalezing in: *Oud Holland* 35, 1917, S. 219–223, folgen ließ.

35 Herbert 1994; mit dem Bild beschäftigen sich die Seiten 108–147.

36 Dionysios Areopagita, *De coelesti hierarchia*, hrsg. von P. Hendrix, Leiden 1959.

37 Vgl. neuerdings: *Das Erbe des Christian Rosenkreuz*. Vorträge gehalten anläßlich des Amsterdamer Symposiums 18.–20. November 1986: Johann Valentin Andreae 1586–1986 und die Manifeste der Rosenkreuzbruderschaft 1614–1616, Amsterdam 1988.

38 Vgl. B.W.F. van Riemsdijk, Een schilderstuk van Johannes Torrentius, in: *Festbundel Abraham Bredius*, Amsterdam 1917, S. 243–249; siehe de Jongh 1976, S. 543 mit früherer Lit. sowie zuletzt den Amsterdamer Ausst.–Kat. von 1993, Nr. 277 und die Farbtafel S. 290.

39 Die weiter unten zitierte Inschrift beginnt mit den Versalien E.R., die noch im Amsterdamer Katalog von 1993, S. 605, auf diese Weise gedeutet werden.

40 Die von de Jongh 1976, S. 543 herausgearbeiteten Bezüge zu Emblemen wie dem zeitgleichen Kupferstich von Claes Jansz Visscher, 1614, Hollstein 489, hat auch Christian Klemm in seinem Beitrag zu Vanitas im Ausst.-Kat. Münster/Baden-Baden 1979–1980, S. 178, betont.

41 Vgl. Brummel 1949.

42 Vgl. S. 159/161.

43 Vgl. Roscam Abbing 1993, S. 17 – 29.

44 Vgl. beider Angaben zu Gerrit Dous Vertrag über Vorkaufsrecht, hier S. 62 und Anm. 232.

45 Vgl. Cornelis 1995.

46 Vgl. oben S. 65 mit einer entsprechenden Äußerung Diderots.

47 Vgl. die in Kürze erscheinende Zürcher Dissertation von Gian Casper Bott, *Studien zu Evaristo Baschenis*, sowie De Logu 1962, S. 38 f.

48 Zu Walpole vgl. seine *Memoirs*, hrsg. von Eliot Warburton, 1851; siehe auch P. Yvon, *Horace Walpole. 1717–1797. Essai de biographie psychologique et littéraire*, Paris 1924. Mit dem Kunstliteraten Walpole hat sich am ausführlichsten Johannes Dobai auseinandergesetzt; vgl. den Index in seinem Registerband von 1984, S. 304–306.

49 Vgl. *Bryan's Dictionnary of Painters and Engravers*, zuerst 2 Bde. 1816, inzwischen 5 Bde., Port Washington N.Y. 1974, Bd. 5, S. 102. Nicht in Thieme-Becker. Freundlicher Hinweis von Fiona Healy.

50 Vgl. Ausst.-Kat. London 1995, S. 154 f.

51 Vermutlich aus der Zeitung *News*, von Edith Gregor Halpert von einem Sohne des William Blemly, Freund Harnetts erworben.

52 Zu Harnett siehe Frankenstein 1975; den hier abgedruckten Text und gute bibliographische Hinweise verdanken wir Meike Deter und Barbara Segelken.
53 Zum amerikanischen Stilleben allgemein vgl. die Arbeiten von Dars, Frankenstein und Gerdts sowie Forster 1988. Zu Gijsbrechts siehe zuletzt Michael Braun, *Cornelis Norbertus Gijsbrechts und Franciscus Gijsbrechts*, Berlin 1994 (Diss.).
54 Georg Wilhelm Friedrich Hegel, *Enzyklopädie der philosophischen Wissenschaften im Grundriss*, hrsg. von E. Moldenhauer und K.M. Michel, Frankfurt/M. 1986, Bd. 10, S. 264; vgl. Forster 1988, Anm. 13.
55 Vgl. die Farbabb. nach Charles Meurer, *Royal Flush*, und Victor Dubrueil, *Das Auge des Künstlers*, in: Ausst.-Kat. Berlin 1988, Nr. 72 und 73, sowie Beispiele von Ferdinand Danton Jr. und John Haberle mit den Titeln *Zeit ist Geld* und *Reproduktion* bei Forster 1988, Abb. 3f., S. 102.

Bibliographie

Kataloge (Stillebenausstellungen)

Ausst.-Kat. Amsterdam 1976, Tot Lering en Vermaak, hrsg. von E. de Jongh.
Ausst.-Kat. Amsterdam 1993, Dawn of the Golden Age. Northern Netherlandish Art 1580–1620, hrsg. von Ger Luijten, Ariane van Suchtelen, Reinier Baarsen, Wouter Kloek und Marijn Schapelhouman, Zwolle 1993.
Ausst.-Kat. Auckland 1981, Still Life in the Age of Rembrandt.
Ausst.-Kat. Bergamo 1968, Natura in posa. Aspetti antichi della natura morta italiana.
Ausst.-Kat. Bergamo 1971, La natura in posa. Aspetti dell'antica natura morta straniera nelle collezioni private Bergamasche, hrsg. von I. Bergström.
Ausst.-Kat. Berlin 1927, Das Stilleben in der deutschen und französischen Malerei von 1850 bis zur Gegenwart. Galerie Matthiesen.
Ausst.-Kat. Berlin 1935/36, Das Stilleben.
Ausst.-Kat. Berlin 1988, Bilder aus der neuen Welt, hrsg. von Thomas W. Gaethgens, München 1988.
Ausst.-Kat. Brüssel 1971, La vie des choses. Natures mortes et fleurs du XIXe et XXe siècle.
Ausst.-Kat. Caen 1990, Les Vanités dans la peinture au XVIIe siècle.
Ausst.-Kat. Cleveland, Philadelphia und Paris 1992, Picasso & Things.
Ausst.-Kat. Darmstadt 1975, Stilleben aus der deutschen Malerei des XX. Jahrhunderts, hrsg. von H. M. Schmidt.
Ausst.-Kat. Forth Worth 1985, Spanish still life in the Golden Age 1600–1650, hrsg. von William B. Jordan.
Ausst.-Kat. Hamburg 1921, Bildnis und Stilleben. Ausstellung im Hamburger Künstler-Verein, hrsg. von G. Pauli.
Ausst.-Kat. Köln 1971, »Was die Schönheit sei, das weiß ich nicht«, hrsg. von Janni Müller-Hauck.
Ausst.-Kat. Leiden 1970, Ijdelheid der Ijdelheden. Hollandse Vanitas Vorstellingen uit de Zeventiende eeuw, hrsg. von Ingvar Bergström.
Ausst.-Kat London 1995, Spanish Still Life, hrsg. von William B. Jordan, und Peter Cherry.
Ausst.-Kat. Mannheim 1963, Die Nabis und ihre Freunde.
Ausst.-Kat. München/Mannheim 1986, Carl Schuch.
Ausst.-Kat. Münster/Baden-Baden 1979–1980, Stilleben in Europa.
Ausst.-Kat. Neapel 1964, La natura morta italiana.
Ausst.-Kat. Paris 1952, La nature morte de l'antiquité à nos jours, hrsg. von C. Sterling.
Ausst.-Kat. Paris und New York 1983, Manet. 1832–1883, hrsg. von Françoise Cachin.
Ausst.-Kat. Philadelphia 1963, A World of Flowers.
Ausst.-Kat. Rom 1995/96, La natura morta all tempo di Caravaggio.
Ausst.-Kat. Rotterdam 1954, Vier eeuwen stilleven in Frankrijk.
Ausst.-Kat. Rotterdam 1994, Van Eyck to Bruegel. Dutch and Flemish Painting in the Collection of the Museum Boymans-van Beuningen.
Ausst.-Kat. St. Etienne 1955, Natures mortes de Géricault à nos jours.
Ausst.-Kat. Stockholm 1995, Stilleben, hrsg. von Görel Cavalli-Björkman und Bo Nielsson.
Ausst.-Kat. Straßburg 1964, Natures mortes. Catalogue de la Collection du Musée des Beaux-Arts de Straßbourg. Kat. H. Haug.
Ausst.-Kat. Stuttgart 1993, Georg Flegel. 1566–1638. Stilleben, hrsg. von Kurt Wettengel.
Ausst.-Kat. Washington u.ö. 1970, The Reality of Appearance. The Trompe-L'oeil Tradition in American Painting, hrsg. von A. Frankenstein.
Ausst.-Kat. Wien 1985, Albrecht Dürer und die Tier- und Pflanzenstudien der Renaissance, hrsg. von Fritz Koreny, München 1985.

Ausst.-Kat. Zürich 1965, Das italienische Stilleben von den Anfängen bis zur Gegenwart.
Ausst.-Kat. Zürich 1973, Schweizer Stilleben im Barock, hrsg. von P. Vignau-Wilberg.

Adriani, Götz, Cézanne. Aquarelle, Köln 1981.
Alberti, Leon Battista, Leone Battista Alberti's kleinere kunsttheoretische Schriften (= Quellenschriften für Kunstgeschichte und Kunsttechnik des Mittelalters und der Renaissance, Bd. XI), hrsg. von Hubert Janitschek, Wien 1877, Neudruck: Osnabrück 1970.
Alpers, Svetlana, The Art of Describing. Dutch Art in the Seventeenth Century, Chicago 1983, dt. Köln 1985.
Alpers, Svetlana, Ekphrasis und Kunstanschauung in Vasaris Viten, in: Beschreibungskunst – Kunstbeschreibung 1995, S. 217-258.
Angel, Philips, Lof der Schilder-Konst, Leiden 1642, reprograph. Nachdruck: Utrecht 1969.
Anonym, Stumme Genrebilder oder redende Stilleben, in: Deutsches Kunstblatt, 3. Jg., 1852, S. 185–186.
Apel, Friedmar (Hrsg.), Romantische Kunstlehre. Poesie und Poetik des Blicks in der deutschen Romantik (= Bibliothek der Kunstliteratur Bd. 4), Frankfurt a.M. 1992.
Argan, Carlo Giulio, Il 'realismo'nella poetica di Caravaggio, in: Scritti di storia dell'arte, in onore di Lionello Venturi, Rom, Bd. II, S. 24-41.
Asemissen, Hermann Ulrich, ästhetische Ambivalenz. Spielarten der Doppeldeutigkeit in der Malerei, Kassel 1989.

Badelt, Eva, Das Stilleben als bürgerliches Bildthema und seine Entwicklung von den Anfängen bis zur Gegenwart (Diss.) Würzburg 1938.
Baillet de Saint-Julien, Louis Guillaume, Lettre sur la peinture à un amateur, Genf 1750.
Bakker, Boudewijn, Schilderachtig: discussions of a seventeenth-century term and concept, in: Simiolus, Vol. 23, Nr. 2/3, 1995, S. 147–162.
Bandmann, Günter, Der Wandel der Materialbewertung in der Kunsttheorie des 19. Jahrhunderts, in: Beiträge zur Theorie der Künste im 19. Jahrhundert. Bd. 1, Frankfurt a.M. 1971, S. 129–157.
Barrasch, Moshe, Modern Theories of art. From Winckelmann to Baudelaire, New York 1990.
Battersby, Martin, Trompe-l'oeil. The Eye Deceived, London 1974.
Baudelaire, Charles, Curiosités esthétiques. L'art romantique et autres oeuvres critiques, hrsg. von H. Lemaitre, Paris 1962.
Baumann, Felix Andreas, Das Erbario Carrarese und die Bildtradition des Tractatus de herbis. Ein Beitrag zur Pflanzendarstellung im Übergang von Spätmittelalter zu Frührenaissance (Berner Schriften zur Kunst, hrsg. von Hans R. Hahnloser, Bd. XII), Bern 1974.
Baxandall, Michael, Giotto and the orators. Humanist observers of painting in Italy and the discovery of pictorial composition 1350–1450, Oxford 1971.
Becker, Wolfgang, Paris und die deutsche Malerei 1750–1840, München 1971 (= Studien zur Kunst des 19. Jahrhunderts 10).
Bénézit, Emmanuel, Dictionaire critique et documentaire des peintres, sculpteurs, dessinateurs et graveurs. 8 Bde. Paris 1948–1955.
Bergström, Ingvar, De Gheyn as a Vanitas Painter, in: Oud Holland 85, 1970, S. 143–158.
Bergström, Ingvar, Disguised Symbolism in 'Madonna' Pictures and Still-Life, in: The Burlington Magazine 97, 1955, S. 303ff, 342ff.
Bergström, Ingvar, Dutch Still-Life Painting in the Seventeenth Century, London-New York 1956.
Bergström, Ingvar, Preistoria di un genere, in: Natura in Posa, Mailand 1977, S. 9-36.
Beringer, Josef A., Trübner (= Klassiker d. Kunst 26), Stuttgart/Berlin 1917
Beth, Karin, Stilleben des 19. Jahrhunderts. Studien zur französischen und deutschen Stillebenmalerei, Tübingen 1979 (Diss.).
Beyen, Hendrik G., Über Stilleben aus Pompeji und Herculaneum, Den Haag 1928.
Bialostocki, Jan, Kunst und Vanitas, in: Ders., Stil und Ikonographie, Dresden 1966, S. 187 ff.

Bie, Cornelis de, Het gulden Cabinet van de edel vry schilder-const ontsloten door den lanck ghewenschten vrede tusschen de twee machtighe croonen van Spaignien en Vranckryck, Antwerpen 1649, 2. Aufl. Antwerpen 1662.

Biese, Alfred, Die Entwicklung des Naturgefühls in Mittelalter und Neuzeit, Leipzig 1888.

Blanc, Charles, Grammaire des arts du dessin, architecture, sculpture, peinture, jardins, gravure (...), Paris 1867.

Bloch, Vitale, Still-Life at the Orangerie, in: The Burlington Magazine 94, 1952, S. 208.

Blunt, Wilfrid, The Art of Botanical Illustration, London 1953.

Boas, G. (Hrsg.), Courbet and the Naturalistic Movement, Baltimore 1938.

Boase, Thomas S. R., Giorgio Vasari. The Man and the Book. The Andrew W. Mellon Lectures in the Fine Arts 1971 (= Bollingen Series XXXV), Princeton 1979.

Bode, Wilhelm, Die großherzogliche Gemäldegalerie in Schwerin: Das holländische Stilleben, in: Die graphischen Künste 11, 1888, S. 1–28.

Bodmer, Johann Jakob u.a., Die Discourse der Mahler, Zürich 1746.

Böhling, Luise, Blumen, Blumenmalerei, Blumenstück, in: Reallexikon zur deutschen Kunstgeschichte, Bd. 2, 1948, Sp. 925ff.

Böhm, Gottfried, Bildnis und Individuum, München 1985.

Boime, Albert, The Academy and French Painting in the Nineteenth Century, London 1971.

Boos, Manfred, Französische Kunstliteratur zur Malerei und Bildhauerei 1648–16690, München 1966 (Diss.).

Börker, Christoph, Zum Blumenkorb-Mosaik im Vatikan, in: Archäologischer Anzeiger 1978, S. 442–448.

Born, Wolfgang, Still-life Painting in America, New York 1974.

Börsch-Supan, Eva, Garten-, Landschafts- und Paradiesmotive im Innenraum. Eine ikonographische Untersuchung, Berlin 1967.

Bosboom-Toussaint, Anna Louisa Gertrude, De bloemschilderes Maria van Oosterwyck, Leiden 1862.

Bots, Hans (Hrsg.), Constantijn Huygens. Zijn Plaats in Geleerd Europa, Amsterdam 1973.

Bott, Gian-Casper, Ein Vanitas-Naturstück von Abraham Mignon als Neuerwerbung im Hessischen Landesmuseum, in: Kunst in Hessen und am Mittelrhein 10, 1970, S. 46–57.

Bottari, Giovanni Gaetano, Raccolta di lettere sulla pittura, scultura ed architettura (...) scritte da più celebri personaggi dei secoli XV, XVI e XVII, 8 Bde., Mailand 1822–25.

Bottari, Stefano, Michelangelo Cagiano de Azevedo und Marco Bussagli, Still-Life, in: Encyclopedia of World Art, New York/Toronto/London, Bd. 13, 1967, Sp. 407-434.

Bouvier, Emile, La bataille réaliste 1844–1857, Paris o.J. (1913).

Bredius, Abraham, Urkunden zur Geschichte der holländischen Kunst des XVIten, XVIIten und XVIIIten Jahrhunderts, 7 Bde., Leiden 1915–1921.

Brom, Gerard, Schilderkunst en litteratuur in de 16e en 17e eeuw. 2. Auflage, Utrecht/Antwerpen 1958.

Brummel, L. (Hrsg.), Sinnepoppen van Roemer Visscher naar de uitgave van 1614 bij Willem Jansz te Amterdam, Den Haag 1949.

Brusati, 1995 (Institut: Diatisch)

Bryson, Norman, Looking at the overlooked: four essays in still life painting, Cambridge, Massachusetts 1990.

Bukdahl, Else Marie, Diderot, Critique d'Art, 2 Bde., Kopenhagen 1980/82.

Burckhardt, Jacob, Über die niederländische Genremalerei, in: Vorträge, hrsg. V. E. Dürr, Berlin/Leipzig 1933, S. 110ff.

Burda, Christa, Das trompe l'oeil in der holländischen Malerei des 17. Jahrhunderts, München 1970 (Diss.).

Bürger, W., s. Thoré, T.

Burke, Edmund, A philosophical inquiry into the origin of our ideas of the sublime and beautiful, London 1757.

Burtin, François-Xavier, de, Traité des connaissances nécessaires aux amateurs de tableaux, Brüssel 1808.

Busch, Werner, Nachahmung als bürgerliches Kunstprinzip, Hildesheim/New York 1977 (Diss.).

Busch, Werner und Wolfgang Beyrodt, Kunsttheorie und Kunstgeschichte des 19. Jahrhunderts in Deutschland, Stuttgart 1982.

Bye, J., Pots and Pans or Studies in Still-Life Painting, Princeton 1921.

Caro, Stefano de, Zwei Gattungen der pompejanischen Malerei: Stilleben und Gartenmalerei, in: Giuseppina Cerulli Irelli u.a. (Hrsg.) Pompejanische Wandmalerei, Stuttgart/Zürich 1990.

Castagnary, Jules-Antoine, Salons. 2 Bde., Paris 1892.

Cennino Cennini, Il Libro d'arte, hrsg. von Franco Brunello, Eintleitung von Licisca Macagnato (Arti e Tecniche. Serie blu, Nr. 2), Vicenza 1982, Neudruck 1993.

Champfleury (Jules-François-Felix Husson), Oeuvres posthumes. Salons 1846–1851, Paris 1894.

Chapeaurouge, Donat de, Das Milieu als Porträt, in: Wallraf-Richartz-Jahrbuch 22, 1960, S. 137–158.

Chapeaurouge, Donat de, Untersuchungen zur Kunst Chardins, Bonn 1953 (Diss.).

Chastel, André, Le Baroque et la mort, in: Rettorica e Barocco. Atti del III Congresso internazionale di studi Humanistici Venezia 1954, Rom 1955, S. 33 ff.

Chesneau, Ernest, L'Art et les artistes modernes en France et en Angleterre, Paris 1864.

Cinotti, Mia, Caravaggio. Tutte le opere, Bergamo 1983.

Claudel, Paul, Introduction à la peinture hollandaise, Paris 1935.

Colie, Rosalie L., Some Thankfulnesse to Constantine, Den Haag 1956.

Comte, H., Nature morte de l'Antiquité à nos jours. La vie silencieuse, Brüssel 1982.

Cornelis, Bart, A reassessement of Arnold Houbraken's Groote Schouburgh, in: Simiolus, Vol. 23, Nr. 2/3, 1995, S. 163–180.

Courthion, Pierre (Hrsg.), Courbet raconté par lui-même et par ses amis, 2 Bde., Genf 1948–1950.

Courthion, Pierre (Hrsg.), Géricault raconté par lui-même et par ses amis, Genf 1947.

Crivelli, Giovanni, Giovanni Brueghel, sue lettere e quadretti, Mailand 1868.

Croisille, Jean-Michel, Les natures mortes campaniennes. Repertoire descriptif des peintures de nature morte du Musée national de Naples, de Pompei, Herculaneum et Stabies, Brüssel 1965.

Cunningham, Charles C., Some Still-Lifes by Eugène Boudin, in: Studies in the History of Art dedicated to W. E. Suida, London 1959, S. 382–392.

Dacos, Nicole, La découverte de la Domus Aurea et la formation des grotesques à la Renaissance (= Studies of the Warburg Institute, Bd. 31), London 1969.

Dacos, Nicole, Le logge di Raffaello. Maestro e bottega di fronte all'antico, Rom 1977.

Dacos, Nicole, und Caterina Furlan, Giovanni da Udine 1487–1561, Udine 1987.

De Logu, Giuseppe, La natura morta italiana, Bergamo 1962.

De Jongh, Eddie, Réalisme et réalisme apparant dans la peinture hollandaise du 17e siècle, in: Ausst.-Kat. Rembrandt et son temps. Brüssel 1971, S. 143–198.

De Jongh, Eddie, The interpretation of still-life paintings: possibilities and limits, in: Ausst.-Kat. Auckland 1981, S. 27-38.

De Pauw-de Veen, Lydia, De Begrippen ëSchilder', ëSchilderij' en ëSchilderen' in de zeventiende Eeuw, Brüssel 1969.

Defoe, Daniel, The Compleat Art of Painting by D.F. Gent, A Poem Translated from the French of M. du Fresnoy, London 1720.

Delacroix, Eugène, Journal, 3 Bde., Paris 1960.

Demetz, Peter, Defenses of Dutch Painting and the Theory of Realism, in: Comperative Literature 15, 1963, S. 97–115.

Denny, Don, Sanchez Cotan »Still-Life with Carrots and a Cardoon«, in: Pantheon 30, 1972, S. 48-53.

Diderot, Denis, ästhetische Schriften, hrsg. von F. Bassenge, 2 Bde., Berlin/Weimar 1968.

Diderot, Denis,. Essai sur la peinture, pour faire suite au Salon de 1765, in: Oeuvres complètes de Diderot, hrsg. von Jules Assézat und Maurice Tourneux, 20 Bde., Paris, 1875–77, bes. Bd. 10 1876, S. 455–520.

Diderot, Denis., Salons, hrsg. von J. Seznec u. J. Adhémar, 4 Bde., Oxford 1957–1967.

Dieckmann, Herbert, Diderot und die Aufklärung, Stuttgart 1972.

Dobai, Johannes, Die Kunstliteratur des Klassizismus und der Romantik in England, 3 Bde., Bern 1974–1977.

Dobai, Johannes (unter Mitarbeit von Katharina Dobai), Die Kunstliteratur des Klassizismus und der Romantik in England, Registerband IV, Bern 1984.

Dolders, Arno, Some Remarks on Lairesse's „Groot schilderboek", in: Simiolus 15, 1985, S. 197–220.
Doran, P. Michael, Gespräche mit Cézanne, Zürich 1982 (Franz. Ausgabe 1978).
Dresdner, Albert, Die Entstehung der Kunstkritik (1915). München 1968.
Dubois, Jean Baptiste, Reflexion critique sur la poésie et sur la peinture, Paris 1747.
Dufresnoy, Charles Alphonse, L'art de peinture traduit en français avec des remarques (...) par Roger de Piles (1668), Paris 1780.
Dufresnoy, Charles Alphonse, De Arte Graphica. The Art of Painting. By C. A. Du Fresnoy. With Remarks. Translated into English, together with an Original Preface Containing A Parallel Betwixt Poetry and Painting. By Mr. Dryden. As also a Short Account of the most Eminent Painters, both Ancient and Modern, continued down to the Present Time according to the Order of their Succession, By another Hand, London 1695.
Dürer, Albrecht, Schriften und Briefe, hrsg. von Ernst Ullmann und Elvira Pradel, Leipzig 1982.
Dürer, Albrecht, Vier Bücher von menschlicher Proportion, Nürnberg: Hieronymus Formschneider für Dürers Witwe, 31.10.1528; Schriftlicher Nachlaß, hrsg. von Hans Rupprich, 3 Bde., Berlin 1956–1969.
Duval, Mathias und E. Cuyer, Histoire de l'anatomie plastique. Les maitres. Les livres. Les échorchés. Paris 1898.
Dvorak, Max und Ludwig Baldass, Ein Stilleben des Beuckelaer oder Betrachtungen über die Entstehung der neuzeitlichen Kabinettmalerei. Aus dem Nachlass von Max Dvorak, hrsg. und erweitert durch eine Studie: Sittenbild und Stilleben im Rahmen des niederländischen Romanismus von Ludwig Baldass, in: Jahrbuch der kunsthistorischen Sammlungen Wien, 36, 1, 1923, S. 1 ff.

Earp, T. W., Flower and Still-Life Painting, London 1928 (= The Studio Special Winter Number 1928).
Eberlein, Kurt Karl, Die deutsche Litterärgeschichte der Kunst im 18. Jahrhundert. Ein Beitrag zur Geschichte der Kunstwissenschaft, Karlsruhe 1919 (Diss.).
Eckstein, Felix, Untersuchungen über die Stilleben aus Pompeji und Herculaneum, Berlin 1957.
Eggers, Friedrich, Die Kunstwissenschaft und die Künstler, in: Deutsches Kunstblatt, 1. Jg. 1850, S. 1ff.
Einem, Herbert von, Goethe-Studien, München 1972 (Collect. Artis Historiae 1).
Eitner, Lorenz E., Neoclassicism and Romanticism 1750–1850. Sources and Documents, 2 Bde., Englewood Cliffs (N.Y.) 1970.
Elles, Iris, Das Stilleben in der französischen Malerei des 19. Jahrhunderts, Zürich 1958 (Diss.).
Emmens, Jan A., »Eins aber ist nötig.« – Zu Inhalt und Bedeutung von Markt- und Küchenstücken des 16. Jahrhunderts, in: Album Amicorum J. G. van Gelder, Den Haag 1973, S. 93–110.
Emmens, Jan A., Rembrandt en de Regels van de Kunst, Utrecht 1968 (= Utrechtse Kunsthistorische Studien 10).
Ertz, Klaus, Jan Brueghel d.Ä. Die Gemälde, Köln 1979.

Faille, Jacob B. de la, The Works of Vincent van Gogh, London 1970.
Faré, Michel, Attrait de la nature morte au XVIIe siècle, in: Gazette des Beaux-Arts 53, 1959, S. 129ff.
Faré, Michel, La Nature Morte en France, son histoire, son évolution, du XVIIe au XXe siècle, 2 Bde., Genf 1962.
Faré, Michel, Le grand siècle de la nature morte en France. Le XVIIe siècle, Fribourg/Paris 1974.
Faré, Michel, De quelques termes désignant la peinture d'objets, in: …tudes d'art français, Festschrift für Charles Sterling, Paris 1975, S. 265ff.
Faré Michel und Fabrice, La vie silencieuse en France. La nature morte au XVIIIe siècle, Freiburg/Schweiz 1976.
Félibien, André (Hrsg.), Conférences de l'Académie Royale de Peinture et de Sculpture pendant l'année 1667, Paris 1668.
Félibien, André, Entretiens sur les vies et sur les ouvrages des plus excellents peintres anciens et modernes, 5 Bde., Paris 1666–1688.
Fidière, Octave, Les femmes artistes à l'Académie Royale de peinture et sculpture, Paris 1885.
Fontaine, André, Les doctrines d'art en France. Peintres, amateurs, critiques de Poussin à Diderot, Paris 1909.

Förster, Richard, Philostratos Gemälde in der Renaissance, in: Jahrbuch der Preußischen Kunstsammlungen 42, 1922, S. 126–136.

Forster 1988, s. Ausst.-Kat. Berlin 1988.

Frankenstein, Alfred After the Hunt. William Harnett and other American Still-Life Painters. 1870–1900, Berkely/Los Angeles 19692.

Fréart de Cambray, Roland de, Idée da la perfection de la peinture, Le Mans 1662.

Friedländer, Max J., Essays über die Landschaftsmalerei und andere Bildgattungen, Den Haag 1947.

Friedreich, Johannes Baptista, Die Symbolik und Mythologie der Natur, Würzburg 1859.

Fromentin, Eugène, Les Maitres d'autrefois (1876), Paris 1972.

Fuchs, Georg, Wilhelm Trübner und sein Werk, München/Leipzig 1908.

Furst, Lilian R., Zola's Art Criticism, in: U. Finke (Hrsg.). French Painting and Literature, Manchester 1972, S. 164–181.

Gammelbo, Poul, Dutch Still-Life Painting from the 16th to the 18th Centuries in Danish Collections, Kopenhagen 1960.

Gasquet, Joachim, Cézanne, Berlin 1930.

Gaucher, Charles-Etienne, Désaveau des artistes, o. O. 1776.

Gauguin, Paul, Correspondance général, hrsg. von M. Malingue, Paris 1946.

Gautier, Théophile, Abécédario du Salon de 1861.

Geelhaar, Christian, Picassos Stilleben „Pains et compotier aux fruits sur une table". Metamorphosen einer Bildidee, in: Pantheon 28, 1970.

Geissler, Joachim, Die Kunsttheorien von Adolf Hildebrand, Wilhelm Trübner und Max Liebermann, Heidelberg 1963 (Diss.).

Gelder, Jan G. van, Van blompot en blomglas, in: Elsevier's geillustreerd maandschrift 1936, S. 73ff., 155ff.

Gerdts, William H., On the Tabletop: Europe and America, in: Art in America 60, 1972, 5, S. 62–69.

Gerson, Horst, Ausbreitung und Nachwirkung der holländischen Malerei des 17. Jahrhunderts, Haarlem 1942.

Gerstenberg, Kurt, Das Bücherstilleben in der Plastik, in: Deutschland - Italien. Festschrift für Wilhelm Waetzoldt, Berlin 1941, S. 135–159.

Gijzen, A., Schilderkunst, Biologie, Voedingsleer en Gastronomie, in: Jaarboek Koninklijk Museum voor Schone Kunsten 1962/63, S. 75–111.

Gilbert, Creighton E., L'arte del Quattrocento nelle Testimonianze coeve, Florenz/Wien 1988.

Gilbert, Creighton E., Grapes, curtains, human beings: the theory of missed Mimesis, in: Künstlerischer Austausch. Akten des 28. Internationalen Kongresses für Kunstgeschichte 1992, Berlin 1993, Bd. 2, S. 413–422.

Gillot, Hubert, La querelle des anciens et modernes en France (1914), Genf 1968.

Goethe, Johann Wolfgang von, Der Sammler und die Seinigen, Goethes Werke, Weimarer Ausgabe, Bd. 47, Weimar 1898.

Goethe, Johann Wolfgang von, Gesammelte Werke. Hamburger Ausgabe Bd. 12, hrsg. von Erich Trunz mit Anm. von Herbert von Einem, München 1953.

Goethe, Johann Wolfgang, Übertragungen, Gesamtausgabe der Werke und Schriften in zweiundzwanzig Bänden, Bd. 14, Stuttgart 1965.

Gogh, Vincent van, Sämtliche Briefe, hrsg. von F. Erpel, 6 Bde., Zürich 1965–1968.

Gohr, Siegfried, Der Kult des Künstlers und der Kunst im 19. Jahrhundert. Zum Bildtyp des Hommage, Köln 1975 (Diss. zur Kunstgeschichte 1).

Gombrich, Ernst Hans, Tradition and Expression in Western Still Life, in: The Burlington Magazine 103, 1961, S. 175–180, wieder abgedruckt in: Meditations on a Hobby Horse, London und New York 1963.

Gombrich, Ernst H., Das Stilleben in der europäischen Kunst, in: Ders., Meditationen über ein Steckenpferd. Von den Wurzeln und Grenzen der Kunst, Wien 1973, TB-Ausg. Frankfurt a.M. 1978, S. 171–188.

Gombrich, Ernst H., Renaissance Artistic Theory and the Development of Landscape Painting, in: Gazette des Beaux-Arts XLI, 1953, S. 335-360, (zu Ehren Hans Tietze), neu abgedruckt als: The Renaissance Theory

of Art and the Rise of Landscape, in: Ders., Norm and Form. Studies in the Art of the Renaissance, London 1966.
Grant, Maurice Harald, Jan van Huysum 1682–1749, Leigh-on-Sea 1954.
Grant, Maurice Harald, Rachel Ruysch 1644–1750, Leigh-on-Sea 1956.
Grassi, Luigi, und Mario Pepe, Dizionario della Critica d'Arte, Turin 1978.
Greindl, Edith, Les peintres flamands de nature morte au XVIIe siècle, Brüssel 1956.
Grimm, Claus, Stilleben. Die niederländischen und deutschen Meister, 2. Aufl., Stuttgart und Zürich 1993.
Grimm, Claus, Stilleben. Die italienischen, spanischen und französischen Meister, Stuttgart und Zürich 1995.
Grimm, Jacob und Wilhelm, Deutsches Wörterbuch, Bd. X, 2.2, Leipzig 1941.
Grisebach, Lucius, Willem Kalf 1619–1693, Berlin 1974 (Diss.).
Grosjean, A., Toward an Interpretation of Pieter Aertsen's Profane Iconography, in: Konsthistorisk Tidskrift 34, Dez. 1974, S. 121–143.
Gwynne-Jones, Allan, Introduction to Still-Life, London 1954.

Hagedorn, Christian Ludwig von, Betrachtungen über die Mahlerey, 2 Bde. Leipzig 1762.
Hagemeister, Karl, Karl Schuchs Leben und seine Werke, Berlin 1913.
Hagsturm, Jean H., The Sister Arts: The Tradition of Literary Pictorialism and English Poetry from Dryden to Gray, Chicago 1958 (2. Aufl. London 1965).
Hahnloser, Hans R., Villard de Honnecourt, Kritische Gesamtausgabe des Bauhüttenbuches ms. 19093 der Pariser Nationalbibliothek, 2. Aufl. Graz 1972.
Haig, Elisabeth, The Floral Symbolism of the Great Masters, London 1913.
Hairs, Marie-Louise, Les spécialistes de la fleur au siècle de Rubens, in: Bulletin Musées Royaux des Beaux-Arts de Belgique 16, 1967, S. 99–110.
Hamilton, George H., Manet and his Critics, New Haven 1954 (2. Aufl. London 1969).
Harris, Lawrence E., The Two Netherlanders: Humphrey Bradley and Cornelis Drebbel, Leiden 1961.
Hartlaub, Gustav F., Zauber des Spiegels, München 1951.
Hartleb, Renate, Das Vanitasstilleben in der Kunst des 20. Jahrhunderts, in: Bildende Kunst 9, 1972, S. 439–441.
Hartog, Gerta, Die Bedeutung des Gegenstandes für die Malerei in der französischen und deutschen Ästhetik 1936 (Diss.), Teildruck Zürich 1950.
Hautecoeur, Louis, Histoire de l'art classique en France, Bd. 6,7. Paris 1955, 1957.
Heilmeyer, Alexander, Über Kleinmalerei, in: Die Kunst unserer Zeit 14, 1, 1903, S. 65 ff.
Helbig, Wolfgang, Untersuchungen über die campanische Wandmalerei, Leipzig 1873.
Hempel, Eberhard, Nicolaus von Cues in seinen Beziehungen zur bildenden Kunst (= Berichte über die Verhandlungen der Sächsischen Akademie der Wissenschaften. Phil.-hist. Klasse C, Nr. 3), Berlin 1953.
Herbert, Zbigniew, Stilleben mit Kandare, Frankfurt 1994.
Hering, Karl Heinz, Die Silberschmiedegefäße auf niederländischen Stilleben des 17. Jahrhunderts, Berlin 1955 (Diss.).
Heuck, Ellen, Die Farbe in der französischen Kunsttheorie des 17. Jahrhunderts, Straßburg 1929 (Diss.).
Hirsch, Anton, Die bildenden Künstlerinnen der Neuzeit, Stuttgart 1905.
Hoffmann, Konrad, Zu van Goghs Sonnenblumenbildern, in: Zeitschrift für Kunstgeschichte 31, 1968, S. 27–58.
Hofstede de Groot, Cornelius, Arnold Houbraken und seine Groote Schouburgh (...) kritisch beleuchtet, Den Haag 1893.
Hoog, Michel, La promotion de la nature morte au XIXe siècle, in: La Nature morte, Bulletin de la Société des Amis du Musée des Beaux-Arts de Rennes, Numéro spécial 1987, S. 56–63.
Hoogstraten, Samuel van, Inleyding tot de Hooge Schoole der Schilderkonst. Anders de Zichtbaere Werelt. Verdeelt in negen Leerwinkels, yder bestiert door eene der Zanggodinnen, Rotterdam 1678.
Horn-Prickartz, P., Die Entwicklung der Blumenmalerei bis zur Entstehung des Blumenstillebens, Göttingen 1948 (Diss.).

Houbraken, Arnold, De groote Schouburgh der Nederlantsche Konstschilders en schilderessen, Amsterdam 1718–1721, 2. Aufl. s'Gravenhage 1753.
Houssaye, Arsène, Les peintres du laid, in: L'Artiste, 29. Jg., 1859, S. 97 ff.
Humbert, Agnès, Les Nabis et leur époque, Genf 1954.
Humbert, E. u.a., La vie et les oeuvres de Jean-Etienne Liotard, Amsterdam 1897.
Huysmans, Joris-K., L'Art moderne, Paris 1883.

Immel, Ute, Die deutsche Genremalerei im 19. Jahrhundert, Heidelberg 1967 (Diss.).

Jamot, Paul und Georges Wildenstein, Edouard Manet, 2 Bde., Paris 1932.
John, Barbara, Stilleben in Italien: Die Anfänge der Bildgattung im 14. Und 15. Jahrhundert, (Diss.) Bonn 1991, Frankfurt a.M. 1991 (= Europäische Hochschulschriften: Reihe 28, Kunstgeschichte; Bd.132).
Jones, Pamela M., Federico Borromeo and the Ambrosiana. Art Patronage and Reform in the 17th Century Milan, Cambridge 1993.
Jones, Pamela M., Federico Borromeo as a Patron of Landscape and Still Lifes: Christian Optimism in Italy ca. 1600, in: Art Bulletin, 70, 1988, S. 261–272.
Jowell, Frances Suzman, Thoré-Bürger and the Revival of Frans Hals, in: The Art Bulletin 56, 1974, S. 101–117.
Junius, Franciscus, The Painting of the Ancients, De Pictura Veterum, according to the English translation (1638), hrsg. von Keith Aldrich, Philipp Fehl und Raina Fehl, Berkley Calif. u.a. 1991. Dt. Ausgabe, Breslau 1770.
Justi, Ludwig, Edouard Manet: Fliederstraufl, in: Deutsche Malkunst im neunzehnten Jahrhundert. Ein Führer durch die Nationalgalerie. Berlin 1920, S. 237 ff.

Kan, Albert H., De Jeugd van Constantijn Huygens door hemself beschreven, Rotterdam 1971, (Antwerpen 1946).
Kathke, Petra, Porträt und Accessoire. Eine Bildnisform im 16. Jahrhundert, Berlin 1995 (Diss.).
Kauffmann, Georg, Studien zum groflen Malerbuch des Gérard de Lairesse, in: Jahrbuch für Ästhetik und allgemeine Kunstwissenschaften 3, 1955/57, S. 153–196
Kauffmann, Thomas da Costa, und Anthony Grafton, Holland without Huizinga: Dutch Visual Culture in the Seventeenth Century, in: Journal of Interdisciplinary History XVI,2, Herbst 1985, S. 255–265
Kemmer, Claus, Alain Roy, Gérard de Lairesse 1640–1711, in: Simiolus, Vol. 23, Nr. 2/3, 1995, S. 186–196.
Kempter, Georg F., Dokumente zur französischen und deutschen Malerei in der ersten Hälfte des 19. Jahrhunderts, Stuttgart 1968 (Diss.).
Keyselitz, R., Genre und Stilleben als Sinnbild der holländischen Malerei des siebzehnten Jahrhunderts, in: Alte und moderne Kunst 74, 1964, S. 16–19.
Kitschen, Friederike, Cézanne. Stilleben, Ostfildern-Ruit bei Stuttgart 1995
Kluckhohn, Paul, Das Ideengut der deutschen Romantik, Tübingen, 4. Auflage 1961.
Kluge, Friedrich, Etymologisches Wörterbuch der deutschen Sprache, 20. Auflage, hrsg. von Walter Mitzka, Berlin 1967.
Knabe, Peter-Eckhard, Schlüsselbegriffe des kunsttheoretischen Denkens in Frankreich von der Spätklassik bis zum Ende der Aufklärung, Düsseldorf 1972 (Diss.).
Kris, Ernst und Otto Kurz, Die Legende vom Künstler, Wien 1934.
Kügelgen, Wilhelm von, Erinnerungen 1802–1867, 3 Bde., Leipzig 1923–1925.
Kunst und Antiquitäten, Heft Ω, 1993: Von irdischer Vergänglichkeit: Stilleben.

Ladendorf, Heinz, Die Motivkunde und die Malerei des 19. Jahrhunderts, in: Festschrift Eduard Trautscholdt, Hamburg 1965, S. 173 ff.
Lagrange, Jacques, Du rang des femmes dans les arts, in: Gazette des Beaux-Arts 1860, S. 30 ff.
Lairesse, Gérard de, Het Groot Schilderboek, Amsterdam 1707; dt. Nürnberg 1728-30.

Lairesse, Gérard de, Le Grand Livre des peintres d'art ou l'art de la peinture considéré dans toutes ses parties, Paris 1787.
Langner, Johannes, Figur und Saiteninstrument bei Picasso. Ein Bildthema im Kubismus, in: Pantheon 40, 1982, S. 98 ff.
Langner, Johannes, Jolie Eva. Stilleben statt Porträt, in: Kunst um 1800 und die Folgen. Werner Hofmann zu Ehren, hrsg. von Christian Beutler,Peter-Klaus Schuster und Martin Warnke, München 1988, S. 352–359.
Larousse, Grand dictionaire universel du XIXe siècle par Pierre Larousse. 17 Bde., 2 Suppl., Paris 1865–1890.
Lauts, Jan, Stilleben alter Meister. I. Niederländer und Deutsche (= Bilderhefte d. Staatl. Kunsthalle Karlsruhe 6), Karlsruhe 1969.
Lauts, Jan, Stilleben alter Meister. II. Franzosen (= Bilderhefte d. Staatl. Kunsthalle Karlsruhe 7, Karlsruhe 1970.
Laviron, G. u. B. Galbacio, Le Salon de 1833, Paris 1833.
Le Robert, Dictionnaire Historique de la langue française, Paris 1993.
Lee, Rensselaer W., Ut pictura poesis. The Humanistic Theory of Painting (1940). New York 1967.
Leslie, Charles Robert (Hrsg.), Memoirs of the Life of John Constable, London 1961.
Lexikon der Kunst, Architektur, Bildende Kunst, Angewandte Kunst, Industrieformgestaltung, Kunsttheorie, hrsg. von Ludger Alscher, Günter Feist u.a., Leipzig 1968–1978
Lichtwark, Alfred, Blumenkultus. Wilde Blumen, Dresden 1897.
Lichtwark, Alfred, Makartbouquet und Blumenstrauß, München 1894.
Liebermann, Max, Gesammelte Schriften, Berlin 1922.
Lionardo da Vinci, Das Buch von der Malerei. Deutsche Ausgabe nach dem Codex Vaticanus 1270, übers. usw. von Heinrich Ludwig 1882 (= Quellenschriften für Kunstgeschichte... XVIII), Neudruck 1970.
Liotard, Jean Etienne, Traité des Principes et des Règles de la Peinture, Genf 1781, in: E. Humbert u.a., La vie et les oeuvres de Jean Etienne Liotard, Amsterdam 1897, S. 51ff.
Logu, Giuseppe de, Natura morta italiana, Bergamo 1962.
Loir-Mongazon, A., Fleurs et peinture de fleurs, Paris 1885.
Longhi, Roberto, Un momento importante nella storia della „Natura Morta", in: Paragone 1, 1950, S. 34–39.
Lützeler, Heinrich, Kunsterfahrung und Kunstwissenschaft, Bd.2, Freiburg/München 1975.

Malvasia, Carlo Cesare, Felsina pittrice, Vite de'Pittori Bolognesi, Bologna 1678, hrsg. von G. P. Zanotti, 1841.
Malz, J.A., Zum Sprachgebrauch des 18. Jahrhunderts, in: Friedrich Kluge (Hrsg.), Zeitschrift für deutsche Wortforschung 12, 1910, S. 173–199.
Mander, Carel van, Het Leven der Doorluchtighe Nederlandtsche en Hooghduytsche Schilders (1617), hrsg. von H. Floerke (= Kunstgesch. Studien 4), 2 Bde., München/Leipzig 1906.
Mantz, Paul, Salon de 1863, in: Gazette des Beaux-Arts 1863, 2, S. 32–64.
Marini, Maurizio, Michelangelo da Caravaggio, Rom 1974.
Marmottan, Paul, L'école française de peinture 1789–1830, Paris 1886.
Mc Coubrey, John W., The Revival of Chardin in French Still-Life Painting, 1850–1870, in: The Art Bulletin 46, 1964, S. 39-55.
Mecklenburg, Carl Gregor Herzog von, Flämische Jagdstücke von Frans Snyders und Jan Fyt (= Die Jagd in der Kunst 7), Hamburg/Berlin 1970.
Meier-Graefe, Julius, Entwicklungsgeschichte der modernen Kunst. Ein Beitrag zur modernen Ästhetik (1904), 3 Bde., München 1927.
Mengs, Anton Ralph, Anton Raphael Mengs's Sämmtliche hinterlassene Schriften [...], hrsg. von G. Schilling. 2 Bde. Bonn 1843/44.
Menzel, Carl August, Versuch einer Darstellung der Kunst-Sinnbilder insofern sie der jetzigen Zeit angemessen sind, Berlin/Posen/Bromberg 1840.
Menzel, Wolfgang, Christliche Symbolik, 2 Bde., Regensburg 1854.
Meulen, R. van der, u.a., Groot Woordenboek der Nederlandsch Taal, 12. Ausgabe, Utrecht und Antwerpen 1992.

Meyer, Heinrich, Kleine Schriften zur Kunst (= Deutsche Literaturdenkmale des 18. und 19. Jahrhunderts 25), Heilbronn 1886.

Meyer, J., Geschichte der modernen französischen Malerei seit 1789, zugleich in ihrem Verhältnis zum politischen Leben, zur Gesittung und zur Literatur, Leipzig 1867.

Meyer Schapiro, s. Schapiro, M.

Miedema, Hessel, Kunst, Kunstenaar en Kunstwerk bij Karel van Mander. Een Analyse van zijn Levensbeschrijvingen, Alphen a.R. 1981.

Millin, Aubin Louis, Dictionnaire des Beaux-Arts, 3 Bde., Paris 1806.

Milman, Miryam, The Illusion of Reality, Trompe-l'oeil Painting, Genf 1982.

Mirimonde, Albert P. de, Musique et symbolisme chez Jan-Davidszoon de Heem, Cornelis-Janszoon et Jan II Janszoon de Heem, in: Jaarboek Koninklijk Museum voor Schone Kunsten 1970, S. 241–296.

Mirimonde, Albert P. de, Une nature morte énigmatique de Paolo Porpora au Musée du Louvre, in: La Revue du Louvre et des Musées de France 20, 1970, S. 145–154.

Mitchell, Peter, European Flower Painters, London 1973.

Moffet, Konworth, Meier-Graefe as an Art Critic (= Stud. zur Kunst des 19. Jahrhunderts 19), München 1973.

Möller, Lieselotte, Anatomia. Memento Mori, in: Nederlands Kunsthistorisch Jaarboek 10, 1959, S. 71-98.

Montias, John M., Artists and Artisans in Delft, Princeton 1982.

Moreau-Nélaton, Etienne, Bonvin raconté par lui-même, Paris 1927.

Moreau-Nélaton, Etienne., Manet raconté par lui-même, Paris 1926.

Moxey, P. Keith F., Erasmus and the iconography of Pieter Aertsen's Christ in the House of Martha and Mary in the Boymans-van-Beuningen Museum, in: The Journal of the Warburg and Courtauld Institute 34, 1971, S. 335 ff.

Mras, George P., A Game Piece by Eugène Delacroix, in: Record of the Art Museum Princeton University 18, 1958, S. 65–75.

Mras, George P., Delacroix's Theory of Art, Princeton 1966.

Mras, George P., Ut pictura musica: A Study of Delacroix's Paragone, in: The Art Bulletin 45, 1963, S. 266–271.

Müller von Königswinter, W., Düsseldorfer Künstler in den letzten fünfundzwanzig Jahren, Leipzig 1854.

Müller, Michael, Horst Bredekamp, u.a., Autonomie der Kunst. Zur Genese und Kritik einer bürgerlicher Kategorie, Frankfurt 1972

Müller, Wolfgang J., Der Maler Georg Flegel und die Anfänge des Stillebens, Frankfurt am Main 1956 (Diss.).

Mustoxidi, T. M., Histoire de l'esthétique française 1700–1900, Paris 1920.

Muther, Richard, Geschichte der Malerei im 19. Jahrhundert, 3 Bde., München 1893–94.

Nagler, Georg K., Neues allgemeines Künstlerlexikon, 22 Bde., München 1835 ff.

Niewöhner, Heinrich, Einfache Nachahmung der Natur, Manier und Stil. Grundbegriffe der Poetik und Ästhetik (= Europäische Hochschulschriften, Reihe 1, Deutsche Sprache und Literatur, Bd. 1219), Frankfurt a. M. u. a. 1991.

Nissen, Claus, Botanische Prachtwerke. Die Blütezeit der Pflanzenillustration von 1740 bis 1840, Wien 1933.

Nissen, Claus, Die botanische Buchillustration. Ihre Geschichte und Bibliographie, 3 Bde., Stuttgart 1951, 1966.

Nochlin, Linda, Impressionism and Post-Impressionism. 1874–1904. Sources and Documents, Englewood Cliffs 1966.

Nordenfalk, Carl, Van Gogh and Literature, in: Journal of the Warburg and Courtauld Institute 10, 1947, S. 132–147.

Nowald, Karlheinz, Carl Gustav Carus. Malerstube im Mondschein. (1826) (= Schriften der Kunsthalle Kiel 2), Kiel 1973.

Oertel, Robert, Die Vergänglichkeit der Künste. Ein Vanitasstilleben von Salvator Rosa, in: Münchner Jahrbuch für bildende Kunst 14, 1964, S. 105ff.

Ost, Hans, Einsiedler und Mönche in der deutschen Malerei des 19. Jahrhunderts (= Bonner Beiträge zur Kunstwissenschaft 11), Düsseldorf 1971.

Osten, Gerd von der, Manets Spargelbündel bei Liebermann, jetzt in Köln, in: Wallraf-Richartz-Jahrbuch 31, 1969, S. 135–148.

Osten, Gerd von der, Nachtrag zu: Manets Spargelbündel, in: Wallraf-Richartz-Jahrbuch 33, 1971, S. 253–258.

Ovid (= Publius Ovidus Naso), Metamorphosen, hrsg. von Erich Rösch, München 1961.

Pacheco, Francisco, Arte de la Pintura (1638), hrsg. und erl. von F. J. Sanchez Canton, 2 Bde., Madrid 1956.

Paleotti, Gabriele, Discorso intorno alle immagine, Bologna 1582.

Panofsky, Erwin, Idea. Ein Beitrag zur Begriffsgeschichte der älteren Kunsttheorie (= Studien der Bibliothek Warburg 5), Berlin/Leipzig 1924.

Panofsky, Erwin, Albrecht Dürer, Princeton 1951.

Panofsky, Erwin, Early Netherlandish Painting. Its Origins and Character, Cambridge (Mass.) 1953.

Pauli, Gustav, Max Liebermann. Des Meisters Gemälde (= Klassiker der Kunst), Stuttgart/Leipzig 1911.

Pauw-de Veen, Lydia de, De Begrippen Schilder, Schilderey en Schilderen en de zeventiende eeuw (= Verh. van de Kon. Vlaamse Academie vor Wetenschappen, Letteren en Schone Kunsten van Belgie 31, No. 22), Brüssel 1969.

Pavière, Sidney H., A Dictionary of Flower, Fruit and Still Life Painters, 4 Bde. (1, 2, 3.1.2), Leigh-on-Sea 1962 ff.

Pavière, Sidney H., Floral Art. Great Masters of Flower Painting, Leigh-on-Sea 1965.

Pecht, Friedrich, Aus dem Münchner Glaspalast. Studien zur Orientierung inner und aufler demselben während der Kunst- und Industrieausstellung des Jahres 1876, Stuttgart 1876.

Pecht, Friedrich, Deutsche Künstler des neunzehnten Jahrhunderts. Studien und Erinnerungen, 3 Bde., Nördlingen 1877–1881.

Pellecier, L., La nature morte moralisée et l'anatomie aux XVIIe siècle, in: Information d'Histoire de l'Art 14, 1969, S. 237–239.

Pernety, Antoine Joseph, Dictionnaire portatif de peinture, sculpture et gravure, Paris 1757.

Pevsner, Nikolaus, Academies in Past and Present, London 1940.

Pevsner, Nikolaus, Gemeinschaftsideale unter den bildenden Künstlern des 19. Jahrhunderts, in: Deutsche Vierteljahrsschrift für Literaturwissenschaft und Geistesgeschichte 9, 1931, S. 125 ff.

Pfau, Ludwig, Kunst und Kritik, Bd. 1, Stuttgart 1888.

Philippovich, Eugen von, Quodlibets - eine Abart des Stillebens, in: Alte und moderne Kunst 11, 1966, S. 20 ff.

Philostratos, Eikones, übers. und erl. von Otto Schönberger, München 1968.

Piana, Annalisa Bistot, Giovanni da Udine, in: Arte Veneta XLII, 1988, S. 183–185.

Piccola enciclopedia Hoepli, hrsg. von G. Garotto, Mailand 1892–1895.

Pieper, Paul, Ludger Tom Ring d.J. und die Anfänge des Stillebens, in: Münchner Jahrbuch der bildenden Kunst, 15, 1964, S. 113–122.

Pigler, Andor, Portraying the Dead, in: Acta Historiae Artium 4, 1957, S. 1–75.

Piles, Roger de, L'idée du peintre parfait. Pour servir de règle aux jugemens que l'on doit porter sur les ouvrages des peintres, London 1707.

Piles, Roger de, Cours de peinture par principe, Paris 1708.

Piles, Roger de, Abrégé de la vie des peintres, avec des reflexions sur leurs ouvrages, et un traité du peintre parfait, de la connoissance des desseins, de l'utilité des estampes, Paris 1699; 2. verb. Auflage, Paris 1715.

Plinius d. Ä., Naturalis Historia, Lat.-dt., übers. von R. König, Darmstadt 1978.

Pochat, Götz, Geschichte der Ästhetik und Kunsttheorie von der Antike bis zum 19. Jahrhundert, Köln 1986.

Popham, Arthur Ewart, Jacopo de'Barbari. Study of a Dead Grey Partridge, in: The Vasari Society. Second Series IX, 1928.

Popper-Voskuil, Naomi, Selfportraiture and Vanitas Still-Life Painting in 17th Centura Holland in Reference to David Bailly's Vanitas Oeuvre, in: Pantheon 31, 1973, S. 58-74.

Posèq, Avigdor W.G., Bacchic Themes in Caravaggio's Juvenile Works, in: Gazette des Beaux-Arts 115, 1990, S. 113–121.

Praz, Mario, Die Inneneinrichtung. Von der Antike bis zum Jugendstil, München 1965.

Quast, Rudolf, Studien zur Geschichte der deutschen Kunstkritik in der zweiten Hälfte des neunzehnten Jahrhunderts, München 1936 (Diss.).

Quatremère de Quincy, Antoine-Crysostome, Considérations morales sur la destination des ouvrages de l'art, Paris 1815.

Quatremère de Quincy, Antoine-Crysostome, Essai sur la nature. le but et le moyens de l'imitation dans les beaux-arts, Paris 1823.

Ramdohr, Friedrich Wilhelm Basilius von, Charis oder über das Schöne und die Schönheit in den nachbildenden Künsten, Leipzig 1793.

Reinach, Adolphe, Recueil Milliet. Textes grecs et latins relatifs à l'histoire de la peinture ancienne, Paris 1921.

Rewald, John, Cézanne. The Watercolours. A Catalogue Raisonné, London 1983.

Reynolds, Sir Joshua, Discourses on Art, London 1771, hrsg. von Robert R. Wark, New Haven 1981.

Riegel, Herman, Grundriß der bildenden Künste, Hannover 1870.

Riemsdijk, B.W.F. van, Een schilderstuk van Johannes Torrentius, in: Festbundel Abraham Bredius, Amsterdam 1917.

Riss, L., Die Blumenbindekunst. Anordnung lebender Blumen zu Sträußen, Kränzen und plastischen Blumenbildern, Berlin 1893.

Ritter, Joachim (Hrsg.), Historisches Wörterbuch der Philosophie, Basel/Stuttgart 1971ff.

Rivière, Jean, La Nature Morte des Pays-Bas. Du Mythe à la Réalité, in: La Nature Morte, Bulletin de la Société des Amis du Musée des Beaux-Arts de Rennes 5, Rennes 1987, S. 27–42.

Robels, Hella, Frans Syders' Entwicklung als Stillebenmaler, in: Wallraf Richartz-Jahrbuch 31, 1969, S. 43–94.

Robels, Hella, Frans Snyders: Stilleben- und Tiermaler; 1579–1657, München 1989.

Roh, Franz, Der verkannte Künstler. Studien zur Geschichte und Theorie des kulturellen Mißverstehens, München 1948.

Roscam Abbing, Michiel, De schilder & schrijver Samuel van Hoogstraeten. 1627–1678. Eigentijdse bronnen & oeuvre van gesigneerde schilderijen, Leiden 1993.

Rosenkranz, Karl, Die Aesthetik des Häßlichen, Königsberg 1853.

Roskill, Mark W, Van Gogh, Gauguin and the Impressionist Circle, London o. J. (1969).

Rouveret, Agnès, Remarques sur les peintures de nature morte antiques, in: La Nature Morte, Bulletin de la Société des Amis du Musée des Beaux-Arts de Rennes 5, Rennes 1987, S.11–25.

Roy, Alain, Gérard de Lairesse, Paris 1992.

Rubin, William (Hrsg.), Pablo Picasso. Retrospektive im Museum of Modern Art, New York, dt. Ausg. München 1980.

Rudolph, Herbert, Vanitas. Die Bedeutung mittelalterlicher und humanistischer Bildinhalte in der niederländischen Malerei, in: Festschrift Wilhelm Pinder, Leipzig 1938, S. 405–433.

Ruhmer, Eberhard, Adolf Senff, der Raffael der Blumen, in: Die Kunst und das schöne Heim 58, 1960, S. 446–450.

Saint Girons, Baldine, Esthétiques du XVIIIe siècle. Le Modèle français, Paris 1990.

Sandrart, Joachim von, L'Academia Todesca della Architectura Scultura et Pictura: Oder Teutsche Academie der Edlen Bau- Bild- und Mahlerey-Künste, Nürnberg 1675; neu unter Joachim von Sandrarts Academie der Bau-, Bild und Malerey-Künste von 1675. Leben der berühmten Maler, Bildhauer und Baumeister, hrsg. von A.R. Peltzer, München 1925.

Satkowski, Leon, Giorgio Vasari. Architect and Courtier, Princeton 1993.

Schadow, Johann Gottfried, Kunstwerke und Kunstansichten, Berlin 1849.

Schapiro, Meyer, The Apples of Cézanne. An Essay of the Meaning of Still-life in the Avantgarde, in: Art News

Annual XXXIV, 1965, S. 34–53; auch abgedruckt in ders., Modern Art. 19th and 20th Centuries, London 1978, S. 1–45; auch als: ders., Les Pommes de Cézanne, in: Revue de l'Art 1, 1968, S. 72-87.

Schapiro, Meyer, The Still-Life as a Personal Object. A Note on Heidegger and van Gogh, in: The Reach of Mind: Essays in the Memory fo Kurt Goldstein 1878–1965. New York 1967, S. 203–209.

Scheffler, Karl, Das lachende Atelier. Künstleranekdoten, Wien 1943.

Scheller, Robert, A Survey of Medieval Model Books, Haarlem 1963.

Schlosser, Julius, Die Kunstliteratur der neueren Kunstgeschichte. Ein Handbuch zur Quellenkunde, Wien 1924.

Schmidt, Leopold, Bank und Stuhl und Thron, in: Antaios 12, 1971, S. 85–103.

Schmied, Wieland, Neue Sachlichkeit und magischer Realismus in Deutschland 1918–1933, Hannover 1969.

Schmit, Robert, Eugène Boudin 1824–1878, 3 Bde., Paris 1973.

Schmoll, Josef A. gen. Eisenwerth, Fensterbilder. Motivketten in der europäischen Malerei, in: L. Grote (Hrsg.), Beiträge zur Motivkunde (= Studien zur Kunst des 19. Jahrhunderts 6), München 1970.

Schnaase, Karl, Niederländische Briefe, Stuttgart/Tübingen 1834.

Schneider, Bruno, Der Impressionismus im Urteil der deutschen Kunstliteratur, Bonn 1950 (Diss.).

Schneider, Norbert, Stilleben. Realität und Symbolik der Dinge. Die Stillebenmalerei der frühen Neuzeit, Köln 1989.

Schön, Christiane, Jacopo de'Barbaris Rebhuhn mit Eisenhandschuhen und Armbrustbolzen, Berlin 1995 (Magisterarbeit, FU).

Schultze, J., Maurice Denis: Hommage à Cézanne, in: Niederdeutsche Beiträge zur Kunstgeschichte 12, 1973, S. 69–78.

Schulz, Günther, Friedrich Wilhelm Basilius von Ramdohr, in: Goethe-Jahrbuch 20, 1958, S. 140–154.

Schumann, W., Vom Aussagewert des Stillebens, in: Bildende Kunst 1973 (3), S. 71ff.

Segal, Sam, The Flower Pieces of Roelandt Savery, in: Leids Kunsthist. Jaarboek, 1, 1982, S. 309–337.

Segal, Sam, Die Entstehung der Stillebentradition im Hinblick auf Dürer, in: Albrecht Dürer und die Tier- und Pflanzenstudien der Renaissance – Symposium, hrsg. von Fritz Koreny (= Jahrbuch der Kunsthistorischen Sammlungen in Wien, Bd. 82/83, N.F. XLVI–XLVII), 1986/87.

Segal, Sam, A prosperous past. The sumptuous still life in the Netherlands 1600–1700, Den Haag 1988.

Segal, Sam, Flowers and Nature, Den Haag 1990.

Sengle, Friedrich, Biedermeierzeit. Deutsche Literatur im Spannungfeld zwischen Restauration und Revolution 1815–1848, 2 Bde., Stuttgart 1971-72.

Shaftesbury, Anthony Earl of, Second Characters or The Language of Forms, hrsg. von Benjamin Rand, Cambridge 1914.

Silver, Larry, The Paintings of Quinten Massys, Oxford 1984.

Silvestre, Théophile, Les artistes françaises. Etude d'après la nature, Paris 1848.

Simches, Seymour O., Le Romantisme et le goût esthétique du XVIIIe siècle, Paris 1964.

Sjöblom, Axel, Die koloristische Entwicklung des niederländischen Stillebens im 17. Jahrhundert, Würzburg 1917 (Diss.).

Sloane, Joseph C., French Painting between Past and Present. Artists, Critics and Tradition from 1848 to 1870, Princeton 1951.

Sluijter, Eric J., De lof der schilderkunst. Over schilderijen van Gerrit Dou (1613–1675) en een traktaat van Philips Angel uit 1642, Hilversum 1993.

Solmsen, F., Nature as Craftsman in Greek Thought, in: Kleine Schriften I, Hildesheim 1968, S. 332–355.

Sterling, Charles, La nature morte de l'antiquité à nos jours, 2. Aufl. Paris 1959; engl. Ausgabe: Still Life. From Antiquity to the Twentieth Century, New York 1981; 3. Aufl. der frz. Ausgabe Paris 1985.

Sternberger, Dolf, Panorama oder Ansichten vom 19. Jahrhundert, Hamburg 19663.

Stoichita, Victor I., L'instauration du tableau, Métapeinture à l'aube des Temps modernes, Paris 1993.

Stübel, Moritz, Chr. L. von Hagedorn. Ein Diplomant und Sammler des 18. Jahrhunderts, Leipzig 1912.

Sulzberger, Suzanne, La nature morte, son évolution depuis l'Antiquité jusqu'à la fin de la Renaissance, Brüssel 1945 (Diss.).

Sulzer, Johann Georg, Allgemeine Theorie der schönen Künste (...) Neue vermehrte 2. Auflage, 4 Bde., Leipzig 1792–1794.

Swarzenski, Hanus, Caravaggio and Still-Life Painting. Notes on a Recent Acquisition, in: Bulletin of the Museum of Fine Arts Boston 52, 1954, S. 22–38.

Tarbarant, A., Manet et ses oeuvres, Paris 1947.

Ten Doesschate-Chu, Petra, French Realism and the Dutch Masters, Utrecht 1974.

Tenschert, Heribert, Botanik & Zoologie. Illustrierte Bücher und farbige Tafelwerke von 1485–1885 (= Katalog 34 & 35), Rotthalmünster 1995.

Thoré, Etienne Joseph Théophile (Pseud. W. Bürger), Musées de la Hollande, 1860.

Thoré, Etienne Joseph Théophile, Salons de T. Thoré. 1844, 1845, 1846, 1847, 1848, avec une préface par W. Bürger. Paris 1868.

Thoré, Etienne Joseph Théophile, Salons de W. Bürger. 1861–1868, avec une préface par T. Thoré. 2 Bde. Paris 1870.

Thoré, Etienne Joseph Théophile (Pseud. W. Bürger), Les Salons, Paris 1893.

Thoré, Etienne Joseph Théophile, W. Bürger's Kunstkritik, deutsche Bearbeitung von A. Schmarsow und B. Klemm, 3 Bde., Leipzig 1908–1911.

Tolnay, Charles de, Les origines de la Nature Morte moderne, in: La revue des arts 2, 1952, S. 151–152.

Tolnay, Charles de, Notes sur les origines de la nature morte, in: La revue des arts 3, 1953, S. 66–67.

Tolnay, Charles de, Postilla sulle origini della natura morta moderna, in: Rivista d'arte, XXXVI, 1961-62, S. 3–10.

Trivas, N.S., Les natures mortes de Liotard, in: Gazette des Beaux-Arts 15, 1936, S. 307–310.

Trübner, Wilhelm, Personalien und Prinzipien, Berlin 1918.

Tuin, H. van der, Les vieux peintres des Pays-Bas, et la critique artistique en France de la première moitié du XIXe siècle, Paris 1948.

Van Asperen de Boer, Johan R. J, Rogier van der Weyden and the Master of Flémalle (= Nederlandsch Kunsthistorisch Jaerboek 1992), S. 96–116.

Vasari, Giorgio, Le Vite de'piû eccellenti pittori, scultori ed architettori, hrsg. von Gaetano Milanesi, 9 Bde., Florenz 1878–1885.

Venturi, Lionello, Cézanne. Son art et son oeuvre, 2 Bde., Paris 1936.

Venturi, Lionello, Les Archives de l'impressionisme, 2 Bde., New York 1939.

Venturi, Lionello, Storia della Critica dell'Arte, 3. Aufl. Turin 1964; deutsch: Geschichte der Kunstkritik, München 1972.

Vigénère, Blaise de, Les Images, ou Tableaux de platte peinture des deux Philostrates, (...) et les Statues de Callistrate, mis en françois par Blaise de Vigénère, (...) enrichis d'arguments et d'annotations, reveus et corrigez sur l'original par un docte personnage de ce temps en la langue grecque (...) avec des épigrammes sur chacun d'iceux, par Artus Thomas, sieur d'Embry, Paris 1614.

Villani, Filippo, Vite d'illustri fiorentini, in: Giovanni, Matteo e Filippo Villani, Croniche (= Biblioteca classica italiana, hrsg. von A. Racheli, Nr. 21), 3 Bde., Triest 1857–1860.

Vischer, Bodo, La transformacion en dios. Zu den Stilleben von Juan Sánchez Cotón, in: Zeitschrift für Ästhetek und allgemeine Kunstwissenschaft, 38, 1993, 269–308.

Vitruvius, De architectura, übers. von Curt Fensterbusch, Darmstadt 1981.

Vorenkamp, Alphonsus Petrus Antonius, Bijdrage tot de geschiedenis van het hollandsch stilleven in de zeventiende eeuw, Leiden 1933 (Diss).

Vos, Jan, Alle de gedichten van den poeet Jan Vos, hrsg. von J. Lescaille, Amsterdam 1662.

Vroom, Nicolaas Rudolph Alexander, De schilders van het monochrome banketje, Amsterdam 1945.

Waagen, Gustav-Friedrich, Verzeichnis der Gemälde-Sammlung des verstorbenen J. H. W. Wegener, welche durch letzwillige Bestimmung in den Besitz s. M. des Königs übergegangen ist (1861), Berlin 1871.

Waetzoldt, Wilhelm, Das Blumenstück, in: Westermanns Monatshefte 112, 2, 1912, S. 699–708.
Waetzoldt, Wilhelm, Deutsche Kunsthistoriker, 2 Bde., Leipzig 1921, 1924.
Walpole, Horace, Anecdotes of Painting in England, Bd. III, London 1786.
Wartburg, Walter von, Französisches Etymologisches Wörterbuch, 3. Bd. Tübingen 1949.
Watelet, Claude Henri u. Pierre Charles. Levesque, Dictionaire des arts de peinture, sculpture et gravure, 5 Bde., Paris 1792.
Weber, Gregor J.M., Der Lobtopos des »lebenden« Bildes. Jan Vos und sein »Zeege der Schilderkunst« von 1654, Hildesheim u.a. 1991 (Diss).
Weise, Adam, Grundlage zu der Lehre von den verschiedenen Gattungen der Malerei, Halle/Leipzig 1823.
Wescher, Herta, Die Collage, Köln 1968.
Wheelock, Arthur, Constantijn Huygens and Early Attitudes towards the Camera Obscura, in: History of Photography 1, Nr. 2, 1977, S., 101ff.
Wiecker, Rolf, Das Schicksal der Hagedornschen Gemäldesammlung. (= Text und Kontext, Sonderreihe Bd. 32), Kopenhagen/München 1993.
Wilberg-Vignau-Schuurman, Thea A.G., Die Emblematischen Elemente im Werke Joris Hoefnagels, 2 Bde., Leiden 1969.
Wilcox, John, The Beginnings of L'Art pour L'Art, in: Journal of Aesthetics and Art Criticism 11, 1952, S. 360–377.
Wildenstein, Georges, Chardin (1933), Zürich, 2. Auflage 1963.
Winckelmann, Johann Joachim, Kleine Schriften und Briefe, hrsg. von Wilhelm Senff. Weimar 1960.
Winner, Matthias, Gemalte Kunsttheorie. Zu Gustave Courbets Allégorie réelle und der Tradition, in: Jahrbuch d. Berliner Museen 4, 1962, S. 151–185.
Winner, Matthias, Ekphrasis bei Vasari, in: Beschreibungskunst - Kunstbeschreibung 1995, S. 259–278.
Wipper, B., Das Problem des Stillebens, in: Zeitschrift f. Ästhetik u. allgemeine Kunstwissenschaft 25, 1931, S. 49-58.
Wolf, Georg Jacob, Leibl und sein Kreis, München 1923.
Worp, Jacob A., Constantijn Huygens over de schilders van zijn tijd, in: Oud Holland 9, 1891, S. 106–136.
Worp, Jacob A., Fragment eener Autobiographie van Constantijn Huygens, in: Bijdragen en Mededelingen van het historisch Genootschap, Utrecht, 18, 1897, S. 1–122.
Wurzbach, Alfred von, Arnold Houbraken's Grosse Schouburgh der Niederländischen Maler und Malerinnen, Bd. I (= Quellenschriften für Kunstgeschichte und Kunsttechnik des Mittelalters und der Renaissance, Bd. XIV), Wien 1880.

Yvon, Pierre, Horace Walpole. 1717–1797. Essai de biographie psychologique et littéraire, Paris 1924.

Zedler, Johann Heinrich, Grosses vollständiges Universal-Lexikon, Bd. 40, 1962 (Photomechanischer Nachdruck der Ausgabe Leipzig und Halle 1744).
Zeri, Federico (Hrsg.), La natura morta in Italia, 2 Bde., Mailand 1989.
Zervos, Christian, Conversations avec Picasso, in: Cahiers d'Arts 10, 1935, S. 33.
Zimmermann, E., Das Bild als Wandschmuck, in: Die Kunst für Alle 9, 1883/84, S. 182–185.
Zola, Emile., L'Oeuvre (1886). Zola. Les Rougon-Macquart, hrsg. von A. Lanoux u. a., Bd. 4, Paris 1966.
Zola, Emile, Mes Haines. Causeries litteraires et artistiques, Paris 1923.
Zola, Emile, Salons, hrsg. von F. W. J. Hemmings und R. J. Niess., Genf/Paris 1959.

Verzeichnis der Abbildungen

1   Jacopo de'Barbari: *Totes Rebhuhn mit Armbrustbolzen und Hentzen* (München, Alte Pinakothek) 18
2   Quinten Massys: *Thronende Madonna* (Berlin, Gemäldegalerie) 33
3   Eduard Manet: *Portrait der Eva Gonzalès* (London, National Gallery) 38
4   Hendrik Pot: *Beim Malen eines Vanitas-Stillebens* (Den Haag, Museum Bredius) 39
5   Michelangelo da Caravaggio: *Fruchtkorb* (Mailand, Ambrosiana) 52
6   Michelangelo da Caravaggio: *Knabe mit Fruchtkorb* (Rom, Galleria Borghese) 58
7   David Teniers d. J.: *Die Gemäldesammlung des Erzherzogs Leopold Wilhelm*, Detail (Madrid, Museo Lázaro-Galdiano) 61
8   Eduard Manet: *Spargelbündel* (Köln, Wallraf-Richartz-Museum) 68
9   Eduard Manet: *Spargelstange* (Paris, Musée d'Orsay) 68
10 Maurice Denis: *Hommage an Cézanne* (Paris, Musée d'Orsay) 71
11 Pablo Picasso: Federzeichnung, *Zervos VI*, Nr. 1073 (Paris, Musée Picasso) 73
12 Victor Dubreuil: *Das Auge des Künstlers*, Detail (Youngstown [OH], The Butler Institute of American Art) 77
13 Wandmalerei aus Pompeji (Haus der Julia Felix), *Stilleben mit Vogelwild, Eiern und Gefäßen* (Neapel, Museo Nazionale) 94
14 Mosaik, *Ungefegter Boden* (Rom, Vatikanisches Museum) 101
15 Jan Bruegel d. Ä.: *Großer Blumenstrauß* (Mailand, Ambrosiana) 111
16 Jean-Baptiste-Siméon Chardin: *Das Olivenglas* (Paris, Musée du Louvre) 120
17 Jaspar Isaac: *Illustrationen zu Philostrats Xenia I. und II.* 142
18 Samuel van Hoogstraten: *Selbstbildnis mit Stilleben* (Rotterdam, Museum Boymans-van Beuningen) 162
19 René Magritte: *Ceci n'est pas une pipe*, Stich 218
20 Joseph Beuys, *Hasengrab V* (Alpen) (Stockholm, Nationalmuseum) 221
21 Johannes Torrentius: *Stilleben mit Kandare* (Amsterdam, Rijksmuseum) 231

Register

Addison, Joseph 28, 31 f., 150 ff.
Aelst, Evert van 23, 133
Aelst, Willem van 130 f.
Aertsen, Pieter 89
Alberti, Leon Battista 17, 109 f., 174
Albertis, Gaspare de 85
Amideni, Teodoro 175 f.
Andreae, Johann Valentin 254
Angel, Philips 56, 62, 90, 242
Angelier, Abel l' 144
Anne de Bretagne, Königin von Frankreich 43
Antonello da Messina 60
Apelles 121 f., 124
Apollinaire, Guillaume 208 ff.
Aristoteles 125, 133, 150, 196
Arundel, Thomas Howard, Earl of 155
Astruc, Zacharie 39

Baglione, Giovanni 82
Baillet de Saint-Julien, Louis Guillaume 26, 48, 82, 141
Bailly, David 26, 82, 116
Barbari, Jacopo de' 17 ff., 21, 40, 43, 50 f., 72, 79, 170, 172
Barthes, Roland 222
Baschenis, Evaristo 243 ff., 254
Beeck, Jan Simonsz van der s. Torrentius
Belli, Giuseppe 85
Beuys, Joseph 219 ff.
Beyeren, Abraham van 211
Bianchi, Ercole 112 ff.
Bie, Cornelis de 23, 26, 82, 114 ff., 238 ff.
Bimbi, Bartolomeo 247
Blumen-Bruegel s. Bruegel, Jan d. Ä.
Bodmer, Johann Jakob 24, 82 f.
Bonfini, Antonio 146
Borel, Pierre 55, 89
Borromeo, Federico Kardinal 40, 53, 85, 112 ff., 129, 146

Bosch, Lodewijk Jansz van den s. Valckenborch
Boschini, Marco 191, 196
Bosschaert, Ambrosius d. Ä. 40, 114, 236
Boulogne, Geneviève und Madeleine de 65
Bourdichon, Jean 43, 247
Braque, Georges 75, 209 f.
Brouwer, Adriaen 46, 58, 89, 159, 224
Bruegel, Jan d. Ä. (Blumen- oder Sammetbruegel) 28, 34, 40, 48, 53, 59, 87 f., 90, 111 ff., 125, 132 f., 146, 230, 236, 239
Bruegel, Pieter d. Ä. 44, 80
Brunelleschi, Filippo 66
Bruno, Giordano 238
Buonarrotti s. Michelangelo
Bürger, Wilhelm s. Thoré, Etienne
Burtin, François-Xavier de 30, 83

Campin, Robert s. Meister von Flémalle
Caravaggio, Michelangelo da 28, 52 ff., 58 f., 72, 88, 133, 158, 164, 175 f.
Caron, Antoine 144
Carracci, Agostino, Annibale und Ludovico 148
Casanova, Francesco 126
Cäsar 140
Castagnary, Jules-Antoine 69, 91, 197 f.
Castiglione, Baldassare 193
Cato 234
Cavagna 243 f.
Celan, Paul 78, 85, 92
Cennini, Cennino 41, 43
Céspedes, Pablo 156
Cézanne, Paul 22, 40, 64, 70 ff., 74, 85, 90, 119, 141, 200, 202 ff.
Chardin, Jean-Baptiste Siméon 22, 27, 29 f., 57, 64 f., 90 f., 119 ff., 126, 178, 180
Charles V, König von Frankreich 42

Chesneau, Nicolas 140
Cicero 87, 125, 140
Cimabue 116
Claesz, Pieter 7
Claude Lorrain 76, 183
Claudel, Paul 40, 85
Clouzot, Henry-George 37, 72
Cochin, Charles Nicolas 29 f., 83
Colbert, Jean-Baptiste 178
Corinth, Lovis 206 ff.
Courbet, Gustave 198, 201
Creuzer, Friedrich 35, 84
Crevalcore, Antonio da 47, 50

Dädalus 17
Daiber, Hans 76, 92
Dante Alighieri 41, 85
Danton Jr., Ferdinand 255
Darrou, Louise 91
Defoe, Daniel 83
Demetrios Polyorketes 156
Denis, Maurice 70 f.
Descamps, Jean-Baptiste 83, 172
Desgoffe, Blaise 211
Desportes, Nicolas 29
Diderot, Denis 29 ff., 35, 55, 64 f., 83 f., 90, 121 ff., 190, 196
Donatello 66 f., 91
Dou, Gerrit 51, 62, 88, 254
Drebbel, Cornelis 234, 254
Dryden, John 27, 83, 151, 153
Dubois, Jean-Baptiste 176, 183
Dubreuil, Victor 77 f., 255
Duchamp, Marcel 219
Duchemin, Catherine 65
Dufresnoy, Charles Alphonse 27, 45, 83, 147 ff., 151
Dürer, Albrecht 41, 43, 69, 79, 85

Eberl, Georg 35 f.
Elsheimer, Adam 184
Enault, Louis 251
Ephrussi, Charles 67, 91
Eusthatios 156

Eyck, Barthelemy d' 51, 86
Eyck, Hubert van 49
Eyck, Jan van 49, 85

Felibien, André 48, 55, 148, 176 ff., 183
Filarete 127 ff.
Foucault, Michel 215 ff.
Fouquet, Jean 85
Franz von Assisi 49
Fréart de Chambray, Roland de 183
Friedrich II., König von Preußen 26
Froissart, Jean 42

Gaddi, Taddeo 47, 87
Gasquet, Joaquim 202
Gaucher, Charles-Etienne 178 ff.
Gauguin, Paul 71, 212 f.
Gautier, Théophile 21 f., 80
Gervinus, Georg Gottfried 32, 84
Gheyn, Jaques de 40, 63, 114, 232 f., 235 ff., 253
Gijsbrecht, Cornelis Norbertus und Franciscus 251, 255
Giorgione (Giorgio da Castelfranco) 224 f.
Giotto di Bondone 48 f., 116, 227, 253
Giovanni da Udine 25ff, 34, 46 f., 50, 53, 56, 59, 82, 116, 224 ff., 245, 253
Giustiniani, Benedetto 175
Giustiniani, Leonardo 127 ff.
Giustiniani, Vincenzo 54, 175 f.
Gobbo da Cortona 82
Goethe, Johann Wolfgang von 16, 31 f., 34, 48, 64, 66, 84, 89 ff., 181 f., 185 ff., 189, 190, 196, 202, 223
Gogh, Vincent van 64, 182 ff., 210 ff., 222
Gonzalès, Eva 37 ff., 84
Goya, Francisco de 66
Graham, Richard 27 f. 32, 55, 83, 150 f., 153, 245 ff., 253
Greuze, Jean-Baptiste 73
Guarini, Domenico 43
Guarino da Verona 128
Guillemot, Matthieu 144
Günderode, Caroline von 35, 84

Haberle, John 251, 255
Hagedorn, Christian Ludwig von 189 f.
Hagedorn, Friedrich von 190, 196
Haillet de Couronne 30, 83
Harnett, William 40, 64, 247 ff., 255
Heem, Cornelis de 117
Heem, Jan Davidsz de 31, 76, 114 ff., 159, 164, 193, 241 f.
Hegel, Georg Wilhelm Friedrich 251, 255
Heidegger, Martin 213 f., 222
Herder, Johann Gottfried 190
Hoefnagel, Alexander 90
Hoefnagel, Georg 60
Hoefnagel, Jacob 235, 253
Hogarth, William 28, 152, 180 f.
Holbein, Hans d. J. 41 ff., 85
Homer 151
Honnecourt s. Villard
Hoogstraten, Samuel van 56, 60, 63 f., 69, 90, 153 f., 157 ff., 162, 170, 172, 224, 240, 242
Horaz 136, 187, 251
Horenbout, Gerard 41
Houbraken, Antonyna 242
Houbraken, Arnould 23 f.,82, 90 f., 163, 229, 240 ff.
Hübner, Johann 30, 83
Humboldt, Alexander von 35, 84
Huygens, Constantijn 56, 62 f., 223, 232 ff., 235, 237, 253 f.
Huysum, Jan van 124,189 f., 193

Ignatius (Heiliger) s. Loyola, Ignatius von
Isaac, Jaspar 142 ff.

Jon, François du s. Junius, Frans
Junius, Frans (Franciscus) 69, 154 ff., 157, 163 f., 170

Kalf, Willem 64, 76, 166, 171, 173
Kallistrat 140
Karl I., König von England 236
Keyser, Thomas de 254

La Porte, Roland de 29, 178
Lairesse, Gérard de 19, 27, 30, 63 f., 83, 89, 153 ff., 164 ff., 173
Le Brun, Abbé 178 ff., 184
Le Brun, Jean Baptiste Pierre 180
Leonardo da Vinci 41, 43, 48, 85, 88
Lepidus 105
Lessing, Gotthold Ephraim 190
Liebermann, Max 67, 69 f., 74, 201 f.
Limburg, Paul, Herman und Jean de 43
Liotard, Jean-Etienne 124 ff.
Lippus 157
Livius 140
Lorrain, Claude s. Claude Lorrain
Lorris, Guillaume de 87
Loutherbourg, Philippe Jacques de 126
Loyola, Ignatius von 66

Magritte, René 67, 215 ff., 252
Maltese, Corrado 193
Malvasia, Carlo Cesare 26, 82
Mander, Carel van 43, 228 ff.
Manet, Edouard 37 f., 67, 69, 84, 91, 198 ff., 252
Mantegna, Andrea 158, 164
Mantz, Paul 69
Marées, Hans von 206 ff.
Margarete von Österreich 41, 51
Massys, Quinten 31, 48
Matisse, Henri 74, 79
Matthias Corvinus, König von Ungarn 146
Meister von Flémalle 49, 88
Meléndez, Luis 247
Memling, Hans 49, 88
Merck, Johann Heinrich 190
Meun, Jean de 87
Meurer, Charles 255
Meyer, Johann Heinrich 31, 64, 74, 84, 187 ff., 194
Michelangelo Buonarrotti 158, 164, 224 f., 227
Mignard, Pierre 148
Mignon, Abraham 126
Milton, John 28, 31, 150 f.
Moholy-Nagy, László 77, 92

Morandi, Giorgio 75
Moser, Mary 65
Möser, Justus 31, 84
Müller von Königswinter, Wolfgang 182
Münstermann, Johannes 86

Nani, Giacomo 247
Negri, Stefano 146
Nero 46
Nicolai, Christian Friedrich 31, 83
Nicolaus von Cues 34, 50, 84, 91

Oldenburg, Claes 217 ff.
Oosterwijk, Maria van 65, 133, 240 ff.
Orsi, Prospero 88
Ovid 17, 80, 164, 229
Pace di Campidoglio, Michelangelo 28
Pacheco, Francisco 64, 117, 156, 172
Paleotti, Gabriele 174 f.
Parrhasios 45, 59, 87, 96, 105, 108, 116, 122, 124 f., 159, 164
Patenir, Joachim de 34
Pausias 104, 119
Peraïkos 27, 46, 54, 58, 69, 98 f., 105, 157 ff., 223 f., 228
Perdix 17
Pernety, Antoine Joseph 26, 82
Perrier, François 148
Perrot, Catherine 65
Peter der Große 47
Peto, John Frederick 251
Petrarca 48 f.
Petronius 102
Phidias 47, 88
Philostrat(os) 45 f., 54, 91, 97 f., 104 f., 134 ff., 136, 155
Picasso, Pablo 15, 37, 40, 66, 72 ff., 79, 92, 119, 209 f.
Pichore, Jean 42
Pieters, Geertje 241 f.
Piles, Roger de 2, 26 f. 45, 67, 82, 147 ff., 169, 171, 183
Plinius 27, 54, 69, 87, 98 f., 103 ff., 109, 125, 223 f.

Plutarch(us) 158
Porte, M. Roland de la 178
Pot, Hendrik 39 f.
Pourbus, Frans 44
Poussin, Nicolas 172, 177, 183
Procaccini, Carl' Antonio 28
Protogenes 17, 69, 154 ff., 157, 159, 171 f.
Proust, Marcel 76
Provost, Jan 87
Pseudo-Dionysius, Areopagita 237, 254

Quintilian 87, 154

Raffaello Santi 28, 34, 47, 56, 59, 148, 193, 224 ff., 253
Ramdohr, Friedrich Wilhelm Basilius von 31, 192 ff.
Razet, Jaques 228 f.
Redon, Odilon 71
Rembrandt Harmensz van Rijn 23 f., 154, 161, 163 f., 194, 196, 235, 253
Renoir, Auguste 70
Reynolds, Joshua (Sir) 153, 180 f.
Richardson, Samuel 31, 83
Rilke, Rainer Maria 204
Ring, Hermann tom 86
Ring, tom R., Malerfamilie 51
Rodin, Auguste 204
Rousseau, Henri 74
Rubens, Peter Paul 34, 59, 133
Ruttmann, Walter 78, 92
Ruysch, Rachel 65

Saless, Sohrab Shadid 92
Salmeggia 243 f.
Salmi, Mao 82
Sanchez Cotán, Juan 91
Sandrart, Joachim von 30
Savery, Roelandt 44, 87, 133
Schlegel, August Wilhelm 194 ff.
Schopenhauer, Arthur 56, 89
Schuch, Carl 64, 205 ff.
Schumann, Robert 32, 84
Schut, Cornelius 133

Scorel, Jan van 253
Seghers, Daniel (Pater) 130, 159, 164, 238 ff.
Seidel, Heinrich 57 f., 76, 89
Shaftesbury, A. A. Cooper, Earl of 89, 224
Snyder, Frans 28, 59, 90, 144, 236
Sosos 100f, 103
Strabon 156, 171 f.
Sulzer, Johann Georg 16, 132 f., 191, 193

Tacitus 140
Tassi, Francesco Maria 243 ff.
Tasso, Torquato 140
Teniers, David d. J. 60 f., 63, 90, 193
Thersites 158
Thomas Artus Sieur d'Embry 144 f.
Thoré, Etienne Joseph Theophile (Pseudonym Wilhelm Bürger) 22, 69, 81
Thümmel, Moritz A. 31, 84
Tiziano Vecellio 60, 148
Torrentius, Johannes 56, 62 f., 231 ff., 236 ff., 240, 254
Treitschke, Heinrich von 35, 84
Treu, Katherina 65
Trübner, Wilhelm 205 ff.

Udine, s. Giovanni da Udine

Valckenborch, Lodewijk Jansz van (van den Bosch) 50, 228 ff., 238, 253
Vallayer-Coster, Anne 65, 178, 180
Vasari, Giorgio 25, 27, 34, 46, 56, 66 ff., 82, 163, 223 ff., 245, 253

Vásquez, Alonso 117, 119
Vecchio, Boccardino 146
Velásquez, Diego de 22, 27, 85, 202
Vergil 151
Vertue 245 f.
Vigénère, Blaise de 54, 91, 137 ff.
Villani, Filippo 41, 85
Villard d'Honnecourt 42 f.
Visscher, Anna und Tesselschade 235
Visscher, Claes Jansz 254
Visscher, Roemer 238
Vitruv 46, 93, 95 ff., 102 f.
Vliet, Judith Willemsdr. van 23
Vos, Jan 130
Vouet, Simon 148
Vroom, Hendrick 236

Walpole, Horace 28, 48, 56, 60, 86, 223, 245 ff., 254
Watelet, Claude-Henri 153
Watteau, Jean-Antoine 76
Wijntgis, Melchior 228 f.
Winckelmann, Johann Joachim 172
Wölfflin, Heinrich 252

Zedler, Johann Heinrich 30, 83
Zeuxis 45, 58 f., 87, 96, 108 f., 116, 121, 124 f., 154, 157, 159, 164
Zola, Emile 39, 69 f., 199 ff.
Zoon, Jan van 28, 245 ff.
Zoppo, Marco 47, 88
Zovenzonio, Raffaello 47, 88

**Autoren und Autorinnen
der Kommentare und einleitenden Texte**

Eberhard König	E. K.
Bärbel Küster	B. K.
Christiane Schön	C. S.
Christian Vöhringer	C. V.

Die Autorenkennungen stehen jeweils am Ende des Kapitels oder der Kapitelteile und beziehen sich auf die voranstehenden Texte.

REIMER

Geschichte der klassischen Bildgattungen
in Quellentexten und Kommentaren

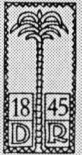

Band 1
Historienmalerei
Herausgegeben von Thomas W. Gaehtgens
und Uwe Fleckner
392 Seiten mit 20 Abbildungen
Broschiert / ISBN 3-496-01138-6

Band 2
Porträt
Herausgegeben von Rudolf Preimesberger
und Hannah Baader
ca. 250 Seiten mit ca. 20 Abbildungen
Broschiert / ISBN 3-496-01139-4

Band 3
Landschaftsmalerei
Herausgegeben von Werner Busch
ca. 250 Seiten mit ca. 20 Abbildungen
Broschiert / ISBN 3-496-01140-8

Band 4
Genremalerei
Herausgegeben von Barbara Gaehtgens
ca. 250 Seiten mit ca. 20 Abbildungen
Broschiert / ISBN 3-496-01141-6

Band 5
Stilleben
Herausgegeben von Eberhard König
und Christiane Schön
280 Seiten mit 22 Abbildungen
Broschiert / ISBN 3-496-01142-4

REIMER

REIMER

Hans Belting/Heinrich Dilly/Wolfgang Kemp/
Willibald Sauerländer/Martin Warnke (Hg.)
Kunstgeschichte
Eine Einführung
4. Auflage. 377 Seiten mit 56 Abbildungen
Broschiert / ISBN 3-496-00950-0

Marlite Halbertsma / Kitty Zijlmans (Hg.)
Gesichtspunkte
Kunstgeschichte heute
Aus dem Niederländischen von Thomas Guirten
306 Seiten mit 29 Abbildungen
Broschiert / ISBN 3-496-01133-5

Clemens Fruh / Raphael Rosenberg /
Hans-Peter Rosinski (Hg.)
Kunstgeschichte – aber wie?
308 Seiten mit 111 Abbildungen
Broschiert / ISBN 3-496-00971-3

Wolfgang Kemp (Hg.)
Der Betrachter ist im Bild
Kunstwissenschaft und Rezeptionsästhetik
355 Seiten mit 80 Abbildungen
Broschiert / ISBN 3-496-01088-6

Heinrich Dilly (Hg.)
Altmeister moderner Kunstgeschichte
295 Seiten mit 20 Abbildungen
Broschiert / ISBN 3-496-00470-3

Roelof van Straten
Einführung in die Ikonographie
Aus dem Holländischen von Rahel E. Feilchenfeldt
165 Seiten mit 61 Abbildungen und 3 Diagrammen
Broschiert / ISBN 3-496-00450-9

REIMER